Annette

Anfangs ist es die pure Verzweiflung, die Polly in den kleinen Inselort vor Cornwalls Küste verschlägt: Ihre Beziehung zu Chris ist genauso am Ende wie ihre gemeinsame Firma. Wegen der Schulden müssen sie auch noch die Wohnung verkaufen ... Tapfer krempelt Polly nun die Ärmel hoch – und während es unmöglich scheint, eine »anständige« Arbeit zu finden, wird aus ihrem Hobby plötzlich eine Berufung. Wer immer es probiert, weiß: Polly backt das beste Brot weit und breit. Die ersten Fans sind der Fischer Tarnie und seine Crew. Es folgen der Imker Huckle, Muriel aus dem Dorfladen, die ersten Urlauber ... Doch auch eine Feindin hat sie sich gemacht – ausgerechnet ihre Vermieterin, denn die ist die »echte« Bäckerin und eine einflussreiche Frau auf der Insel. Gut, dass sie wenigstens Neil hat, den kleinen Papageientaucher, der ihr in der ersten Nacht in der kleinen Bäckerei am Strandweg »zugeflogen« ist.
Ein Roman wie ein Urlaubstag am Meer – voller frischem Wind und Lebensfreude.

Jenny Colgan studierte an der Universität von Edinburgh und arbeitete sechs Jahre lang im Gesundheitswesen, ehe sie sich ganz dem Schreiben widmete. In England ist sie seit mittlerweile gut zehn Jahren eine Bestsellerautorin. Mit dem Marineingenieur Andrew hat Jenny Colgan drei Kinder, und die Familie lebt etwa die Hälfte des Jahres in Frankreich.

Sonja Hagemann wurde 1979 in Westfalen geboren und studierte literarisches Übersetzen an der Universität Düsseldorf. Sie lebt als Übersetzerin aus dem Spanischen und Englischen in Barcelona.

JENNY COLGAN
Die kleine *Bäckerei* am Strandweg

Roman

Aus dem Englischen
von Sonja Hagemann

Berlin Verlag Taschenbuch

Mehr über unsere Bücher und Autoren:
www.berlinverlag.de

ISBN 978-3-8333-1053-9
Juli 2016
6. Auflage 2016
Die Originalausgabe erschien unter dem Titel
The Little Beach Street Bakery bei Sphere Books, UK
© Jenny Colgan 2014
Für die deutsche Ausgabe
© Berlin Verlag in der Piper Verlag GmbH,
München und Berlin 2016
Alle Rechte vorbehalten
Umschlaggestaltung: ZERO Werbeagentur, München
Umschlagmotiv: FinePic®, München
Gesetzt aus der Joanna MT von hanseatenSatz-bremen, Bremen
Druck und Bindung: CPI books GmbH, Leck
Printed in Germany

Für Anna-Marie Fourie,
meine liebe Erstleserin und Freundin in weiter
Ferne, die das Warten auf die Heimkehr eines
Menschen auf See nur zu gut kennt

Ich wünscht, ich wär ein Fischersmann
Und wogte auf dem Meer,
Weit, so weit vom festen Land
Und seinen Sorgen schwer.
Ich würfe meine Angel aus
Mit Leidenschaft und Glut,
Kein Dach, das mir den Atem raubt,
Oben nur Sternenflut.
Und mit dir im Arm
Wär mir so leicht zumut – –
Juchhe!

Fisherman's Blues
The Waterboys

Zu Schiff nun, liebe Mannen
Wir segeln vor Tagesschein
Da sprach ein alter Matrose:
»Sir Patrick, das kann nicht sein.
Ich hört' in meiner Koje
Die Windsbraut, wie sie gelacht,
Und der neue Mond hielt den alten
Im Arme letzte Nacht.«

Sir Patrick Spens
Traditionelle Ballade aus dem vierzehnten Jahrhundert in der Nachdichtung von Theodor Fontane

Kapitel 1

Manchmal stellte Polly sich vor, wie sie es viele Jahre später, als alte Dame an einem weit entfernten Ort, schwierig fände, ihr Leben auf Mount Polbearne zu erklären. An manchen Tagen konnte man von dort mit dem Auto aufs Festland fahren, manchmal musste man aber das Boot nehmen. Gelegentlich waren die Menschen auch für längere Zeit vom Rest der Welt abgeschnitten, und es wusste niemand, wann das eintreffen würde und für wie lange. Der Gezeitenkalender konnte eben nur Ebbe und Flut vorhersagen, aber nicht das Wetter.

»Aber war das denn nicht fürchterlich?«, würde man sie fragen. »Zu wissen, dass es keine Verbindung zum Festland gab?«

Polly dachte dann daran, wie die Sonnenstrahlen auf dem Hochwasser glitzerten und schließlich ihre Farbe änderten. Dann leuchtete das Meer im Westen pink, rosa oder lila im Licht des Sonnenuntergangs. Bei diesem Anblick wurde einem klar, dass ein anderer Tag vorbeigezogen war und man weiterhin festsaß.

»Ehrlich gesagt nicht«, würde sie sagen. »Das war wirklich schön. Man musste es sich einfach nur mit den anderen Bewohnern von Polbearne gemütlich machen. Dann musste man halt aufpassen, dass man alles hochgestellt, außer Reichweite des Wassers gebracht hatte. Und wenn wir noch Strom hatten, war das natürlich super, aber wenn nicht, na ja, kam man auch irgendwie klar. Und dann flackerten hinter all den kleinen Fensterscheiben eben Kerzen. Das war so behaglich.«

»Das klingt wie vor hundert Jahren.«

Polly würde lächeln. »Ich weiß. Aber so lange ist das in Wirklichkeit noch gar nicht her … Mir kommt es vor, als wäre es gestern gewesen. Wenn man sein Herz an einen Ort verliert, dann trägt man ihn eben immer in sich.«

2015

Polly blätterte die Papiere im glänzenden Ordner mit dem Foto eines Leuchtturms durch, das doch wirklich hübsch war. Sie versuchte eben mit aller Kraft, das Positive zu sehen.

Und die beiden Männer im Raum waren sympathisch, viel freundlicher als eigentlich nötig. Ehrlich gesagt waren sie so nett, dass es Polly dadurch merkwürdigerweise nicht besser, sondern eher schlechter ging. Statt wütend werden zu können oder eine Abwehrhaltung einzunehmen, war sie einfach nur traurig.

Chris und sie waren damals so stolz auf ihr kleines Büro im ehemaligen Bahnhof gewesen, in dessen hinterem Zimmer sie jetzt saßen. Der frühere Warteraum mit seinem nicht funktionierenden Kamin war einfach zauberhaft und schnuckelig.

Aber inzwischen herrschte in beiden Räumen das totale Chaos: Überall lagen Papiere und Ordner herum, Computer wurden hin und her geschoben, und die beiden reizenden Herren von der Bank gingen alles durch. Chris saß da und schmollte, er sah aus wie ein kleiner Junge, dem man sein Lieblingsspielzeug weggenommen hatte. Polly hingegen versuchte, sich nützlich zu machen, huschte hin und her, fing gelegentlich jedoch einen sarkastischen Blick von Chris auf, mit dem er zu sagen schien: »Warum bist du bloß so zuvorkommend zu diesen Typen, die uns doch fertigmachen wollen?« Und damit hatte er nicht ganz unrecht, aber sie konnte einfach nicht anders.

Später kam Polly dann in den Sinn, dass die Bank vermutlich aus gutem Grund so nette Angestellte schickte – um Konfrontationen und Streit zu vermeiden und damit die Leute kooperierten. Das machte sie traurig, ihretwegen und auch wegen Chris, aber genauso wegen dieser reizenden Männer, die von Berufs wegen den ganzen Tag mit dem Elend anderer Menschen zu tun hatten. Und das alles war doch wirklich nicht ihre Schuld, auch wenn Chris es natürlich so sah.

»Also«, erklärte nun der ältere der beiden Männer, ein Inder, der einen Turban trug und auf dessen Nasenspitze eine kleine Brille thronte. »Normalerweise werden Insolvenzverfahren vor dem Bezirksgericht verhandelt. Sie müssen dabei nicht beide anwesend sein, es reicht, wenn einer der Direktoren daran teilnimmt.«

Polly war beim Wort »Insolvenz« zusammengezuckt. Das hörte sich so ernst und endgültig an. Bankrott gingen doch normalerweise nur Promis und alberne Popstars, keine hart arbeitenden Menschen wie sie.

Chris schnaubte sarkastisch. »Das kannst ruhig du übernehmen«, sagte er zu Polly. »So was machst du doch gern.«

Mitfühlend sah der jüngere Mann Chris an. »Wir können uns natürlich gut vorstellen, wie schwierig das für Sie sein muss.«

»Wieso?«, fragte Chris. »Sind Sie etwa auch schon mal pleitegegangen?«

Polly starrte wieder den hübschen Leuchtturm an, aber das Bild hatte seine Wirkung leider verloren. Deshalb dachte sie lieber an etwas anderes und bewunderte jetzt Chris' wunderbare Zeichnungen, die sie vor sieben Jahren bei ihrem Einzug hier aufgehängt hatten. Damals hatten sie beide sich als Mittzwanziger voller Enthusiasmus in das Abenteuer gestürzt, eine Firma für Grafikdesign zu gründen. Am Anfang war es gut gelaufen, Chris hatte aus seinem alten Job ein paar Kunden mitgebracht, und auf der kaufmännischen Seite hatte Polly unermüdlich geschuftet, Networking betrieben, neue Aufträge an Land gezogen und nicht nur Prospekte von Firmen an ihrem Wohnort Plymouth reingeholt, sondern ihren Wirkungskreis bis auf Exeter und Truro erweitert.

Sie investierten in Plymouth in eine Wohnung in einem neu erschlossenen Gebiet am Wasser, in ein minimalistisches und hochmodernes Apartment. Dann zeigten sie sich in all den Restaurants und Bars, in denen man gesehen werden musste. Und es lief gut – zumindest eine Zeit lang. Sie kamen sich wie echte Senkrechtstarter vor und erzählten den Leuten gerne von ihrer eigenen Firma. Aber dann kam 2008 nicht nur die Bankenkrise – neue Computertechnik machte es auch einfacher als je zuvor, Bilder zu bearbeiten und selbst grafisch zu arbeiten. Viele Unternehmen erteilten keine Aufträge mehr, weil sie Kosten senken wollten und Selbstständige einsparten. Chris zufolge ging damit die Qualität des Grafikdesigns den Bach runter, aber vieles wurde jetzt einfach von eigenem Personal erledigt. Es wurde gemacht, aber eben nicht mehr von ihnen.

Polly arbeitete sich die Finger wund. Ohne Unterlass pries sie die Arbeit ihrer talentierten besseren Hälfte an, lockte mit Rabatten und brachte Aufträge rein. Chris hingegen zog sich völlig in sein Schneckenhaus zurück und pflegte seinen Groll gegen eine Welt, die seine wunderbaren Zeichnungen und handgemalten Schriftzüge verschmähte. Während er bockig und schweigsam wurde, versuchte Polly, dem mit einer positiven Einstellung entgegenzuwirken. Es war jedoch gar nicht so einfach, das durchzuhalten.

Irgendwann hatte dann selbst sie ihn angefleht, die Firma aufzugeben und sich anderswo einen Job zu suchen. Damals hatte sie sich von ihm anhören müssen, dass sie nicht zu ihm hielt und gegen ihn intrigierte.

Das war schon ein Weilchen her, aber trotzdem wollte Polly nicht einmal sich selbst eingestehen, wie erleichtert sie war, dass nun endlich alles vorbei war. Natürlich war das Ganze nicht angenehm, vielmehr ganz furchtbar und peinlich. Dabei ging es schließlich vielen Leuten so, die mit ihnen früher durch die Bars in Plymouths trendigem Zentrum gezogen waren. Jeder kannte irgendwen, der dasselbe durchgemacht hatte.

Pollys Mutter hingegen konnte das alles gar nicht verstehen, für sie kam eine Insolvenz quasi einem Aufenthalt im Knast gleich.

Sie würden die Wohnung verkaufen und noch einmal ganz von vorn anfangen müssen. Aber dieser Besuch von Mr Gardner und Mr Bassi von der Bank bedeutete zumindest, dass endlich etwas passierte und jetzt alles geregelt wurde. Die letzten zwei Jahre waren sowohl in beruflicher als auch in persönlicher Hinsicht elend und entmutigend gewesen. Die ganze Sache hatte ihre Beziehung auf eine harte Probe gestellt. Eigentlich waren sie fast zwei Leute geworden, die sich eher unfreiwillig eine Wohnung teilten. Polly fühlte sich völlig ausgelaugt.

Als sie nun zu Chris rübersah, bemerkte sie in seinem Gesicht Falten, die ihr vorher noch nie aufgefallen waren. Andererseits musste sie sich auch eingestehen, dass sie ihn schon länger nicht mehr richtig angesehen hatte. Sie war immer als Erste nach Hause gegangen, während er noch im Büro geblieben war und stundenlang an den wenigen Aufträgen gefeilt hatte, als könnte er durch Perfektionismus das Unausweichliche abwenden. Wenn er dann heimgekommen war, war sie seinem Blick am Schluss lieber ausgewichen, weil er ihr jedes Mal wie eine Anklage, eine Schuldzuweisung vorgekommen war.

Eins war schon seltsam – wäre hier nur ihre Beziehung in die Brüche gegangen, dann wären alle mitfühlend gewesen, hätten ihnen zu helfen versucht, hätten ihnen mit Ratschlägen tröstend zur Seite gestanden. Aber die Unternehmenspleite schien die Leute zu verschrecken, man hatte zu viel Angst, dazu etwas zu sagen. Man blieb auf Distanz und stellte kaum Fragen, und das galt selbst für Pollys beherzte beste Freundin Kerensa.

Vielleicht lag es an der Furcht vor Armut – die Angst vor dem Verlust des hart erarbeiteten Lebensstandards schien in den Menschen tief zu gründen. Und daher hielten sie sich lieber fern, falls das irgendwie ansteckend sein sollte. Vielleicht war den Leuten ihr Verhalten auch gar nicht klar, oder sie und Chris hatten einfach zu lange die perfekte Fassade aufrechterhalten. Sie hatten gute Miene zum bösen Spiel gemacht, bei Verabredungen zum Essen mit Kreditkarte bezahlt und die Luft angehalten, wenn der Kellner die Karte durchzog. Zu Geburtstagen hatten sie selbst gemachte Geschenke mitgebracht – zum Glück konnte Polly backen, das hatte sich als extrem nützlich erwiesen. Den schicken schwarzen Mazda hatten sie noch, obwohl der jetzt natürlich auch verschwinden musste. Aber das Auto war Polly sowieso egal, wichtig war ihr Chris. Oder er war es zumindest gewesen, aber den alten Chris hatte sie eigentlich schon seit einem Jahr nicht mehr zu Gesicht bekommen. Den liebevollen, witzigen Mann, der am Anfang ihrer Beziehung so schüchtern gewesen und dann richtig aufgeblüht war, nachdem er sich als Grafikdesigner selbstständig gemacht hatte. Die beiden waren ein Team, und Polly unterstützte ihn bei allem. Wie sehr sie an ihn glaubte, bewies sie ihm dann auch, als sie bei der Firma einstieg. Sie investierte ihre gesamten Ersparnisse in das Unternehmen (von denen nach der Hypothek allerdings nicht mehr viel übrig geblieben war), bezirzte Kunden, blieb am Ball und kämpfte um jeden einzelnen Auftrag, wobei sie sich jedoch langsam, aber sicher an den Rand der Erschöpfung arbeitete.

Und damit machte sie es nur noch schlimmer. Der Frühling war eisig kalt, eigentlich fühlte er sich eher wie ein endloser Winter an. An jenem verhängnisvollen Abend kam Chris nach Hause, und sie sah ihm in die Augen, schaute ihn dieses eine Mal wirklich an. »Das war's«, versetzte er grimmig.

Die Lokalzeitungen machten zu, also ging die Nachfrage nach Layout und Grafikdesign zurück ... Und die meisten Firmen brauchten eigentlich auch keine Flyer mehr, oder falls doch, entwarf sie der Inhaber selbst und druckte die Dinger dann einfach aus. Inzwischen war eigentlich jeder sein eigener Fotograf und Designer und übernahm, was Chris einst mit so viel Sorgfalt und Liebe zum Detail erledigt hatte. Es lag nicht nur an der Krise, obwohl die natürlich nicht gerade geholfen hatte. Die Welt veränderte sich einfach. Chris hätte genauso gut versuchen können, Piepser oder Kassetten zu verkaufen.

Sie hatten schon seit Monaten keinen Sex mehr, und wenn

Polly in den frühen Morgenstunden aufwachte, lag Chris oft hellwach neben ihr, rechnete im Kopf alles durch oder ließ sich einfach von Sorge und Qual zerfressen. Dann suchte sie vergeblich nach den passenden Worten, um ihn zu trösten.

»Das bringt doch nichts«, knurrte er bei jedem ihrer Vorschläge, von Hochzeitskarten bis hin zu Schuljahrbüchern. Oder: »Ist doch eh alles aussichtslos.« Er wurde immer unzugänglicher, bis die Zusammenarbeit zwischen ihnen fast unmöglich geworden war. Und weil Chris Pollys Geschäftsideen nicht passten, aber kaum noch Aufträge reinkamen, hatte auch Polly immer weniger zu tun. Chris ging morgens als Erster aus dem Haus, um eine Runde zu joggen, das war seine einzige Chance, Stress abzubauen, wie er betonte. Sie biss sich auf die Lippe und hielt ihm nicht vor, dass er ihre Vorschläge in diese Richtung alle abschmetterte – ein Spaziergang, vielleicht runter zum Strand, ein Picknick, Sachen, die nichts kosteten. Er fauchte dann, dass doch sowieso alles sinnlos sei und er darauf nun wirklich keine Lust habe.

Polly versuchte auch, ihn zum Arzt zu schicken, aber das war ebenfalls reine Zeitverschwendung. Chris wollte einfach nicht zugeben, dass mit ihm irgendetwas nicht stimmte – mit ihm, mit ihnen, mit einfach allem. Angeblich war das nur eine schwierige Phase, bald würde sich alles wieder einrenken. Dann erwischte er sie bei der Jobsuche im Internet, und das brachte das Fass zum Überlaufen. Beim Streit an diesem Abend flogen beinahe die Teller, und es kam alles ans Licht: dass Chris sich Geld geliehen hatte und die Situation viel schlimmer war, als er Polly gegenüber je zugegeben hatte. Irgendwann hatte sie ihn nur noch mit offenem Mund angestarrt.

Eine Woche, eine quälend lange Woche später gab er

schließlich klein bei, setzte sich mit ihr hin und sah ihr in die Augen. »Das war's.«

Und jetzt hockten sie hier zusammen mit den reizenden Männern von der Bank in den Trümmern ihres Unternehmens. All die Träume, all die hochfliegenden Pläne, die sie in besseren Zeiten geschmiedet hatten, waren dahin. Es blieb nichts mehr von den Unterlagen, die Chris einst unterschrieben hatte. Nach der Unterzeichnung hatten sie eine Flasche Champagner aufgemacht, den Schreibtisch im zauberhaften kleinen Büro damit getauft und ihre Anzeige in den Gelben Seiten bewundert. Und nun waren all diese Dinge von einer Welt geschluckt worden, der es offenbar völlig egal war, wie sehr sie geschuftet oder wie sehr sie sich den Erfolg gewünscht hatten. Im wahren Leben waren diese ganzen Realityshow-Klischees nämlich völlig irrelevant. Es war vorbei, und das konnten auch alle Leuchtturmbilder der Welt nicht ändern.

Kapitel 2

»Also, das bleibt mir noch«, sagte sich Polly, die bei ihrem Fußmarsch durch die Stadt vom kalten Frühlingswind ordentlich durchgepustet wurde. Sie versuchte verzweifelt, sich zusammenzureißen und sich auf die positiven Dinge in ihrem Leben zu konzentrieren. Schließlich war sie mit ihrer besten Freundin zum Krisengipfel verabredet und wollte ihr nicht tränenüberströmt gegenübertreten.

»Ich bin gesund. Abgesehen von meinem wackeligen Knöchel, den ich mir – selbst schuld – beim Tanzen verknackst hab, geht es mir gut. Ich bin im Vollbesitz meiner Kräfte. Mein Geld ist durch die Firma zwar futsch, aber es verlieren doch ständig Leute noch viel größere Summen. Von Naturkatastrophen bin ich bislang verschont geblieben, und meiner Familie geht es gut, auch wenn sie ziemlich nervt. Meine Beziehung … na ja, andere Menschen machen Schlimmeres durch, viel Schlimmeres. Wenigstens müssen wir uns nicht scheiden lassen und –«

»Hast du sie noch alle?«, fragte Kerensa laut. Obwohl sie Schuhe mit unglaublich hohen Absätzen trug, hatte sie Polly in ihren Chucks auf dem Weg von der Unternehmensberatung nach Hause problemlos eingeholt. »Deine Lippen bewegen sich ja. Vielleicht wirst du langsam doch noch verrückt. Und, weißt du …«

»Was denn?«

»Na ja, daraus könntest du vielleicht sogar Kapital schlagen. Behinderte kriegen doch bestimmt eine Rente.«

»KERENSA!«, fauchte Polly. »Du bist einfach furchtbar! Und nein. Wenn du es unbedingt wissen willst – ich hab mir die positiven Aspekte meines Lebens aufgesagt und war gerade bei ›Wenigstens müssen wir uns nicht scheiden lassen‹.«

Vermutlich zog Kerensa jetzt ein langes Gesicht, aber das Botox machte es einem manchmal nicht leicht, ihre Miene korrekt zu interpretieren. Zum Glück verlieh sie ihrer Meinung immer direkt lautstark Ausdruck.

»Gott im Himmel, ernsthaft? Was steht denn sonst noch auf deiner Liste, etwa dass du zwei Arme und Beine hast?«

»Ich dachte, wir wollten uns treffen, damit du mich ein bisschen aufmuntern kannst.«

Kerensa hielt die Tüte eines Weinladens hoch, in der etwas leise klirrte.

»Ja, allerdings. Also, wie sehen die weiteren Punkte auf deiner Liste aus? Dass du arbeits- und obdachlos bist, hast du vermutlich außen vor gelassen, was?«

Inzwischen hatten sie Kerensas makelloses kleines Häuschen erreicht. Neben der polierten roten Tür mit dem Messingklopfer standen rechts und links zwei Orangenbäumchen.

»Ehrlich gesagt bin ich langsam nicht mehr so sicher, ob ich noch mit reinkommen will«, maulte Polly, meinte es aber nicht ernst. So war Kerensa eben, sie packte den Stier gern bei den Hörnern. Diese Strategie hätte Polly im letzten Jahr vielleicht auch lieber anwenden sollen, während die Firma bankrottging und Chris sich immer weiter zurückzog.

Polly hatte Kerensa nur ein einziges Mal um einen Rat gebeten, nach ein paar Gläsern zu viel auf einer Weihnachtsparty vor x Jahren. Kerensa hatte ihr damals gesagt, dass ihre Geschäftsidee riskant sei, und sie dann gebeten, sie nicht noch einmal zu fragen. Polly hatte sich eingeredet, dass doch alle Geschäftsideen riskant waren, und das Thema seitdem nicht mehr angesprochen.

»Ach, komm doch rein, wenn du schon mal hier bist, ich kann doch unmöglich all diese Pringles allein essen«, verkündete Kerensa ungerührt und zog ihren Schlüssel mit dem Tiffanys-Anhänger hervor.

»Du isst doch nie Pringles«, grummelte Polly. »Du stellst die immer nur hin und sagst dann: ›Oh, ich musste heute Mittag so einen Riesenlunch essen, den ich mir in Wirklichkeit nur ausdenke, iss du doch bitte die Pringles, sonst werden die nämlich schlecht.‹ Was übrigens gar nicht stimmt.«

»Na ja, wenn du bleiben würdest, dann könntest du sie auch ganz langsam und genüsslich verspeisen, statt sie runterzuschlingen, als wärst du am Verhungern.«

Bevor Polly noch irgendwas erwidern konnte, hob Kerensa beide Hände. »Na los, komm schon, wenigstens heute Nacht.«

»Okay«, sagte Polly.

Polly musste die Augen schließen, um es auszusprechen, aber da erschienen vor ihrem inneren Auge Mr Gardner und Mr Bassi, die es ihnen verkündeten: Sie würden die Wohnung an die Bank verlieren. Bei dieser Nachricht hatte ihre Mum reagiert, als hätten sie ihren Erstgeborenen verkauft. Kein Wunder, dass Polly ihrer Mutter möglichst wenig anvertraute.

»Also, ich versuche ja, die positiven Aspekte zu sehen.«

»Die positiven Aspekte der Obdachlosigkeit?«

»Sei nicht so gemein. Und ich kann mir jetzt endlich mal was für mich selbst suchen.«

Kerensa versuchte, die Stirn zu runzeln, und starrte dann auf den Schleier von Chipskrümeln hinunter, den Polly auf ihrem BoConcept-Sofa verteilt hatte.

»Nur für dich?«

Polly biss sich auf die Unterlippe. »Also, wir trennen uns jetzt nicht oder so. Aber ich kann mir einfach nicht vorstellen, wie wir zu zweit in einer fürchterlichen, winzigen Mietwohnung aufeinanderhocken…«

Sie holte tief Luft und trank dann einen großen Schluck Wein.

»Chris hat gesagt, dass er vorübergehend wieder bei seiner Mutter einzieht. Nur bis … bis wir das wieder auf die Reihe kriegen. Weißt du, was ich meine? Bis wir sehen, wie es zwischen uns steht.«

Polly tat ihr Bestes, um es so klingen zu lassen, als wäre diese Entscheidung durch ruhiges, vernünftiges Abwägen gefällt worden, nicht durch lautes Streiten mit anschließendem Schmollen.

»Ich meine, ein Tapetenwechsel tut uns bestimmt gut.«

Kerensa nickte mitfühlend.

»Bis die Wohnung verkauft ist … stehe ich aber leider mit leeren Händen da. Wenn wir dafür mehr kriegen als erwartet, dann sind damit eventuell die Schulden getilgt, aber…«

»Aber du rechnest nicht damit?«

»Bei meinem Glück im Moment«, sagte Polly, »kriege ich bestimmt kaum etwas zurück. Und wenn ich dann mit meinem Geld in der Hand aus der Bank trete, schlägt der Blitz ein und lässt es in Flammen aufgehen. Danach knallt mir vermutlich ein Klavier auf den Kopf, und ich falle in einen Gully.«

Kerensa tätschelte ihr die Hand. »Und wie sieht es bei Chris aus?«

Polly zuckte mit den Achseln. »Im Prinzip genauso. Diese Konkursverwalter waren wirklich nett, also den Umständen entsprechend.«

»Was für ein fürchterlicher Job.«

»Aber die haben wenigstens Arbeit«, sagte Polly. »Was ich im Moment schon beeindruckend finde.«

»Schaust du dich denn nach was Neuem um?«

»Oh ja«, sagte Polly. »Aber ich bin offenbar für jede einzelne Stelle auf diesem Planeten überqualifiziert und zu alt. Außerdem scheint für Einstiegsjobs heute niemand mehr bezahlt zu werden. Und ich bräuchte erst mal dringend eine Postanschrift.«

»Du weißt doch, dass du hier wohnen kannst«, sagte Kerensa augenblicklich.

Polly sah sich in diesem absolut perfekten, makellosen Singlefrauen-Bau um. Kerensa konnte sich die Männer aussuchen – kein Wunder, bei ihrem durchtrainierten Körper, ihren teuren Klamotten und ihrer erbarmungslosen Arroganz –, hatte aber nicht die geringste Lust auf etwas Ernsthaftes. Sie war wie eine Rassekatze, während Polly selbst sich eher wie ein freundlicher, aber leicht verwahrloster Hund vorkam. Vielleicht wie ein Cockerspaniel, schließlich hatte sie rötlich blondes Haar und wenig markante Gesichtszüge.

»Ich würde lieber in einer Tonne schlafen, als unsere Freundschaft damit aufs Spiel zu setzen, dass wir uns wieder die Wohnung teilen.«

»Wir hatten doch eine super Zeit«, wandte Kerensa ein.

»Hatten wir nicht«, entgegnete Polly. »Du warst jedes Wochenende mit lauten Arschlöchern auf ihrem Boot unterwegs und hast nie abgewaschen!«

»Also erstens hab ich dich jedes Mal gefragt, ob du nicht mitkommen willst.«

»Und ich hab immer Nein gesagt, weil das eben Arschlöcher waren.«

Kerensa zuckte mit den Achseln. »Und zweitens hab ich deshalb nie abgewaschen, weil ich da doch nie was gegessen hab. Du warst diejenige, die überall Mehl und Hefe verteilt hat.«

Das mit dem Backen hatte Polly nie ganz aufgegeben. Kerensa hingegen hielt Kohlenhydrate für Gift und war fest davon überzeugt, dass sie eine Glutenallergie hatte. Eigentlich war es ein Wunder, dass die beiden immer noch so gut befreundet waren.

»Trotzdem, keine Chance!«, sagte Polly traurig. »Aber Himmel, ich bin auch nicht in der Verfassung dazu, in eine WG mit irgendwelchen Mittzwanzigern zu ziehen und so zu tun, als wäre ich so jung und hip wie die.«

Sie war dieses Jahr 32 geworden und fragte sich gerade, ob einer der winzigen Vorteile ihrer Insolvenz womöglich darin bestand, dass sie nicht mehr ständig für alle Welt Hochzeits- und Taufgeschenke kaufen musste.

Kerensa lächelte. »Das wäre vielleicht gar keine schlechte Idee. Mit denen könntest du wieder durch die Clubs ziehen.«

»O Gott!«

»Und die ganze Nacht aufbleiben, einen Joint rumgehen lassen und über den Sinn des Lebens diskutieren.«

»Ach du jemine.«

»Oder zu Musikfestivals gehen und da zelten.«

»Jetzt mal im Ernst«, sagte Polly, »ich bin schon fertig genug, da musst du nicht auch noch Salz in die Wunden streuen. Riesel, riesel.«

Mit einer Miene der perfekt einstudierten Verzweiflung auf ihren Zügen reichte Kerensa ihr die Pringlesdose. »Na, sag ich doch, dann wohnst du eben hier bei mir.«

»Für unbegrenzte Zeit auf deinem unbezahlbaren Sofa in deiner Einzimmerwohnung?«, murmelte Polly. »Nein, danke, es ist wirklich wahnsinnig nett von dir, mir das anzubieten, aber ich suche erst mal im Internet. Was für mich allein. Das wird bestimmt ... cool.«

Schweigend beugten sich die beiden Freundinnen über den Laptop. Polly scrollte durch die Liste mit Wohnungen im Rahmen des von der Bank festgelegten Budgets. Das war kein schöner Anblick, ehrlich gesagt schienen die Mieten in letzter Zeit wie verrückt in die Höhe geschossen zu sein. Es war furchtbar.

»Das ist ja kaum ein Schrank«, sagte Kerensa von Zeit zu Zeit. »Und die Wohnung da hat keine Fenster. Warum haben die denn ein Foto von dieser fleckigen Mauer eingestellt? Wie sehen dann wohl erst die anderen Wände aus? Oh, diese Straße kenne ich aus der Zeit, in der ich mit dem Sanitäter zusammen war, da gehen ständig irgendwelche Typen mit Flaschen aufeinander los.«

»Es gibt einfach nichts«, sagte Polly, in der langsam Panik aufstieg. Ihr war wirklich nicht klar gewesen, wie verhältnismäßig niedrig ihre Hypothek gewesen war und wie hoch die Mieten. »Hier ist absolut nichts zu finden.«

»Wie sieht es denn mit diesen Manager-WGs aus?«

»Die sind unglaublich teuer, und außerdem muss man da für einen Satellitenfernsehanschluss zahlen und sich die Wohnung vermutlich mit einem Freak teilen, der in seinem Zimmer Hanteln stemmt.«

Je weiter Polly nach unten scrollte, desto unruhiger wurde sie. Sie war nicht sicher, wie weit sie ihre Erwartungen noch herunterschrauben konnte, aber je mehr sie darüber nachdachte, umso klarer wurde ihr, dass sie unbedingt allein leben musste. So sehr sie sich auch bemühte, vor Kerensa, Chris und ihrer Mutter die Fassung zu wahren – ihr war etwas Schlimmes passiert, und davon würde sie sich nicht so schnell erholen. Die Aussicht, sich abends in den Schlaf zu weinen, während um sie herum jugendliche Mitbewohner einen auf Party machten, war einfach zu viel. Sie musste sich erst einmal zurückziehen und mit sich selbst klarkommen. Und deshalb konnte sie jetzt wirklich nicht auf zehn Jahre jünger machen und über Boybands quatschen. Oder zu ihrer Mutter zurückziehen. Mum liebte sie ja auf ihre Weise und würde alles für sie tun. Aber sie würde auch seufzen, sich besorgt nach Chris erkundigen und die Enkelkinder anderer Leute erwähnen ... Nein. Pollys Verhältnis zu ihr war schon in Ordnung, dem Zusammenleben mit ihr würde es aber nicht standhalten.

Okay, also was dann?

KAPITEL 3

Am nächsten Morgen stand Kerensa früh auf und ging um kurz nach sechs aus dem Haus, um in einem Park in der Nähe British Military Fitness zu machen, obwohl doch März war und Regen ans Fenster prasselte. Natürlich hatte sie Polly aufgefordert mitzukommen, die hatte jedoch nur gestöhnt und sich noch einmal umgedreht. Sie hatte einen kleinen Kater und immer noch den Geschmack von Pringles auf der Zunge.

Als Kerensa weg war, kochte Polly erst einmal Kaffee und versuchte, das winzige, absolut makellose Häuschen aufzuräumen. Aber das brachte ja doch nichts, ihre kleine Reisetasche schaffte Unordnung in diesem Apartment, und sie würde einfach nie begreifen, warum die Kissen bei ihr nicht so perfekt aufrecht stehen blieben wie bei Kerensa. Als Polly dann nach ihrem Kaffee griff, verschüttete sie etwas davon auf den sündhaft teuren Teppich und fluchte. Nein, das hatte einfach keine Zukunft.

Deshalb schmiss sie noch einmal den Laptop an. Die Stellenanzeigen konnten warten, erst einmal brauchte sie jetzt eine Bleibe.

Dieses Mal ging sie es langsamer an und schaute sich jede einzelne Wohnung in Plymouth an, die sie sich leisten konnte. Alle waren entweder ganz grauenhaft oder lagen in einer Gegend, in der sie sich ohne Auto nicht sicher fühlen würde. Polly scrollte bis zur allerletzten Seite durch. Das war es also, mehr gab es nicht. Unter den Angeboten war nichts gewesen, was sie sich wenigstens gern mal angesehen hätte, geschweige denn wo sie beruhigt einziehen würde.

Natürlich hatte ihr nicht nur Kerensa ihr Sofa angeboten, sondern auch noch andere Freunde, aber allein den Gedanken an die bangen Fragen nach ihrem Befinden und das besorgte Murmeln konnte Polly nicht ertragen. Außerdem vermutete sie auch, dass ein paar ihrer Freundinnen froh wären, wenn sie ihnen gelegentlich die Kinder abnehmen würde, aber die Vorstellung fand sie noch schrecklicher. Sie wollte auf keinen Fall als eine Mischung aus tantenhafter alter Jungfer und unbezahlter Babysitterin auf Zehenspitzen durch eine fremde Wohnung schleichen, um ihre Gastgeber nicht zu stören.

Mit Anfang zwanzig hatte sie mal gedacht, dass Chris und sie inzwischen wahrscheinlich verheiratet und gesettelt sein würden. Er würde viel Geld verdienen, sie sich vielleicht ums Kind kümmern … und nun war es wirklich anders gekommen.

Stopp, so durfte sie einfach nicht denken. Sie konnte jetzt entweder in Selbstmitleid versinken oder nach vorne schauen. Aus einer Laune heraus beschloss sie, ihre Suche aufs ganze Land auszuweiten. Wow! Wenn sie nach Wales zöge, könnte sie sich dort jede Menge Wohnungen leisten, und zwar richtig schöne. Oder in die schottischen Highlands. Oder ins ländliche Nordirland. Oder in den Peak District. Dabei wusste sie nicht einmal so genau, wo der Peak District eigentlich lag, aber da gab es auf jeden Fall zig Apartments, in die sie auch ohne Geld, Vitamin B und zu Pringles verführenden Freundinnen einziehen konnte, selbst ohne Job ... Na ja, das vielleicht lieber doch nicht.

Sie engte den Radius wieder ein und suchte nur noch im Südwesten, und da sprang ihr ein Ort ins Auge, an den sie schon ewig nicht mehr gedacht hatte – Mount Polbearne. Da war sie mal auf einem Schulausflug gewesen, wie wohl jede Klasse irgendwann. Dass dort überhaupt noch jemand wohnte, war kaum zu glauben.

Polly studierte das Minifoto, auf dem nicht besonders viel zu erkennen war. Es unterschied sich dadurch von all den anderen Bildern, durch die sie sich geklickt hatte, dass es von außen aufgenommen war. Man sah ein Fensterchen unter einem Giebeldach. Die Farbe blätterte vom Rahmen ab, und die schartigen Ziegel wirkten uralt. Im Kurztext stand »Ungewöhnliche Lage«, was normalerweise »Halt dich fern!« hieß. Trotzdem klickte Polly das Bild an und nahm einen Schluck längst kalten Kaffee.

Mount Polbearne also. Das war eine Gezeiteninsel, so viel wusste sie noch. Damals waren sie mit dem Bus dorthin gefahren, und eine Straße mit Kopfsteinpflaster hatte die Insel mit dem Festland verbunden. Überall hatten Schilder davor gewarnt, beim Einsetzen der Flut über diesen Damm zu fahren oder bei Ebbe darüber hinwegzusegeln. Sie hatten aufgeregt gequietscht, als dann Wasser zwischen den Steinen hochgespritzt war, weil sie jetzt womöglich alle ertrinken würden. Neben dem Damm konnte man Stümpfe von alten Bäumen erkennen, die inzwischen nicht mehr an Land standen. Ganz oben auf der Insel gab es eine zerfallene Kirche und einen Souvenirladen, in dem Kerensa und sie riesige Lollis mit Erdbeergeschmack gekauft hatten. Aber da konnte man doch nicht wohnen, die Hälfte der Zeit würde man ja festsitzen! Ein Pendlerleben war jedenfalls ganz sicher unmöglich.

Auf der Webseite gab es noch ein anderes Foto, und darauf wirkte das Gebäude wie eine ziemliche Bruchbude. Das Dach war schief und krumm, und die beiden Fenster, von denen eins auf dem ersten Bild zu sehen gewesen war, waren schmutzig und gingen nach außen auf. Unten gähnte das schwarze Loch eines leer stehenden Ladenlokals. Dem Seewind so ausgesetzt zu sein, hatte das Häuschen offenbar ziemlich mitgenommen. Polly fragte sich auch, ob ein Ausflug auf ein Fleckchen Erde, das bei Flut vom Festland abgeschnitten war, für Touristen wohl immer noch so interessant war wie früher. Heutzutage wollten doch alle nur Surfstrände, Themenparks und teure Fischrestaurants. Cornwall hatte sich wirklich verändert.

Aber jetzt stach ihr noch etwas ins Auge, dass das Häuschen nämlich über zwei Zimmer plus Bad verfügte. Hier wohnte man weder zur Untermiete noch in einer WG, das war eine komplette kleine Wohnung. Und sie lag in Pollys finanziellem Rahmen. Mehr noch, der nach vorne rausgehende Wohnraum war auch ziemlich groß, sechs mal acht Meter. So geräumig war das Wohnzimmer ihrer Wohnung hier in Plymouth nicht, das war klein und eng, mit angestrahlten Spiegeln an beiden Seiten, die die Illusion von mehr Platz schaffen sollten. Sie fragte sich, wie hoch die Wohnung da unter dem Dach wohl lag. Wenn das Ladenlokal unten leer stand, dann wäre außer ihr nämlich niemand in dem Häuschen – mal abgesehen von den Ratten. Hmm. Dann fiel ihr Blick auf das letzte Bild. Das war der Blick aus den vorderen Fenstern, und das Foto war von innen aufgenommen.

Hinter den Fenstern befand sich … gar nichts, nur ein

Stückchen Weltall, das sich bei genauerem Hinsehen als das Meer herausstellte. Die Aufnahme stammte von einem Tag, an dem Himmel und Ozean sich im gleichen grauen Farbton gezeigt hatten und einfach ineinander übergegangen waren. Lange starrte Polly fasziniert auf diese weite graue Leere. Die sah genau so aus, wie Polly sich fühlte: hohl. Aber irgendwie war dieser Anblick auch seltsam beruhigend, als erteilte er der Welt die Erlaubnis, eben auch mal grau zu sein. Wenn Polly früher aus dem Fenster ihrer Managerwohnung geschaut hatte, dann hatte sie immer jede Menge Leute wie sich selbst gesehen, die Audi und BMW fuhren und ihr Abendessen im Wok kochten, nur dass deren Firma nicht den Bach hinunterging und sie noch miteinander zu sprechen schienen. Der Blick aus dem Fenster war einfach stressig gewesen. Das da hingegen ... war etwas ganz anderes.

Sie suchte Mount Polbearne auf Google Earth und stellte zu ihrer Verwunderung fest, dass sich dort tatsächlich ein paar Straßen mit Steinhäuschen von der Kirchenruine auf dem Hügel zum Hafen hinunterschlängelten. Der lag im rechten Winkel zur Straße da, und man konnte ein paar Fischkutter darin erkennen. Ganz offensichtlich war über diesen Teil von Cornwall noch nicht der Immobilienboom hereingebrochen, so weit abseits von der Autobahn schien dieses unmoderne Fleckchen Land noch nicht entdeckt worden zu sein. Andererseits lag es nur fünfzig Meilen von Plymouth entfernt, also könnte sie immer wieder mal zurückkommen ...

Mit ein wenig zittrigen Fingern klickte sie den Button mit der Aufschrift »Makler kontaktieren«.

KAPITEL 4

Kerensa hatte einen lächerlichen Blazer mit goldenen Knöpfen an, der an ihr trotzdem irgendwie schick aussah. »Eigentlich solltest du dir jetzt einen Mann mit Geld suchen«, verkündete sie. »Und den findest du in diesem Loch nicht, das kann ich dir sagen.«

»Na, dann wie immer herzlichen Dank«, sagte Polly, die heute Schwarz trug. Eigentlich trug sie nie Schwarz, das stand ihr nämlich nicht mit ihrem rotblonden Haar und der blassen Haut. Außerdem wirkte sie damit irgendwie kleiner. Aber ohne ihre bessere Hälfte, ihren Job und klimpernde Autoschlüssel kam es ihr auf einmal so vor, als wüsste sie gar nichts mehr.

»Du musst wirklich in der Nähe einer größeren Stadt bleiben«, fand Kerensa, »dich besser anziehen und dir jemanden angeln.«

»Ist das etwa dein Plan?«

»Also bitte«, sagte Kerensa und rollte mit den Augen. Polly schaute rasch aus dem Fenster, bevor Kerensa noch anfing, Beyoncé-Songs zu trällern.

Es war ein grauer, bedeckter Samstag, und als sie es endlich aus Plymouth rausgeschafft hatten, verwirrte das Navi sie nur mit all den engen, windigen Straßen, über die es sie führen wollte. Irgendwann beschlossen sie, dass sie schon ankommen würden, solange sie unterwegs nur immer das Meer zu ihrer Linken sehen konnten. Und so war es tatsächlich.

Vor dem Fahrdamm zur Insel hinaus gab es einen Parkplatz und eine Tafel mit den Gezeiten. Über die hatten sie sich vor der Abfahrt nicht informiert. Also blieben sie erst einmal auf dem Parkplatz stehen und starrten die Insel in der Ferne an.

Irgendwann machte Kerensa den Mund auf: »Das sieht ganz schön windig aus.«

Allerdings, Mount Polbearne wirkte durchgepustet und irgendwie zerzaust. Die Wellen waren ziemlich hoch, und es kam ihnen unwahrscheinlich vor, dass dieser Ort, wie es das Schild behauptete, in zwanzig Minuten über die Straße erreichbar sein würde. Die Insel erschien ihnen wie ein vergessenes Relikt. Umso mehr, wenn man auf die Kirchenruine oberhalb der kaum zu erkennenden Straßen blickte.

»Das hat doch auch was Romantisches«, sagte Polly hoffnungsvoll.

»Ich frag mich, ob es hier wohl immer noch Strandräuber gibt«, murmelte Kerensa. »Und man nur innerhalb der Verwandtschaft heiratet.«

»So weit weg von der Stadt ist es doch gar nicht«, meinte Polly.

Kerensa sah auf die Uhr. »Na ja, wie man's nimmt. Was, wenn ich einen furchtbaren Martini-Unfall habe und du mir nicht zur Hilfe eilen kannst, weil du vom Rest der Welt abgeschnitten bist? Und du hast ja noch nicht mal ein Auto! Schau dich doch mal um!«

Es war wirklich ein trostloser kleiner Parkplatz, zu dem nur ein paar schmale Landstraßen führten.

»Es gibt hier offenbar noch nicht einmal eine Bushaltestelle. Wie willst du denn nach Plymouth kommen? Mit der Pferdekutsche?«

Polly verließ der Mut. Aber während der vergangenen Tage hatte sie Kerensas Anweisungen befolgt und sich zwei WGs angeschaut, die nicht so weitab vom Schuss gewesen waren. Beide Behausungen waren von Mittzwanzigern bewohnt und unglaublich schmutzig gewesen, im Spülbecken hatte sich das Geschirr gestapelt, im Kühlschrank hatten Post-its geklebt, und es hatte im Flur nach ungewaschener Bettwäsche und kaputten Fahrrädern gerochen. Polly hatte erst geweint, als Kerensa schon im Bett gewesen war.

»Das wäre ja auch nur fürs Erste«, sagte sie nun. »Bis die Wohnung endlich verkauft ist.«

»Eure Wohnung, welche sich in absolut nichts von den fünfzehntausend anderen überteuerten Managerapartments unterscheidet, die sie während der letzten zehn Jahre am Wasser hochgezogen haben?«

Polly runzelte die Stirn. Chris hatte sich immer für jemanden gehalten, der einen Blick für gute Investitionen hatte. Sie erinnerte sich noch genau daran, wie aufgeregt er damals gewesen war. »Da gibt es sogar einen Fitnessraum im Keller!« (Den er nur ein einziges Mal benutzt hatte.) »Und einen Fingerabdruckscanner an der Haustür!« (Der allerdings ständig kaputt war.) Was der Wohnung fehlte – ein Garten, ein Kinderzimmer –, hatte er nie erwähnt.

»Lass uns wenigstens einen raschen Blick darauf werfen«, schlug Polly vor.

Das Wasser zog sich unglaublich schnell vom Damm zurück, als würde ein magischer Pfad freigelegt. Ganz vorsichtig fuhren sie hinüber und stellten das Auto auf der anderen

Seite ab. *Na ja*, dachte Polly, als sie den fast leeren Parkplatz drüben sah, *vermutlich ist es für Touristen noch zu früh. Und zu kalt.* Außer ihrem Wagen hielt jetzt noch ein grauer Vauxhall Astra, aus dem ein übergewichtiger junger Mann in einem sehr billig aussehenden Anzug und mit leuchtend roter Krawatte ausstieg. Obwohl er doch im Auto gesessen hatte, schien er außer Atem zu sein.

»Hallo, hallo!«, rief er äußerst fidel. »Sind Sie die Damen aus der Stadt?«

Kerensa rümpfte die Nase. »Meint der damit etwa Plymouth?«, fragte sie. Obwohl sie dort geboren und aufgewachsen war, tat sie gern so, als fühle sie sich eher in London, Paris oder New York zu Hause.

»Pst!«, machte Polly.

»Hier muss ja wirklich der Hund verfroren sein, wenn der Plymouth für Vegas hält«, sagte Kerensa, stieg aus dem Wagen und blieb augenblicklich mit ihrem Absatz zwischen zwei Pflastersteinen stecken.

Der korpulente Mann kam näher, eigentlich war er ja fast noch ein Kind. Polly konnte kaum fassen, wie jung er aussah. Was ja auch bedeutete, dass sie selbst ganz schön alt war. Hastig verbot sie sich diesen Gedanken!

Der junge Mann strahlte sie an, und Polly schoss durch den Kopf, dass er in der guten alten Zeit jetzt ein riesiges gepunktetes Stofftaschentuch hervorgezogen hätte, um sich damit die Stirn trocken zu tupfen.

»Lance Hardington«, stellte sich der Makler vor, schüttelte ihnen mit stählernem Griff die Hand und starrte ihnen dabei direkt in die Augen. Offenbar hatte er zu diesem Thema eine Schulung absolviert.

Kerensa musste ein Grinsen unterdrücken. Man konnte

sich kaum jemanden vorstellen, der weniger wie ein Lance aussah.

»Schön, Sie kennenzulernen«, schnurrte sie, woraufhin der junge Kerl noch röter anlief.

»Jetzt reiß dich mal zusammen«, raunte Polly ihr zu, während sie dem Makler folgten. Für so einen molligen Typen legte er ein ziemliches Tempo vor.

»Ach komm schon, ich amüsier mich doch nur ein bisschen«, entgegnete Kerensa.

»Du erschreckst ihn zu Tode.«

»Genau das finde ich ja so unterhaltsam.«

Lance drehte sich zu ihnen um und runzelte die Brauen. Damit schien er zu sagen: »Legen Sie mal einen Zahn zu, Zeit ist nämlich Geld, und Sie haben ja offenbar viel zu viel von dem einen und kaum etwas vom anderen.« Er starrte sogar demonstrativ auf sein iPhone, aber Polly sah sich trotzdem in Ruhe um. Eigentlich war es hier ja ganz schön, weit weg vom Lärm und Verkehr von Plymouth. Sie standen an der Zufahrtsstraße neben einem Kai. Zu ihrer Linken schmiegte sich das Örtchen mit Blick aufs Meer in die Bucht. Über ihnen schaute die Kirche, oder vielmehr ihre Ruine, über die bunt zusammengewürfelten, verwitterten Häuschen aus altem Cornwall-Schiefer und Sandstein hinweg. Autos waren kaum zu sehen, Polly vermutete, dass die Bewohner ihren Wagen meistens auf dem Festland stehen ließen und zu Fuß bis in den Ort gingen.

Schmale Gassen schlängelten sich auf den kleinen Hafen zu ihrer Linken zu, wo die Masten der Fischkutter im Wind rappelten und klimperten und Wellen gegen die alte Hafenmauer schwappten. Am Wasser standen eine Frittenbude, ein etwas heruntergekommener Souvenirladen und ein alter Pub mit Wassertrog und scheinbar einem Stall für Pferde. Die Kneipe war definitiv geschlossen. Am anderen Ende des Hafens entdeckte Polly einen hohen, schwarz-weiß gestreiften Leuchtturm, von dem die Farbe abblätterte. Irgendwie sah das so lieblos aus.

»Die Gegend ist ein Geheimtipp, um die werden sich bald alle reißen«, schnaufte Lance.

Misstrauisch sah Kerensa ihn an. »Und warum hat sich bis jetzt noch niemand darum gerissen?«, fragte sie. »Der Immobilienboom hat doch sonst überall zugeschlagen.«

»Es hat seine Vorteile, unter den Pionieren zu sein«, sagte Lance rasch.

»Aber hier regnet es doch seit fünf Jahren ununterbrochen«, wandte Kerensa ein. »Wer will da noch Pionier sein.«

»Das Besondere an Mount Polbearne«, versuchte Lance es jetzt rasch mit einer neuen Taktik, »ist doch, wie unberührt es ist. Der Ort ist so beschaulich, kein Verkehr, nur Ruhe und Frieden.«

Kerensa schnaubte. »Wohnen Sie selbst denn hier?«

Lance ließ sich nicht beirren. »Nein, aber das würde ich für mein Leben gern!«

»Ruhe und Frieden«, murmelte Polly und fragte sich, ob es vielleicht genau das war, was sie jetzt brauchte.

Lance marschierte in Richtung Hafen, und sie trotteten ihm brav hinterher. Zwischen den Pflastersteinen stand das Wasser, überall lagen alte Netze, bunte Köder, und manchmal etwas, was wie Eingeweide aussah. Kerensa zog ein langes Gesicht.

»Bleib doch bitte bei mir wohnen«, zischte sie, »für immer. Da, wo es Zara und Kaffee zum Mitnehmen gibt.«

»Ich musste meinen Begriff von ›für immer‹ leider revidieren«, gab Polly zu bedenken.

Schließlich blieb Lance vor dem letzten Haus der schäbigen kleinen Parade stehen. Sein künstliches Lächeln wurde noch strahlender, als er einen Schritt zurück trat und die beiden Frauen das Gebäude in Augenschein nahmen. Polly kämpfte gegen den Impuls an, auf dem Absatz kehrtzumachen.

»Das muss doch ein Irrtum sein«, versetzte Kerensa.

»Nein«, murmelte Lance und sah plötzlich wie ein schuldbewusster Schuljunge aus. »Da wären wir.«

»Dieses Haus kann man doch nicht vermieten! Das gehört abgerissen!«

Nun war es sonnenklar, warum man hier für so wenig Geld so viel Fläche bekam. Der Bau aus grauem Stein war lang und schmal, mit einem verdreckten Bogenfenster im Erdgeschoss. Durch die Scheibe konnte man gerade so eben die Umrisse von Geräten ausmachen, die offenbar seit Jahren nicht mehr benutzt wurden.

»Was ist denn hier passiert?«, fragte Kerensa. »Ist der Laden etwa ausgebrannt?«

»Aber nein!«, erwiderte Lance tapfer. »Er wurde einfach nur ...« – er verstummte, und dann nuschelte er schnell: »vernachlässigt.«

Jetzt eilte er zur Seite des Häuschens mit seinem total windschiefen Dach. Durch die niedrige Holztür dort konnte man nur gebückt gehen, und der junge Makler schloss sie jetzt mit einem riesigen Messingschlüssel auf. Die Scharniere quietschten laut.

»Waren schon viele Leute hier, um sich das anzusehen?«, fragte Kerensa, deren Absätze auf dem Pflaster klapperten. Lance würdigte sie keiner Antwort.

Im Inneren war es zappenduster und roch ein wenig muffig. Lance benutzte sein iPhone als Taschenlampe, bis er endlich die baumelnde Lampenschnur fand und daran zog. Eine altmodische Glühbirne mit niedriger Wattzahl und einer dicken Staubschicht erwachte summend zum Leben, und man sah eine wacklige Holztreppe.

»Das alles entspricht doch sicher den Sicherheitsvorschriften, oder?«, fragte Kerensa, als würde sie hier ein Penthouse in Sandbanks besichtigen. Lance murmelte irgendwas Unverständliches und führte sie die Treppe hoch. Als Polly ihm folgte, kam sie seinem wohlgerundeten Hintern versehentlich ein wenig zu nahe. Der Mut verließ sie, dieses Haus war ja lebensgefährlich.

Wieder suchte Lance herum und drehte dann einen Sicherheitsschlüssel im Schloss am oberen Ende der Treppe. Polly drückte sich die Daumen, dass das, was hinter dieser Tür lag, vielleicht mit einem triumphierenden »Bitte sehr!« präsentiert werden konnte.

Stattdessen eisernes Schweigen.

Na ja, groß war er schon, das musste man dem Raum lassen. Sie befanden sich in dem weitläufigen, offenen Zimmer unter einem Schrägdach, durch das hier und da Tageslicht hereinfiel. Der Boden bestand aus gebohnerten Dielen. Am hinteren Ende, wo sie standen, war der Raum etwas höher, und man konnte die freiliegenden Dachsparren sehen. An der Ziegelwand stand ein Tisch mit zwei nicht zueinanderpassenden Stühlen, die sich neben einem großen schwarzen Holzofen seltsam winzig ausnahmen. Links führte ein kleiner Flur offenbar zu Schlafzimmer und Bad, die sich im Anbau hinter dem Haus befanden. An einer Wand entdeckte Polly Einbauschränke aus fürchterlichem uralten Melamin, zu denen überhaupt nicht passte, was daneben stand: ein riesiger eiserner Herd. Lance bemerkte, wie sie den beäugte.

»Der ließ sich einfach nicht bewegen«, erklärte er. »Keine Ahnung, wie man den damals hier raufgekriegt hat. Äh, ich meine, ein Stück mit antikem Charme.«

Weiter vorne, wo die Decke schräg abfiel, stand ein fies schmutziges, altes Rattansofa mit lauter Rissen. Als Polly vorsichtig darauf zuging, knarzten bei jedem Schritt die Dielenbretter.

»Na, diese Bruchbude stürzt ja bald ins Meer«, bemerkte Kerensa sauer. »Hier gibt es bestimmt auch Ratten, oder?«

»Nein«, antwortete Lance kleinlaut. Offenbar ging es um eine Art Wettbewerb in seiner Firma: wer die Bruchbude vermittelt bekam ... Da erklang schrilles Kreischen. Alle drei fuhren sie zusammen. Polly sah nach oben. Durch eine Lücke zwischen den Dachziegeln sah sie eine riesige Möwe schreien. Ohrenbetäubend schreien.

»Ach so, Flugratten also«, sagte Kerensa.

Aber Polly hörte nicht hin, weil sie gerade zu den Fenstern rüberging. Als sie davor in die Hocke ging, konnte sie sehen, dass vom Rahmen die Farbe platzte und dass es sich um Einfachverglasung mit etlichen Sprüngen handelte. Hier würde sie sich den Tod holen, es war drinnen ja kälter als draußen.

Nun schaute sie durch das salzverkrustete Fenster hinaus. Sie befanden sich noch oberhalb der Masten und blickten über den Hafen mit den wippenden Bojen und den schnatternden Möwen hinweg direkt aufs Meer. Die niedrigen Wolken teilten sich einen Moment, und in der Ferne erhellte ein Sonnenstrahl die weiße Schaumkrone einer Welle, die nun glitzerte und im Licht tanzte. Polly konnte spüren, wie sich der Anflug eines Lächelns auf ihre Züge schlich.

»Polly! POLLY!«

Die Angesprochene fuhr herum, sie hatte gar nicht gehört, dass Kerensa mit ihr geredet hatte.

»Na komm, wir fahren nach Hause. Und unterwegs halten wir irgendwo und trinken ein schönes Glas Weißwein. Ach, ich vergaß, bestimmt gibt's hier in Polbearne auch jede Menge schicke Bars und Restaurants, allen voran die Frittenbude da draußen.«

Lances rundliches Gesicht wurde plötzlich lang.

»Warum ist das Haus denn nicht wenigstens vernünftig renoviert worden?«, fragte Kerensa den Makler nun. »So mietet das doch kein Mensch.«

»Das hab ich der Besitzerin schon erklärt«, sagte Lance jämmerlich. »Und kaufen will es auch niemand, das ist ein echter Klotz am Bein.«

»Na super, das Haus von Verrückten, undicht und mit Ratten im Keller und in der Luft«, sagte Kerensa. »Na, dann vielen Dank für Ihre Mühe. Los, Polly, komm.«

Ihre Freundin warf noch einen letzten, sehnsüchtigen Blick aufs Meer hinaus.

»Also, weißt du«, sagte sie, »in der Not frisst der Teufel eben Fliegen.«

»Du machst Witze!«, rief Kerensa. »Deine Familie würde mich verklagen, wenn ich dich hier einziehen lasse und du dir dann den Tod holst.«

»Das verbiet ich denen schon«, sagte Polly. Sie drehte sich um und schaute ihre Freundin an.

Kerensa betrachtete sie eingehend. Auf den ersten Blick wirkte Polly sanft, sie wusste aber, dass ihre Freundin in Wirklichkeit ziemlich tough war. Dieser eiserne Wille hatte sie noch für ihre Firma und ihre Beziehung kämpfen lassen, als für den Rest der Welt längst offensichtlich gewesen war, dass beides scheitern musste.

»Und irgendwo muss ich doch wohnen.«

»Polly, Süße, das hier ist doch ein Drecksloch am Ende der Welt.«

»Aber vielleicht«, erwiderte Polly, »will ich im Moment ja genau da sein.«

»Fantastisch!«, rief Lance aus und wurde wieder rot, als er hastig hinzufügte: »Ich meine, tut mir leid wegen des … ja, äh, nun gut, ich denke …«

Polly erlöste ihn aus seinem Elend.

»Ich würde den Vertrag nur für eine kurze Laufzeit unterschreiben«, sagte sie.

Lance hob beide Hände, so als könne man darüber durchaus reden.

»Und das Dach …«

»Ja?«

»Also das mit den Löchern geht nicht, ich glaube, eine Reparatur ist echt nicht zu viel verlangt.«

»Hmm.«

»Und wie wäre es mit …«, begann sie vorsichtig. »Sagen wir mal …« Sie nannte einen Betrag, der halb so hoch war wie die in der Anzeige verlangte Miete.

Nun sah Lance plötzlich aus wie ein Schuljunge, der dringend zur Toilette musste. »Äh, ich bin sicher, das wäre kein … ich meine, da müsste ich natürlich erst einmal mit meinen Vorgesetzten … wir müssten da etwas aushandeln, aber …«

Kerensa starrte Polly fassungslos an. »Das ist jetzt nicht dein Ernst, oder?«

Polly rief ihrer Freundin ihre entmutigende Reise durch

Plymouths noch schmutzigere WGs in Erinnerung. »Mir bleibt einfach nichts anderes übrig.«

»Aber das kannst du doch nicht machen. Das ist eine absolute Katastrophe!«

»Ich investiere hier ja nicht meine ganzen Ersparnisse, sondern miete die Wohnung nur. Und es ist ja bloß vorübergehend ... Außerdem ist bald Sommer.«

»Genau«, nickte Lance.

»Der Sommer lässt Großbritannien dieses Jahr doch mit Sicherheit wieder links liegen«, meinte Kerensa. »Und dann sitzt du hier in der Falle!«

Aber Polly kniff die Lippen auf eine Art und Weise zusammen, die Kerensa kannte. Diese Geste bedeutete, dass ihre Entscheidung gefallen und unabänderlich war.

»Komm, wir essen erst einmal einen Happen und bequatschen die ganze Sache noch mal«, versuchte Kerensa die Sache abzubiegen.

Und während die drei dort so standen, kackte auf einmal eine Möwe durch das Loch im Dach. Kerensa rümpfte die Nase.

»Wo kann man denn hier schön essen gehen?«

Nervös zerrte Lance an seinem Hemdkragen. »Äh, in Plymouth?«

KAPITEL 5

Polly verbrachte die gesamte Rückfahrt damit, vor sich hinzusummen, um sich nicht Kerensas 95 Gründe dafür anhören zu müssen, warum sie auf keinen Fall nach Polbearne ziehen durfte. Erstaunlicherweise bestärkten sie die nur noch in ihrem Entschluss.

»Jetzt hör schon auf damit!«, knurrte Kerensa, nachdem sie darauf hingewiesen hatte, dass es auf der Insel ja nicht mal Taxis gab.

»Womit denn?«, fragte Polly mit Unschuldsmiene.

»Mit der ganzen Sache. Das ist doch völlig verrückt!«

»Noch hab ich ja nichts beschlossen.«

»Und ob, das hast du, ich seh ja, wie deine Mundwinkel zucken. Und du siehst zum ersten Mal seit etwa einem Jahr glücklich aus, dabei begehst du gerade einen FURCHTBAREN Fehler.«

Polly setzte ein kleines Lächeln auf: »Aber wenigstens ist es MEIN furchtbarer Fehler«, sagte sie.

Kerensa arbeitete an dem Tag, an dem Polly umzog, genau wie alle anderen Freunde auch. Polly wusste, dass sie ihr gern geholfen hätten, aber in ihrer momentanen Trotzhaltung passte es ihr ganz gut, das allein zu erledigen.

So entging sie wenigstens der Schmach, dass sie hier gerade ihr altes Leben aufgeben musste: Zentralheizung und Flachbildschirm, tilgungsfreie Hypothek, erfolgreiche Karriere, ihren gutaussehenden und fitten Freund, bla, bla, bla. Sie hatte das Gefühl, dass ihr »Versagerin« auf die Stirn geschrieben stand und dass sie die Kisten zum Einlagern eigentlich mit »All meine Hoffnungen und Träume, die ich für immer begrabe« beschriften sollte. Und das alles wollte sie nicht im Umzugswagen mit anderen Leuten noch einmal ausführlich durchkauen.

Fast alles lagerte sie ein: ihre schicken Kleider (damit sie nicht muffig wurden), Bücher (die würden nur klamm werden, und Regale gab es sowieso nicht), Schmuck (der womöglich durch die Ritzen im Fußboden fallen würde), Fotos und Andenken (die sie wie alles aus besseren Zeiten ja doch nur traurig machen würden). Sie nahm ihre wetterbeständigsten Klamotten und ein Bett mit, außerdem ihre superteure, hyperschicke Couch von sofa.com in sanftem, zarten Grau, auch wenn dieses Möbelstück wie ein Symbol für ihre Hybris war. Natürlich würde es in ihrem neuen Zuhause ruiniert werden, aber sie hatte es sich damals ausgesucht – na ja, sie hatten es sich zusammen ausgesucht, aber sie noch ein bisschen mehr –, und sie liebte dieses Sofa einfach, seinen Komfort und Luxus. Auf gar keinen Fall würde sich Polly auf dieses alte Rattanding da setzen. Zwar hatte sie keine Ahnung, wie sie das aus dem Haus und die neue Couch hineinkriegen sollte, aber das würde sich schon finden.

Der nette Mr Bassi hatte sie beim Packen überwacht, um sicherzugehen, dass sie auch nichts mitnahm, was die Bank womöglich verkaufen konnte. Aber das Sofa hatte er ihr gnädig zugestanden, genau wie Chris, der ebenfalls vorbeigeschaut hatte.

»Es hilft bestimmt beim Verkauf, wenn wir das los sind«, meinte Chris. »Damit sieht die Wohnung gleich ordentlicher und minimalistischer aus. Und ich bin froh, dass du es bekommst, obwohl wir es natürlich eigentlich aufteilen sollten.«

Aber Polly hatte stur weiter die beiden letzten und wertvollsten Gegenstände verpackt: die Kaffeemaschine und ihren großen Mixer, den sie zum Brotbacken brauchte. Sie backte mit Leidenschaft und hatte im letzten Jahr immer häufiger Zeit damit verbracht, während sich Chris am Wochenende mehr und mehr verdrückt hatte. Dann war er irgendwann nach Hause gekommen und hatte wegen der Kohlenhydrate gemeckert, also hatte sie die meisten ihrer Backerzeugnisse allein verputzt. Na ja, diese Sachen gehörten jedenfalls ihr, und Mr Bassi hatte kein Problem damit, dass sie sie mitnahm. Den riesigen gerahmten Muhammad-Ali-Postern weinte sie allerdings keine Träne nach, genau wie dem unfassbar teuren Soundsystem. Dazu hatte sie Chris zuliebe etwas beigesteuert, obwohl der Preis exorbitant gewesen war und das Ding für ihre Wohnung viel zu laut. Außerdem hatte Chris jedes Mal, wenn jemand zu Besuch gekommen war, endlos über die Millionen Vorzüge einer solchen Anlage monologisiert.

»Soll ich dir vielleicht dabei helfen, das in den Wagen zu bringen?«, schlug Chris nun mit Blick auf das Sofa vor.

Sie nickte, für Sarkasmus zu traurig und müde.

Während sie das Sitzmöbel schweigend in den Aufzug schoben, mussten sie wohl beide daran denken, wie vor ein paar Jahren die Männer vom Lieferservice vorbeigekommen waren, um es aufzubauen. Chris hatte sie damals damit geärgert, wie aufgeregt sie war, es sei doch nur ein Sofa. Dann hatte er einen der Männer gefragt, ob er sich etwas in einer so langweiligen Farbe kaufen würde, und der Mann hatte verneint – er hätte zu Hause weißes Leder, und Chris hatte gemeint, das wäre doch cool!

Nachdem die Couch sicher in dem von Polly gemieteten Lieferwagen verstaut war, sahen sie und Chris sich an und wussten plötzlich nicht mehr, was sie noch sagen sollten. Plötzlich verpuffte Pollys Entschluss, so fröhlich und positiv wie möglich zu sein.

Gegen den Rat jedes einzelnen Menschen, den sie kannte, würde sie sich nun mutterseelenallein auf den Weg an einen fremden Ort machen. Dabei würde sie alles zurücklassen, was in den letzten sieben Jahren ihr Leben gewesen war. Das Gewicht dieser Erkenntnis lastete schwer auf ihren Schultern.

»Danke«, brachte sie schließlich hervor und zermarterte sich das Hirn. Nach allem, was sie zusammen durchgemacht hatten, sollte sie doch wirklich irgendetwas weniger Triviales, Sinnloses sagen.

»Pol ...«, murmelte Chris.

»Hm?«

»Es tut mir wirklich ... na ja, du weißt schon.«

»Nein, das weiß ich eben nicht«, sagte sie mit klopfendem Herzen. Sie hatte keine Ahnung, ob es auch ihm so nahe ging, was mit ihnen passiert war und mit all ihren Hoffnungen und Träumen. Jedenfalls hatte er nicht ein einziges Mal mit ihr darüber gesprochen. Er hatte sich so gründlich von ihr zurückgezogen, dass sie sich Sorgen um ihn machte.

Er sah sie aus diesen schmalen blauen Augen an, die sie einst so attraktiv gefunden hatte, und sie riss sich zusammen, um bloß nicht zu weinen.

»Na ja, schon ...«, stammelte er.

Polly lehnte sich vor. »Was denn, Liebling?«

»Ach, Pol, zwing mich doch bitte nicht ...«

»Vielleicht geht es dir ja sogar besser, wenn du es wenigstens ein Mal ausprichst.«

Sie ließ nicht locker. Es folgte langes Schweigen.

Dann sagte er endlich: »Es tut mir leid. Alles. Mir ist schon klar, dass es nicht deine Schuld war.«

»Danke«, sagte sie. »Mir tut es auch leid. Ich bedauere entsetzlich, dass wir es nicht hingekriegt haben. Obwohl wir doch so geschuftet und alles versucht haben.«

»Ja«, sagte Chris und schaute sie jetzt auch endlich an. »Das stimmt wohl.«

Und dann schüttelten sie sich merkwürdigerweise die Hand.

Nach den verstopften Straßen von Plymouth war Polly irgendwann endlich auf der offenen Landstraße. Im Rückspiegel konnte sie die Sonne strahlen sehen, und sie versuchte sich einzureden, dass sie auf dem Weg in ihre Zukunft war.

»Wir schaffen das schon, Sofa«, sagte sie mit einem Blick nach hinten.

»O Gott!«, rief sie dann aus. »Jetzt gehöre ich schon zu den Frauen, die mit ihrem Sofa reden!«

Es war nach Mittag, als Polly schließlich den Parkplatz erreichte, sie musste aber etwa eine Stunde warten, bis der Damm passierbar war. Eins war klar, als Erstes brauchte sie einen Gezeitenkalender.

Während der Wartezeit biss sie in ein Sandwich, das sie sich unterwegs an einer Tankstelle geholt hatte. Es war widerlich. Eins war Polly extrem wichtig, nämlich Brot, und dieses hier taugte überhaupt nichts. Kauend schaute sie nach Mount Polbearne hinüber. Hier und da brannten schon vertrauenerweckende Lichter, die sich glitzernd auf dem Wasser spiegelten, und aus dieser Entfernung war nicht zu sehen, dass alles ein bisschen schäbig war.

Dann war der Fahrdamm endlich frei. Polly überquerte ihn vorsichtig und langsam, weil sie fürchtete, dass ein einziger Fahrfehler ihren sicheren Tod bedeuten würde. Auf der Insel angekommen, bog sie links ab und fuhr bis vor ihre neue Haustür. Dass sie überall parken konnte, war einer der Vorteile dieses Umzugs auf eine winzige, einsame Insel. Hier gab es keine Parkuhren, ja noch nicht einmal Fahrbahnmarkierungen. Sie suchte in ihrer Tasche nach den riesigen Schlüsseln, die Lance ihr bei der Vertragsunterzeichnung überreicht hatte. Die Miete lag letztlich etwa fünf Pence höher als das, was Polly verlangt hatte – einen Rest Würde musste sie ihm ja lassen. Nun stieg sie aus dem Wagen, den sie für mehrere Tage gemietet hatte – lange genug, um jemanden aufzutreiben, der ihr helfen würde, das Bett nach oben zu tragen, dachte sie. Fürs Erste hatte sie sich nur das Allerwichtigste aufgeladen, zum Beispiel ihre schwere Kaffeemaschine, und das Tragen fiel ihr jetzt schon schwer.

Als sie nun vor dem Haus stand, warf sie einen Blick in das Ladenlokal unten. Irgendwie fand sie es ein bisschen gruselig, wer konnte schon sagen, was für heimtückische Kreaturen da lauern mochten ... Polly schüttelte sich kurz. Dann erkannte sie in einem der Umrisse weiter hinten einen Ofen, vermutlich war das hier also mal eine Bäckerei gewesen. Das Geschäft war sicher gescheitert, weil Mount Polbearne im Ranking der kleinen Küstenorte Südwestenglands, die Touristen mit einem Hotdog in der Hand besichtigen wollten, nur an etwa fünftausendster Stelle lag. Außerdem machte der Damm, der jeden Moment wieder überflutet werden konnte, die Leute wohl so nervös, dass sie nicht allzu lange blieben.

Die Insel war ihr schon vorher recht freudlos erschienen, selbst als Kerensa mit ihrer Anwesenheit alles ein bisschen auf Trab gebracht hatte. Aber jetzt, wo Polly hier allein im feuchten Wind eines kalten Frühlingsmorgens stand, kam sie ihr absolut trostlos vor. Das Meer, von dem sie sich doch einen entspannenden und tröstenden Effekt erhofft hatte, war grau und aufgewühlt, wirkte beinahe wütend. Bei seinem Anblick fröstelte Polly plötzlich. Seufzend stellte sie ihre Taschen (und die Kaffeemaschine) auf die steinerne Stufe vor der Tür, die irgendwann wohl mal grün gewesen war, und steckte den Schlüssel ins Schloss. Die Tür öffnete sich kurz knarzend und wurde von der kräftigen Brise sofort wieder zugeschlagen. Unheilvoll begann Pollys Bücherstapel zu flattern. Sie schob die Kaffeemaschine hinein, damit die Tür aufblieb, und kehrte zum Lieferwagen zurück, um ihren Koffer und ein paar schwarze Mülltüten zu holen. War man mit 32 nicht ein bisschen zu alt, um sich noch mit Mülltüten zu behelfen? Wahrscheinlich sollte sie längst ein zueinanderpassendes Kofferset besitzen. Nicht von Louis Vuitton oder so, aber doch etwas Edleres als ihr Rollköfferchen, das sie auf Flugzeuggängen anderen Passagieren in die Hacken rammte. Abgesehen davon gab es noch eine Sporttasche von Chris – viel hatte sie ja wirklich nicht abgestaubt.

Ansonsten hatte sie noch etliche Kartons mit allem möglichen Kram dabei, viel mehr, als sie gewollt hatte. Als sie anfing, diese Kisten aus dem Wagen zu hieven, hörte sie hinter sich ein flatterndes Geräusch. Sie drehte sich um, stolperte beinahe über einen Karton und musste dann mit ansehen, wie ein Windstoß ihre Bücher davontrug.

»Aaaahhh!«, rief Polly. Die meisten ihrer Bücher waren ja im Lager, aber ein paar ganz besondere Bände hatte sie doch mitgebracht. Wenn es ihr schlecht ging, machte sie es sich gerne mit einem Buch gemütlich, und für die Zeit hier rechnete sie mit einem wahren Lesemarathon. Deshalb hatte sie die Bücher aus ihrer Kindheit mitgebracht, die staubigen Ausgaben aus den Achtzigern, die sie schon so oft gelesen hatte, dass sie bald auseinanderfielen. In jedem Buch standen ihr Name und ihre Adresse, die sie mit Druckbuchstaben sorgfältig notiert hatte: *Polly Waterford, elf Jahre alt, Elder Avenue 78, Plymouth, England, Europa, Welt, Sonnensystem, Galaxie, Universum*.

Da flatterte *Anne auf Green Gables* und *Wenn morgen heute ist ... Der Doktor und das liebe Vieh* hopste fröhlich über das Kopfsteinpflaster, zusammen mit *Wintersonnenwende*, *Daddy Langbein* und *Marianne träumt* ...

»Neeeeiiiin!«, rief Polly, ließ die Kiste in ihren Armen fallen und rannte im Affenzahn den Büchern hinterher. Diese Bücher zu verlieren, konnte sie einfach nicht ertragen. Sie tanzten in der grauen Luft, so als wollten sie sie ärgern, und hielten direkt auf die Hafenmauer zu. Polly machte einen verzweifelten Satz und erwischte noch gerade so eben *Jahre der Erfüllung* – aber *Alice im Wunderland* flog ganz ungerührt über die Hafenmauer und verschwand im grauen Nichts darunter.

»Oh«, machte Polly total geknickt. »Oh.«

Die anderen Bücher hatten vor ihrem Sturz in den Ozean zum Glück einen Zwischenhalt auf dem Pflaster eingelegt, sodass Polly sie sich schnappen und eng an die Brust pressen konnte. Dann sank sie auf die kalten Steine. Das hatte ihr nach allem, was in letzter Zeit passiert war, gerade noch gefehlt. Endlich brach sie völlig ungeniert in Tränen aus.

Dieses Buch hatte sie von ihrem Vater bekommen. Er hatte es als Kind selbst gerngehabt, hatte es ihr oft vorgelesen und ihr die Stellen erklärt, die sie nicht verstand. Natürlich war es nur eine billige Ausgabe gewesen, die man eigentlich leicht ersetzen konnte, andererseits aber gerade nicht, weil sie eben einst ihm gehört hatte. Ihr Dad war an einem Herzinfarkt gestorben, als Polly zwanzig gewesen war. Damals war sie furchtbar wütend auf ihn gewesen und auf die Welt, weil man sie wie eine Erwachsene behandelt hatte, die nicht so viel Trost brauchte wie ein Kind.

Polly hockte so bekümmert und apathisch da, dass sie sich einfach mit dem Ärmel über die Nase wischte, als die zu laufen begann. Schließlich war weit und breit niemand zu sehen, und im Umkreis von vierzig Meilen würde es sowieso niemanden scheren. Ihr war es egal, wie sie aussah und wer sie so zu Gesicht bekommen würde. Sie war allein, sie war todunglücklich, und sie hatte Dads Buch verloren. Außerdem würde sie bei diesem Wind auch niemand schluchzen hören.

Aber irgendwann wurde ihr Heulen von einem Geräusch unterbrochen, das im Getöse der Wellen und des Winds kaum zu hören war. Und merkwürdigerweise klang es wie ein Husten. Sie hielt inne, zog einmal unvornehm die Nase hoch und lauschte. Da war das Husten wieder. An der Mauer zu ihrer Linken entdeckte sie zu ihrem Entsetzen fünf Männer. Sie trugen Südwester und Overalls in grellem Gelb. »Äh, 'tschuldigung«, sagte nun einer von ihnen mit starkem Cornwall-Akzent. Die Männer traten verlegen von einem Bein aufs andere. Polly sprang auf.

»Ja?«, sagte sie, als hätte man sie nicht gerade dabei erwischt, dass sie wie eine Zweijährige heulend am Boden hockte.

»Äh, gehört das vielleicht Ihnen?«

Der erste Mann, der mit einem braunen Bart, roten Wangen und Fältchen rund um die blauen Augen, hielt ihre Ausgabe von *Alice im Wunderland* in der Hand. Er starrte auf die Bücher, die sie sich immer noch vor die Brust presste.

Polly nickte einmal kurz mit Nachdruck. »Ja ... ja, danke.«

Nun trat er einen Schritt vor, um ihr das Buch zu reichen. Als Polly die Hand ausstreckte, entdeckte sie aber den Rotz auf ihrem Ärmel und ließ beschämt den ganzen Bücherstapel fallen.

Alle beugten sich vor, um ihr beim Aufsammeln zu helfen.

»Sie lesen wohl viel, was?«, sagte der Mann.

»Äh, ja, das könnte man so sagen«, brachte Polly mühsam hervor, während ihre Wangen knallrot anliefen. »Woher ...«

»Das ist direkt auf unseren Kutter gefallen, wat?«, sagte der Mann, und Polly drehte sich zu den Fischkuttern um, die im Hafenbecken schaukelten. Sie waren in leuchtendem Grün und Rot gestrichen, auf ihrem Bug türmten sich die Netze, und sie hatten etwas Raues und Funktionelles an sich. Das von ihr aus gesehen nächste Schiff hieß *Trochilus*.

»Wir dachten ja zuerst, dass jetzt Bücher vom Himmel fallen, was, Jungs? Eine Initiative der Bücherei, um die Leute zum Lesen zu bringen.«

»Das ist ja ...« Polly riss sich zusammen und versuchte, weniger wie eine verstörte Heulsuse rüberzukommen, »... wirklich witzig.«

Der Mann sah sich das Buch mit zusammengekniffenen Augen an.

»Ich lese ja vor allem ... na ja, ich mag halt Bücher über den Krieg.«

»Über irgendeinen besonderen Krieg? Oder eher im Allgemeinen?«, fragte Polly mit echtem Interesse. Der Mann war riesig, hatte aber ein freundliches Gesicht.

»Nee, eigentlich tut's jeder Krieg.«

»Leihen Sie sich dies hier doch ruhig aus«, versetzte Polly plötzlich. Noch vor einem Moment hatte sie den Gedanken an den Verlust des Buches nicht ertragen, aber angesichts seiner wundersamen Auferstehung wollte sie es gerne mit jemandem teilen. »Vielleicht gefällt es Ihnen ja. Um Krieg geht es darin zwar nicht, aber um Schach«, sagte sie zögerlich.

Der Mann betrachtete das Cover.

»Gut, mach ich«, sagte er. »Die Nächte an Bord werden einem nämlich ganz schön lang.« Mit einer Kopfbewegung deutete er auf den Kutter.

»Ich wusste gar nicht, dass Fischer nachts ausfahren«, musste Polly zugeben. Die anderen Männer, die sich immer noch in einiger Entfernung herumdrückten und mithörten, begannen zu lachen.

»Ich verrate Ihnen mal ein Geheimnis«, sagte der Bärtige mit unbewegter Miene. »Wir fangen die Fische am liebsten dann, wenn sie schlafen.«

»Im Ernst?«, fragte Polly und war für einen winzigen Moment gar nicht mehr unglücklich.

Der Mann lächelte. »Und? Laufen Sie jetzt immer durch unseren Ort und werfen mit Büchern um sich?«

»Äh«, stammelte Polly, »wie man's nimmt, ich ziehe gerade her.«

»Warum wollen Sie denn *hierher* ziehen?«, fragte der jüngste Fischer, dessen Wangen rosa leuchteten, aber der große Mann – bei dem es sich wohl um den Kapitän handeln musste – bedeutete ihm zu schweigen.

»Na, dann willkommen auf Mount Polbearne«, sagte er. Er folgte Pollys Blick zum Lieferwagen und den Kistenstapeln. »Sie ... Sie ziehen doch nicht etwa in Mrs Manse' alten Kasten, oder?«

»Äh, in das Haus da an der Ecke«, erklärte Polly.

»Tatsächlich.« Der Kapitän starrte das Gebäude an.

»Da drin spukt es«, sagte der junge Mann mit den Apfelbäckchen.

»Pst«, machte der Kapitän. »Mach dich nicht lächerlich.«

»An so was glaube ich auch gar nicht«, erklärte Polly schnell.

»Na, das ist ja ein Glück«, erwiderte der Kapitän. »Für Sie, meine ich. Geister zeigen sich nämlich nicht, wenn man so tut, als würde man nicht an sie glauben. Ich bin übrigens Tarnie.«

»Polly«, antwortete Polly rasch und wischte sich energisch übers Gesicht.

»Na, dann danke für das Buch«, sagte Tarnie. Nun schaute er zum Lieferwagen auf der anderen Straßenseite rüber, in dem hinten das Sofa zu sehen war. »Kann ich denn irgendwas für Sie tun, um mich zu revanchieren?«

»Nein, nein, ich komme schon klar«, behauptete Polly kläglich.

»Wollen Sie dieses Sofa da etwa allein die Treppe hochtragen?«

»Oh, das«, murmelte Polly. »Äh, das hatte ich mir gar nicht so richtig ... ich weiß noch nicht, wie ...«

»Na, dann packt mal mit an, Jungs«, rief Tarnie.

Energisch hievten die Männer die Couch aus dem Fahrzeug und schleppten sowohl sie als auch das Bett keuchend und fluchend nach oben.

Tarnie stieß einen leisen Pfiff aus, als er sich in der Wohnung umsah.

»Hier wollen Sie also wohnen?«, fragte er.

Wenn das überhaupt möglich war, sah es hier inzwischen noch schlimmer aus als beim letzten Mal. Überall lag Staub, die Bohlen ächzten, hier und da klapperten Dachziegel.

»Das ist nur vorübergehend«, erklärte Polly hastig. Sie wollte denen nun wirklich nicht ihre ganze Lebensgeschichte erzählen.

»Das glaub ich gern«, sagte der junge Fischer, den Tarnie nun als Jayden vorstellte, und dann lachten wieder alle.

Polly sah sich um. »Ich würde Ihnen ja gerne eine Tasse Tee anbieten ...«

Die Männer setzten eine hoffnungsvolle Miene auf.

»Aber ich weiß nicht einmal, ob das Wasser schon angeschlossen ist.«

»Und ihr müsst auch noch die Bilge schrubben«, gab Tarnie zu bedenken.

Die Männer stöhnten.

»Na, dann mal los.«

»Äh, könnte ich vielleicht Ihre Toilette benutzen?«, fragte nun einer der Fischer.

»Natürlich«, sagte Polly.

»Hey, fang damit lieber erst gar nicht an«, rief Tarnie. Als Polly ihn verwirrt ansah, erklärte er: »Wenn einer geht, dann wollen alle anderen auch.«

»Das macht mir aber wirklich nichts«, meinte Polly.

»Wir haben an Bord nämlich keine Toilette.«

Polly blinzelte, und Tarnie wirkte ein wenig verlegen.

»Also, dann würde ich mal sagen, wir sehen uns«, sagte er und hielt das Buch hoch.

»Danke«, erwiderte Polly. »Vielen Dank dafür ... dass Sie mein Buch gerettet und mir geholfen haben und ...«

»Kein Problem«, winkte Tarnie ab und wurde direkt ein bisschen rot. »Ich kann doch eine Dame in Not nicht einfach im Stich lassen.«

Einer der jüngeren Fischer machte leise: »Haha!«, und der Kapitän fuhr mit finsterer Miene zu ihm herum. »So, du Großmaul. RAUS HIER!«

Als sie weg waren, trug Polly noch die letzten paar Beutel hoch. Sie holte ihre Laken hervor und deckte damit das Sofa ab, dann nahm sie erst einmal die riesige Kiste mit Putzmitteln unter die Lupe, die ihr Kerensa zum Abschied geschenkt hatte.

»Wenn du dich mit denen vierzig Minuten lang abgerackert hast«, hatte sie schnippisch erklärt, »merkst du schon, was du dir da eingebrockt hast, und kommst schleunigst hierher zurück.« Polly grinste und drehte erst einmal den Hahn auf. Zum Glück hatte sie tatsächlich fließendes Wasser, und sogar der Boiler gab vielversprechende Geräusche von sich. Aber dann merkte sie plötzlich, dass sie nach der langen Fahrt hierher und ihrem kleinen Zusammenbruch vorhin völlig ausgehungert war. Sie würde erst einmal etwas essen und danach den Putzlappen schwingen. Das klang ja schließlich fast so, als würde man das Tanzbein schwingen. Nur, dass es viel, viel übler war.

Das Wetter war leider nicht besser geworden, also zog Polly ihre dickste Jacke an und setzte eine Mütze auf. Sie brauchte unbedingt eine Tasse Kaffee, obwohl ihr nach der Begegnung mit den hilfreichen Fischern wenigstens innerlich nicht mehr so kalt war.

Nachdem sie über die holprige Gasse den Hügel hinaufgegangen war, erreichte sie das, was hier vermutlich als Hauptstraße galt. Es gab einen kleinen Kiosk, der auch Kescher, Eimerchen und Schaufeln verkaufte, die alle furchtbar staubig und trostlos aussahen. Dann entdeckte sie eine Metzgerei, ein Gemüselädchen und eine Eisenwarenhandlung.

Unten im Hafen stand ein Verkaufswagen mit der Aufschrift »Frischer Fisch«, der war jedoch geschlossen. Außerdem gab es einen kleinen Supermarkt, in dem sie Milch für ihren Kaffee und Suppe für später holte. Im Schaufenster der Bäckerei daneben betrachtete Polly gummiartig aussehende Kuchen und eine uralte Hochzeitstorte, die hoffentlich nicht echt war.

Nachdem ihre erste Begegnung mit den Einheimischen gar nicht so schlecht gelaufen war, wagte sich Polly hinein, immerhin würde sie hier ja von nun an ihr Brot kaufen ...

Was Brot anging, war Polly ziemlich eigen. Sie liebte das Zeug einfach, egal, ob es nun gerade in war oder nicht. Als Kind hatte sie schon total gern Brot gegessen, und das ging ihr als Erwachsene immer noch so. Sie mochte es geröstet oder einfach frisch. Bei Restaurantbesuchen fand sie den Brotkorb immer am tollsten; sie stand auf Bagels und Käsetoast, Lebkuchen und Hefezöpfe. Für hausgemachtes Sauerteigbrot blätterte sie schon mal sechs Pfund pro winzigen Laib hin, ihre Liebe galt aber genauso weichem Weißbrot, das in einem Sandwich den Fleischsaft von gebratenem Speck aufsaugte.

Während des Studiums hatte sie damit angefangen, selbst Brot zu backen, und seit dem Umzug mit Chris in die eigene Wohnung hatte sich das zu einem regelrechten Hobby ausgewachsen. Ganze Samstage hatte sie damit verbracht, Teig zu kneten und zu walken und ihn dann gehen zu lassen. Dann hatte Chris vor einem Jahr beschlossen, aus gesundheitlichen Gründen kein Brot mehr zu essen, weil er angeblich eine Glutenallergie hatte. Das fand Polly äußerst unwahrscheinlich, immerhin hatte er das Zeug bislang 34 Jahre lang ohne jede Nebenwirkung zu sich genommen, aber sie hatte sich jeden Kommentar verkniffen und eben kein Brot mehr gebacken.

Und jetzt überlegte sie erst einmal, was sie heute essen würde. Vielleicht irgendeine Spezialität der Gegend, Käsescones oder so?

»Hallo!«, grüßte sie fröhlich. Bäckern fühlte sie sich irgendwie immer verbunden, was daran lag, dass die so früh aufstehen mussten, an der warmen Hefe mit ihrem starken Geruch, daran, dass sie hungrige Menschen speisten ... Bei einem Frankreichurlaub hatte sie Chris damit in den Wahnsinn getrieben, dass sie unbedingt in jede Boulangerie gehen wollte, während er eigentlich vor allem Weinberge besuchen wollte. Aber sie hatte sich an all den unterschiedlichen Getreide- und Gebäcksorten ergötzt.

Nun stellte Polly fest, dass die alte Dame hinter dem Tresen genauso aussah wie die Produkte, die sie verkaufte. Wenn sich Polly nicht so fremd und verloren vorgekommen wäre, hätte sie das vermutlich sogar lustig gefunden. Die Frau mit ihrer mehlverschmierten Schürze war rund wie ein Brötchen, und genauso verhielt es sich mit ihrem Gesicht. Der Rand ihres Haarnetzes verschwand in Hautfalten und die teigigen Wangen hingen schlaff herunter. Das lange, mit grauen Strähnen durchzogene Haar hatte sie zu einer Art Zimtschnecke zusammengerollt. Ehrlich gesagt sah sie aus wie eine riesige Brioche, und auf den ersten Blick war sie Polly eigentlich sympathisch.

»Was darf's sein?«, fragte die Bäckerin kurz angebunden und warf einen gelangweilten Blick auf die Uhr.

»Ooch, da muss ich doch erst einmal gucken«, sagte Polly. »Ich bin nämlich neu hier. Was haben Sie denn alles?«

Die Frau rollte mit den Augen und deutete mit dem Kinn auf die mit Rechtschreibfehlern gespickte Liste an der Wand: »Brot, auch geschnitten, Pastete, Sandwich mit Käse, Sandwich mit Schinken, Sandwich mit Käse und Schinken oder Sandwich mit Käse, Schinken und Ananas« – *hm, wie exotisch*, dachte Polly – »Torten, Rosinenbrötchen, Walisische Küchlein und Scones«. Offenbar gab es nur eine Sorte Brot. Und wenn Polly jetzt so darüber nachdachte, duftete es auch gar nicht nach frisch Gebackenem, es lag eher ein Geruch nach muffigem Mehl in der Luft, der womöglich von dieser Frau selbst ausging.

»Äh, ich hätte gern ein Sandwich«, sagte Polly. Ihr Tankstellensnack schien bereits eine Ewigkeit zurückzuliegen. Sie sah sich um. Man konnte sich hier nirgendwo hinsetzen, und mal abgesehen von ein paar staubigen Fanta-Dosen entdeckte sie auch keine Getränke.

Die Frau grunzte, als sei diese Bestellung die reinste Zumutung, und knurrte: »Käse, Käse mit Schinken oder Käse, Schinken und Ananas?«

»Äh, letzteres bitte«, sagte Polly und fragte sich, ob sie die Bäckerin vielleicht ungewollt beleidigt hatte. Wenigstens waren die Sandwiches günstig.

Mit einem tiefen Seufzer wandte sich die Frau ab. »Na, dann muss ich wohl mal den Toaster anmachen.«

Polly betrachtete das erwähnte Gerät, es war schwarz und sah furchtbar schmierig aus. So langsam bereute sie die ganze Sache. Die Begegnung mit den Fischern hatte sie ihrem neuen Zuhause gegenüber einen Moment optimistisch gestimmt, aber das dämpfte ihre Laune jetzt wieder.

Hilflos sah sie sich um. Die Regale müsste eigentlich auch mal jemand gründlich auswischen. Jetzt schob sich die Frau mit ihrem ganzen Gewicht zu einem davon hinüber und griff nach einem offensichtlich total durchweichten Fertigsandwich, das sie dann in den Toaster schob. Polly hatte schon gar keinen Hunger mehr.

»Also, ich bin gerade hergezogen«, sagte sie und versuchte dabei, möglichst heiter zu klingen und sich nicht runterziehen zu lassen. »Hier ist es ja wirklich schön. Vorher hab ich in Plymouth gewohnt.«

Die Frau starrte sie unhöflich an. »Aha, Sie kommen also her, um die Preise hochzutreiben, bis die Leute aus der Gegend sich hier nichts mehr leisten können, was?«

»Nein!«, erwiderte Polly überrascht. »Äh, nein, ganz und gar nicht. Ich, äh ... ich hab mir eine kleine Auszeit genommen.« Mit diesem Satz hatte sie es jetzt schon ein paarmal probiert und erreichte damit normalerweise, was sie wollte – die Leute ließen sie in Ruhe und hakten nicht weiter nach. »Und dann werde ich mich auf die Suche nach einem neuen Job machen.«

Die Frau schniefte und schaute nach dem Toaster. »Na ja, den werden Sie hier kaum finden. Für Zugezogene gibt es im Ort nichts zu tun. Wissen Sie, wir sind keins von euren niedlichen kleinen Touri-Städtchen. Mount Polbearne ist nur für uns Alteingesessene.«

Polly bezahlte rasch ihr Sandwich und verabschiedete sich schleunigst. Die Frau bekam den Mund erst wieder auf, als Polly schon fast zur Tür raus war.

»Die Miete können Sie aber schon aufbringen, oder?«

Überrascht wandte sich Polly noch einmal um.

»Ich bin Mrs Manse«, sagte die Frau grantig, »Ihre Vermieterin.«

Polly nahm ihr Sandwich auf die andere Seite des Hafens mit, weit weg von ihrem Häuschen und den Kuttern, näher am Damm. Der Wind blies zwar immer noch ganz ordentlich, aber hinter der Mauer saß man geschützt. Es war kaum eine Menschenseele zu sehen. Polly beobachtete, wie ein Fischkutter laut aufs Meer hinaustuckerte, aus seinem Schornstein quoll dichter schwarzer Rauch, an Bord konnte man Männer in gelben Overalls erkennen. Als sie in ihr Sandwich biss, stellte es sich als miserabel heraus, es war ekelhaftes Pappbrot mit Plastikkäse und Ananas aus der Dose. Erstaunlicherweise schmeckte es aber irgendwie auch tröstlich.

Mrs Manse hatte nicht noch etwas gesagt, aber das war auch nicht nötig gewesen, dachte Polly finster. Ihre kühle Warnung hatte völlig gereicht.

Sie schaute aufs Meer hinaus und wickelte ihre Jacke fester um sich. Sie brauchte einen Plan. Also, positiv denken. Wegen Ebbe und Flut würde es für sie schwierig werden, sich eine Arbeit auf dem Festland zu suchen, bei der sie jeden Tag zur gleichen Zeit anfangen musste. Ja, ja, das hatten ihr vorher schon alle gesagt, und sie hatte es geflissentlich ignoriert. Ach, irgendwas würde ihr schon einfallen.

Im Nachhinein wurde ihr klar, dass sie darauf gehofft hatte, hier irgendwo unterzukommen. Sie verstand etwas von Buchhaltung und Marketing, vielleicht könnte sie hier ja für eine kleine Anwaltsfirma oder so arbeiten. Aber nachdem sie sich den Ort jetzt richtig angesehen hatte, kam ihr das nicht mehr sehr wahrscheinlich vor. Okay, sogar ziemlich unwahrscheinlich.

Also, sie musste dringend den Tatsachen ins Auge sehen. Vielleicht hatte sie sich ja von der romantischen Idee des Insellebens mitreißen lassen. Wenigstens hatte die Wohnung eine kurze Kündigungsfrist. Sie würde sicher schon bald einen Job in der Stadt finden und dorthin zurückziehen. Aber natürlich. Und bis dahin würde sie an diesem ruhigen, friedlichen Ort erst einmal verschnaufen. So hatte zumindest ihr Plan ausgesehen, wie sie sich nun in Erinnerung rief. Sie wollte entspannen, ihr Leben entschleunigen, die salzige Meeresluft einatmen. Panik brachte sie jetzt auch nicht weiter.

Nun gut, am besten ging sie einen Tag nach dem anderen an. Früher hatte sie mal Jahre im Voraus gedacht, und was hatte das gebracht? Ihr Unternehmenskonzept und ihre Lebensplanung waren komplett den Bach runtergegangen. Man wusste eben nicht, was einen hinter den Türen erwartete, die man im Leben so öffnete. Aber sie wusste, was hinter ihrer eigenen Wohnungstür lag – Schmutz und Dreck, dessen sie sich wohl oder übel annehmen musste.

Sie lächelte, als sie in Kerensas Putzkiste auch ein Paar alberne Gummihandschuhe mit Kunstfellborte und ganz unten eine Flasche mit bereits fertig gemischtem Gin Tonic entdeckte. Daran hing ein Zettelchen mit der Aufschrift: »Trink mich!«

Beherzt machte sich Polly an die Arbeit und schrubbte die furchtbaren alten Einbauschränke. Hätte ihre Vermieterin sich nicht wenigstens für welche mit Furnier entscheiden können?

Das Badezimmer hatte unter der Decke immerhin eine

Wäschespinne, aber es lag eine dicke schmierige Schicht über der Wanne mit Duschkopf, sodass Polly mit schlechtem Gewissen einen aggressiven Chlorreiniger zückte. Wenigstens hatte sie hier ein Badezimmer, dachte sie. Eine der Wohnungen, die sie sich angeschaut hatte, hatte aus einer Nasszelle mit einem darüber angebrachten Hochbett bestanden. Sie kam zu dem Schluss, dass ihr in ihrer Situation eben nichts anderes übrigblieb, als überall die positiven Aspekte zu sehen.

Der Fußboden im Bad war schrundiges, sehr dreckiges Linoleum, nach drei Runden Schrubben kam jedoch ein durchaus erträgliches Schwarzweißmuster zum Vorschein, und einmal geputzt, ließ das Milchglas auch etwas Nachmittagssonne herein. Das Schlafzimmer war klein, aber ruhig. Als sie die Vorhänge abnahm, um auch dort die Scheiben zu putzen, fluchte sie, als ihr plötzlich klar wurde, dass sie nicht mal eine Waschmaschine hatte.

Ihre Eltern waren nun wirklich nicht reich gewesen, und ehrlich gesagt hätte sie vermutlich nicht einmal dann zu ihrer Mutter ziehen können, wenn sie das gewollt hätte, die hatte nämlich nur ein winziges Einkommen und lebte in einem Einzimmerapartment in Rochester. Trotzdem hatte Polly noch nie in einer Wohnung ohne Waschmaschine gelebt, nicht einmal als Studentin.

Es wird nicht geheult!, sagte sie sich immer wieder, während sie sich fragte, ob Mr Bassi und Mr Gardner ihre schicke Maschine von Bosch wohl schon verscherbelt hatten. *Tja, dann muss ich wohl einfach in den Waschsalon gehen, das machen schließlich viele Leute. Ich kann mir dabei ja vorstellen, dass ich bei East Enders mitspiele oder so. Das wird bestimmt super. GANZ TOLL.*

Als Nächstes nahm sie sich das Wohnzimmer vor, und

ihr wurde von der körperlichen Ertüchtigung immer wärmer – was gut war. Als sie sich gefährlich weit aus dem Fenster lehnte, um die gleichermaßen schmutzigen wie salzverkrusteten Scheiben zu putzen, stellte sie fest, dass in einiger Entfernung die Wolken über dem Wasser verharrten und es an einer Stelle über dem Ozean regnete, als würden die Tropfen dieses Stück Meer für sich beanspruchen. Sie schaute auf diese neue Landschaft hinaus und fragte sich: *Bewegtes Meer und ruhige See zugleich?*

Dann machte sie Wasser heiß und goss es in ihren Lieblingsbecher, den mit dem Scrabble-Aufdruck. Der hatte damals sieben Pfund gekostet, was ihr für eine Tasse auf einmal lächerlich viel vorkam. War ihr das damals gar nicht aufgefallen? Hatte sich ihr Leben so sehr verändert? Verhungern würde sie auch jetzt nicht, weil ihr der Konkursverwalter jede Woche eine bescheidene Summe zugestand, allerdings kaum mehr als Sozialhilfe. Sie hoffte, noch etwas Geld herauszubekommen, wenn die Wohnung endlich verkauft wurde, aber darauf durfte sie sich nicht verlassen. In den letzten Monaten hatte Chris sie ja noch nicht einmal einen Blick in die Bücher werfen lassen. Deshalb war es für sie auch so ein Schock gewesen, wie es um die Firma wirklich stand. Sie hätte viel früher auf der Wahrheit bestehen sollen. Aber es gab wohl so einiges, was sie lieber anders gemacht hätte.

Polly schob einen altmodischen Sessel aus dem Schlaf- ins Wohnzimmer. Der war durchgesessen und oll, mit dem Bezug in Türkis fand sie ihn aber nicht ganz so geschmacklos wie das restliche spärliche Mobiliar. Sie stellte ihn vor die beiden Fenster, die nach vorne rausgingen und jetzt gerade zum Trocknen offen standen. Dann setzte sie sich hinein und legte die Füße auf dem Fensterbrett hoch. So konnte sie nichts weiter sehen als Himmel und Meer. Beinahe kam es ihr vor, als würde sie fliegen. Sie nippte an ihrem Kaffee, sog tief die salzige Luft ein und beobachtete die Wellen. Dann versuchte sie, ihren Atem an deren Kommen und Gehen anzupassen. Irgendwann fielen ihr die Augen zu, und sie schlief so tief und fest wie schon seit Monaten nicht mehr.

Kapitel 6

Polly begriff schnell, dass man sich eine positive Einstellung um fünf Uhr nachmittags viel leichter vormachen konnte als mitten in der Nacht. Sie wachte fröstelnd auf und konnte dann nicht wieder einschlafen. Auch die negativen Gedanken ließen sich nicht aus ihrem Kopf vertreiben.

Die Wohnung war kalt. Mal abgesehen vom Holzofen, von dem sie nicht so genau wusste, wie man ihn benutzte, gab es noch eine ziemlich gefährlich aussehende schwarze Heizung, also stellte sie die an. Aber dann machte sie den Fehler, einen Blick auf den Zähler zu werfen, und der schien sich mit Lichtgeschwindigkeit zu drehen. Sie ärgerte sich darüber, dass ihr Morgenmantel bei den Sachen im Lager war – was hatte sie sich dabei nur gedacht? –, zog einen Pullover über ihren Schlafanzug und kroch dann wieder unter die dünne und atmungsaktive Bettdecke. Für ihr modernes kleines Apartment mit Zentralheizung war die perfekt gewesen, hier reichte sie aber einfach nicht, weil in dieser Bruchbude der Wind durch die letzten im Dach verbliebenen Löcher pfiff und sie unten am Wasser die Wellen gegen den Kiesstrand donnern hörte. Polly dachte sehnsüchtig an das weiche weiße Federbett, das sie in Plymouth für Besucher benutzt hatten oder immer öfter auch dann, wenn sie nicht im selben Bett geschlafen hatten, weil sich Chris die ganze Nacht hin und her gewälzt hatte.

Die ungewohnten Geräusche machten Polly nervös. Irgendwann döste sie wieder ein und träumte, dass sie in einem Loch steckte und Wasser hereinschwappte, dass sie unter die Oberfläche gezogen wurde. Dann hörte sie plötzlich einen Knall und einen Schrei.

Völlig orientierungslos fuhr sie senkrecht im Bett hoch, das Herz raste in ihrer Brust. Wo war sie? Was war das gewesen? Und wo steckte nur Chris? O Gott, es war bestimmt jemand eingebrochen. Wahrscheinlich hatte sich bereits herumgesprochen, dass eine alleinstehende Frau hergezogen war, in ein nicht einmal annähernd sicheres Haus. Die Idylle auf dieser Insel war nur Fassade, tatsächlich brachte man hier nämlich Menschenopfer dar ...

Irgendwann war sie dann endlich wieder klar genug im Kopf, um einen Blick auf ihr Handy zu werfen. Sie stieß einen Fluch aus, als sie die Uhrzeit sah: erst 2 Uhr dreißig, es war noch mitten in der Nacht. Die Wohnung war eisig kalt und rabenschwarz, und auch vor dem Haus herrschte jenseits der Straßenlaternen absolute Dunkelheit. Aber dann leuchtete im Spalt unter der Zimmertür mit einem Mal ein heller Lichtstrahl auf. Beinahe hätte Polly laut geschrien, dann wurde ihr plötzlich klar, dass es der Strahl des Leuchtturms sein musste, der wohl durch die vorderen Fenster hereinfiel. Am ganzen Körper zitternd wickelte sie sich fest in ihre Decke. Noch hatte sie keine Nachttischlampe, daher musste sie sich im düsteren Zimmer vorantasten oder vielleicht darauf warten, dass der Leuchtturm es wieder erhellte. Sie spitzte die Ohren, konnte aber nichts hören. Wahrscheinlich hatte sie nur geträumt, Knall und Schrei waren einem Albtraum entsprungen, wahrscheinlich wegen des Leuchtturms ...

Aber beim nächsten Mal klang der Schrei sogar noch näher.

»OMistMistMistMistMist«, murmelte Polly und kämpfte gegen das Verlangen an, sich einfach die Decke über den Kopf zu ziehen. Ihr Herz schlug so heftig, als wollte es ihr aus der Brust springen. Sie versicherte sich selbst, dass eine Horde blutrünstiger Einheimischer mit Mistgabeln vermutlich nicht so klingen würde, aber das half auch nicht. Was hatte dieser Fischer da noch über Geister gesagt?

»Ha ... hallo?«, rief sie zögerlich in die Dunkelheit hinaus und horchte. Da war so ein wimmerndes Geräusch.

O Gott, vielleicht hatte ja jemand einen Unfall gehabt. Vielleicht war irgendwer – ein Kind? – aus einem Auto geschleudert worden. Polly umklammerte ihr Handy, wartete auf den nächsten Leuchtturmstrahl und hastete dann einmal quer durchs Zimmer zum Schalter. Das Licht beruhigte sie ein kleines bisschen, aber nur, bis sie wieder das Fiepen hörte.

»Okay, okay, ich komme ja schon«, sagte sie und zog sich noch einen Pullover über. Warum hatte sie bloß keine Taschenlampe mitgebracht? Denn inzwischen war sie ziemlich sicher, dass das Geräusch aus dem Erdgeschoss kam, aus dem dunklen und staubigen Ladenlokal da unten. Sie fragte sich, wo wohl der Eingang dazu lag, und da kam ihr eine Tür neben der Treppe wieder in den Sinn. Obwohl die ja vermutlich abgeschlossen war ... Sie sollte wohl gleich die Polizei anrufen. Ja, das würde sie machen.

Aber als dann der nächste einsame und verzweifelte Schrei erklang, nahm sie all ihren Mut zusammen und lief die Treppe hinunter. Lance hatte ihr einen riesigen Ring mit Schlüsseln dagelassen, ihr aber nicht sagen können, wofür die alle waren, und sich damit rausgeredet, dass er schließlich nur der Azubi war.

Gleich der zweite Sicherheitsschlüssel passte, und als sie an der verzogenen Tür rüttelte, öffnete sie sich tatsächlich. Polly hielt den Atem an. Ihr war klar, dass sie am ganzen Körper bebte.

»Hallo?«

Es kam keine Antwort, aber irgendetwas bewegte sich.

»Hallo?«, sagte sie wieder. Sie schaute nach rechts. Durch eins der zerbrochenen Bretter der Ladentür fiel etwas Licht herein. Während sich ihre Augen langsam an das Halbdunkel gewöhnten, überlegte sie, dass es vielleicht ein Hund oder eine Katze war – oder ein Troll oder Zombie, fügte ihr Unterbewusstsein hinzu. Rasch befahl sie ihm, die Klappe zu halten.

»Hallo?«

Sie hoffte nur, dass dieses Etwas sie nicht beißen würde. Aber wenn hier ein Tier litt, dann konnte sie jetzt wirklich nicht warten, bis die Polizei kam – vermutlich gab es hier auf der Insel nicht einmal ein Revier. Deshalb holte sie schließlich tief Luft und betrat den Raum.

Ein schwerer Geruch nach Schimmel und Staub lag in der Luft. Polly identifizierte einen großen Umriss als Theke und im hinteren Bereich riesige Öfen. Sie hörte ein seltsames schnaufendes Geräusch, aber wenigstens kein Kreischen mehr.

»Alles gut, alles in Ordnung«, sagte sie und warf einen Blick um den Verkaufstresen herum, obwohl sie sich immer noch ängstlich fragte, was sie da wohl finden würde. »Ich bin es nur«, murmelte sie, was unter den gegebenen Umständen ein bescheuerter Spruch war. Wenn es sich zum

Beispiel um eine riesige Mutantenspinne mit jeder Menge kleinen Babyspinnen handelte, dann würde sie die alle tottrampeln, und für die wäre das dann natürlich kein Trost.

Hinter der gläsernen Vitrine schien es ihr dann endlich so, als würde sie sich dem Schniefen nähern. Sie hielt die Luft an und ging in die Hocke.

»Oh«, machte sie. »Oh, du armes Ding.«

In der Ecke kauerte ein winziger Vogel mit schwarzweißem Gefieder und einem riesigen Schnabel in Gelb- und Orangetönen. Als Polly neben dem Vögelchen auf die Knie sank, ließ es einen weiteren schrillen Schrei ertönen. Eigentlich erstaunlich, dass so ein kleines Kerlchen solchen Radau machen konnte.

»Was hast du denn bloß?«, fragte Polly. Der Vogel zitterte, und sie versuchte, so wenig bedrohlich wie möglich zu wirken, als sie ihm die Arme entgegenstreckte. »Pst, pst.«

Im schwachen Licht von draußen konnte sie erkennen, dass ein Flügel des Vogels verdreht war und gebrochen aussah. Sie fragte sich, was bloß passiert war, und dann wurde ihr klar, dass er wohl im Dunkeln gegen die Scheibe geflogen sein musste. Das dünne, alte Glas war bei dem Aufprall zerbrochen. Wahrscheinlich hatte sich das arme Tier auch noch eine ordentliche Beule zugezogen.

»Na komm, komm her.«

Der Vogel versuchte wegzuflattern, quiekte aber sofort vor Schmerz. Mit beschwichtigenden Lauten hob Polly das kleine Wesen vorsichtig hoch. Dabei spürte sie das Herz so heftig in seiner Brust klopfen, dass sie kurz befürchtete, es könne gleich stehen bleiben.

»Ganz ruhig, alles ist gut«, sagte sie. »Weißt du was, ich glaube, ich hatte mehr Angst als du.«

Sie schaute das kleine Ding an.

»Na ja, gut, ganz so viel vielleicht doch nicht, aber fast.«

Sie blickte zum Fenster rüber. Die Scheibe musste jetzt warten, sie würde morgen ein Stück Karton dahinterkleben oder der Immobilienfirma Bescheid sagen. Plötzlich war sie erleichtert, nicht den Notruf gewählt zu haben. Wenn sie denen jetzt erklären würde, dass sie da einen verletzten Vogel in der Hand hielt, hätten die das wohl nicht sehr witzig gefunden.

»Tja«, sagte Polly und schaute den Kleinen an. »Viel weiß ich ja nicht über Papageientaucher. Genau genommen gar nichts. Ich hatte keine Ahnung, dass ihr fliegen könnt. Aber am besten kommst du jetzt erst mal mit hoch.«

Im Vergleich zu dem gruseligen Ladenlokal unten kam ihr ihre helle Wohnung mit ihrem vertrauten Sofa und Bett beinahe heimelig vor. Müde war Polly inzwischen überhaupt nicht mehr, daher stellte sie mehr aus Gewohnheit den Wasserkocher an und hängte ein Laken vors Fenster, um den Strahl des Leuchtturms abzuschwächen. Den Papageientaucher wickelte sie in ein Handtuch. Sein Gefieder war ganz dicht und flaumig, der war bestimmt noch ein Küken. Schließlich googelte sie auf ihrem Handy »gebrochenen Vogelflügel richten«. Im Internet empfahl man selbstklebendes Gazeband, aber sie hatte nur das Kreppband von ihrem Umzug, das musste es tun. Der Vogel versuchte inzwischen nicht länger, sich durch Flattern zu befreien, und starrte sie stattdessen aus tiefschwarzen Augen an.

Sie klebte ihm den Flügel an den Körper und schnitt dann ein paar Löcher in einen ihrer Umzugskartons.

»Das ist jetzt dein Bett«, erklärte sie.

Die Webseite empfahl auch Katzenfutter, das sie ebenso wenig dahatte, aber sie fand in ihrem Vorratskarton noch eine Dose Thunfisch, die sie für Notfälle mitgebracht hatte. Sie stellte dem Vogel ein Schälchen mit Fisch und auch noch eins mit Wasser hin. Als der Kleine darauf zuwatschelte, um sich das mal genauer anzusehen, fiel er prompt auf den Schnabel.

Vorsichtig richtete Polly ihn wieder auf. Er schaute erst die beiden Schüsselchen und dann ängstlich sie an. »Alles gut, schon in Ordnung«, versicherte sie, und schließlich fing er an, am Fisch herumzupicken. Zu ihrer eigenen Überraschung legte sich ein Lächeln auf Pollys Züge, als sie ihm beim Fressen zusah, und das hatte auch mit all den furchtbaren Dingen zu tun, die sie sich eben ausgemalt und zum Glück doch nicht vorgefunden hatte.

»Okay«, sagte sie, als der Vogel sein Mahl beendet zu haben schien, »dann sind wir heute Nacht wohl Mitbewohner.«

Morgen würde sie ihn zum Tierarzt bringen – irgendwer war in so einem Fall doch bestimmt zuständig? Aber jetzt würde sie erst mal das mit der Kiste ausprobieren. Sie setzte den Vogel auf ein Handtuch und erklärte: »Das ist im Prinzip so, als würdest du Windeln tragen, okay? Und untersteh dich, aufs Sofa zu hüpfen!« Dann stülpte sie den Karton über den kleinen Papageientaucher. Eigentlich hatte sie Protest seinerseits erwartet, aber er blieb ganz still, vielleicht kam ihm das ja ein wenig vor wie ein Nest. Er flatterte nur ein kleines bisschen, und dann war schließlich Ruhe.

Polly ging ins Schlafzimmer, nahm ihre Decke doppelt und verteilte dann noch ihre verbleibenden Handtücher darauf. Erstaunlicherweise schlief sie sofort ein und wurde erst wieder wach, als bei der Rückkehr der Fischkutter die Möwen zu kreischen begannen. Es war ein strahlender, sonniger Aprilmorgen.

Kapitel 7

»Ein Glück, dass ich mich auf keinen Fall an dich gewöhnen werde«, bemerkte Polly am nächsten Morgen, als der Papageientaucher an den Thunfischresten herumpickte. »Und einen Namen werd ich dir erst recht nicht geben.«

Der Vogel versuchte noch einmal, ein paar Schritte zu gehen, kippte aber schon wieder um. Sie half ihm auf. »Auch wenn du dich selbst ziemlich witzig findest«, sagte sie. Der Kleine krächzte ein wenig.

»Ich weiß. Wenn es dir besser geht, lasse ich dich frei, und du kannst zu Mummy und Daddy zurückfliegen, okay? Großes Indianerehrenwort!«

Sie seufzte. »Eins muss ich dir aber zugestehen – ich rede viel lieber mit einem Vogel als mit einem Sofa.«

Während sie ihren Kaffee trank, sah sie dabei zu, wie im Hafen Männer den Fisch entluden. Es drängten sich Leute um die Kisten, starrten hinein, stocherten und pulten darin herum. Ein Typ hatte einen kleinen Tisch aufgebaut, nahm den Fisch aus und verkaufte ihn direkt vom Boot herunter. Fasziniert schaute Polly ihm zu, er war so flink mit dem Messer, dass man seinen Bewegungen kaum folgen konnte. Er nahm den Fisch quasi in Lichtgeschwindigkeit aus. Am Straßenrand parkten mehrere Lieferwagen mit der Aufschrift von in ganz Cornwall berühmten Fischrestaurants. *So läuft das also*, dachte sie. Eigentlich sollte sie wohl hingehen und sich auch welchen kaufen, denn frischer ging es kaum. Der Papageientaucher hätte sich vielleicht auch über ein Stück Fisch gefreut …

Die Männer, die da von Bord gingen, sahen müde aus. Was für eine lange Nacht die hinter sich haben mussten! Plötzlich wurde Polly klar, dass sie an das Leben von Fischern bisher noch nie einen Gedanken verschwendet hatte. Aber sie war auch müde. Jetzt holte sie erst einmal Lebensmittel aus einem Karton, die sie aus Plymouth mitgebracht hatte. Früher hätte sie gefunden, dass es sich nicht lohnte, eine fast leere Packung Salz und zwei Päckchen Hefe mitzunehmen.

Der Backofen war tiefschwarz vor Schmutz – Polly seufzte und stellte sich schon mal auf zwei Stunden Schrubberei ein. Außerdem handelte es sich um eins von diesen altmodischen Dingern, bei denen man ein langes Streichholz und eine ruhige Hand brauchte, um das Feuer in Gang zu bringen. Aber das Gas zischte aufmunternd und erschreckte den Papageientaucher, dessen Krallen auf dem Holzfußboden klackerten, während er das Laufen mit fixiertem Flügel übte.

Polly warf einen Blick auf die Uhr.

»Weißt du«, sagte sie, »das mach ich zuerst. Und dann bring ich dich zum Tierarzt.«

Der Vogel legte den Kopf schräg.

»Okay, okay«, fügte Polly schnell hinzu. »Ich hab das Wort ›Tierarzt‹ nie gesagt.«

Sie stellte den Kocher an, um für die Hefe Wasser warm zu machen, dann schob sie den Tisch an die Küchenelemente heran, um wenigstens die Illusion einer Arbeitsplatte zu erzeugen. Auf die Tischplatte, die sie vorher gründlich geputzt hatte, streute sie etwas Mehl. Der Papageientaucher wackelte herbei, um sich das mal näher anzusehen, versuchte aber vergeblich, auf den Tisch zu hüpfen.

»Auf gar keinen Fall!«, mahnte Polly. »Du bist nämlich schmutzig, und ich will auch keine Fußabdrücke im Mehl.«

Aber als das Vögelchen erbärmlich piepste, wurde sie schwach. Sie hob ihn hoch, ließ ein bisschen Seifenwasser ins Spülbecken ein und setzte ihn hinein. Er war begeistert, begann mit den Krallen zu wackeln, erzeugte kleine Bläschen und gurrte zufrieden. Und es schien ihm auch zu gefallen, dass Polly nun das Radio anmachte.

»Na, dann spiel mal schön«, sagte sie und griff nach ihrem Brotteig. Der fühlte sich klebrig an, was gut war – je klebriger der Teig, desto luftiger das Brot –, aber er war zu pappig, um damit arbeiten zu können, deshalb streute sie noch etwas mehr Mehl auf den Tisch. Dann begann sie zu kneten. Sie presste und schlug den Teig, zog ihn aus und faltete ihn wieder zusammen.

Dabei passierte etwas Seltsames. Zunächst kam im Radio ein Lied, das sie liebte: *Get Lucky*. Das fand sie einfach perfekt, im Moment konnte sie Glück nämlich gut gebrauchen, deshalb drehte sie die Musik ordentlich auf. Auch wenn das nicht gerade ein musikalisches Meisterwerk war, sie bekam bei diesem Song einfach jedes Mal gute Laune. Und dann konnte sie durch die jetzt frisch geputzten Fenster auch noch sehen, wie die Frühlingssonne auf den Wellen glitzerte. Mit flatterndem Segel wagte sich ein mutiges kleines Boot aus dem Hafen. Und zu ihrer Linken planschte der Papageientaucher fröhlich in seiner kleinen Pfütze.

Und plötzlich ging in Polly eine Veränderung vor. Während sie so knetete und walkte, kam es ihr vor, als würde sie damit Energie aus ihrem Körper ziehen, und zwar negative Energie. Ihr war nicht einmal klar gewesen, wie sehr sie die Schultern hochgezogen hatte, wie verspannt ihr Nacken gewesen war. Einen Hals hatte sie während der letzten Monate vermutlich gar nicht mehr gehabt.

Und da wurde ihr auch bewusst, dass ihr in dieser Zeit niemand die Hand in den Nacken gelegt und tröstend gesagt hatte: »Na, du wirkst aber ziemlich gestresst.« Sie hatte sich so lange um Chris gesorgt und versucht, vor allen anderen die Fassade aufrechtzuerhalten. Um von Kerensa und anderen Freunden nicht bemitleidet zu werden, hatte sie alles einfach in sich hineingefressen und heruntergeschluckt.

Jetzt streckte sie genüsslich die Arme aus. Ihr Blick folgte dem kleinen weißen Segelboot, das aufs Meer hinausschaukelte. Und nun wurde ihr auch klar, wie lange sie schon nichts mehr betrachtet hatte, was weiter als ein Computerbildschirm entfernt war.

Und als hätte sie beim Entspannen der Schultermuskulatur noch etwas gelöst, rann ihr plötzlich eine Träne übers Gesicht, eine dicke, fette, salzige Träne, die von ihrer Nasenspitze direkt in den Teig tropfte.

Aber das waren nicht mehr die frustrierten, zornigen Tränen, die sie in ihrer Wut auf die ungerechte Welt gestern im Hafen geweint hatte. Das hier waren läuternde Tränen, die unaufhaltsam fielen, aber sie war dabei nicht mehr so unglücklich. Polly ließ sie einfach laufen, sie hätte die mit ihren Teighänden ja sowieso nicht wegwischen können. Stattdessen versuchte sie, wenigstens dieses eine Mal völlig präsent zu sein – in diesem Moment würde sie weder die Vergangenheit bereuen noch panisch über die Zukunft nachdenken. Sie würde sich nicht vorhalten, was sie hätte tun sollen, was sie alles nicht gemacht oder geplant hatte, was sie alles nicht zu Chris gesagt hatte. In diesem Augenblick lauschte sie einfach nur dem Radio, das jetzt ein anderes ihrer Lieblingslieder spielte, und dem Geplansche im Spülbecken, spürte, wie der Teig ihre Finger umgab und sich unter ihren Händen veränderte, während draußen die Sonne auf den jetzt segelschifflosen Wellen glitzerte.

Es war nicht so warm, wie man angesichts der Morgensonne hätte denken können, es blies nämlich eine steife, salzige Brise durch den kleinen Ort. Polly hatte den Teig an einem warmen Plätzchen ruhen lassen und machte sich nun auf die Suche nach einem Tierarzt. Den ein wenig vorwurfsvollen Papageientaucher trug sie in einem Karton unter dem Arm. Zum Glück war die Frau in dem Lädchen, wo sie am Vortag Milch und Suppe gekauft hatte, wesentlich freundlicher als die Bäckerin. Sie erklärte ihr den Weg zu der kleinen Praxis. Einen Moment fragte Polly sich panisch, wie viel die Behandlung wohl kosten würde. Sie wusste natürlich, wie teuer Tierärzte waren. Aber was blieb ihr anderes übrig?

Als sie ins Behandlungszimmer kam, wirkte der Tierarzt gebieterisch und furchtbar beschäftigt, schließlich schaute er aber von seinem Computer auf.

»Äh«, sagte Polly, »der hatte einen kleinen Unfall.«

Der Tierarzt hieß Patrick, und – was Polly da noch nicht wissen konnte –, er hatte ein Geheimnis: Er hasste nämlich Katzen. Nun setzte er sich die Brille auf und warf einen Blick in den Karton, dann schaute er sich die Frau an, die den Karton mitgebracht hatte. Sie sah müde aus, war aber hübsch. Das rotblonde Haar fiel ihr weich über die Schultern, ihre Augen leuchteten in einem ungewöhnlichen Grün, und auch wenn sie sich im Moment nervös auf die Lippe biss, sah ihr Mund doch aus, als verberge er ein hübsches Lächeln.

»Sind Sie auf der Durchreise?«, fragte er.

»Nein. Ja. Nein«, stammelte die Frau.

»Sie sind sich also nicht sicher?«

»Nein, doch, ich meine ...« Polly war völlig durcheinander. Wahrscheinlich hatte sie in den letzten Tagen einfach nicht mit genug anderen Menschen gesprochen. »Ich meine, ich hab hier eine Wohnung gemietet. Vorübergehend.«

Patrick runzelte die Stirn. »Warum das denn in aller Welt?«

Das ärgerte Polly. Sie wollte einem Wildfremden nun wirklich nicht auf die Nase binden, dass sie sich nichts anderes leisten konnte.

»Ist dagegen irgendetwas einzuwenden?«, erwiderte sie stattdessen.

»Nein, nichts«, seufzte Patrick. »Den meisten Leuten, die hierherkommen, gefällt allerdings Rock oder St. Ives besser, Sie wissen schon, schickere Orte eben.«

»Tja, ich bin aber nicht wie die meisten Leute«, sagte Polly.

»Ja, das sehe ich«, meinte Patrick und warf noch einen Blick in den Karton. »Sie wissen aber schon, dass das ein Meeresvogel ist, oder?«

»Ach du meine Güte, tatsächlich?«, fragte Polly. »Ist das wirklich kein Gürteltier?«

Patrick musste unwillkürlich lächeln. »Normalerweise werden die aber ... ich meine, Seevögel haben wir hier wirklich in Hülle und Fülle.«

»Also, an Katzen herrscht genauso wenig Mangel, und die behandeln Sie doch auch, oder?«, fragte Polly eingeschnappt.

»Das stimmt wohl«, versetzte Patrick grimmig und steckte die Hand in die Kiste. »Na, dann komm mal her, mein Kleiner.«

Er mochte ja eine raue Schale haben, die liebevolle Berührung verriet Polly aber, dass sich dahinter ein weicher Kern verbarg. Der Papageientaucher zuckte ein wenig zusammen, ließ sich aber hochheben, und der Arzt schaute sich den von Polly improvisierten Verband an.

»Das haben Sie wirklich gut hingekriegt«, bemerkte er.

»Danke«, sagte Polly. »Ein Glück, dass ich mal einen Erste-Hilfe-Kurs für Vögel gemacht habe.«

Patrick sah sie an. »Wissen Sie, wie viele Papageientaucher es im Schutzgebiet im Norden von Cornwall gibt?«, fragte er.

»Keine Ahnung«, sagte Polly. »Die Stunde muss ich wohl verpasst haben.«

»Ungefähr 1,4 Millionen«, sagte Patrick.

»Na ja, aber ich kann nun mal zufällig den hier leiden«, sagte Polly bockig.

Patrick wurde ernst. »Sie wissen schon, dass Sie den nicht behalten können, oder?« Er warf einen Blick unter das Gefieder. »Ja, das ist tatsächlich ein Er.«

Polly lächelte. »Wusste ich's doch«, sagte sie und kraulte den Vogel am Kopf. »Warum denn nicht? Sind die etwa geschützt, oder was?«

»Nein, aber das wäre einfach nicht gut für ihn. Er muss nämlich fliegen, groß werden und sich fortpflanzen. Das ist ja bloß ein Jungvogel. Ein Küken.«

»Papageientaucherküken«, murmelte Polly vor sich hin. »Das klingt wie der Titel von einem dieser extrem merkwürdigen Indie-Alben, die sich mein Ex früher immer gekauft hat.«

Ein wenig gequält lächelte sie. *Aha*, dachte Patrick, *ein Ex.* Das erklärte vermutlich so einiges.

Der kleine Papageientaucher öffnete seinen leuchtendorangen Schnabel und krächzte. Patrick lehnte sich vor und öffnete eine Schublade, holte etwas Fischfutter heraus und streute es ihm zum Picken hin.

Polly seufzte. »Ich muss ihn also abgeben«, sagte sie traurig.

»Ja, er gehört in seine Kolonie. Aber solange er nicht wiederhergestellt ist, ist das natürlich sinnlos«, sagte Patrick. »So kann er nämlich nicht fliegen. Denken Sie, dass Sie sich vielleicht um ihn kümmern könnten, bis es ihm wieder besser geht?«

»Na klar!«, rief Polly erfreut aus. »Ja, ich denke, das ginge. Wie lange denn ungefähr?«

»Vielleicht zwei oder drei Wochen«, überlegte Patrick. »Der Kleine kommt mir zum Glück ziemlich zufrieden vor. Bei Vögeln besteht die größte Gefahr nämlich darin, dass sie vor Angst sterben.«

»Ich glaube, das ist ein ziemlich entspannter Papageientaucher«, sagte Polly.

»Gewöhnen Sie sich nur nicht zu sehr an ihn, okay? Wenn er wieder fliegen kann, müssen Sie ihn nämlich ziehen lassen.«

»Ja, so geht mir das immer«, murmelte Polly. »Ich werde mein Bestes tun.«

»Aber geben Sie ihm bloß keinen Namen.«

»Okay.«

Polly stand auf. »Was schulde ich Ihnen?«

Patrick winkte ab. »Ich hab doch gar nichts gemacht, die Krankenschwester hier sind Sie. Machen Sie sich deshalb mal keine Gedanken.«

»Im Ernst?«, fragte Polly. »Vielen, vielen Dank!«

Es überraschte den Tierarzt, wie überschwänglich ihm die junge Frau dankte. Ihre Kleidung war zwar nicht wahnsinnig teuer, sah aber auch nicht billig aus.

»Zur Gewohnheit sollten Sie das aber nicht werden lassen«, mahnte er. »Wenn Sie hier demnächst mit einer Möwe auftauchen, bekommen Sie danach eine gepfefferte Rechnung.«

»Okay, in Ordnung«, sagte Polly, immer noch zufrieden. »An der Leine sollte ich ihn vermutlich nicht spazieren führen, oder?«

»Auf gar keinen Fall!«, warnte Patrick, während er sie aus dem Behandlungszimmer brachte. Im Warteraum fauchten einander zwei Katzen mit ausgefahrenen Krallen an.

»Okay. Also, vermutlich wird er schon von ganz allein wegfliegen, aber falls nicht, dann bringen Sie ihn in drei Wochen noch mal vorbei.«

»Das mache ich«, versprach Polly und lächelte nun endlich. Patrick sah seine Vermutung bestätigt, sie hatte wirklich ein schönes Lächeln. Und er fragte sich, warum das wohl von ihrem Gesicht verschwunden war.

Als Polly mit ihrem Papageientaucher im Karton die Straßen entlanglief, war ihre Laune so gut wie schon lange nicht mehr. Sie ging zum Hafen hinunter und an den Kuttern vorbei. Als Polly zur *Trochilus* hinüberschaute, hätte sie dabei fast deren Besitzer über den Haufen gerannt.

»Hallo, hallo!«, sagte Tarnie, während sie über einen Pflasterstein stolperte und ihm geradezu in die Arme fiel.

Sein Bart streifte ihren Scheitel. »Heute sehen Sie ja schon ein bisschen fröhlicher aus.«

Polly verzog das Gesicht. »Kunststück.«

»Dieses Buch, das Sie mir da geliehen haben, ist ganz schön merkwürdig«, bemerkte er nun mit seinem starken Akzent, der Polly gut gefiel.

»Oh, Sie haben also damit angefangen!«

»Viel mehr gibt es ja nicht zu tun, wenn man mit dem Kutter rausfährt. Bis man dann mit einem Mal plötzlich alle Hände voll zu tun hat.«

»Und, wie finden Sie es?«

»Der Autor hätte wohl besser die Finger von den Drogen gelassen.«

Polly lächelte. »Interessant. Ich denke ja, er war einfach nur ein wenig seltsam.«

»Ein wenig ist ziemlich untertrieben. Und wer ist das hier?«

Polly schaute in den Karton. Der Vogel blickte zu ihr hoch, als wartete er darauf, von ihr vorgestellt zu werden.

»Tja«, sagte sie, »ich, äh … ich beherberge gerade einen Papageientaucher.«

Tarnie runzelte die Stirn. »Spielt Ihnen da etwa irgendjemand einen Streich, weil Sie neu in der Stadt sind? Sagen Sie es mir, wenn jemand fies zu Ihnen ist!«

»Nein, nein«, stellte Polly schnell klar und erzählte ihm die ganze Geschichte.

»Also, von einem Meeresvogel als Haustier hab ich noch nie was gehört«, sagte Tarnie. »Allerdings sind Papageientaucher ziemlich lecker.«

»Hey!«, rief Polly. »Pst! Sonst muss ich ihm die Ohren zuhalten, und ich weiß nicht mal genau, wo die sind.«

»Der kommt doch aus Island«, wandte Tarnie ein, »der spricht ja gar kein Englisch.«

»Oh, okay. Na ja, trotzdem dürfen Sie keine Papageientaucher essen!«

»Aber Sie essen doch auch Ente, nicht?«

»Diese Unterhaltung ist hiermit beendet.«

Tarnie tätschelte dem Vogel die Brust. »Na ja, offensichtlich hat er Ihnen das Herz gestohlen. Hat er denn schon einen Namen?«

»Nein«, sagte Polly zögerlich. »Der Tierarzt hat mir gesagt, dass ich ihm besser keinen geben soll.«

»Aber Sie können ihn doch nicht einfach nur ›Papageientaucher‹ nennen. Wie wär's denn mit *Pete*?«

»*Pete Papageientaucher?*«, echote Polly. »Na, ich weiß nicht. Das klingt irgendwie komisch. Wie wär's denn mit *Muffin?*«

»*MUFFIN?*«, wiederholte Tarnie. »Ich kann nicht fassen, dass Sie das dem armen Ding antun wollen. Da lachen ihn die anderen Vögel ja aus.«

»Oder finden es total cool, dass er einen richtigen Namen hat«, sagte Polly, »statt einfach nur *Papageientaucher 9000072.*«

Tarnie lächelte, schob die Hand in die Tasche und fand darin ein Steinchen, das er raus aufs Meer schleuderte.

»Ich denke, das sollte nichts Niedliches sein«, überlegte Polly. »Ein Papageientaucher mit einem Namen zu sein, ist sicher schon komisch genug. Deshalb sollte ihm dieser Name wenigstens Sicherheit geben.«

Im Karton wackelte der Vogel einen Schritt voran.

»Wie *Neil* zum Beispiel.«

»*Neil?*«

»Ja, das ist doch ein ehrlicher, solider Name. *Neil, der Papageientaucher.*«

Neil schüttelte die Federn seines unverletzten Flügels.

»Sehen Sie, das gefällt ihm.«

»Sie sind ja noch verrückter als das Mädchen aus dem Buch«, sagte Tarnie.

»Und Sie sind nur neidisch, weil ich einen Papageientaucher habe.«

»Na, wenn Sie meinen. Bringen Sie ihn doch später zum Kutter, dann kriegt er ein bisschen Hering.«

»Okay, das mach ich«, versprach Polly.

Als sie in ihre kleine Wohnung zurückkam, war der Teig auf das Doppelte seiner ursprünglichen Größe angewachsen. Polly knetete ihn durch und ließ ihn noch mal vierzig Minuten gehen – während deren sie eindöste –, schließlich wachte sie wieder auf und machte den furchteinflößenden Backofen an, der mit einem bollernden Geräusch zum Leben erwachte. Als Form benutzte Polly einen ramponierten Topf, den sie in einer Schublade gefunden hatte. Das Ding war von jahrelanger Benutzung ganz schwarz geworden, etwas anderes hatte sie aber nicht. Sie hoffte nur, der viele Ruß war nicht giftig. Na ja, sie wischte den Topf jedenfalls von innen mit Olivenöl aus, damit das Brot nicht festklebte, und drückte die Daumen. Dann atmete sie tief durch und nahm sich erneut das Badezimmer vor. So richtig sauber war das nach ihrer ersten Putzaktion nämlich noch nicht. Außerdem hatte sie unter all dem Schmutz zwar das Linoleum entdeckt, bislang aber die hintere Ecke des langen, engen Raumes ignoriert, in der doch tatsächlich Teppichboden lag.

Gab es eigentlich etwas Furchtbareres als ein Badezimmer mit Teppichboden? Ja, ein Badezimmer mit Teppichboden in einer Wohnung mit undichtem Dach, durch das es von Zeit zu Zeit reinregnete. Badezimmer in Übergangswohnungen, Junggesellenbuden, reinen Schlafstätten für Menschen, die an ihrer Behausung keinerlei Interesse hatten.

Als Polly nun einen Blick unter eins der furchtbar billigen Teppichelemente warf, entdeckte sie darunter den ursprünglichen Holzfußboden. Eigentlich war der Raum gar nicht so schlecht, er hatte eine gute Größe und ein Fenster mit einem Blick aufs Städtchen. Sie stellte ihn sich mit einer hellblau gestrichenen Vertäfelung vor und mit einer von diesen frei stehenden Wannen mit Krallenfüßen auf einem kleinen Podest. Von dort aus könnte man beim Baden die Schiffe draußen auf den Wellen tanzen sehen. Vielleicht konnte sie das Ganze auch noch mit ein paar schönen Muscheln dekorieren und ... Polly riss sich zusammen und kehrte aus ihrem albernen Tagtraum in die Wirklichkeit zurück. Jetzt musste sie erst mal a) diese Wohnung so weit sauber bekommen, dass sie sich wenigstens keine Seuchen zuzog, b) in die Gänge kommen und sich einen vernünftigen Job suchen und c) endlich über ... na ja, das alles eben hinwegkommen. Ihr Leben anpacken, wieder auf die Beine kommen. Ihre Freunde nicht länger damit in peinliche Situationen bringen, dass sie nach dem zweiten Glas Wein jedes Mal in Tränen ausbrach. Ihren inneren Frieden wiederfinden.

HAHAHA. Polly hob ein Stück billigen Büroteppichboden mit geheimnisvollen braunen Flecken und dann eine Zeitung von 1994 auf und seufzte.

Wenigstens waberte aus der Küche ein köstlicher Duft herüber, der sich über all die unangenehmen Gerüche legte, die sie hier aufschreckte. Sie ließ die Gummihandschuhe an und goss Eimer um Eimer schmutziges Wasser in den Abfluss, bis das Bad zwar nicht glänzte und funkelte, aber wenigstens nicht mehr an eine menschenunwürdige Siedlung aus einer BBC 2-Doku erinnerte, mit der gleich die Abrissbirne kurzen Prozess machen würde.

Dann ließ Polly Wasser ins Becken und schaute sich Neils Gefieder mal genauer an, nur um festzustellen, dass er ein ziemlich sauberer Papageientaucher ohne allzu viel Ungeziefer war.

Irgendwann stand sie auf, reckte sich und betrachtete sich im Spiegel, der dafür endlich sauber genug war: Sie war rot im Gesicht und ein wenig zerzaust. Polly versuchte sich selbst anzulächeln und musste sich eingestehen, dass sie in letzter Zeit ziemlich wenig gelächelt hatte. Ohne dass es ihr aufgefallen war, hatten sich zwischen ihren Augenbrauen zwei steile Falten gebildet, sodass ihre Miene jetzt ständige Besorgnis auszudrücken schien. Und sie machte sich ja wirklich dauernd Sorgen. Erneut versuchte sie sich an einem Lächeln – das sie ein wenig irre aussehen ließ – und kehrte dann in den Wohnraum ihres seltsamen kleinen Zuhauses zurück.

Ihr Katen mit dem runden Körper und einem kleineren Köpfchen war im Ofen wunderbar aufgegangen und hatte eine tolle goldene Farbe angenommen. Es roch einfach himmlisch. Sie holte es mit dem einzigen Hilfsmittel heraus, das ihr hier als Topflappen dienen konnte – einem ekligen, schmierigen Küchenhandtuch. Und nicht nur das musste in die Wäsche! Dann drehte sie den Laib um, der bei der Klopfprobe knackig und frisch klang.

Bei dem Gedanken daran, dass sie heute schon zwei Dinge geschafft hatte – das Bad putzen und Brot backen –, wurde Pollys Laune gleich besser. Und wenn man Neils Bandage mitzählte, waren das sogar drei Sachen. Jemand anders mochte das vielleicht für keine große Leistung halten, für sie war es aber ein Riesenschritt.

Als das Brot ein wenig abgekühlt war, schnitt sie dicke Scheiben ab, die sie mit Butter und mitgebrachter Marmelade bestrich. Dann steckte sie Neil in seinen Karton. Dem Vogel schien das überhaupt nichts auszumachen, und Polly fragte sich, ob er wohl auch wie der Papagei eines Piraten auf ihrer Schulter sitzen bleiben würde. Aber dann tat sie den Gedanken schnell wieder ab, schließlich war das a) albern, b) unhygienisch, c) schlecht für Neil und d) auch verwirrend, immerhin hieß sie ja Polly. Endlich machte sie sich auf den Weg zum Hafen.

Die Fischer von gestern hockten im schwachen Licht der Nachmittagssonne und flickten Netze. Als sie ankam, scharten sich die Männer mit freundlichen Hallorufen um sie, was sie super fand.

»Und was ist das?«

»Äh, ich hab Brot gebacken.«

»Das haben Sie selbst gemacht?«, fragte Jayden.

»Nein, das hab ich in meiner Wohnung gefunden«, erwiderte Polly. »Natürlich hab ich das gemacht. Kann ich Ihnen vielleicht eine Scheibe anbieten?«

Tarnie grinste sie an. »Tasse Tee?«

Im Handumdrehen hatte er angeschlagene weiße und blaue Emaillebecher hervorgezaubert, in die er aus einem Teeautomaten ein lachhaft starkes Gebräu goss. Dann stürzten sich alle auf die Marmeladenbrote, und Tarnie löste auch sein Versprechen ein, Neil etwas Hering zu spendieren. Alle waren zufrieden und gingen in der lockeren Stimmung schnell zum Du über.

»Das schmeckt einfach super«, sagte einer der Männer. Mit vollem Mund stimmte ein anderer zu.

»Ich hab noch nie hausgemachtes Brot gegessen«, erklärte der Jüngste, der apfelbäckige Jayden, der noch nicht einmal Bartwuchs hatte.

»Echt?«, fragte Polly. »Und, magst du's?«

Er zuckte mit den Achseln. »Ich ess eigentlich alles gern.«

»Hör nicht auf ihn«, sagte Tarnie. »Das ist echt gut. Klasse. Und weißt du, was wirklich gut dazu passen würde?«

»Du solltest dir Honig von diesem Bekloppten besorgen«, fiel ihm Jayden ins Wort.

»Genau das hab ich auch gedacht«, erklärte Tarnie.

»Was denn für ein Bekloppter?«

»Sonst der Einzige, der seit einer Ewigkeit hierher gezogen ist«, sagte Tarnie, »während doch jeder vernünftige Mensch versucht, irgendwie vom Arsch der Welt wegzukommen. Entschuldige die Ausdrucksweise.«

Polly war schwer damit zufrieden, wie gut das Brot geworden war. Es schmeckte ganz anders als ihre Brote aus Plymouth, hatte einen viel volleren, intensiveren Geschmack. Ein wenig besorgt fragte sie sich, ob das vielleicht etwas mit dem verbrannten schwarzen Ofen und dem verbrannten schwarzen Topf zu tun hatte. Hmm. Und damit, dass sie in den Teig geweint hatte, wie ihr jetzt mit brennenden Wangen wieder einfiel.

»So schlimm, dass du rot werden musst, war das jetzt auch nicht!«, meinte Tarnie.

»Werd ich ja auch gar nicht«, behauptete sie. »Also, wer ist das mit dem Honig?«

»Der Typ ist echt merkwürdig«, sagte Jayden.

»Nicht merkwürdig«, korrigierte ihn Tarnie, »sondern

Amerikaner. Wenn er ein bisschen komisch ist, ist das also nicht seine Schuld.«

»Der ist aus Amerika hergekommen, um hier als Imker zu arbeiten?«, fragte Polly.

»Ich glaube ja, dass der einfach falsch informiert war«, erklärte Tarnie. »Obwohl ich wirklich nicht weiß, was er sich eigentlich vorgestellt hat, als er hergekommen ist. Na ja, gekriegt hat er jedenfalls neun Monate Regen. Er wohnt drüben auf dem Festland.«

»O Gott«, sagte Polly. »Der klingt ja ziemlich ...«

»Bescheuert«, sagte Jayden. »Das ist echt lecker, darf ich mir noch was nehmen?«

»Ich auch, bitte!«, schloss sich Kendall rasch an, der wie ein Fünfjähriger Marmelade rings um den Mund hatte.

»Jetzt beruhigt euch mal wieder, Jungs!«, mahnte Tarnie und fegte ein paar Krümel weg. Heute hatte er ein gestreiftes T-Shirt und verblichene Shorts an, die wohl mal lange Jeansbeine gehabt hatten. Den Südwester trug er nicht, und er hatte sich den Bart gestutzt.

»Oh oh!«, machte Jayden plötzlich, schnappte sich schnell ein Marmeladenbrot vom Teller und versteckte es hinter dem Rücken.

»Was denn?«, fragte Polly und drehte sich um. Alle Fischer blickten betreten drein, und ein oder zwei waren sogar plötzlich im Schiff verschwunden. Da kam die Frau aus der Bäckerei, die ja auch Pollys Vermieterin war. Hier draußen wirkte sie merkwürdigerweise noch dicker, aber trotz ihrer kugeligen Figur marschierte sie mit schnellen Schritten auf sie zu. Das Kreischen einer nach Krümeln Ausschau haltenden Möwe machte die Atmosphäre noch unheilvoller.

Tarnie fuhr sich mit der Hand durch das dichte Haar, als die Frau näher kam.

»Äh, schönen Abend, Mrs Manse.«

Die Frau schniefte geräuschvoll. »'n Abend, Cornelius.«

Polly zog fragend die Augenbrauen hoch, aber Tarnie warf ihr nur einen gehetzten Blick zu.

Mrs Manse machte sich nicht die Mühe, sonst irgendwen zu begrüßen. »Was esst ihr denn da?«

»Äh, nur ...«

Polly warf einen Blick auf den Teller, auf dem noch etwa die Hälfte der Brote lagen.

»Wo habt ihr das her?«

»Wir legen gerade nur ein Päuschen ein, Gillian, um eine Tasse Tee zu trinken, dagegen gibt's doch nichts einzuwenden.«

Gillian Manses Miene wurde finster, und sie baute sich breit vor den Männern auf.

»Ich kann dir sagen, wogegen ich etwas einzuwenden habe: Wir versuchen hier doch alle, zusammenzuhalten, damit nicht noch mehr Geschäfte im Ort den Bach runtergehen. Sind wir nicht stolz darauf, Polbearner zu sein? Dann kann ich wirklich nicht begreifen, warum ihr plötzlich Brot von einer albernen Zugezogenen esst.«

»Das war doch nur –«

»Ich bin hier die Bäckerin, und ich weiß ganz genau, dass ihr das da nicht bei mir gekauft habt.«

»Also, Gillian –«

»Das hab ich selbst gebacken«, sagte Polly und kam sich ein bisschen albern vor, weil sie doch tatsächlich weiche Knie hatte. Für wen hielt sich diese furchtbare Frau eigentlich? Schließlich konnte doch jeder machen, was er wollte.

»Sie haben WAS?« Es hörte sich an, als hätte Polly gerade zugegeben, in ihr Brot gespuckt zu haben.

»Ich ... ich hab das Brot selbst gebacken.«

»Sie. Haben. Brot. Gebacken.« Gillian sah tief gekränkt aus. »Was ist denn an meinem Brot auszusetzen?«

»An Ihrem Brot ist nichts auszusetzen«, sagte Tarnie und breitete beschwichtigend die Arme aus. »Polly hier hat ja einfach nur –«

»Polly«, wiederholte Gillian.

»Polly hat uns einfach nur eine Kleinigkeit zu essen vorbeigebracht. Wissen Sie, sie ist doch neu hier.«

»Natürlich ist sie neu hier«, schniefte Gillian. »Das weiß ich, schließlich hat sie sich in meinem Haus eingenistet.«

Polly erstarrte, als sich die Frau ihr zuwandte.

»Die Leute in diesem Ort kaufen ihr Brot bei mir«, verkündete Mrs Manse drohend.

Polly war fest entschlossen, ihr die Stirn zu bieten. »Ich bin aber nicht aus diesem Ort.«

»Ein Grund mehr«, sagte Gillian, »anderen Menschen nicht die Arbeit wegzuschnappen, um sie in den Ruin zu treiben.«

Normalerweise ließ sich Polly nicht so leicht einschüchtern, aber Gillian hatte ihren wunden Punkt getroffen.

»Ich würde niemals versuchen, jemanden zu ruinieren«, sagte sie leise.

Mrs Manse betrachtete ihr ungeschliffenes Backwerk abschätzig. »Nein, damit bestimmt nicht.«

Polly biss sich auf die Lippe.

»Ich muss dann mal weiter«, schnaufte Mrs Manse und warf noch jedem einen bösen Blick zu. Während sie mit ihrer ganzen Fülle die Kehrtwende einleitete, fiel ihr Blick plötzlich auf den Karton mit Neil. Gequält verzog Polly das Gesicht.

»Und was ist das?«, fragte Gillian und starrte auf den Vogel hinunter, der sie aus schwarzen Knopfaugen ansah.

»Ach ja, als Nächstes nehm ich den Metzger aufs Korn«, murmelte Polly kaum vernehmbar, und Tarnie musste grinsen.

Mrs Manse zog eine Augenbraue hoch. »Es ist wirklich eine Schande, wenn Menschen in den Ort ziehen, die einfach nicht hierherpassen«, zischte sie. »Aber zum Glück sind die meistens auch schnell wieder weg.«

Als Mrs Manse endlich gegangen war und sich die anderen Fischer wieder hervorgewagt hatten, musste sich Polly erst einmal setzen.

»Nimm dir Gillian nicht zu Herzen«, sagte Tarnie, während er unruhig das Gewicht verlagerte. »So ist sie eben.«

»So ein Teufel?«, fragte Polly. »Und dass sie nun mal ›so ist‹, ist doch keine Entschuldigung. ›Na gut, Harold Shipman hat all diese Leute umgebracht, aber so ist er nun mal.‹«

»Sie lebt eben schon immer hier.«

»Und hat dabei wahrscheinlich alles getan, um jeden Aufschwung hier zu verhindern. O Gott, außerdem ist sie meine Vermieterin. Wahrscheinlich kündigt die mir jetzt, nur weil ich ein Brot gebacken habe.«

»Eigentlich hat sie ja bloß Angst vor Veränderungen.«

»Ich war gestern in ihrer Bäckerei …«

»Ja, mit der geht es so langsam bergab.«

»Der Laden ist einfach grauenhaft.«

»Aber er ist alles, was sie hat«, erklärte Tarnie. »Es ist gar nicht so einfach, sich hier seinen Lebensunterhalt zu verdienen.« Und sein Blick machte klar, dass er das aus tiefstem Herzen meinte.

»Und warum tut sie dann alles, um mögliche Kunden zu verscheuchen?«, fragte Polly. »Ich werd in diese Bäckerei jedenfalls nie wieder auch nur einen Fuß setzen.«

»Und ich auch nicht«, meldete sich nun Jayden zu Wort. »Polly, kannst du nicht jeden Tag für uns backen?«

»Ja, bitte!«, fiel auch Kendall mit ein.

»Äh, leider ist euer Chef offenbar dagegen«, entgegnete Polly mit einem Blick in Richtung Tarnie. »Weil er Mrs Manse nicht gegen sich aufbringen will. Dabei wirkt die auch so schon ziemlich aufgebracht.«

Tarnie sah gar nicht glücklich aus, und Polly beschloss, jetzt lieber zu gehen.

»Neil und ich, wir müssen jetzt wieder nach Hause«, sagte sie deshalb, »*Cornelius*.«

Die anderen Fischer brachen in Gelächter aus.

»Das Ganze ... ist eben nicht so einfach.« Tarnie wirkte geknickt.

»Die Sache ist sogar ziemlich einfach«, widersprach ihm Polly. »Diese Frau führt sich auf wie die Mafia und hat mir mit Kündigung gedroht. Wisst ihr, das wäre eigentlich ein guter Grund, um da direkt wieder auszuziehen.«

»Nein, bitte nicht«, sagte Tarnie, und für einen Moment herrschte peinliche Stille.

»Na ja, ich will dann mal«, murmelte Polly. Dann schaute sie auf den Teller runter und sagte: »Den hol ich später, wenn ihr aufgegessen habt.«

Sie war schon losgegangen, da rief Tarnie sie noch einmal zurück. Polly wandte sich um. Er hielt ihr etwas in Zeitungspapier Eingeschlagenes entgegen.

»Das ist ein Kabeljau, den hab ich schon für dich ausgenommen«, erklärte er. »Am besten brätst du den in ein bisschen Butter mit Zitrone, dann kann nichts schiefgehen.«

Neil piepste aufgeregt.

»Nein, junger Freund«, sagte Tarnie. »Der ist nicht für dich, sondern für dein Frauchen.«

Polly verstand das kalte Päckchen als Friedensangebot, und so war es wohl auch gemeint.

»Danke. Und eine gute Nacht.«

Tarnie schaute zu den düsteren Wolken hinauf, die sich gerade drohend am Himmel zusammenbrauten.

»Nein, ich fürchte, das wird es wohl nicht«, sagte er.

Polly hatte zwar immer noch ihren Laptop, der war nämlich so alt und riesig, dass die Gläubiger ihn nicht gewollt hatten, und sie hatte auch ein paar DVDs mitgebracht. Aber nachdem sie den Fisch mit nur ein wenig Salz, Pfeffer und Zitrone in ihrem letzten Olivenöl gebraten und zum ersten Mal seit Ewigkeiten Blätter von einem richtigen Salatkopf gezupft hatte, statt sich einen teuren Beutel zu kaufen, setzte sie sich damit dann doch lieber einfach nur ans Fenster. Der Fisch war köstlich, und sie genoss es, dabei zuzusehen, wie sich der Himmel langsam zuzog und der Regen auf Kopfsteinpflaster und Hafenmauer zu prasseln begann. Der Wind ließ das ganze Haus ächzen und stöhnen. Polly sah, wie die Fischkutter einer nach dem anderen aufs Meer hinausfuhren und ihre Lichter immer schwächer wurden, bis sie schließlich verschwunden waren. Bald konnte sie auch die *Trochilus* kaum noch ausmachen, die hin und her schaukelte und dann schließlich in der kalten, unbarmherzigen Nacht verschwand. Polly erschauerte und dachte an die Männer auf dem winzigen Schiff unter dem riesigen Himmel, an dem jetzt langsam die Sterne erschienen, nur um dann im hastigen Wechsel von den windgepeitschten Wolken immer wieder verdeckt zu werden. Aus reinem Trotz rührte sie dann einen neuen Brotteig an und stellte ihn zum Ruhen neben Neils Kartonnest. Danach ging sie ins Bett und fiel sofort in tiefen Schlaf.

Sie wusste nicht, was sie dieses Mal geweckt hatte.

Vermutlich Neil, der in seiner Schachtel geraschelt hatte. Aber plötzlich saß sie senkrecht im Bett, und durch die vom Laken nicht völlig verhängten Fenster sauste das Licht des Leuchtturms über sie hinweg, bevor das Zimmer dann wieder im Dunkeln lag. Die Wellen klatschten gegen die Hafenmauer, und draußen war es windig, aber nicht stürmisch. Im Halbschlaf ging Polly zum Fenster rüber und spähte neben dem Laken hinaus.

Der Himmel war pechschwarz, Meerwasser war gegen die Fenster gespritzt, und die Luft schmeckte nach Salz. Polly hatte das Fenster einen Spalt aufgelassen, und nun legte sie den Kopf schräg, um noch etwas anderes sehen zu können als ihr verschlafenes Spiegelbild in der Scheibe.

Als jetzt der helle Strahl des Leuchtturms vorbeisauste, entdeckte sie es: Am Kai stand jemand – ein Umriss, kaum mehr als ein Schatten – und schaute reglos aufs Wasser hinaus.

Polly erschrak. Vom längst verschwundenen Leuchtturmstrahl war sie noch ganz geblendet, und ihre Augen konnten sich nicht so schnell wieder an die Dunkelheit gewöhnen. Angesichts der Kälte der Nacht und der unbewegten Figur da draußen überlief Polly ein Schauer, aber sie wartete endlose neunzig Sekunden, bis der Strahl des Leuchtturms wieder in diese Richtung fiel. Dieses Mal war in seinem Schein nichts zu erkennen. Der Hafen lag verwaist da, ohne Kutter – wahrscheinlich war draußen noch Fisch zu holen –, und auch der Fahrdamm war nicht zu sehen. Mount Polbearne war wieder eine vom Meer bedrängte Insel. Polly schüttelte den Kopf. Da hatten ihr wohl die Lichter einen Streich gespielt. Dankbar kroch sie zurück in ihr warmes Bett.

Und wie einen Traum hatte sie die ganze Sache am nächsten Morgen längst vergessen.

Kapitel 8

Der nächste Morgen brach sonnig, aber frisch an, und in der Wohnung unter dem Dach war es kalt. Polly untersuchte den Flügel von Neil, der inzwischen bereitwillig herbeihopste und sich von ihr den Kopf kraulen ließ. In der Zwischenzeit röstete sie ein paar übrig gebliebene Scheiben Brot vom Vortag, nur um zu spät festzustellen, dass der Toaster wohl seit der vorletzten königlichen Hochzeit nicht mehr sauber gemacht worden war.

Das tat der Qualität des Brotes jedoch keinen Abbruch. Die Scheiben hatten etwas Kräftiges, Nussiges, die Kruste war herrlich knusprig, und mit ein wenig geschmolzener Butter darauf war der Geschmack voll und süß. Neil ließ augenblicklich seinen Thunfisch stehen und kam herbeigewatschelt, um zu sehen, was sie denn da verspeiste. Sie hielt ihm mit den Fingern ein paar Krumen hin.

»Was denn, schmeckt das etwa besser als dein Fisch?«, fragte sie lächelnd, stand auf, um noch ein paar Scheiben in den Toaster zu schieben, und nahm sich dabei vor, den dringend sauber zu machen.

Nach dem Frühstück räumte sie die Wohnung auf und setzte sich dann ans Fenster, um hinauszuschauen. Diese ruhigen Momente waren völlig neu für sie, sie war nämlich seit Ewigkeiten nicht mehr so richtig allein gewesen. Zuerst hatte sie als Studentin in unmöglichen WGs gehaust, dann hatte sie sich eine Wohnung mit Kerensa geteilt, und schließlich war sie mit Chris zusammengezogen. Die Stille – nur durchbrochen vom Kreischen der Möwen – war sanft und einfach unglaublich. Dann wurde ihr mit einem Mal klar, dass sie seit ihrer Ankunft keinen Gedanken an ihr Handy verschwendet und es nicht einmal aufgeladen hatte. Das sollte sie wohl wirklich mal machen. Aber sie hatte schließlich monatelang versucht, sich vor Gesprächen mit Gläubigern zu drücken oder, davor, Anrufe für Chris entgegennehmen müssen, der ihr jedes Mal »Gott, Pol, SIEHST DU DENN NICHT, dass ich gerade beschäftigt bin?« entgegengefaucht hatte. Und immerzu hatte sie dabei das Gefühl gehabt, vor einer Meute hungriger Wölfe zu fliehen. Jetzt war ihr zwar nichts mehr geblieben, aber was für eine Erleichterung, dass jetzt alles vorbei war! Ein wahrer Segen.

Natürlich konnte sie nicht ewig hierbleiben. Zum Glück hatte sie nicht nur ein winziges Monatsbudget, sondern auch eine niedrige Miete, aber wenn sie jetzt auch nur ihre Schuhsohle durchlief, hatte sie ein echtes Problem. Sie brauchte Arbeit, einen anständigen Job. Und dafür erst einmal Internet, einen Computer und einen Lebenslauf, der auf dem neuesten Stand war. Außerdem wohl auch irgendeine Art von Transportmittel.

Sie träumte davon, eine Stelle in irgendeinem kleinen Unternehmen ganz in der Nähe zu finden, das dringend genug nach einer Büroleitung suchte, um ihr wegen der Flut flexible Arbeitszeiten anzubieten, oder ihr so viel zahlte, dass sie zurück aufs Festland ziehen konnte. Viele der hübschen kleinen Orte weiter oben an der Küste von Cornwall und Devon lockten hochmoderne Start-ups an, deren Angestellte gern die ganze Nacht durchprogrammierten und dann tagsüber surfen gingen. Aber der Süden hatte weder die Wellen noch den urigen Charme oder die coolen Cafés, in denen solche Leute gern abhingen. Was wiederum hieß, dass Polly wohl nach Plymouth pendeln musste. Dafür brauchte sie ein Auto, und sie hatte keine Ahnung, wie sie sich das beschaffen sollte, schließlich würde man ihr weder eine Finanzierung anbieten, noch hatte sie eine Kreditkarte. Als Alternative gab es natürlich noch den Bus, aber der brauchte bei seiner Fahrt durch all die kleinen Orte über neunzig Minuten, außerdem richtete sich der Fahrplan natürlich nach den Gezeiten, und er fuhr nicht immer. Kerensa hatte schon recht, Polly hatte sich da etwas ziemlich Blödes in den Kopf gesetzt.

Andererseits brauchte sie wirklich dringend eine Auszeit, dachte sie, während sie Neil kraulte und darauf wartete, dass das Brot fertig wurde. Sein wunderbarer Duft erfüllte das alte Häuschen und stieg den seltenen Passanten in die Nase, ließ sie stehen bleiben und schnüffeln. Polly wollte sich erst einmal sammeln, bevor sie sich in ein neues Leben stürzte. Sie musste grinsen. Es war aber auch zu absurd, dass sie sich hier zum Entspannen zu zwingen versuchte.

Na ja, eins nach dem anderen. Heute würde sie erst einmal einen Spaziergang machen, um ihre neue Umgebung zu erkunden.

»Du musst leider hierbleiben«, sagte sie geduldig zu Neil und setzte ihn auf den Fußboden. »Es wäre nämlich lächerlich, wenn ich dich überallhin mitnehmen würde.«

Mitleidheischend hüpfte der Papageientaucher wieder zu ihr und hopste auf ihre Hand.

»WOW!«, rief Polly begeistert aus. »Hallo, na sieh mal

einer an!« Offensichtlich wollte er weiter gekrault werden, und den Gefallen tat sie ihm gerne. »Dir geht es ja offenbar besser, kleiner Mann.«

In diesem Moment ließ Neil ein weißes Häufchen auf ihren Fußboden fallen.

»Himmel«, sagte Polly. »Also, hierlassen kann ich dich aber wohl auch nicht.«

Sie machte die Stelle sauber und betrachtete den Vogel aufmerksam. Er erwiderte ihren Blick mit glänzenden Augen, und als sie ins Badezimmer ging, folgte er ihr bis zur Tür.

»Oje, du bist ja ein Schoßvögelchen«, seufzte sie. »Jetzt hör mal, ich weiß schon, dass du verloren gegangen bist und jetzt deine Mami suchst, weil du noch klein bist, aber ich bin das nicht, okay?« Sie hockte sich hin. »Ich bin hier doch nur auf der Durchreise. Bald verschwinde ich aus Polbearne, und dann fliegst du davon und denkst mit deinem kleinen Papageientaucherhirn nie wieder an mich, okay?«

Neil legte den Kopf schräg.

»Okay, okay, in Ordnung. Nur dieses eine Mal.«

Sie legte den Boden ihres Rucksacks mit Klopapier aus und schob den kleinen Kerl dann hinein.

»Aber verrat niemandem, dass du da drin bist, okay?«, sagte sie. »Es gibt hier schon jemand, die mich ohne jeden ersichtlichen Grund hasst. Da müssen mich die anderen nicht auch noch alle für die verrückte Vogeltante halten.«

Neil schnatterte.

Polly holte das Brot aus dem Ofen, streute grobes Salz darüber und träufelte noch den allerletzten Rest Olivenöl darauf. Sie hatte es nicht allzu sehr aufgehen lassen, es war mehr eine Art Focaccia. Einen Moment fragte sie sich, ob sie hier im Städtchen wohl Rosmarin kaufen konnte, aber dann verwarf sie die Idee wieder, weil sie a) lächerlich und das Kraut b) für sie ohnehin zu teuer war. Nun wickelte sie das Fladenbrot in ein Küchenhandtuch, um es warm zu halten, und dann in eine Plastiktüte, damit Neil nicht daran herumpickte. Für alle Fälle machte sie sich noch ein Sandwich mit den letzten Scheiben vom Vortag. Sie nahm auch eine Flasche Leitungswasser mit, die sie in den Kühlschrank gestellt hatte, und ein paar Äpfel aus der Gegend, die sie gestern gekauft hatte.

Es war Ebbe, und der Fahrdamm der Insel, die ja einst zum Festland gehört hatte, lag breit und trocken da. Bei ihrem Gang hinüber fragte sich Polly, wie die Leute es wohl empfunden hatten, dass das Meer ihnen nach und nach den Weg abschneiden wollte. Die Zufahrt war immer höher und höher gebaut worden, bis man es dann irgendwann aufgegeben hatte.

Als sie sich vom Wasser entfernte, wurde Polly erst klar, dass sie schon ewig keinen ganz normalen Spaziergang mehr gemacht hatte. In wohlhabenderen Zeiten war sie wohl in Plymouth die Einkaufsstraßen zum Shoppen auf- und abmarschiert, und sie war auch mal Mitglied im Fitnessstudio gewesen, doch nur so zu gehen ... das war nie ihr Ding gewesen.

Aber hier draußen ohne ein bestimmtes Ziel mit ihrem Proviant (und einem schnatternden Papageientaucher) im Rucksack die schmalen, schattigen Wege entlangzuwandern, das fühlte sich ... gar nicht so übel an. Wirklich nicht so übel. Und nun fiel ihr auf einmal wieder dieses merkwürdige Gefühl in den Schultern auf, und dann begriff sie, was sie da spürte, nämlich dass etwas fehlte. Und zwar die Schwere und Anspannung. Sie fand, dass man Spaziergänge gut als Alternative zu Massagen anpreisen könnte.

Die Sonne gab sich alle Mühe, durch die Wolken zu brechen, als Polly an Rapsfeldern und Weiden vorbeikam, auf denen gelegentlich eine freundlich dreinblickende Kuh oder ein hässlicher Trecker standen. An einer besonders sonnigen Stelle entdeckte sie zu ihrem großen Erstaunen einen Rosmarinstrauch. Begeistert brach sie ein paar Zweige ab. Zwar befanden die sich direkt auf Auspuffhöhe, aber sie würden es trotzdem tun. Polly reckte und streckte sich und sog tief den Duft der Felder ein – na ja, nicht den von allen, einige rochen nicht besonders. Wenn sie hier und da an einem kleinen Dorf vorbeikam, musste sie wirklich an sich halten, um nicht lautstark *The Wanderer* zu schmettern.

Dann dachte sie an Chris und fragte sich, was der wohl gerade machte. Wenn er immer noch bei seiner Mutter wohnte, würde er wohl trotzig vor sich hinschmollen, das tat er als leicht vom Weg abgekommener Goldjunge dort oft. Aber das hier würde ihm bestimmt gefallen. Oder vielleicht auch nicht, eigentlich kannte Polly ihn gar nicht mehr so richtig. Was auch immer sie ihm während der letzten zwei Jahre vorgeschlagen hatte, hatte er schlechtgemacht. Der Gedanke an einen gesunden, belebenden Spaziergang ins Grüne hätte bei ihm wohl nur Spott und Hohn hervorgerufen. Wenn er nicht arbeitete, wollte er eigentlich immer nur joggen oder sich betrinken. Dann badete er in Selbstmitleid, sagte immer wieder dasselbe Zeug und wollte hören, dass schon alles gut werden würde. Schließlich schlief er ein, wo auch immer er sich befand, und wachte am nächsten Morgen mit noch mieserer Laune auf. Auch Kerensa war nun wirklich nicht der

Typ fürs Wandern. Andererseits hatte sich ja auch Polly bislang nicht dafür gehalten.

Aber jetzt, wo ihr die Sonne warm auf den Rücken schien, atmete sie einmal tief durch und zwang ihr Gehirn dazu, nicht an die Vergangenheit zu denken, sondern an das, was vor ihr lag. Ja, die Zukunft war ziemlich furchteinflößend, aber wie alles im Leben, oder nicht?

So drängten sich hinter ihrer Stirn die widersprüchlichen Gedanken, und inzwischen wünschte sich Polly, sie hätte ihren alten iPod mitgebracht, denn so langsam wurde der *The Wanderer*-Soundtrack in ihrem Kopf nämlich nervig. Sie wollte sich gerade ein Plätzchen suchen, um sich hinzusetzen und ihr Brot zu essen, da entdeckte sie ein Schild: »Frischer Wildhonig«.

Um den hölzernen Wegweiser hatte jemand einen Kranz aus Gänseblümchen gewunden. *Aha*, dachte Polly. *Das muss der seltsame Amerikaner sein, von dem die Fischer erzählt haben.* Sollte sie Hallo sagen und sich als die andere Zugezogene in der Gegend vorstellen? Denn mehr gab es davon ja hier offenbar nicht, und gemeinsam konnten sie vielleicht Mrs Manse bei ihrem nächsten Auftritt die Stirn bieten. Dabei kam ihr in den Sinn, dass Mrs Manse vermutlich einen Schlüssel zu ihrer Wohnung hatte, und bei dem Gedanken beschloss sie, dass sie wirklich unbedingt Verstärkung brauchte.

Normalerweise wäre sie niemals einfach bei jemandem reingeschneit, um sich vorzustellen. Sie hatte schon genug Zeit mit Networking für die Firma verbracht und das immer gehasst. Aber in Plymouth hatte sie auch so viele Leute gekannt, dass es schwer gewesen war wegzuziehen. Hier hingegen kannte sie niemanden, und die Leute hatten wohl auch kein Interesse an ihr und ihrer Situation. Außerdem brauchte der Typ vielleicht jemanden, der seinen Honig vermarktete.

Das tat sie bei einem weiteren Blick auf sein Schild als eher unwahrscheinlich ab. Und dennoch ...

Als sie nun den zerfurchten Pfad entlangging, bildeten die Äste der Bäume über ihr eine Art Dach und ließen den Weg dunkel und seltsam still erscheinen. Schlamm klebte unter ihren Sohlen.

»Das gefällt mir gar nicht«, murmelte sie, als sie auch nach zwanzig Minuten Fußmarsch immer noch nichts als Bäume und Felder in allen Himmelsrichtungen erblickte. Aber sie hatte auch keine Lust, den Rückweg durch den ganzen Matsch anzutreten. Verschwitzt und mit trockener Kehle blieb sie dann doch irgendwann stehen und fragte sich, ob sie wirklich weitergehen sollte, da sah sie in einiger Entfernung eine dünne Rauchsäule. Ob das wohl ihr Ziel war? Entschlossen schritt sie darauf zu.

»Wehe, wenn der jetzt nicht zu Hause ist«, sagte sie zu Neil. »So scharf war ich auf diesen Honig nun auch wieder nicht.«

Ziemlich plötzlich lichteten sich die Bäume, und Polly hielt die Luft an. Sie stand auf einer Waldwiese vor einem winzigen Häuschen mit Strohdach. Hier sah es aus wie im Märchen: Rauch stieg aus dem Schornstein auf, und die Wände waren mit demselben Schiefer verkleidet, mit dem auch der Pfad bis zum kleinen weiß gestrichenen Eingangstor gepflastert war.

Die niedlichen Fenster hatten Streben, und ein Rosenbusch überwucherte sorglos die Mauern.

»Ooh«, entfuhr es Polly unwillkürlich. Hier war es einfach wunderschön. »Ich hoffe nur, dass hier keine Hexe wohnt«, flüsterte sie Neil zu. »Aber nein, bestimmt nicht ...«

Dann sagte sie zögerlich: »Hallo?« Außer dem aufsteigenden Rauch rührte sich nichts. Hier wohnte doch niemals ein Mann, das musste einfach eine alte Dame mit grauem Haar und langem Gewand sein, die unbändigen Hunger auf Kinderbeinchen hatte ... Schluss mit dem Unsinn, sie würde jetzt einfach zur Tür gehen und klingeln.

Aber es gab nur einen Türklopfer, dessen Bienenform ihr allerdings zeigte, dass sie hier richtig war. Der Knall dieses Dings auf dem Holz klang in der Stille der Lichtung unglaublich laut. Polly machte lieber einen Schritt zurück, um die Person nicht zu erschrecken, die da gleich die Tür aufmachen würde.

Aber es kam niemand.

»Hallo?«, rief Polly dieses Mal etwas lauter. »HALLO?«

Sie hatte nicht die geringste Lust, einfach kehrtzumachen. Während sie einen Schluck Wasser trank, musste sie sich eingestehen, dass sie inzwischen auch einen Mordshunger hatte. Und diesen langweiligen Matschpfad zurückzulaufen wäre ihr jetzt einfach zu viel. Vielleicht konnte man ja zwischen den Bäumen hindurch direkt in den Ort zurückkehren.

»HALLO?«

Der Schieferpfad führte rund um das Häuschen herum, und dem folgte Polly jetzt einfach.

Hinter der Hütte wurde der Garten breiter und verwandelte sich in eine lange, weitläufige Wiese mit intensiv duftenden Wildblumen. Sie fiel zu einem Bach hin ab, der direkt aus dem Wald kam. Was da zu beiden Seiten des Wasserlaufs stand, sah auf den ersten Blick aus wie Raketen ohne Spitze, die gleich in den Himmel sausen würden. Bei genauerem Hinsehen entpuppten sie sich natürlich als Bienenkörbe. Gesumme erfüllte die Luft, und Polly trat einen Schritt zurück und dann noch einen, als sie sah, dass eine der Raketen sich bewegte. Schließlich wurde ihr klar, dass es sich dabei nicht um einen weiteren Bienenkorb handelte, sondern um eine Person in einer Astronautenuniform – oder vielmehr einem Imkeranzug. Sie war wirklich lächerlich schreckhaft.

Polly war schon drauf und dran, doch den Rückzug anzutreten, weil ihre Abenteuerlust allmählich an ihre Grenzen stieß. Aber da richtete sich die Figur auf und winkte ihr zu, man hatte sie also gesehen. Polly seufzte und winkte widerwillig zurück. Ihr wurde klar, dass sie nervös war, was natürlich völlig albern war. Schließlich war sie nicht diejenige, die hier mitten im Nichts lebte und mit Insekten sprach, oder? Außerdem wollte sie ja nur ein Glas Honig kaufen, das würde nicht lange dauern und wäre ja auch keine große Überraschung.

Der Mann sprang mit einem geübten Satz über den Bach. Es musste ein Mann sein, denn er war groß und hatte unglaublich lange Beine, die jetzt weit ausschritten, um zu ihr zu gelangen.

»Wffgargh«, stieß die Gestalt aus und streckte ihr eine Hand in einem riesigen weißen Handschuh entgegen.

»Äh«, sagte Polly. »Nehmen Sie Ihren Hut nie ab?«

Das riesige weiße Ding bedeckte den kompletten Kopf, mal abgesehen von den Augen, die hinter einem dichten Netz verborgen waren. Der Typ sah aus wie eine Mischung aus Astronaut und extrem schamhafter Braut.

Nun fuhr er sich mit den Händen einmal rasch über den Körper und suchte seine Arme ab. Polly ertappte sich dabei, wie sie unwillkürlich auch die ihren betrachtete. Dann nahm er mit zerknirschter Miene den Hut ab. »Ja«, sagte er langsam. »Ja, das vergess ich eben manchmal. Ich hab so selten Besuch, dass ich die Dinge nicht immer in der richtigen Reihenfolge mache.«

Jetzt blickte er traurig auf seine behandschuhten Finger, als würde er sich fragen, ob er sie ihr noch einmal reichen sollte.

Polly schaute zu ihm hoch und war überrascht. Sie hatte sich einen Rentner so Mitte sechzig vorgestellt, der in einem Bordmagazin einen Artikel über Bienenzucht gelesen hatte und seine Rückkehr zur Natur allmählich bereute.

Aber so jemand hatte sie hier nicht vor sich. Der Imker war jung, groß und kräftig. Er hatte langes strohblondes Haar, das er sich jetzt aus den blauen Augen strich. Ehrlich gesagt sah er beinahe beunruhigend gut aus.

»Sollen wir das noch mal versuchen?«, fragte Polly und reichte ihm jetzt die Hand. »Hallo, ich bin Polly.«

»Huck.«

»Wie bitte?«, sagte Polly.

»Huck.«

»Oh, das ist Ihr Name?« Polly lief rot an. Sie hatte gedacht, er hätte nur gehustet.

»Na ja, meine Mutter nennt mich Huckle.«

»HUCKLE?«

Der Mann sprach langsam und gedehnt. Dass er Amerikaner war, hatte Polly ja gewusst, nun verriet ihn sein Akzent als Südstaatler. Davon wollte sie gern mehr hören.

»Wie höflich und zuvorkommend hier in England doch immer alle sind.«

Polly schlug sich die Hand vor den Mund. »Sorry, aber ich war ein bisschen überrascht. Den Namen habe ich noch nie gehört.«

»'tschuldigung, Madam, aber Sie sind hier diejenige, die wie ein Papagei heißt.«

»Oh, *Madam*, das gefällt mir. Da komm ich mir ja vor wie die Queen.«

Der Mann lächelte gemächlich und zeigte dabei ganz unglaubliche Zähne. Polly fragte sich, ob man in den USA wohl mit dreizehn oder so allen Kindern automatisch die Zähne richtete, so wie damals bei ihrer Mutter der ganzen Schulklasse gleichzeitig die Mandeln rausgenommen worden waren.

»Also, Madam, was kann ich denn für Sie tun?«

»Na ja, ich möchte natürlich gern Honig kaufen«, sagte Polly. »Aber zuerst wollte ich Sie um ein Glas Wasser bitten, mir ist nämlich ziemlich warm.«

Die Sonne stand inzwischen hoch am Himmel, und es war viel heißer geworden als erwartet. Normalerweise wäre Polly begeistert gewesen – sie hatte schließlich einen furchtbaren Winter hinter sich –, aber jetzt lief ihr der Schweiß den Rücken runter, und sie war vermutlich krebsrot im Gesicht.

»Oh, sicher. Wasser? Ich hab auch Eistee, wenn Sie möchten.«

»Ich weiß zwar nicht so genau, was das ist, aber den probier ich gern«, sagte Polly. »Lässt man den Tee da einfach kalt werden? Das passiert mir nämlich manchmal, aber besonders lecker ist das dann nicht.« Ihr wurde klar, dass sie zu plappern begonnen hatte. Offenbar hatte sie zu lange mit keinem Menschen mehr geredet.

»Tja, so genau kann ich Ihnen das nicht sagen. Aber nehmen Sie doch bitte da Platz.«

Er deutete auf schmiedeeiserne Stühle mit einem kleinen Tischchen mitten in einer Wolke aus Gänseblümchen. Die gestreiften Sitzkissen sahen wahnsinnig einladend aus. Dankbar ließ sich Polly darauf sinken, und Huckle verschwand im Haus.

Polly sah sich um. Das war wirklich ein unglaublich schöner Garten. Dann die sanfte Wärme der Sonne auf ihrem Gesicht, im Hintergrund das leise Summen der Bienen ... Nach zwei unterbrochenen Nächten, nach Monaten voller Sorgen und dann auch noch der langen Wanderung hierher erlaubte es sich Polly kurz, die Augen zuzumachen, nur für einen Moment.

»Hey!«

Sie zuckte zusammen und war einen Augenblick nicht ganz sicher, wo sie eigentlich war. Blinzelnd schaute sie zu dem großen blonden Mann rüber. Er hatte den Imkeranzug ausgezogen und trug jetzt ganz normale Levis und ein rotes Holzfällerhemd.

»O Gott, bin ich etwa eingeschlafen?«

»Na, das hoffe ich doch, ansonsten war das nämlich ein ziemlich kurzes Koma.«

Polly rieb sich hastig die Augen und hoffte nur, dass sie nicht mit offenem Mund gesabbert hatte.

»Wie lange hab ich denn ...«

»Na ja, heute ist Dienstag«, sagte Huckle, und sie brauchte einen Moment, um zu begreifen, dass er nur einen Witz machte.

»Hier«, sagte der Bienenzüchter nun und reichte ihr ein Glas. Darin klimperten Eiswürfel, und an der Oberfläche des Getränks schwammen Pfefferminzblätter. Polly nahm einen großen Schluck.

»Wie köstlich«, seufzte sie. »Das ist also Eistee?«

»Jap«, nickte der junge Mann. »Nicht so lecker wie zu Hause, aber immerhin ...«

Als er auf dem anderen Stuhl Platz nahm, merkte Polly auch wieder, was für einen Hunger sie hatte. Sie zauderte einen Moment, sprach es dann aber einfach aus: »Äh, hätten Sie vielleicht Lust, mir beim Mittagessen Gesellschaft zu leisten?«, fragte sie.

»Was denn, jetzt, wo Sie hier bei mir übernachtet haben?«, erwiderte Huckle gedehnt mit todernster Miene.

»Ha!«, machte Polly. Ihr wurde klar, dass sie von einem Amerikaner keinen Sarkasmus erwartet hatte. Diejenigen, die sie bisher kennengelernt hatte, sagten immer geradeheraus, was sie dachten. Als Polly nun nach ihrer Tasche griff und sie öffnete, watschelte ein grummeliger Neil heraus.

»Hallo, Kleiner«, sagte sie. »Tut mir leid, ich hätte dich da wirklich nicht die ganze Zeit drinlassen sollen.«

Er ignorierte sie und pickte am Plastikbeutel mit ihren Broten herum.

»Na!«, sagte Polly. »Warum hab ich die Sachen wohl so gut eingepackt?«

Sie schaute auf und entdeckte Hucks amüsierten Blick.

»Was denn? Sehen wir etwa so komisch aus?«

»Erwarten Sie jetzt ernsthaft ein Nein?«

»Hm. Na ja, vermutlich wirkt das Ganze wirklich ein bisschen seltsam.«

»Ist das ein verzauberter Papageientaucher? Kann der sprechen?«

»Nein, er ist ganz normal«, versicherte Polly.

»Wie schade.«

»Ich mag ihn so, wie er ist«, entgegnete Polly ein wenig steif.

Huckle lächelte wieder. »Und schleppen Sie den immer in Ihrer Tasche mit sich rum? Ist das jetzt in?«

»Nee«, grinste Polly, schnappte sich Neil und zeigte ihrem Gastgeber den bandagierten Flügel. »Ich pflege den Kleinen nur.«

»Im Rucksack?«

»Er leistet mir eben gern Gesellschaft.«

Huck nickte und sah sich um. »Und ich sitze derweil hier rum und krieg einfach nichts zu essen«, maulte er.

Polly runzelte angesichts dieser Stichelei die Stirn und packte ihre Fressalien aus.

»Sie wissen aber schon, dass das ein englisches Sandwich ist, kein amerikanisches, oder?«

Sie war mal mit Chris in New York gewesen. Das war schon lange her, und sie hatten damals über die Qualität und die schiere Menge des Essens gestaunt.

»Wollen Sie damit sagen, dass es tatsächlich in den Mund passt?«

»Na, Sie haben doch ein ziemlich großes Mundwerk«, sagte Polly. »Ups, so war das jetzt gar nicht gemeint. Na ja, hier, bitte.«

Sie warf ihm das Päckchen zu, er nahm sich eine der dicken Stullen und gab ihr den Beutel zurück.

»Ich würd mal sagen, in seinem Streben, mal ein großes Sandwich zu werden, stellt sich der Zwerg hier gar nicht schlecht an«, witzelte Huck und biss hinein. Polly tat es ihm nach. Es war erstaunlich angenehm, hier mit diesem merkwürdigen Riesen in seinem schönen Garten zu sitzen und Eistee zu trinken. Falls es darum ging, im Leben Neues auszuprobieren, dann war das heute ein ziemlich erfolgreicher Tag für sie.

»Wow«, schwärmte Huck ein paar Sekunden später. »Das ist echt super. Wo haben Sie denn nur dieses Brot her? Ich habe hier in der Gegend nur absolut ungenießbares und nach Gummi schmeckendes Zeug gefunden.«

»Das hab ich selbst gebacken«, sagte Polly erfreut. »Ehrlich gesagt hab ich noch was viel Besseres als das Sandwich.« Das war ihr gerade wieder eingefallen. »Probieren Sie doch zuerst die Focaccia, die hab ich heute Morgen gemacht.«

Polly wickelte auch das andere Päckchen aus und brach erst einmal ein Eckchen für Neil ab.

»Moment, warten Sie noch«, sagte sie dann, steckte die Hand in die Tasche und zog den vorhin gepflückten Rosmarin hervor. »Haben Sie eine Schere?«

»So ein ineffektives Verkaufsgespräch hab ich wohl noch nie geführt«, meinte Huckle, lächelte aber, während er aufstand. Als er mit einer Zickzackschere zurückkehrte, schnitt Polly etwas von dem Kraut über das salzige Fladenbrot. Es roch einfach himmlisch und schmeckte noch besser. Huck schlang seine Hälfte in etwa zwei Sekunden hinunter.

»Sie sind wirklich richtig gut«, erklärte er und starrte sehnsüchtig ihre Portion an.

»Die können Sie gern auch noch haben«, sagte Polly, »aber nur, wenn Sie Neil etwas abgeben.«

»Das meine ich ernst. Backen Sie beruflich?«

Polly lachte. »Nein, nein, nicht beruflich.« Schnell wechselte sie das Thema. »Also, wie sieht es mit dem Honig aus?«

»O ja, ich hol Ihnen schnell welchen. Nur schade, dass der nicht auf die Focaccia gehört.«

»Mir fällt schon noch was ein, wozu er passt«, sagte sie. Sie hatte gehofft, dass das nicht wie eine Anmache klang, aber vergeblich, Huckle antwortete nämlich in demselben, ein wenig albernen Tonfall: »Oh, da bin ich mir sicher.«

Aus einem Schuppen, der neben dem Haus stand, holte

er ein kleines Glas und einen hölzernen Honiglöffel. Auf dem hübschen Etikett war eine Skizze des Häuschens, und es stand »Huckles Honig« darauf.

»Möchten Sie vielleicht erst mal probieren?«, fragte er und hielt Polly den Honiglöffel hin. Weil sie nicht so genau wusste, wie man den benutzte, zeigte er es ihr und schüttelte den meisten Honig wieder aus den Rillen am Ende heraus, bevor er dann den Löffel aus dem Glas zog.

»Das ist Apfelblütenhonig. Wissen Sie, wenn man unterschiedliche Pflanzen anbaut, bekommt man auch verschiedene Honigsorten. Ich experimentiere damit ein bisschen und wechsele öfter mal den Standort der Bienenstöcke.« Polly leckte den Honig vom hölzernen Stab – das Zeug war absolut sensationell. Es schmeckte reichhaltig und warm wie nichts, was sie je zuvor probiert hatte, war nicht so süß wie kommerzieller Honig, sondern sanfter und tröstlicher.

»Wow«, sagte sie. »Der ist ja toll.«

»Ja, nicht?« Huck strahlte. »Warten Sie, ich hole Ihnen auch noch welchen mit Orangenblütenaroma.«

Der war genauso gut, leicht und fruchtig, mit reiner goldener Farbe.

»Eins verstehe ich allerdings nicht«, sagte Polly. »Ist der Akzent nur aufgesetzt, oder sind Sie hier eines Tages wie ein Cowboy auf die Lichtung galoppiert und haben verkündet: ›Hey, kleine Dame, hier bin ich, um für Sie Honig zu machen!‹?« Beim letzten Satz hatte sie versucht, seinen Akzent nachzuahmen.

Huckle lachte. »Also, das war schon ein bisschen anders. Sind Sie hier aus der Gegend?«

»Nein«, sagte Polly. »Ich komme aus Plymouth.«

»Bis dahin sind's doch kaum vierzig Meilen«, sagte Huckle.

»Glauben Sie mir, da, wo ich herkomme, wäre das ›aus der Gegend‹.«

»Na ja, da, wo ich herkomme, sehen die Dinge ein bisschen anders aus.«

»Ja, das stimmt wohl«, nickte Huck. »Tja, hier im alten Imkerhäuschen wird schon seit zweihundert Jahren Honig gemacht. Die Blumen und das Material waren schon da, aber es war alles ziemlich heruntergekommen, als ich es übernommen hab.«

»Aber was hat Sie denn nur hierhergebracht?«, fragte Polly. Darüber kam sie einfach nicht hinweg.

Huckle schaute auf seine Uhr. »Madam, das ist eine ziemlich lange Geschichte.«

Polly dachte, dass er sie ihr nun erzählen würde, dann wurde ihr aber klar, dass er nichts dergleichen vorhatte. Sie lief rot an und sprang auf. Erst war sie hier einfach so hereingeschneit, dann war sie in seinem Garten eingeschlafen, und jetzt wurde er sie nicht wieder los.

»Sorry, sorry«, stammelte sie. »Ich wollte meine Nase wirklich nicht in fremde Angelegenheiten stecken.«

»Nein, kein Problem«, sagte er, stand dabei aber auf. »Es war mir eine Ehre, Sie kennenzulernen. Und Neil natürlich auch.«

Der setzte gerade einen Haufen auf ein Gänseblümchen und versuchte dann, ein anderes zu fressen.

»Tut mir leid«, fügte Polly hinzu. »Der ist ja eigentlich noch ein Baby.«

Huckle lächelte. »Schon komisch, aber bei dem Anblick vermisse ich meinen Hund.«

»Ha!«, machte Polly. »Sie sehen auch so aus wie ein Mann, der einen Hund hat.«

»Wie denn, als würde ich haaren?«

»Nein, ich meinte nur ...«

Eigentlich wollte sie ihn gern fragen, was denn aus seinem Hund geworden war, aber er hatte ja klargestellt, dass das Gespräch von seiner Seite her jetzt beendet war, und sie wollte wirklich nicht aufdringlich sein.

»Ich muss dann wohl mal los.«

Er brachte sie zum Tor und gab ihr drei Gläser Honig mit, für die er kein Geld wollte. Stattdessen nahm er ihr das Versprechen ab, dass sie ihm dafür Brot backte.

»Wenn Sie mal nach Mount Polbearne kommen – ich wohne über der alten Bäckerei«, sagte Polly schüchtern.

»In dieser Bruchbude?« Huckle wirkte entsetzt. »Ich dachte, die wäre längst zum Abriss verdammt.«

»Nein«, entgegnete Polly, »stattdessen wurde ich zum Dort-Wohnen verdammt.« Sie versuchte, es wie einen Witz klingen zu lassen, aber ihre Stimme drohte dabei zu brechen. Huck schaute sie kurz an.

»Na ja, ich würde sagen, eine Bäckerei ist für Sie doch genau der richtige Ort. Die andere in der Stadt ist allerdings ... ziemlich gruselig.«

»Ich weiß, da wurde ich schon mit dem bösen Blick bedacht.«

»Oh«, sagte Huckle, »dann sollten Sie aber gut auf sich aufpassen.«

»Mache ich«, versprach Polly.

Auf dem ganzen Weg nach Hause ging Polly dieser seltsame Mann nicht aus dem Kopf. Kein Wunder, dass die Fischer ihn komisch fanden, das war er schließlich auch. Wer lebte denn schon mitten im Nirgendwo? Und wie verdiente er bloß sein

Geld, wenn er seinen Honig einfach so verschenkte? Warum hatte er sie so freundlich willkommen geheißen, nur um sie zum Gehen aufzufordern, sobald sie persönliche Fragen gestellt hatte? Und dann kam ihr auf einmal ein furchtbarer Gedanke – hatte er womöglich geglaubt, dass sie ihn angemacht hatte? Immerhin war er ja nicht viel älter als sie. *O Gott, hoffentlich nicht.*

Nun spürte sie, dass mehr als nur der Sonnenschein ihre Wangen leuchten ließ. Gut, sie hatte ihn nett gefunden, aber allein die Vorstellung ... Mal abgesehen von dem Telefonat, bei dem sie den Gerichtsvollzieher abwimmeln wollte, hatte sie doch seit Jahren mit niemandem mehr geflirtet. Schließlich war sie ewig mit Chris zusammen gewesen, und offiziell hatten sie sich nicht einmal getrennt, wie sie sich jetzt in Erinnerung rief. Das musste sie diesem Amerikaner gegenüber so schnell wie möglich klarstellen. Sie überlegte, wie sie ihm das wohl am besten beibrachte, ohne alles nur noch schlimmer zu machen, kam aber zu keiner befriedigenden Lösung.

Polly marschierte den ganzen Weg nach Hause, pflückte unterwegs noch etwas mehr Rosmarin und betrat dann den freundlichen kleinen Laden, in dem man eigentlich alles bekam, um noch Mehl zu besorgen. Die Verkäuferin war eigentlich ein fröhlicher Mensch, wirkte aber besorgt, als sie sah, was Polly kaufen wollte.

»Das ist alles, was uns von dieser Mehlsorte noch bleibt«, erklärte sie. »Mehr hab ich nicht auf Lager. Backen ... backen Sie denn viel Brot?«

Innerlich rollte Polly mit den Augen. »Wieso, ist das etwa gefährlich?«

Die Frau versuchte zu lächeln, ihre Augen blieben jedoch ernst. »Wissen Sie, wir haben hier im Ort ja eine Bäckerei ...«

»Das hab ich durchaus mitbekommen«, sagte Polly trotzig. »Aber deren Brot schmeckt mir nicht, es ist einfach furchtbar.«

Rasch schaute sich die Frau nach allen Seiten hin um, so als würden Gillian Manses Tentakel bis hier in ihren Laden reichen.

»Oh«, machte sie dann. »Na ja, ich möchte es mir nur einfach mit niemandem verderben.«

»Sie verderben es sich mit mir, wenn Sie kein neues Mehl bestellen«, scherzte Polly.

Die Frau lächelte halbherzig. »Das ist bei einer Order mit allen möglichen anderen Sachen dabei. Eigentlich ... sollte ich das gar nicht bestellen, aber es ist für die Touristen. Nicht, dass davon zu dieser Jahreszeit viele herkämen. Ich meine, hier im Ort würde niemand Brot backen ...«

Da Polly gerade erst hergezogen war und noch kaum jemanden kannte, wollte sie sich wirklich keine Feinde machen. »Wie wäre es denn«, schlug sie vor, »wenn wir an diese Stelle im Regal einfach anderes Mehl stellen, damit man nicht gleich sieht, dass es ausverkauft ist?«

»Was ...«, begann die Frau nun zögerlich, »was für Brot backen Sie denn so?«

Polly öffnete ihre Tasche und achtete dabei darauf, dass Neil nicht heraushüpfte. Ins Küchentuch eingeschlagen war noch ein kleines Stück Focaccia übrig, das Huck sich nicht einverleibt hatte.

»Hier«, sagte sie und reichte es der Frau, die zunächst ängstlich in Richtung Tür schaute, bevor sie danach griff.

»O mein Gott!«, rief sie dann aus. »Das schmeckt ja fantastisch! Einfach unglaublich! Mann, wie ich richtiges Brot vermisse.«

Polly sah sich um. Tatsächlich, hier gab es nicht einmal das übliche abgepackte Brot oder Aufbackbrötchen.

»Sie ... Sie haben gar kein ...«

»Hier im Ort gibt man besser acht, dass man Gillian Manse nicht auf die Füße tritt«, sagte die Frau und blickte jetzt wieder ängstlich drein. »Das ist es einfach nicht wert.«

»Warum haben denn nur alle solche Angst vor der?«, fragte Polly. Die Frau lief dunkelrot an und hatte auf einmal furchtbar viel damit zu tun, die Minzbonbonrollen neu zu ordnen.

»Ich bin übrigens Muriel«, sagte sie dann leise.

»Schön, Sie kennenzulernen, Muriel. Ich bin Polly.«

Jetzt schaute Muriel ihr endlich wieder in die Augen. »Also, sie ... sie hat harte Zeiten durchgemacht. Und hier ist es gar nicht so einfach, mit seinem Geschäft zu überleben, vor allem im Winter.«

Erst jetzt wurde Polly klar, dass die Frau etwa in ihrem Alter sein musste, aber sie wirkte so furchtbar müde.

»Sie möchte eben, dass alle zusammenhalten. Das Problem dabei ist nur ...«

»... dass ihr Brot so furchtbar ist.«

»Die meisten Leute gewöhnen sich irgendwann daran«, erklärte Muriel. »Aber ...« Traurig blickte sie auf Pollys Küchentuch.

»Okay«, sagte Polly. »Wir machen es so: Sie schmuggeln für mich das Mehl in die Stadt, und dafür kriegen Sie von mir ihr Brot.« Es war lächerlich, sie warf sogar einen verstohlenen Blick in Richtung Überwachungskamera. Muriel schaute wieder zur Tür hinüber. Plötzlich hatte die Situation etwas Verschwörerisches an sich.

»Abgemacht«, sagte Muriel leise. Dann sah sie auf ihre

Uhr. »Das ist jetzt eine gute Zeit, nach dem Mittagessen, aber vor dem Ansturm der Schulkinder.«

»Alles klar«, nickte Polly. »Sagen wir, einen Laib pro Woche?«

Muriel schob ihr das Mehl über den Tresen. »Hier, nehmen Sie das als Anzahlung.«

»Aber es kann durchaus sein, dass ich auch mal was von dem teuren Zeug brauche«, warnte Polly sie vor. »Type-00-Weißmehl.«

»Darüber reden wir, wenn es so weit ist«, erwiderte Muriel leise.

Polly wickelte das Mehl in einen Plastikbeutel und schob es zum leise schnatternden Neil in ihren Rucksack. Dann fiel ihr ein, dass sie noch Milch brauchte, und schließlich trat sie mit leisen Schritten wieder hinaus auf das Kopfsteinpflaster.

KAPITEL 9

Damit wäre die Sache eigentlich gegessen gewesen, sagte Polly sich später. Das wäre es wirklich gewesen. Sie hätte ihre zwölf Wochen in Mount Polbearne abgesessen, dann die Schlüssel zurückgegeben, den Fischkuttern zugewinkt und wäre mit einem Vorrat an Anekdoten und neuen Brotrezepten und extrem erholt zurückgekehrt – hier schlief sie nämlich so gut wie schon seit Jahren nicht mehr. Das wäre es wirklich gewesen, wenn sie sich nicht in so einer furchtbar prekären Lage befunden hätte.

Vor ihrem Umzug hatte sie sich in Plymouth bei einer Zeitarbeitsfirma angemeldet. Wenn sie dort anrief, klangen die aber wenig optimistisch und schlugen eigentlich immer nur vor, dass sie mal vorbeischaute. Das hatte sie bereits getan, als sie den Lieferwagen weggebracht hatte, und sich dort zwischen jeder Menge cooler Studenten und Exstudenten wiedergefunden, die alle unglaublich Ahnung von Computern hatten – während sie selbst so gerade eben mit einer Tabellenkalkulation klarkam. Polly hatte gleich gewusst, dass sie dagegen keine Chance hatte. Sie hatte zwar gesagt, dass sie alles nehmen würde, aber dann hatte ihr die Frau erklärt, was ein Null-Stunden-Vertrag war. Bei so einem Vertrag gab es keine vereinbarte Mindeststundenzahl, sie musste im Gegenzug aber auf Abruf bereitstehen. Das hatte Polly entsetzt abgelehnt. Schließlich hatte sie jahrelange Berufserfahrung und wollte einen vernünftigen Job haben.

Aber mehr hatte sich bis jetzt nicht getan, und sie stellte erstaunt fest, was sich seit ihrer letzten Jobsuche alles verändert hatte. Zunächst einmal fand jetzt alles online statt, da war nichts mehr mit ausgedruckten Lebensläufen und Briefmarken. Auch die Umgangsformen hatten sich geändert, sie bekam nicht einen einzigen Brief, nicht einmal eine E-Mail als Bestätigung für den Eingang ihrer Bewerbung. Einmal versuchte sie, deshalb telefonisch nachzuhaken, sie erreichte jedoch nur einen Anrufbeantworter, der so voll war, dass sie nicht einmal eine Nachricht hinterlassen konnte.

Zunächst dachte sie, dass sie vielleicht einfach nur Pech hatte. Ihr Lebenslauf war auf dem neuesten Stand, der sah wirklich gut und professionell aus, außerdem hatte sie im Berufsleben ja auch so einiges vorzuweisen … Gut, es war dann nicht so ausgegangen, wie sie sich das vorgestellt hatte, aber sie hatte schließlich trotzdem hart gearbeitet.

Kerensa warnte sie. »Sag bloß nicht, dass du deine eigene Firma hattest«, erklärte sie. »Dann denken die nämlich, dass du in Wirklichkeit gar nicht als Angestellte arbeiten willst, und halten dich für schwierig.«

»Aber das klingt doch ganz cool«, fand Polly. »Eine schwierige Ader gefällt mir eigentlich. Mein Problem war doch immer, dass ich zu brav war.«

»Hmm«, machte Kerensa, die sich über Pollys Suche nach Arbeit insgeheim größere Sorgen machte als über die nach einer Wohnung oder einem neuen Mann. Der Markt war einfach heiß umkämpft. »Na ja, wenn du willst, dass ich mir deinen Lebenslauf mal ansehe, dann sag Bescheid. Ich würde mich auch ein paar Jahre jünger machen.«

»Rundheraus lügen?«, fragte Polly. »Deiner Meinung nach soll ich mir also meinen ganzen Lebenslauf zusammenschwindeln?«

»Na ja, sieh es mal so«, sagte Kerensa. »Es lügen einfach alle, und wenn du das nicht machst, dann sieht es so aus, als wüsstest du einfach nicht, wie der Hase läuft. Die Leute gehen im Allgemeinen davon aus, dass da gelogen wird. Wenn du es also nicht machst, stufen sie dich gedanklich trotzdem schlechter ein. Und das wäre doch noch schlimmer. Es ist so wie beim Arzt, der geht immer davon aus, dass du deine Angaben zum Alkoholkonsum beschönigst.«

Finster starrte Polly sie an.

»So sieht die Welt da draußen nun mal aus«, behauptete Kerensa.

»Aber die Welt da draußen interessiert mich ja gar nicht«, stöhnte Polly. »Ich will doch nur zu Hause in meiner gemütlichen Wohnung bleiben, eine nette kleine Firma führen und davon träumen, dass Chris und ich eines Tages reich werden oder dass ich bei *Die Höhle des Löwen* oder *Big Boss* mitmache.«

»Das ist doch hoffentlich nicht dein Ernst«, sagte Kerensa.

»Äh, nein«, antwortete Polly schnell.

Ehrlich gesagt hatte sie in letzter Zeit kaum noch Träume.

Und jetzt konnte sie die Nachfrage nach ihrem Brot einfach nicht länger ignorieren, weil ihr das ohnehin knappe Geld langsam ausging. Es war ganz offensichtlich, wann sie den Ofen anwarf, weil man das frischgebackene Brot bis in den Hafen hinunter riechen konnte. Tarnie hatte sie heimlich gefragt, ob sie für seine Männer und die der anderen Kutter Sandwiches machen konnte, wenn sie zusammenschmissen und ihr jede Woche etwas zahlten. Gillians Brot mochten sie nämlich nicht, und weil sie Männer waren, konnten sie sich offenbar nicht selbst Sandwiches schmieren. Dann waren da natürlich noch die Laibe für Muriel, und eines Abends schlich sich ein Mann an sie heran, als sie gerade das Haus verließ, und flüsterte: »Pst, sind Sie die Dame mit dem Brot?«

Das war an der Straßenlaterne, und Polly fuhr erschrocken zusammen, weil sie damit überhaupt nicht gerechnet hatte.

»Äh, und was, wenn ich die bin?«, fragte sie argwöhnisch.

»Ich hab Muriel mit welchem von Ihrem Brot erwischt. Jim Baker«, stellte er sich vor, »ich hab die Post hier.«

»Oh«, sagte Polly. Ihr kam in den Sinn, dass sie sich vielleicht ein paar neue Backformen schicken lassen könnte, das wäre eine große Hilfe.

Und so war ihr kleines Unternehmen am Anfang irgendwie nicht ganz legal. Jeden Abend bereitete sie Teig in rauen Mengen zu. Für die Fischer backte sie Weißbrot, weil die nicht sehr experimentierfreudig waren. Andere Ladungen enthielten Mohn oder Honig und Rosinen – das schmeckte mit goldgelber Butter aus der Gegend einfach himmlisch. Am nächsten Morgen trug sie dann alles still und heimlich aus und nahm die Bezahlung entgegen, bescheidene Summen, die sie aber dringend brauchte. Und die Sorgen über einen Job und darüber, was als Nächstes kommen würde, wurden jedes Mal ein wenig kleiner.

Die Sonne ging morgens nun immer früher auf, und nachdem Polly vier Wochen später alles in ihrer kleinen Bibliothek gelesen hatte, wusste sie, dass sie es nicht länger vor sich herschieben konnte. Auch wenn sie es nicht ertrug, war es grausam, ihn länger festzuhalten. Es war an der Zeit, Neil die Bandage abzunehmen.

In der Zwischenzeit war der kleine Papageientaucher zu einem festen Bestandteil ihres Lebens geworden, pickte ihre Krümel auf und planschte in ihrem Spülbecken herum. Polly war ja davor gewarnt worden, ihn nicht allzu lieb zu gewinnen, aber sie hatte wirklich das Gefühl, dass der kleine Vogel bei ihr glücklich war. Er schnatterte fröhlich, wenn er sie sah, ließ sich von ihr kratzen und kraulen, und als sie dann schließlich doch begann, auf ihrem alten Laptop DVDs zu schauen, machte er es sich immer auf ihrem Schoß bequem.

Den Besuch beim Tierarzt hatte sie jetzt schon mehrmals verschoben, aber das konnte sie nicht ewig machen. Ihr kleiner Hausgast war schließlich noch ein Kind, das gehörte zu seiner Familie, selbst wenn es sich bei der eben um einen Vogelschwarm handelte.

Zuerst versuchte sie, das Klebeband selbst zu entfernen, Neil kreischte jedoch laut und hopste von ihr weg, daher war sie nicht sicher, ob sie das allein schaffen würde. Also holte sie sich einen Termin bei Patrick, der sie im Ort schon mal mit einem sich verdächtig bewegenden Rucksack gesehen hatte. Er hatte auch Gerüchte über ihr Brot gehört und die köstlichen Düfte tief eingesogen, die durch den Hafen gewabert waren. Aber auch er musste ja weiterhin hier in der Stadt leben, deshalb hatte er das Thema lieber nicht direkt angesprochen.

Und als nun Polly stolz mit Neil auf der Schulter in seine Praxis marschierte, wurde ihm das Herz ganz schwer.

»Hab ich Sie nicht genau davor gewarnt?«, fragte er knurrig und fuhr sich mit der Hand über die kahle Stelle am Kopf, wie immer, wenn ihn etwas ärgerte.

»Äh, ja, gewissermaßen schon«, sagte Polly. Dabei lag auf ihren Zügen nicht einmal der Anflug eines Lächelns, sie sah richtig traurig aus.

»Und ich wette, Sie haben ihm auch einen Namen gegeben, oder?«

»Hm«, machte Polly.

Patrick streckte die Hand in Richtung Papageientaucher aus. Neil legte den Kopf schräg und rückte etwas näher an Pollys Ohr heran.

»Na los, mein Kleiner«, lockte Patrick. »Los, komm mal her zu mir.«

Am Ende musste Polly Neil dann festhalten, während Patrick gekonnt die Bandage entfernte. Dann wusste Neil erst einmal gar nicht, was er jetzt machen sollte, und pickte so heftig an seinen Federn herum, als würde er sie zum ersten Mal sehen. Irgendwann bewegte er dann versuchsweise den Flügel auf und ab. Patrick befühlte die winzigen Knochen.

»Tja, da ist ja wieder alles in bester Ordnung. Gut gemacht! Der Vogel sieht auch absolut gesund aus, die Augen und das Gefieder glänzen schön.«

Polly platzte vor Stolz.

»Jetzt müssen Sie ihn nur noch aus dem Fenster werfen.«

Patrick bereute seine Worte sofort.

»Ich werd ihn mit Sicherheit nicht aus dem Fenster werfen!«, versetzte Polly. Sie ertrug den Gedanken nicht, Neil hinaus in den kalten, prasselnden Regen zu schicken – das Wetter war wieder umgeschlagen. Inzwischen hatte Polly auch gelernt, dass man von der Vorhersage fürs Festland für Polbearne noch mal fünf Grad abziehen musste.

»Das ist aber seine Bestimmung«, erklärte Patrick. »Papageientaucher leben in Kolonien. Er muss bei seiner Gruppe sein, so ist er eben gepolt. Ihn von seinesgleichen zu trennen, ist genauso grausam, wie einen Tiger im Zoo zu halten.«

Polly nickte. »Das weiß ich doch.«

Nun wurde Patricks Tonfall sanfter. »Na los, kommen Sie. Lassen Sie es uns doch mit meinem Fenster versuchen, hier aus dem Erdgeschoss kann er wenigstens nicht tief fallen.«

Das stimmte, durch die steil ansteigende Straße war zwischen dem Fenster in Patricks Praxis und dem Kopfsteinpflaster kaum ein Meter Abstand. Es blieben sogar ein paar Passanten stehen, um die beiden Menschen mit dem Vogel zu beobachten.

»Na komm, los, kleiner Kerl«, sagte Patrick sanft, aber unnachgiebig.

»Ich kann gar nicht hinsehen«, murmelte Polly und hielt sich die Hand vor die Augen.

Neil ließ sich auf der alten steinernen Fensterbank nieder und blickte sich vorsichtig um. Dann bearbeitete er wieder seine Federn mit dem Schnabel, und Polly fragte sich, ob die wohl juckten. Plötzlich fiel auf das Pflaster draußen ein Sonnenstrahl. Neil hopste bis zum Rand vor und schaute sich dann zu Polly um, so als würde er sie um Erlaubnis bitten.

»Hopp, hopp«, sagte sie, »los, kleiner Mann!«

Aufgeregt hüpfte er auf und ab. Polly verzog das Gesicht und zuckte zusammen, als Patrick ihn noch etwas weiter vorschob.

»Na los!«, drängte der Tierarzt.

Dann passierte einen Moment gar nichts, und schließlich schubste Patrick Neil einfach sanft über die Kante. Polly stöhnte und wollte schon schimpfen, aber nachdem Neil einen Moment in der Luft gehangen hatte, so als würde er gleich wie eine Zeichentrickfigur in die Tiefe sausen, fing er sich plötzlich, flatterte heftig mit den Flügeln, flog von einer Seite auf die andere und landete dann weich.

»Yeah!«, riefen Patrick und Polly, während sich der kleine

Vogel umsah, als hätte diese Heldentat ihn selbst am meisten überrascht. Die beiden Menschen applaudierten, dann ließ Polly entmutigt die Arme hängen.

»O Mann«, seufzte sie, »das war's dann wohl.«

»Sie wissen, dass es an der Nordküste eine Papageientaucherkolonie gibt?«, fragte Patrick.

»Ja, schon klar. Tja, dann bring ich ihn wohl mal da hin.«

Verschmitzt schaute Patrick sie an. »Das haben Sie gut hingekriegt.«

»Ich weiß«, sagte Polly.

Sie schaute zu Neil hinunter, der vergeblich versuchte, wieder auf die Mauer hinaufzuhüpfen. Dann griff sie hinunter, der kleine Kerl hopste auf ihre Handfläche und flatterte dabei mutig auf und ab, so als wollte er ihr zeigen, was er konnte.

»Ja, ja, das machst du wirklich ganz toll«, lobte sie mit traurigem Lächeln. »Danke, Doc.« Sie holte ihr Portemonnaie heraus.

»Also, ehrlich gesagt«, murmelte Patrick und kratzte sich am Kopf, »hab ich ja gehört ...«

»Hm?«

»Ich habe gehört ...« Er sah sich nach links und rechts um. »Ich hab gehört, dass man bei Ihnen Brot bekommen kann.«

»O mein Gott«, stöhnte Polly. »Ich werde hier so langsam zur Stullen-Dealerin.«

Patrick blickte finster drein. »Ich weiß, aber ich ...«

»Sie lieben eben Brot. Na ja, zum Glück ...«

Polly griff in ihre Tasche und holte eine Tupperdose hervor, die sie für alle Fälle mitgebracht hatte.

»Hier, mit Honig und Leinsamen. Das schmeckt getoastet und mit Butter am besten, und es passt auch gut zum weichen Ei.«

Patrick sog den Duft des Laibes ein.

»Also, das«, sagte er, »ist wirklich sensationell. Vielen Dank!«

Schuld daran, dass sie aufflog, war dann schließlich Huckle. Wie sie später feststellten, hatte er buchstäblich eine Spur aus Brotkrumen hinterlassen, die bis zu ihrer Haustür führte. Am frühen Samstagmorgen checkte Polly gerade niedergeschlagen ihre E-Mails – immer noch keine Arbeit für sie – und durchforstete dann jede Jobseite im Internet. Bei den beiden einzigen Angeboten, die sie interessierten und für die sie auch qualifiziert war, handelte es sich um unbezahlte Praktika. Aber da sie sich weder eine Wohnung in Plymouth noch ein Auto für den täglichen Weg dorthin leisten konnte, konnte sie das nicht einmal in Erwägung ziehen.

Als sie nun so aufs Meer hinaussah, flog auf einmal ein Steinchen gegen ihre Fensterscheibe. Polly runzelte die Stirn – manchmal schleuderte das Meer Dinge bis zu ihr hoch, aber nicht an einem so ruhigen Morgen. Sie lehnte sich vor. Unten entdeckte sie Huckle, der mit leuchtend blondem Haar und breitem Grinsen in der Sonne stand. Merkwürdigerweise sah er für den winzigen Hafen viel zu groß aus, wie ein Riese, den man ins Land der kleinen Leute versetzt hatte. Aber das schien ihn nicht zu stören.

»Hey!«, rief er plötzlich ganz ohne jede Förmlichkeit. »Weißt du, was heute für ein Tag ist?«

Polly strich sich übers Haar – an das sie heute Morgen noch keinen Gedanken verschwendet hatte – und rieb sich die Augen. »Hm, vielleicht Huckletag?«

Wieder grinste der Imker und zeigte seine beeindruckenden Zähne. »Huckletag ist doch jeden Tag. Aber vor allem ist heute Samstag!«

»Ja ...« Sie wünschte sich wirklich, sie hätte noch so was wie ein Wochenende. Früher hatte sie das Aufstehen am Montagmorgen immer verflucht, aber inzwischen sehnte sie sich nach der Struktur fester Arbeitszeiten zurück. Das Leben war echt widersprüchlich.

Huck holte zwei Gläser Honig hinter dem Rücken hervor. »Und am Samstagmorgen isst man Bagels, das weiß doch jedes Kind.«

»Hast du denn Bagels mitgebracht?«

»NEIN!«, rief er. »Da kommst du ins Spiel.«

»Oder hast du vielleicht Kaffee dabei?«

»Nö!«

»Und die Zeitung?«

»Nö!«

»Frische Eier?«

Er schüttelte den Kopf. »Ich hab doch den Honig mitgebracht!«

Polly lächelte. »Okay«, sagte sie. »Der muss dann wohl reichen.«

Sie hatte beschlossen, dass Neil für eine Rückkehr in die Kolonie noch nicht bereit war, deshalb erprobte der Papageientaucher seine neuen Fähigkeiten nun eben in ihrer Wohnung. Als Polly Wasser für die Bagels aufsetzte, deren Herstellung gar nicht so einfach war, hüpfte und flatterte Neil augenblicklich auf den Tisch, von dort auf den Herd, dann auf den Rand des Topfes, und zuletzt ließ er sich triumphierend auf die Wasseroberfläche gleiten, auf der er dann herumschwamm wie eine Gummiente.

»Raus da!«, rief Polly verärgert. Das machte er jedes Mal, und es führte nicht nur zu Wasserverschwendung, sondern eines Tages womöglich noch zu schweren Verbrühungen.

»Und ich dachte, das mit dir und dem Papageientaucher wäre nichts Ernstes«, bemerkte Huckle, den sie erst einmal zum Einkaufen geschickt hatte. In Muriels kleinem Lädchen hatte er Kaffee, die Zeitung, eine Zwiebel und Frischkäse gekauft, außerdem brachte er Räucherlachs und zwei Zitronen vom Fischstand mit. Fröhlich lächelte Polly.

»Schon besser!«

»Die meisten Leute mögen meinen Honig.«

»Den mag ich ja auch«, sagte Polly. »Sogar sehr, aber man kann schließlich nicht von Honig allein leben, das gilt auch für Papageientaucher. Hier, knet doch mal diese Hälfte.«

Sie machten sich daran, den Teig zu walken und umzuschlagen. Natürlich entgingen Polly dabei Hucks muskulöse Unterarme mit den fast unsichtbaren kleinen Härchen nicht, die auf der leicht gebräunten Haut leuchteten.

»Hm«, begann Polly dann, »das mit den Bienen …«

»Ja?«

»Du bist also … Imker?«

»Genau.«

Auf diese karge Antwort fiel Polly auch nichts mehr ein. Sie presste den Teig mit der flachen Hand, er hatte eine gute Konsistenz.

»Nicht zu viel kneten«, wies sie Huck an, der seine Hälfte mit seinen riesigen Händen zu zerquetschen schien. »Sonst wird der zu zäh.«

»Zäh find ich super«, behauptete der Amerikaner.

»Gut«, meinte Polly, »dann isst du eben deine Hälfte und ich meine.«

»Jawohl, Madam.«

»Du hast mir das mit den Bienen immer noch nicht erklärt.«

»Ja. Nein.«

Polly warf ihm einen Blick aus dem Augenwinkel zu.

»Bist du etwa auf der Flucht?«, fragte sie.

»Hm? Ich? Nein, so kann man das eigentlich nicht nennen.«

»Diese Formulierung scheint meine Vermutung nur zu bestätigen. Hast du vielleicht einen Mann in Reno erschossen, nur um ihn sterben zu sehen? So, wie du dich anhörst, könnte das nämlich gut sein. O Gott, womöglich werde ich noch zu einer dieser furchtbaren Frauen, die Männern im amerikanischen Todestrakt Briefe schreiben!«

Huckle grinste behäbig.

»Nein, ich hab niemanden erschossen, und ich werde auch nicht von der Polizei gesucht. Es hat rein persönliche Gründe.«

Schweigend kneteten sie weiter.

»Ich bin auch aus persönlichen Gründen hergezogen«, erklärte Polly. »Mein Leben ist nämlich komplett den Bach runtergegangen.«

Huck zog höflich die Augenbrauen hoch, fragte aber nicht weiter.

»Das ist wohl der einzige Grund hierherzuziehen«, sagte sie schließlich, bekam als Antwort aber wieder nur die hochgezogenen Augenbrauen.

»O Mann, das kam jetzt ein bisschen komisch rüber«, stöhnte sie. »Ich meine, es ist schon schön hier und so ...«

»Ich find es toll«, schwärmte Huckle. »Einfach wunderschön.«

»Wie ist es denn da, wo du herkommst?«

»Flach«, sagte Huckle. »Alles ist flach und erdlos, es gibt nicht besonders viele Leute, und die Landschaft breitet sich meilenweit in alle Richtungen aus. Die Natur ist dort üppig und grün, wie im Dschungel, die Pflanzen drohen eigentlich immer, alles zu verschlingen.«

»Wo kommst du denn her, aus dem Regenwald?«

»Aus Savannah in Georgia.«

»Erzähl doch mehr davon.«

»Da ist es wirklich schön«, sagte er einfach nur. »Aber auf andere Art und Weise. Das ist eine altmodische Gegend mit kleinen quadratischen Gärten.«

»Altmodisch?«, echote Polly. »Ich dachte, in Amerika wäre alles supermodern.«

»Ist es ja überwiegend auch«, erklärte Huckle. »Atlanta zum Beispiel schon. Aber Savannah hat man wohl einfach irgendwie vergessen. Da ist es ziemlich ruhig.«

»Ist es dort warm?«

»Im Sommer ist es glutheiß.«

»So, wie es sein sollte«, fand Polly. »Hier nieselt es eigentlich immer nur.«

»Aber dafür weiß man schöne Tage dann auch richtig zu schätzen«, erwiderte Huckle mit einer Unabänderlichkeit, die das Thema eindeutig für beendet erklärte. Dann lächelte er. »Okay, was mach ich jetzt hiermit?«

Den Teig hatte er wirklich ordentlich durchgeknetet. Polly ließ ihn an einem warmen, vor Neil geschützten Platz gehen, stellte ihre in letzter Zeit eher vernachlässigte Kaffeemaschine an und machte dann die Fenster auf, um die Sonne hereinzulassen.

»Also, weißt du«, murmelte Huckle und beobachtete die

Staubkörner, die über den frisch geschrubbten hölzernen Bohlen tanzten, »von draußen sieht dieses Häuschen aus, als wollte es einen umbringen, aber hier drinnen find ich es ganz okay.«

»Ich weiß!«, sagte Polly. »Wenn ich ein bisschen Geld hätte, würde ich auch wirklich mehr daraus machen. Zum Beispiel Gardinen aufhängen. Der Leuchtturm ist ziemlich nervig, dessen Licht sieht man sogar durch die geschlossene Schlafzimmertür. Das ist, als würde man in *Unheimliche Begegnung der dritten Art* leben.«

»Darüber hab ich ehrlich gesagt noch nie nachgedacht«, sagte Huckle.

»Und ich würde die Bodenbretter neu versiegeln.«

Huckle schaute sie zweifelnd an. »Das könnte ich vermutlich für dich übernehmen«, sagte er. »Aber ich bin mir nicht sicher, ob die das Gewicht des Lacks aushalten. Hast du gesehen, wie die durchhängen?«

»Ob ich das gesehen habe?«, stöhnte Polly. »Hallo, ich wohne hier! Die sind so krumm und schräg, dass ich deshalb fast aus dem Bett falle.«

Huckle grinste, und auf einmal fand Polly es merkwürdig, dass er sie sich jetzt wahrscheinlich im Bett vorstellte. Aber er wollte wohl nicht mit ihr flirten, sondern nur höflich sein (außerdem schien er Hunger zu haben). Und so was durfte sie ja sowieso nicht denken. Obwohl sie sich nur hin und wieder gesimst hatten, hatte sie nämlich das Gefühl, dass die Sache zwischen Chris und ihr noch nicht vorbei war.

Nun musste der Teig in Stücke geteilt werden.

»Das ist ganz schön schwierig«, murmelte Huck, während er versuchte, daraus Ringe zu formen.

»Warte nur, bis wir die erst kochen«, sagte Polly. Sie hatte einen Deckel auf den Topf gelegt und warnte Neil noch einmal, dem siedenden Wasser bloß nicht zu nahe zu kommen.

Das mit dem Kochen war der mühsamste Teil und wurde auch dadurch nicht einfacher, dass sie keine vernünftigen Gerätschaften hatte. Beim Versuch, einen besonders hartnäckigen Bagel aus dem Wasser zu fischen, verbrannte Polly sich prompt. Ohne darüber nachzudenken, schnappte sich Huck ihr Handgelenk und hielt es viel länger unter kaltes Wasser, als Polly das normalerweise getan hätte.

»Das darf sich auf keinen Fall in die Haut einfressen«, mahnte er. »Auch kleine Verbrennungen nicht. Da hat man schnell den Eindruck, dass es längst gut damit ist, aber das zieht immer weiter rein. Still jetzt!«

»Wirst du von den Bienen auch schon mal gestochen?«, fragte Polly neugierig.

»Ja, klar«, antwortete Huckle lässig.

»Und tut das nicht weh?«

Er lächelte und versuchte, unbekümmert auszusehen. Dann gab er jedoch zu: »Doch, sogar tierisch.«

»Daran gewöhnt man sich also nicht?«

»Nein«, sagte er. »Und da muss man wirklich schwer aufpassen. Wenn die einen nämlich oft stechen, dann entwickelt man gegen das Gift eine Allergie und kann daran sogar sterben.«

»Der Stich einer Biene kann also wirklich töten?«

»Das passiert immer wieder«, behauptete er. Dann durfte sie die Hand endlich wieder zurückziehen. Huckle schnalzte jedoch missbilligend mit der Zunge, als sie zugeben musste, dass sie keine Hausapotheke hatte.

Schließlich zeigte ihr der Imker einen gelben Stift, den er in der Tasche immer mit sich herumtrug.

»Das ist eine Notfallspritze«, erläuterte er. »Falls jemand nach einem Stich eine schlimme allergische Reaktion zeigt.«

»Und wenn die bei dir selbst auftritt?«

»Tja, dann müsste ich mir die selbst setzen. Das geht mir ehrlich gesagt ziemlich oft durch den Kopf.«

Die beiden starrten den gelben Stift an.

»Nee«, sagte Huck dann.

»Was denn?«, fragte Polly, und ein Lächeln umspielte ihre Lippen.

»Komm gar nicht erst auf die Idee, wir könnten das mal zum Spaß ausprobieren.«

»Das hab ich doch gar nicht gedacht.«

»Ich wette, doch.«

»Vielleicht ist es mir kurz in den Sinn gekommen. Oder dass ich dich damit als Geisel nehmen könnte.«

»Du siehst also eine Allergiespritze und denkst automatisch an ein Verbrechen? Das find ich schon eine beunruhigende Charaktereigenschaft.«

Sie lächelten einander immer noch an, als Polly die Bagels in den Ofen schob. Zehn Minuten später klopfte es unten an der Tür.

»Also, wir sind nur zufällig hier vorbeigekommen«, behauptete Tarnie, während Jayden neben ihm das Gewicht von einem Fuß auf den anderen verlagerte.

»Gar nicht wahr«, widersprach Polly, »ihr arbeitet doch hier.«

Tarnie lächelte. »Möchtest du vielleicht einen Fisch?«

»Ihr habt wirklich ein Riesenglück«, sagte Polly. »Offenbar habt ihr es schon geahnt – ich hab 24 Bagels gemacht, das sind ungefähr zwei mehr, als ich essen kann.«

Nun kam Huckle runter, um zu sehen, was da los war. Als er hier am Samstagmorgen mit einem knitterigen Leinenhemd, einer weichen, alten Hose und nackten Füßen hinter ihr auftauchte, hatte Polly auf einmal das Bedürfnis, seine Anwesenheit zu erklären.

»Huck ist nämlich vor einer Stunde vorbeigekommen«, sagte sie. »Mit Honig. Um Bagels zu machen.«

Im selben Augenblick platzte aus Huck »Ich hab nur kurz reingeschaut« heraus. Sie war direkt ein bisschen eingeschnappt, weil auch er so dringend klarstellen wollte, dass da nicht mehr im Busch war. Und vermittelten nicht gerade ihre hastigen Beteuerungen den gegenteiligen Eindruck? Aber eigentlich konnte es ihr doch sowieso egal sein, was Tarnie dachte. Oder?

Jayden, der jüngste der Fischer, sagte: »Was ist denn ein Bagel? Darf ich mal deine Toilette benutzen? Und was ist jetzt ein Bagel?«

»Jayden!«, mahnte Tarnie. »Mal im Ernst, manchmal komm ich mir vor wie ein Grundschullehrer.«

»Ihr könnt gerne alle bei mir aufs Klo gehen«, sagte Polly. »Und ihr müsst auch alle einen Bagel probieren.«

Sie nahmen die Bagels – zwölf mit Zwiebeln, zwölf mit Zimt – mit raus in den Hafen, außerdem etwas Honig, Räucherlachs, Frischkäse, Zitronensaft, Messer und eine Kanne Kaffee. Die Fischer umringten sie und standen dem kulinarischen Angebot zwar zunächst verblüfft gegenüber, griffen dann aber gerne zu. Die Bagels waren einfach klasse geworden, außen knusprig, innen weich, und bald flogen die Krümel nur so. Man konnte Pollys perfekt runde Bagels gut von

Huckles ungeschickten Versuchen unterscheiden, die eher an etwas erinnerten, was ein Kind aus Knete gebastelt hatte. Aber alle schmeckten gleich köstlich und waren einfach perfekt für dieses Festessen an einem frischen Frühlingsmorgen.

Nun schaute Jayden zu Pollys Fenster hoch.

»Hast du den Geist schon gesehen?«, fragte er neugierig.

»Was?«, fragte Polly und zuckte zusammen. Und dann fiel ihr wieder die schattenhafte Figur ein, die sie an der Mole entdeckt hatte. »Jetzt sei doch nicht albern.« Das war ja gar nichts gewesen, sagte sie sich selbst, da hatte ihr bloß das Licht einen Streich gespielt. Trotzdem klopfte ihr Herz nun ein wenig schneller.

»Ich bin gar nicht albern«, versetzte Jayden stur. »Es gibt wirklich einen Hafengeist, das weiß doch jeder.«

»Jayden«, mischte sich nun Tarnie mit strenger Stimme ein. »Klappe.«

»Doch, den gibt es«, murmelte Jayden trotzig.

»An so was glaube ich nicht«, sagte Polly nun übertrieben zuversichtlich. Jayden musste ja schließlich nicht ganz alleine da oben schlafen. »Was ist das denn für eine Art von nicht existierendem Gespenst?«

»Der Geist einer jungen Frau«, erklärte Jayden. »Die läuft auf der Hafenmauer auf und ab und wartet auf ihren Liebsten. Aber der kommt nie zurück, verstehst du? Den haben nämlich längst die Fische am Meeresgrund gefressen. Der ist eines Tages mit dem Kutter ausgefahren und nie wieder heimgekehrt. Sie wartet aber weiterhin auf ihn und ruft ihn, und zwar so: ›Uuuu-huuuu!‹«

»Der hieß Uhu?«, fragte Polly.

»Das ist doch alles Quatsch«, versetzte Tarnie. »Hör gar nicht hin, Polly, Jayden ist ein Idiot.«

Bei Tageslicht und im Kreise anderer Menschen konnte Polly über das alles durchaus lachen, vor allem bei Jaydens Gespensterimitation mit hängender Zunge und schielendem Blick. »Die hat sich dann umgebracht«, erzählte er. »Ist einfach ins Wasser gegangen. Aber ihr Geist geht hier immer noch um ...«

»Und, wie läuft das Fischereigeschäft so?«, fragte Huckle Tarnie, um das Thema zu wechseln, weil er bemerkte, wie unruhig Polly geworden war. Der bärtige Kapitän sah ihn misstrauisch an.

»Ach, es läuft«, sagte er kurz angebunden.

»Nein, es ist ganz furchtbar«, warf Jayden ein und brach seine Geisterimitation abrupt ab.

Tarnie warf ihm einen strengen Blick zu.

»Was denn? Wenn es Fisch gibt, müssen wir die Fangquote einhalten, und wenn es keinen Fisch gibt, dann haben wir eben nichts zu beißen. Und es ist kalt und nass und ätzend. Hätte ich doch bloß meinen Schulabschluss gemacht.«

»Den hast du nicht, Jayden?«, sagte Polly mitfühlend. Der Fischer sah nicht einmal alt genug aus, um sich zu rasieren. »Kannst du den denn nicht nachholen?«

Verwirrt sah Jayden sie an. »Ach, das geht?«

»Natürlich. Hast du denn in der Schule nicht aufgepasst?«

»Die Antwort darauf ist ja wohl offensichtlich«, murmelte Tarnie. Jayden sah fassungslos aus.

»Dafür ist es noch nicht zu spät«, drängte Polly sanft.

»Aber in die Schuluniform pass ich doch gar nicht mehr rein«, murmelte Jayden.

»Mir gefällt der Job«, sagte Archie, Tarnies rechte Hand. Er war blond und rundlich, mit wettergegerbtem Gesicht. »Ich fahre gerne raus in den Sonnenuntergang. Und ich freu mich immer über die Vögel auf dem Wasser, wenn wir uns dem Fanggebiet nähern. Auch die Farbe des Himmels find ich schön, wenn —«

Nun gab einer seiner Kollegen Knutschgeräusche von sich.

»Hey!«, rief Polly, »Ruhe da, oder es gibt keinen Bagel mehr.«

Der Mann verstummte augenblicklich, Archie lief aber tiefrot an und hielt ebenfalls lieber den Mund.

»Was ist denn mit dir?«, fragte Polly Tarnie.

Der Angesprochene drehte sich um und starrte aufs Meer hinaus. Die Strahlen der schwachen Frühlingssonne tanzten auf den Wellen.

»Na ja«, begann er dann. »So hat mein Vater seinen Lebensunterhalt verdient. Und sein Vater davor und so weiter. Meine Mutter hat immer gesagt, dass in meinen Adern Salzwasser fließt.«

Plötzlich wurde sein Akzent stärker, und sein Blick verlor sich in der Ferne.

»Archie hat schon recht«, sagte er. »Manchmal ist man da draußen, und es gibt rundherum nur Wasser, sonst nichts. Außerhalb der Reichweite des Leuchtturms sieht man dann am Himmel die Sterne und bewegt sich zum Rhythmus von etwas, was viel größer ist als man selbst ... und ja, das ist wirklich nicht schlecht.«

Polly sah ihn eine Sekunde an.

»Wow«, machte Huckle. »Das klingt tatsächlich ziemlich cool. Kann ich vielleicht mal mit euch rausfahren?«

Die anderen Männer sahen ihn nur an und lachten, Tarnie zuckte jedoch mit den Achseln. »Warum denn nicht?«

»Außer, wenn dir schlecht wird«, wandte Jayden ein. »Das wäre echt krass, wenn du auf die Fische kotzt.«

Huckle nickte. »Ja, schon klar. Aber ich war als kleiner Junge öfter mal segeln.«

Die Fischer tauschten Blicke, das hatten sie offenbar schon häufiger gehört.

»Wie bist du denn überhaupt zum Honig gekommen?«, fragte Jayden.

Huckle zuckte mit den Achseln. »Na ja, meinen alten Job hab ich gehasst, und –«

»Und was hast du da gemacht, vielleicht Marmelade?«, fragte Polly. Sie war ein wenig eingeschnappt, weil er sich den Fischern gegenüber zu öffnen schien, während er bei ihr so gemauert hatte.

»Äh, nein«, stammelte er. »Ich hab ... als CEO gearbeitet.«

»Was ist das denn?«, fragte Jayden verwirrt.

»Das kann man machen, wenn man einen Schulabschluss hat«, warf Kendall ein. »Vielleicht.«

»Äh, mit dem englischen Schulsystem kenne ich mich jetzt nicht aus«, sagte Huckle, »aber ich war als Manager tätig.«

»Drinnen?«, hakte Jayden nach. »Den ganzen Tag? Ohne dabei ständig bis auf die Knochen nass zu werden?«

»So gut wie nie«, bestätigte der Imker.

»O Mann!«, rief Jayden aus. »Das klingt ja super.«

»Tja, war es aber nicht.« Huckle rieb sich kurz die Augen. »Na ja, und manchmal kommt im Leben eben alles ganz anders.« Jetzt verschloss er sich wieder. Polly sah ihn aufmerksam an.

»Mehr Geld«, murmelte Jayden fasziniert. »Und das verdient man auch noch drinnen. Klingt doch toll.«

»Ich gucke mal für dich nach, ob es hier irgendwo eine Abendschule gibt«, versprach Polly.

»Also«, fuhr nun Huckle fort, »hab ich mir gedacht, dass ich vielleicht einfach mal was anderes ausprobiere.«

»Honig«, lieferte ihm Jayden das Stichwort.

»Nein, ich wollte mein Glück als Cowboy versuchen«, witzelte Huckle. »Genau, Honig.«

»Bring mich nicht durcheinander«, sagte Jayden. »Du klingst nämlich ein bisschen wie ein Cowboy.«

Huckle lächelte. »Nein, ein Cowboy bin ich nicht.«

Jayden ließ nicht locker: »Ich wette, wenn du einen von diesen Hüten aufsetzen würdest, würdest du aber wie einer aussehen. Vielleicht sollte *ich* ja Cowboy werden.«

»Vielleicht solltest du einfach mal für zwei Minuten den Rand halten«, knurrte Tarnie, und Jayden verstummte.

»Aber wie konntest du denn einfach so auf Honig umsteigen?«, fragte Polly. Bei ihm klang das so simpel, als hätte er da schlicht ein Leben gegen ein anderes getauscht. Wenn hier jemand wusste, dass das eben nicht problemlos ging, dann sie. Sie fragte sich ernsthaft, ob sie einen sicheren Job aufgegeben hätte, wenn nicht Umstände sie dazu gezwungen hätten, die ihr Leben so heftig wie ein Erdbeben auf den Kopf gestellt hatten. »Ich meine, kann man damit denn Geld verdienen?«

Als sie dem Imker nun in die Augen sah, schien sie darin zu lesen, dass Huckle ihre heikle finanzielle Lage verstanden hatte.

»Äh«, sagte er, »also, ich bin sozusagen ...«

Erwartungsvoll starrten ihn alle an.

»Ich habe sozusagen ... na ja, also, mit dem Honig hab ich gewissermaßen ein ganz neues Leben angefangen, versteht ihr?«

Jayden verstand offenbar nicht. Aber dann dämmerte es ihm plötzlich.

»Meinst du damit, dass du gar nicht arbeiten musst?«, fragte er mit weit aufgerissenen Augen. »Sie sind also reich?«

Huckle errötete sanft und wandte den Blick ab. »Nee, so ist das auch wieder nicht«, murmelte er, mehr sagte er dazu aber nicht und sah plötzlich ganz schüchtern aus.

»Hast du auch einen Hubschrauber?«, fragte Jayden, und darüber musste Huckle jetzt doch lachen. »Nein«, antwortete er.

»Verdammt«, sagte Polly. »So hätte ich das vor meinem Neuanfang auch machen sollen. Hätte ich das mit dem Reichwerden doch bloß auf meine To-do-Liste gesetzt!«

Jetzt starrten alle sie an, sie lief ebenfalls rot an und wechselte lieber schnell das Thema. »Na ja, wie auch immer«, murmelte sie und fing an, Krümel zusammenzufegen. »Kann einer von euch mir vielleicht sagen, ob es einen Bus zur Papageientaucherkolonie gibt?«

»Wieso?«, fragte Tarnie, begriff aber sofort, als er ihren Gesichtsausdruck sah. »Oh, nein, doch nicht etwa wegen Neil?«

Der Vogel hockte neben Polly auf der Hafenmauer und pickte träge an einem Stückchen Bagel herum. Er schaute auf, als er seinen Namen hörte.

»Offenbar bin ich grausam zu ihm und verstoße gegen seine Tierrechte«, sagte Polly traurig.

»Na ja, der wird schon langsam dick«, meinte Tarnie.

»Mein Papageientaucher ist doch nicht dick!«, protestierte Polly wütend. »Außerdem solltest du so was wirklich nicht zu ihm sagen, damit schadest du womöglich seinem Selbstwertgefühl. Er ist doch noch klein!«

»Na, das wäre doch nicht schlimm«, fand Tarnie. »Wenn er sich seines Figurproblems endlich bewusst wird, tut er vielleicht was dagegen. Es bringt doch nichts, das Offensichtliche zu ignorieren.«

Polly streckte ihm die Zunge raus. »Er ist ein wunderschöner Papageientaucher.«

»Einen Linienbus gibt es nicht«, sagte nun Jayden, »da muss man mit einem besonderen Reisebus hinfahren. Wir haben dahin mit der Klasse mal einen Ausflug gemacht. An mehr kann ich mich aus dem Schuljahr auch nicht erinnern.«

»Und, war es da schön?«, fragte Polly. »Will man da gerne leben?«

»Ich musste mich damals im Bus übergeben«, fuhr Jayden fort.

»Ha!«, rief Huckle aus. »Äh, ich meine, das mit deinem Papageientaucher tut mir leid.«

Nachdenklich strich Polly Neil übers Gefieder.

»Ist schon okay«, sagte sie mit zittriger Stimme. »In letzter Zeit bin ich richtig gut darin geworden loszulassen.«

Nun wurden alle ganz still, bis sich Huck wieder zu Wort meldete. »Ich könnte dich fahren«, schlug er vor.

Tarnie schaute auf, so als wäre ihm gerade der gleiche Gedanke gekommen.

»Ach, du hast ein Auto?«, fragte Polly.

»Na ja, so was Ähnliches«, sagte Huckle.

In diesem Moment fiel plötzlich ein Schatten auf die kleine Gruppe. Schutzsuchend hüpfte Neil näher an Polly heran, die nun aufblickte und angesichts der über ihr aufragenden massigen Gestalt von Gillian Manse weiche Knie bekam.

O Himmel, stöhnte Polly innerlich.

»Was ist das denn?«, keifte Gillian, deren grimmige Stimme von den Hafenmauern zurückgeworfen wurde. »Sie veranstalten jetzt also Picknicks? Davon stand aber nichts im Mietvertrag.«

Überall lagen Krümel herum, und die auf der Mauer nebeneinander aufgereihten Möwen würden sich darauf stürzen, wenn alle aufstanden. Angebissene Bagels ruhten auf Papierservietten.

»Was soll das überhaupt sein?«, erkundigte sich Gillian Manse.

»Ein Bagel?«

»Ein was?«

»Ein berühmtes, auf der ganzen Welt bekanntes Gebäck«, fauchte Polly, die mit einem Mal richtig wütend wurde. »Etwas, was eigentlich jeder Bäcker kennen sollte.«

Huckle warf ihr einen besorgten Blick zu.

»Hier im Ort will ich dieses Zeug aber nicht sehen«, entgegnete Gillian. »Gegen Pasteten ist doch nun wirklich nichts einzuwenden.«

»Gegen *gute* Pasteten ist gar nichts einzuwenden«, sagte Polly. »Und auch nicht dagegen, dass Menschen in einem freien Land backen dürfen, was sie wollen, also LASSEN SIE MICH ENDLICH IN RUHE!«

Huckle tätschelte ihr den Arm. »Ist ja schon gut, ganz ruhig.«

Polly wandte sich zu ihm um. »Die schikaniert hier alle«, flüsterte sie.

Gillians Gesichtsausdruck war knallhart. »Ich dulde es nicht, dass man mir das Geschäft kaputt macht!«

»Sie machen sich Ihr Geschäft doch selbst kaputt, indem Sie so miserables Brot verkaufen«, erwiderte Polly.

Tarnie stand auf. »Nun, meine Damen …«, begann er.

»Hier geht es nun wirklich nicht um ›Damen‹«, schnaubte

Polly so aufgebracht wie selten zuvor. »Sondern darum, dass mir jemand vorschreiben will, was ich in meinen eigenen vier Wänden tun und lassen kann.«

»Na, dann sollten wir vielleicht dafür sorgen, dass es nicht länger Ihre vier Wände sind«, sagte Gillian.

»Und was soll das bitte schön heißen?«, rief Polly.

»Langsam, langsam«, versuchte Tarnie die Situation zu entschärfen.

»Genau das, was ich da gesagt habe«, versetzte Gillian. »Die Wohnung gehört schließlich mir, da kann ich Sie ganz leicht rausschmeißen.«

»Weil ich backe?«

»Die Vermieterin bin ich.«

Das Gesicht der Frau war inzwischen lila angelaufen, und sie schäumte offenbar vor Wut. Sie sah richtig furchteinflößend aus. Und dann verließ Polly mit einem Mal jeglicher Kampfesmut, am liebsten hätte sie sich jetzt einfach wieder hingesetzt und es nie wieder erwähnt.

Gillian beugte sich vor, griff nach dem letzten Bagel und schleuderte ihn aufs Meer hinaus, wo sich augenblicklich ein Schwarm kreischender Möwen daraufstürzte. Dann drehte sich die Bäckerin um und wogte davon.

Polly wurde klar, dass sie am ganzen Körper zitterte.

»Die ist ja wirklich die schrecklichste, furchtbarste ... die wird mich rausschmeißen.«

»Nein, wird sie nicht«, beschwichtigte sie Tarnie. »Das Geld braucht sie nämlich, sie ist doch nur eine alte Dame, die versucht, über die Runden zu kommen.«

»Sie ist eine üble Hexe, die mich hier rausekeln will«, widersprach ihm Polly. »Und ich kann nicht fassen, dass du sie auch noch verteidigst.«

Jetzt sah man Tarnie an, wie unangenehm ihm die ganze Sache war. »Ich weiß, aber –«

»Wahrscheinlich ist sie der Grund dafür, dass dieser Ort hier vor die Hunde geht, wenn sie mit allen Zugezogenen so umspringt!«

Nun begannen die Fischer murmelnd, sich bei ihr für das Essen zu bedanken, und zogen sich langsam zurück.

»Oh, jetzt bin ich hier also die Verrückte?«, knurrte Polly wütend. »Na super.«

Huckle lächelte zwar, verabschiedete sich aber auch, sodass Polly irgendwann allein auf der Hafenmauer hockte. Inzwischen war ihr die ganze Geschichte peinlich, sie hatte überreagiert. Es brachte ja nichts, ihren Frust an einer alten Frau abzureagieren. Aber irgendwie kam es ihr so vor, als würde bei jedem kleinen Fortschritt im Leben plötzlich alles wieder über ihr zusammenstürzen.

Kapitel 10

In dieser Nacht konnte Polly nicht schlafen. Unruhig wälzte sie sich im Bett hin und her, von Zeit zu Zeit verdrückte sie auch ein Tränchen. Es war doch alles schon schlimm genug gewesen, und nun sollte es noch schlimmer werden? Sie versuchte doch bloß, neue Leute kennenzulernen und sich ein wenig aufzumuntern – und beim Backen ging es ihr eben gleich besser. Dabei auf eine derartige Feindseligkeit und Gemeinheit zu treffen, war einfach … sie zog wohl am besten wieder nach Plymouth, diese fiese Alte würde sie ja ohnehin rausschmeißen. Ob sie dann auch noch die Kaution verlieren würde? Starr vor Entsetzen fragte sie sich, ob sie sich im freien Fall befand. Dann blieb ihr nichts mehr an Sicherheit, wo würde sie landen? Als Sozialhilfeempfängerin in einem dieser riesigen Wohnsilos, wo zwischen Stacheldraht und stinkenden Aufzügen riesige Hunde unangeleint herumliefen und sich in dunklen Gassen die Drogendealer herumdrückten?

Oder sie musste ihrer Mutter in deren kleiner, überheizter Wohnung in Rochester auf die Pelle rücken. Ihre Mum war so stolz auf ihre ach so erfolgreiche Tochter, die sogar einen Studienabschluss hatte. Ihre Polly war schließlich mit einem Mann aus gutem Hause zusammen und hatte einen tollen Bürojob. »Wissen Sie, die haben ihre eigene Firma, und jetzt haben sie sich gerade eins dieser funkelnagelneuen Managerapartments am Wasser gekauft und …« Für ihre Mum wäre ihr Einzug eine regelrechte Erniedrigung, schließlich gab sie vor ihren Freundinnen ständig mit Polly an. Aber für Polly selbst war es auch nicht gerade, wonach sie suchte.

Manche Dinge kamen einem nachts hoffnungslos vor und verloren dann bei Morgenlicht ihren Schrecken. Einige Sorgen verschwanden sogar einfach bei der ersten Tasse Kaffee oder konnten dann durch eine vernünftige Analyse reduziert werden. Morgens hatte das Gehirn eben nicht mehr so viel Zeit, jeden einzelnen Fehler, all die verpassten Gelegenheiten, Selbstvorwürfe und Sorgen immer wieder durchzukauen. Polly ahnte allerdings, dass diese Probleme hier es nicht eilig damit hatten, sich wieder zu verziehen. Hätte sie doch bloß nicht immer mehr Brot gebacken, um Gillian Manse eins auszuwischen! Sie musste sich wohl eingestehen, dass sie damit auch ein bisschen angeben wollte. Und wäre sie Gillian gegenüber nicht laut geworden, würde ihr jetzt wohl nicht schon wieder die Obdachlosigkeit drohen. *Hilfe.*

Es war zwar mitten in der Nacht und eiskalt im ungeheizten Schlafzimmer, aber Polly beschloss, einfach aufzustehen. Sie wickelte sich in ihre Bettdecke, stolperte ins Wohnzimmer und zum Herd. Wenn sie es sich mit einem heißen Getränk und einem Buch gemütlich machte, lenkte sie das vielleicht von dem Gedankenkarussell hinter ihrer Stirn ab. Polly stellte auch den Boiler an. Es dauerte zwar zwei Stunden, bis genug Wasser für ein Bad heiß war, aber egal. Sie konnte ja morgen früh baden, wenn sie zwischendurch wieder einschlummerte. Irgendwie wusste sie aber jetzt schon, dass sie nicht noch mal einschlafen konnte, aber so schlimm war das ja auch nicht. Schließlich hatte sie ja morgen auch nichts zu tun oder übermorgen. Sie konnte tagsüber schlafen, wenn sie wollte. Polly schaute zu Neil in seinem Karton. Er hatte die Äuglein zu und schlummerte fest. Sie war mutterseelenallein.

In ihrer Bettdecke schlurfte sie zum Fenster. Viel gab es da nicht zu sehen, aber die Vorstellung, dass die Fischer alle auf See waren, half ein bisschen gegen die Einsamkeit. Irgendwo auf dem Meer waren Tarnie, Jayden, Archie und der Rest hellwach, tranken zwischen silberschuppigen, mit den Flossen schlagenden Fischen vielleicht auch gerade ein Tässchen Tee, flickten Netze oder holten kiloweise Eis aus der Eismaschine, um den Fang für den morgendlichen Markt an der Küste von Penzance frisch zu halten.

Bei alldem hatte Polly an Jaydens alberne Geistergeschichte gar nicht mehr gedacht. Als der Strahl des Leuchtturms vorbeisauste, durchzuckte der Gedanke sie kurz. Allerdings war sie so bedrückt, dass sie keine Kraft hatte, um sich vor Gespenstern zu fürchten. Die Realität war beängstigend genug.

Langsam gewöhnten sich ihre Augen an das Dämmerlicht des Hafens, sie sah die Mauer, den Mond, der sich in dieser ungewöhnlich klaren Nacht auf dem Wasser spiegelte, ein paar geparkte Autos, die um diese Uhrzeit dunklen Straßenlaternen … und dann entdeckte sie die Gestalt. Polly streckte den Kopf vor und kniff die Augen zusammen, das Herz schlug ihr bis zum Hals. Dort war sie. An derselben Stelle wie beim letzten Mal stand auf der Mauer völlig reglos eine Person, die wie eine Statue aufs Wasser hinaussah.

Polly stockte der Atem. Rasch ließ sie den Blick durchs Zimmer wandern, um sich zu vergewissern, dass alles noch an seinem Platz stand und sie nicht in eine alte, längst vergangene Zeit zurückversetzt worden war.

Dann wurde sie erneut geblendet und blinzelte einmal, zweimal, um sich wieder an die Dunkelheit zu gewöhnen. Schließlich nahm sie ihren Mut zusammen und öffnete das Fenster, dessen Klappern in der stillen Nachtluft ziemlich laut war. Aber das war Polly jetzt egal, vor lauter Angst und Aufregung war sie waghalsig geworden. Mit vorgerecktem Kinn lehnte sie sich hinaus.

»HEY!«, rief sie. »HEY!«

Erschrocken fuhr die Figur herum. In diesem Moment zog wieder der Lichtstrahl des Leuchtturms vorbei, und Polly musste entsetzt mitansehen, wie die Frau ausrutschte und mit flatternden Röcken und im Wind wehendem langem Haar stürzte.

Zum Nachdenken war keine Zeit. Polly griff nach ihrer Jacke, zog sie über den Schlafanzug, schlüpfte in ein Paar Stiefel und polterte die Stufen hinunter. Das war keine Erscheinung und auch kein Traum gewesen. Nein, in dieser kalten, windigen, schäbigen Nacht war wirklich jemand da draußen.

Unten auf der Straße war Polly einen Moment orientierungslos und wünschte, sie hätte eine Taschenlampe mitgebracht. Es war beinahe Vollmond, aber im Halbdunkel nahmen sich die Dinge ganz anders aus, und sie war sich nicht mehr ganz sicher, wo genau an der Hafenmauer sie entlanglaufen musste. Als sie schließlich eine offene Stelle erreichte, warf sie einen Blick nach unten – und ihr blieb das Herz stehen.

Dort, im seichten Wasser, lag niemand anderes als Mrs Manse. Ohne den strengen Dutt waren ihre Haare ganz lang, und ihre kugelige Figur wurde vom wallenden Nachthemd und dem Morgenmantel, den sie trug, verborgen. Polly kniete sich neben sie. Sie atmete zwar, aber beim nächsten Lichtstrahl des Leuchtturms konnte Polly erkennen, dass sie am Kopf blutete. Und Mrs Manse musste unbedingt aus dem Wasser raus, das war schließlich eiskalt.

»Gillian!«, flüsterte Polly. »Gillian! O mein Gott, es tut mir ja so leid!«

Aber Mrs Manse rührte sich nicht. Polly seufzte. Wo zum Teufel steckten nur die fünf kräftigen Fischer, wenn man sie wirklich brauchte? Und leider standen in den anderen Gebäuden am Hafen die Wohnungen über den alten Geschäften alle leer. Sie brauchte jetzt ihr Handy. Aber wenn sie zurückrannte, wäre es vielleicht schon zu spät ... Ach was, das würde sie schon allein hinkriegen.

Sie beugte sich vor, schob der dicken Frau die Arme unter die Schultern und zerrte dann mit aller Kraft. Immer und immer wieder versuchte das Meer, seine Beute zurückzuziehen, so als fordere es sie ein. Jedes Mal fluchte Polly lautstark und suchte mit den Füßen nach einem besseren Halt. Aber irgendwann gelang es ihr dann, den Körper nach und nach ganz langsam auf die Mole zu ziehen. Inzwischen waren sie beide klatschnass. Dann rief Polly ein paarmal nach Hilfe, gab es aber bald wieder auf, weil es doch nur Atem und Kraft kostete. Sie musste eben weiter allein klarkommen.

Die Flut stieg langsam, und eine Welle spritzte Polly ins Gesicht, als sie sich vorbeugte, um sicherzugehen, dass Gillian noch atmete. Algen klebten ihr in den Haaren. Polly fluchte, weil ihre Vermieterin ihr aus den Händen zu rutschen begann, aber nicht einmal davon wachte sie auf. So langsam bekam Polly die Panik. Die ganze Anstrengung durfte doch nicht umsonst gewesen sein! Als der Strahl des Leuchtturms wieder einmal über sie hinweghuschte, fragte sie sich, ob man sie wohl von dort oben aus sehen konnte. Aber dann fiel ihr wieder ein, dass da ja niemand mehr arbeitete, die Dinger liefen heute alle automatisch. Verdammt, niemand würde ihr helfen! Dabei bräuchte man doch wirklich jemanden, der Alarm schlug, wenn mal was passierte.

Aber irgendwie gab ihr das Licht wenigstens so viel Kraft, dass es ihr gelang, Gillian über den Bootsslip komplett aus dem Wasser zu hieven. Sie wollte sich lieber nicht ausmalen, wie viele blaue Flecken die Bäckerin bei dieser Prozedur wohl davongetragen hatte, und zog sie weiter hinauf. Aber ohne die spritzende Gischt und das kalte Wasser, das ihr über die Füße schwappte, war alles schon etwas einfacher.

Oben angekommen, hielt Polly keuchend einen Moment inne. Was sollte sie jetzt tun? Warum hatte sie eigentlich von keinem einzigen der Fischer die Telefonnummer? Aber dann fiel ihr wieder ein, dass die sich ja sowieso meilenweit von jeglichem Handymast, endlos weit von der Zivilisation entfernt mitten auf der Irischen See befanden.

Wieder schaute sich Polly in der verlassenen Straße um. Dann zog sie die Jacke aus und deckte die klatschnasse Gillian damit zu. Sie brauchte Hilfe, und zwar schnell. Die Geschehnisse jetzt einem der misstrauischen Bewohner des Ortes zu erklären würde viel zu lange dauern.

Deshalb rannte sie die Treppe hoch und in die Wohnung zurück. Nachdem sie den Wasserkocher angestellt und sich ein paar warme Decken geschnappt hatte, griff sie nach ihrem Handy. Sie wollte schon den Notruf wählen, da fiel ihr Blick auf ein Glas Honig, auf dessen Etikett die Telefonnummer von Huckle gedruckt war.

Den würde sie anrufen, der wusste sicher, was zu tun war! Das war natürlich eine völlig unbegründete Vermutung, aber sie hatte jetzt keine Zeit, darüber nachzudenken. Sie goss heißes Wasser in eine Tasse, legte sich die Decken über den Arm und eilte dann so schnell wie möglich die Treppe wieder runter, während sie gleichzeitig Hucks Nummer wählte.

Es tutete so lange in der Leitung, dass Polly schon fürchtete, er hätte sein Telefon vielleicht ausgestellt, aber dann hörte sie endlich die ihr inzwischen wohlbekannte gedehnte Stimme, die allerdings schläfriger klang denn je.

»Äh, ja?«

»Huckle?«

»Jap?«

»Huckle, ich bin's ... Polly.«

»Oh ... okay. In Ordnung. Sorry, ich dachte schon, da hätte mal wieder jemand die Zeitzonen durcheinandergebracht.«

»Huckle, ich brauche dich —«

»Äh, weißt du, ich bin eigentlich nicht —«

»Klappe! Du musst unbedingt nach Polbearne kommen. Mrs Manse ist ins Wasser gefallen!«

»Wie bitte?«

»Diese alte Frau, die ist ins Hafenbecken gestürzt.«

Polly versuchte inzwischen, ihre Vermieterin aus dem Morgenmantel zu schälen, und hatte nicht die Geduld für lange Worte.

»Huckle, komm doch bitte einfach, ich bin am Hafen.« Sie warf einen Blick auf den Fahrdamm. Noch war er frei.

»Äh, gut, okay.«

Dann drückte sie das Gespräch weg und schaute noch einmal nach Mrs Manse. Die atmete und begann, sich inzwischen auch wieder zu regen. Plötzlich war Polly gar nicht mehr so scharf darauf, dass sie wieder zu sich kam, während ihre Mieterin sie hier zu entblößen versuchte. Deshalb wählte sie schnell den Notruf. Die Person am anderen Ende erklärte, dass in etwa einer halben Stunde jemand da sein würde. Man wies Polly an, Gillian auszuziehen und sie statt der nassen Kleider in Decken zu hüllen. Alkohol sollte man ihr nicht einflößen, aber etwas Heißes zu trinken, wenn sie denn sitzen konnte.

Das war alles leichter gesagt als getan. Jedes Mal, wenn Polly Gillian Manse in eine Decke gehüllt hatte, schüttelte die Bäckerin sie wieder ab. Sie war offenbar verwirrt, murmelte vor sich hin und versuchte aufzustehen. Polly hatte große Probleme, sie ruhigzustellen.

Dann fuhr Polly auf einmal erschrocken zusammen, weil in der kleinen Stadt plötzlich ein lautes Röhren zu hören war, das von den Pflastersteinen und Schieferwänden des Ortes zurückgeworfen wurde. Polly hielt Mrs Manse mit Nachdruck an den Schultern fest und starrte in die Dunkelheit.

Nun sauste etwas um die Ecke, was direkt den vierziger Jahren entsprungen zu sein schien: ein klassisches Motorrad in dunklem Weinrot, mit einem kleinen Motor vorne und Rädern mit Speichen. Das Sidecar war ebenfalls dunkelrot lackiert.

»Was ist das denn?«, entfuhr es Polly. Oben auf diesem Gefährt thronte hünenhaft Huckle, und das Ding legte ein Höllentempo vor, während es laut durch den Ort knatterte. Nun sah Polly, wie hier und da in den Häusern Lichter angingen. *Na vielen Dank auch, dass ihr mir zu Hilfe geeilt seid, als ich mir hier die Seele aus dem Hals geschrien hab*, dachte sie.

Wie ein Skifahrer, der dramatisch bremste, kam Huckle vor ihr schlitternd zum Stehen. Polly wurde vom runden Scheinwerfer geblendet und hielt sich schützend eine Hand vor die Augen.

Huckle sprang vom Motorrad, nahm den schwarzen Retro-Helm ab und schüttelte sein ein wenig zu langes blondes Haar.

»Was ist das denn?«, fragte Polly, die immer noch die strampelnde Mrs Manse festhielt.

»Ein Jetski natürlich«, knurrte Huckle. »Mal im Ernst, hast du mich nur herbestellt, um mich das zu fragen?«

Nun wandte er seine Aufmerksamkeit der alten Frau zu, die neben Polly auf dem Kai saß.

»Also, was ist denn hier los?«, fragte er langsam mit freundlicher Stimme. Und als er dann die Arme unter Mrs Manse schob, wirkte die auf einmal ganz klein und leicht. Heilfroh überließ Polly sie ihm und rieb sich die Glieder, um den Blutfluss wieder in Schwung zu bringen.

Mrs Manse wirkte augenblicklich ruhiger und brabbelte irgendwelche Namen vor sich hin, die Polly nicht kannte.

»Ist der Krankenwagen verständigt?«, fragte Huckle. »Und vielleicht sollten wir ihr was zu trinken geben, hast du was da?«

»Ist verständigt, und ja«, nickte Polly, froh über die Tasse mit heißem Wasser, die sie der alten Frau jetzt an die Lippen halten konnte. Mrs Manse probierte einen Schluck und spuckte ihn dann wieder aus.

»Ich glaube, Sie sind schon auf dem Weg der Besserung«, sagte Huckle zu ihr. »Was ist denn nur passiert, Pol? Seid ihr beide wieder aneinandergeraten?«

»Das ist jetzt nicht dein Ernst, oder?«, stöhnte Polly. »Glaubst du wirklich, dass ich eine alte Frau ins Meer schubsen würde?«

»Na ja, so gut kenn ich dich nun auch wieder nicht.«

Polly starrte ihn nur ausdruckslos an.

»Okay, okay.« Dann wandte er seine Aufmerksamkeit wieder Mrs Manse zu. »Also, was ist passiert?«

Polly seufzte. »O Gott, das muss ich gleich wohl auch den Sanitätern erklären, oder? Und womöglich der Polizei.«

»Der Polizei?«, wiederholte Huckle mit einem Stirnrunzeln.

»Ich hab sie hier stehen sehen – ehrlich gesagt wusste ich gar nicht, dass sie es war, dafür war sie zu weit weg. Ich hab gerufen, um zu sehen, wer das ist. Ich glaube, damit hab ich sie erschreckt, und dann ist sie ausgerutscht.« Polly schluckte. »Glaubst du, die werden mich wegen fahrlässiger Tötung drankriegen?«

»Nein, ich werd Sie einfach nur verklagen«, ertönte nun ein Knurren.

»Na, ein Glück!«, sagte Polly. »Dem Himmel sei Dank. Es tut mir wirklich entsetzlich leid. Aber was hatten Sie denn nur mitten in so einer stürmischen Nacht hier draußen zu suchen?«

Polly versuchte, die Situation zu erklären, als der Krankenwagen kam und dann auch noch ein kleiner Polizeiwagen vorsichtig über den Fahrdamm herüberfuhr, einen verschlafenen Beamten mit Schnurrbart am Steuer. Mrs Manse sah in ihrer silbernen Rettungsdecke aus wie eine Wurst in der Pelle und beschwerte sich hinten im Krankenwagen darüber, dass man nicht mal mehr einen Spaziergang machen konnte, ohne belästigt zu werden. Zum Glück schien der Polizist das nicht allzu ernst zu nehmen.

Polly hatte allerdings ernsthafte Zweifel.

»Die ist ja gar nicht spazieren gegangen. Sie stand einfach nur da. Und ich hab sie heute Nacht auch nicht zum ersten Mal gesehen«, flüsterte sie Huckle zu.

»Das ist ja wirklich eine hässliche Wunde«, bemerkte der Sanitäter. »Sie haben vermutlich einen Schock erlitten, und ich kann nur hoffen, dass Sie sich im kalten Wasser nichts geholt haben. Aber Sie müssen schon zur Beobachtung mit ins Krankenhaus kommen.«

»Das kann ich nicht«, verkündete Gillian hoheitsvoll. »Ich muss doch morgen früh die Bäckerei aufmachen.«

Es herrschte Stille.

»Na, so schnell wird das nicht gehen, das kann ich Ihnen jetzt schon sagen«, erklärte der Sanitäter dann gut gelaunt.

»Aber das muss ich, das ist doch schließlich meine Aufgabe.«

»Und unsere Aufgabe ist Ihre Gesundheit, also würde ich mich an Ihrer Stelle jetzt einfach entspannen.«

»Die Leute brauchen die Bäckerei doch.«

»Dann sollten Sie dieser jungen Dame hier dafür danken, dass sie Sie so geistesgegenwärtig aus dem Wasser gezogen und sich dann um Sie gekümmert hat. In Ihrem Alter und Zustand sollten Sie wirklich nicht auf glitschigen Hafenmauern herumtanzen«, mahnte der Sanitäter. »Das hätte auch schlimmer ausgehen können.«

Gillian Manse schaute zu Polly rüber. Jetzt sah sie gar nicht mehr wütend aus, nur verwirrt und hilflos.

»Ja«, stieß sie hervor, klang dabei allerdings nicht sehr dankbar.

Es würde ja doch nichts bringen, sich noch mal schlafen zu legen, deshalb blieben Polly und Huckle auf der Hafenmauer sitzen, tranken schwarzen Kaffee, schauten sich den Sonnenaufgang an und sprachen aufgeregt über den Vorfall. Nach und nach verflog die Kälte der Nachtluft, und die Sterne erloschen einer nach dem anderen, während im Osten rosafarbene Finger über den Horizont krochen. Um halb sechs war der Himmel gelb, rosa und blau, und es zog ein wunderschöner Tag auf. Irgendwann schien die frische Brise von der See die Ereignisse der letzten Nacht einfach weggepustet zu haben. Dann entdeckten sie einen dunklen Punkt am Horizont, und dann noch weitere, und im Hafen fuhren die Fischhändler mit ihren Lieferwagen vor. Die Möwen flatterten aufgeregt.

»Lass uns doch warten und Tarnie die ganze Sache erzählen«, schlug Polly vor. »Der wohnt schließlich seit jeher hier. Wenn jemand weiß, was da in Mrs Manse gefahren ist, dann er.«

»Sicher«, stimmte Huckle zu und schlenkerte mit den Beinen. »Außerdem müssen wir langsam mal ans Frühstück denken.«

»Wir und alle anderen auch«, sagte Polly. »Aber für die ganze Stadt hab ich nun wirklich nicht genug Brot. Was sollen sich die Leute denn nur in den Toaster schieben?«

»Wer weiß, vielleicht steht das sogar in der Zeitung«, überlegte Huckle. »*Eine Stadt ohne Brot.*«

Er sah sie vielsagend an.

»Nein«, winkte Polly ab, »dann dreht die endgültig durch. Sie würde mich niemals lassen.«

»Ich glaube, sie wollte nur irgendwie ihr Geschäft retten«, entgegnete Huckle und ließ die langen Beine lässig baumeln.

»Und mich aus dem Weg räumen«, wandte Polly ein, »vergiss das nicht.«

»Ich glaube ja nicht, dass das persönlich gemeint war«, meinte Huckle und gähnte.

Plötzlich verspürte Polly das lächerliche Bedürfnis, ihm mit den Fingern durch das dichte Haar zu fahren. *Das muss wohl am Schlafmangel liegen*, dachte sie. Aber dieser schlaksige und doch muskulöse Riese hatte etwas Männliches an sich und strahlte neben ihr so viel Wärme aus. Rasch senkte Polly den Blick.

»Ich weiß. Aber nach allem anderen, was ich in letzter Zeit so erlebt habe ... kann ich nicht anders, als es persönlich zu nehmen«, sagte sie.

»Vielleicht bist du ja vorher auch einfach nur zu behütet gewesen«, murmelte Huckle und schaute sie an. Ihr rotblondes Haar war vom Wind ganz verwirrt und zerzaust, was irgendwie dramatisch aussah. Und ihre Haut war heute Morgen so blass, dass man die niedlichen Sommersprossen auf ihrer Nase noch besser sah.

»Nicht behütet genug«, versetzte Polly mürrisch. »Außerdem könnte ich sowieso keine Bäckerei führen. Für mich ist Backen Hobby, kein Beruf.«

»Was ist denn dein Beruf?«, fragte Huckle ernst.

Polly sah ihn nur an und sprang dann auf, um die einfahrenden Kutter zu begrüßen.

Tarnie machte ein besorgtes Gesicht. Er hatte es schon von den Fischhändlern gehört. »Das ist eine schlimme Sache«, sagte er und schaute Polly bedrückt aus seinen blauen Augen an.

»Aber was ... was hat sie hier draußen denn nur gewollt?«, fragte die.

»Als Bäckerin muss sie eben früh raus«, warf Jayden gut gelaunt ein. Sie hatten heute guten Fang gemacht, und die Morgensonne glitzerte auf den Schuppen der silbrigen Fische. Heute Mittag schon würden die in Rock, St. Ives oder Truro auf dem Teller liegen.

»Hmm«, meinte Tarnie. »Es müsste wohl jemand bei ihr vorbeigehen und ein paar Sachen für sie zusammenpacken.«

»Hat sie Freunde, die das übernehmen würden?«, fragte Polly.

Tarnie wich ihr aus. »Äh, also, einfach war Gillian Manse ja noch nie.«

Plötzlich fühlte Polly sich richtig mies. Es war unfair von ihr gewesen, so auf eine alte Dame ohne Freunde oder Familie loszugehen. Sie war hier aufgetaucht und hatte aus reinem Trotz den Lebensunterhalt dieser Frau aufs Spiel gesetzt. Sie hatte ein so schlechtes Gewissen, dass sie unbedingt etwas wiedergutmachen wollte. Das Ganze war nicht persönlich gemeint gewesen – genau wie Huckle es gesagt hatte –, und sie hatte ihre ganze Enttäuschung und ihren Frust an der Bäckerin ausgelassen.

»Äh, kann ich vielleicht helfen?«, fragte sie. »Mir tut die ganze Sache nämlich so schrecklich leid.«

Tarnie sah sie an.

»Vielleicht schon«, überlegte er. »Du ... du weißt doch sicher, was eine Dame im Krankenhaus alles brauchen könnte. Mit so was kenne ich mich nämlich nicht aus.«

Polly lächelte. Offensichtlich wartete auf Tarnie zu Hause keine solche Dame. Sie hätte nicht gedacht, dass es für Fischer ein Problem sein könnte, eine Freundin zu finden – ehrlich gesagt hatte sie darüber überhaupt noch nicht nachgedacht –, aber natürlich war man hier ziemlich ab vom Schuss und die Arbeitszeiten alles andere als ideal …

»Warum riechst du eigentlich gar nicht nach Fisch?«, fragte sie mit einem Mal.

Tarnie schaute sie ob dieses plötzlichen Themenwechsels verwirrt an.

»Was?«

»Sorry, das ist mir nur gerade in den Sinn gekommen. Äh, also gut, darum kann ich mich gerne kümmern.«

»Das wäre eine große Hilfe«, sagte er. »Wir könnten uns um zehn Uhr vor der Bäckerei treffen, und danach fahr ich dann ins Krankenhaus.«

»Musst du denn gar nicht schlafen?«, fragte Polly.

Tarnie zuckte mit den Achseln. »Ach, ich brauche eigentlich nicht viel Schlaf. Wie es aussieht, du ja wohl auch nicht.«

Polly lächelte. »Hm.«

Tarnie machte sich wieder auf den Weg zum Kutter, drehte sich dann aber noch einmal um.

»Mandelseife!«, rief er und winkte. Polly winkte zurück.

Obwohl ihre Besitzerin ja erst seit ein paar Stunden weg war, wirkte die Bäckerei staubig und wie aufgegeben. Ein abgestandener Geruch lag in der Luft, und Polly hatte das Gefühl, dass die Ware hier schon viel zu lange rumstand. Hier musste mal gründlich sauber gemacht werden.

»Am besten werfen wir das alles einfach weg«, schlug sie vor.

Tarnie schüttelte erschrocken den Kopf. »Das würde ich lieber nicht machen. Wenn man sie nämlich heute Abend entlässt und sie zurückkommt, dann kriegen wir aber was zu hören.«

Die kleine Wohnung oben war absolut makellos, viel sauberer und ordentlicher als der Laden. Überall stand Nippes herum, kleine Porzellanfigürchen und Pferde aus Kristall. Das auffällige Muster des Teppichs zeigte eine Art Strudel, und die Vorhänge waren staubfrei. In einer Ecke des Raumes thronte ein altmodischer Fernseher, und daneben lag eine Fernsehzeitschrift, in der Programme sorgfältig angestrichen waren. Polly fühlte sich wie ein Eindringling und bekam ein bisschen Platzangst.

»Mir ist bei der ganzen Sache gar nicht wohl«, murmelte sie.

»Hmm«, machte Tarnie. »Geh doch am besten mal ins Schlafzimmer und such für Gillian ein paar ... Damensachen zusammen.«

Polly warf ihm einen fragenden Blick zu, aber das hatte er ganz ernst gemeint.

Das Schlafzimmer war klein, und im Bett war noch immer der Abdruck von Gillians Körper zu sehen. Wahrscheinlich schlief sie nachts nicht gut, dachte Polly. Auf dem Nachttischchen stand ein altmodischer Wecker neben mehreren Packungen mit Tabletten. Na, das war doch ein Anfang. Polly schob alle Medikamentenschachteln zusammen und schaute sich nach einer Tasche um. Als sie einen Einbauschrank aufmachte, fand sie darin einen alten Koffer. Besser als gar nichts. Sie packte einen sauberen Schlafanzug hinein, schluckte dann und zog die Unterwäscheschublade heraus.

Das Foto lag wie zufällig auf einem Stapel großer fleischfarbener Schlüpfer und riesiger BHs, und Polly verstand zunächst nicht, warum es da versteckt war – für Diebe war es doch nun wirklich nicht interessant. Aber dann begriff sie auf einmal – Mrs Manse bewahrte es hier auf, damit sie es nicht ständig sehen musste. Ohne darüber nachzudenken, griff Polly nach der Aufnahme. Es handelte sich um ein Farbfoto, das dem verblichenen Gelbton nach wohl aus den späten Siebzigern oder frühen Achtzigern stammte. Auf dem Bild beschirmte ein dunkelhaariger Mann mit der Hand die Augen. Neben ihm stand ein Junge mit Ringelshirt, etwas zu engen Shorts, einem Stoffgürtel und Söckchen in Sandalen. Polly starrte das Bild an und bemerkte gar nicht, dass Tarnie den Raum betreten hatte, bis er ein Seufzen ausstieß.

Sie zuckte zusammen und fuhr herum.

»Ich wollte nicht schnüffeln«, verteidigte sie sich augenblicklich. »Aber das lag hier eben, da konnte ich nicht anders.«

Er nickte. »Ist schon okay.« Dann sah er sich im Raum um. »Ein komisches Gefühl, hier oben zu sein.«

»Allerdings«, bestätigte Polly. Wieder sah sie sich das Foto an.

Tarnies Miene wurde ernst.

»Wer ist denn das?«, fragte Polly nun vorsichtig.

Tarnie kratzte sich unbehaglich im Nacken.

»Also, das ist Alf Manse«, sagte er und deutete auf den Mann. »Gillians Ehemann. Ein prima Typ, ein anständiger Kerl.«

Dann sahen sie beide den Jungen an, und Tarnie räusperte sich.

»Und das ist Jimmy«, erklärte er dann. »Wir beide ... na ja, wir waren gute Freunde, sind in dieselbe Klasse gegangen. Früher gab es hier nämlich mal eine Schule. Die ist natürlich längst zugemacht worden. Damals haben wir alles zusammen gemacht, uns aber auch ständig gegenseitig gepiesackt. Wir waren ganz schön frech, und warum wir eigentlich zur Schule gehen sollten, hat uns nie so recht eingeleuchtet. Uns war ja doch immer klar, dass wir irgendwann Fischer werden würden.«

Polly sah ihm ins ernste, attraktive Gesicht. Seine tiefblauen Augen verrieten ihr, dass er gerade ganz woanders war, weit, weit weg.

»Wir waren unzertrennlich. Und damals war Mrs Manse eigentlich ganz in Ordnung ...«

Er verstummte, und nach langem Schweigen fragte Polly: »Was ist denn passiert?«

Tarnie ließ den Kopf hängen.

»Die Leute begreifen einfach nicht ... sorry, das geht jetzt nicht gegen dich«, unterbrach er sich selbst.

»Keine Sorge«, winkte Polly ab.

»Die Leute verstehen einfach nicht, wie gefährlich das Meer ist. Man hört das ja immer wieder in den Nachrichten – oh, der und der Sturm ist vorbeigezogen, alles in Ordnung. Aber damit meinen sie natürlich, dass er aufs Meer rausgezogen ist – und wer denkt da schon an uns.«

Wieder rieb er sich den Nacken.

»Und dann ist immer von Überfischung die Rede, oh, die armen Fische, oh, die bösen Fischer. Aber wir tun doch nur, was wir immer getan haben, die Arbeit ist hart, wird schlecht bezahlt, und ... sie ist eben gefährlich. Saugefährlich, Polly.«

Die Angesprochene biss sich auf die Lippe.

»Das war mir nicht so klar.«

»Ja, darüber denkt eben niemand nach. Sie beschweren sich immer nur darüber, wie teuer Fish and Chips geworden sind ... An dem Tag sind wir alle rausgefahren. Jimmy und sein Vater mit der *Calina* ... mein Vater war damals schon im Ruhestand. Und dann hat sich auf einmal wie aus dem Nichts dieser Sturm zusammengebraut. Es gab keine Vorhersage oder Frühwarnung, wir haben die Nachricht keine Viertelstunde vorher per Fax reingekriegt. Plötzlich waren die Wellen so hoch wie dreistöckige Häuser und sind über uns hereingebrochen wie die Lawinen. Und uns blieb keine Zeit mehr ... Wir hatten einfach keine Zeit. Jedes Mal, wenn sich der Kutter wieder aufgerichtet hatte und wir uns in Bewegung setzen wollten, kam schon die nächste Welle ... überall nichts als Wasser. In so einem Moment auch nur an Deck zu stehen, kann schon Lungen voller Wasser bedeuten. Und das Meer schiebt dich einfach dahin, wo es will.«

Polly beobachtete ihn – es kam ihr vor, als würde sich alles vor seinen Augen noch einmal abspielen.

»Wir haben uns dann ganz langsam und schwer angeschlagen zurückgekämpft – unsere Masten waren alle futsch, die Netze waren weg, einfach von Bord gezerrt, als hätte eine Riesenhand danach gegriffen.«

Mit gequältem Gesichtsausdruck sah er Polly nun an.

»Wir haben natürlich aufeinander aufgepasst, aber du kannst dir nicht vorstellen, wie es da draußen ist, wenn sich die Wellen in völliger Dunkelheit zehn Meter hoch auftürmen. Da sieht man gar nichts mehr, nicht einmal die Hand vor Augen. Und man muss nicht einmal ins Wasser fallen, um zu ertrinken, verstehst du? Als wir zurückkamen, war uns kaum klar, wie beschädigt die Kutter waren, wir waren alle traumatisiert.«

»Das ist doch verständlich«, murmelte Polly.

»Und erst haben wir auch gar nicht gemerkt, dass die *Calina* nicht bei uns war. Erst mal nicht.« Er schluckte.

»O Gott«, sagte Polly. »Du meine Güte, das ist ja schrecklich.«

Tarnie rieb sich heftig den Nacken.

»Das ist schon ewig her«, sagte er und blickte wieder auf das Foto.

»Wurden sie ... hat man denn ...«

»Nichts«, sagte Tarnie. »Es wurde nicht mal eine Planke angespült. Weißt du, das ist ungewöhnlich. Normalerweise ... normalerweise bringt das Meer sie irgendwann wieder nach Hause. Aber dieses Mal nicht.«

»Wie alt warst du damals?«, fragte Polly.

»Neunzehn«, versetzte Tarnie knapp.

»Himmel! Mein Gott, ist das alles furchtbar.«

Da kam ihr plötzlich ein Gedanke. »O mein Gott«, sagte sie wieder. »*Sie* ist Jaydens Geist. *Das* hat sie da unten gemacht.«

Polly war so fassungslos, dass sie sich erst einmal setzen musste. »Weißt du, ich hatte sie schon mal da gesehen, also, vorher. Und andere haben sie ja früher auch schon gesehen. Sie hat nicht einfach nur einen Spaziergang am Hafen gemacht.«

»Was willst du denn damit sagen?«

»Sie ... sie ist der Geist, Tarn. Sie geht zum Hafen runter und starrt aufs Meer raus ...«

Verwirrt schaute Tarnie sie an. Polly hatte immer noch das Foto in der Hand.

»Ich glaube, sie hält nach den beiden Ausschau«, erklärte sie. »Sie wartet immer noch darauf, dass sie nach Hause kommen.«

Tarnies Züge wurden finster, und er nickte düster.

»Lange wollte sie es nicht wahrhaben«, fuhr er fort. »Sie hat die Küstenwache so oft rausgeschickt, dass man es ihr schließlich untersagt hat. Immer und immer wieder hat sie beteuert: ›Aber die sind doch noch da draußen.‹ Deshalb hat sie den Leuten leidgetan. Es war immer schon schwierig, hier über die Runden zu kommen, und für sie wurde es dann natürlich noch härter. Sie hat etwas Geld von der Gewerkschaft bekommen und davon die zweite Bäckerei gekauft. Früher gab es in Polbearne noch genug Bedarf für zwei solcher Läden, die alten Bäcker hatten die Krise jedoch kommen sehen und waren wie alle anderen auch aufs Festland gezogen. Gut war Mrs Manses Brot zwar nie, aber das ist alles, was ihr noch geblieben ist.«

»Jetzt fühle ich mich noch schrecklicher«, seufzte Polly und dachte an ihre unfreundlichen Worte zurück. Sie waren an eine Frau gerichtet gewesen, die Schlimmeres durchgemacht hatte, als sie es sich auch nur ausmalen konnte.

»Man sollte doch eigentlich meinen, dass sie es inzwischen akzeptiert hat«, sagte Tarnie kopfschüttelnd. »Das ist jetzt fast zwanzig Jahre her.«

»Hatte sie nur diesen einen Sohn?«, fragte Polly.

»Ja«, nickte Tarnie. »Nur Jim, und er war ihr Ein und Alles.«

»Und sie hat nie aufgegeben, sie wartet immer noch auf ihn.«

Tarnie sah sich in dem kleinen, engen Raum um und blickte dann auf das Foto, das nicht einmal an der Wand hängen durfte, weil Mrs Manse seinen Anblick nicht ertrug.

»Das ist doch wirklich grauenhaft«, sagte er leise.

Schweigend packten sie die restlichen Sachen zusammen,

die Gillian Pollys Meinung nach gebrauchen konnte, und dann brachte Tarnie alles mit einer großen Schachtel Pralinen aus Muriels Shop ins Krankenhaus. Als Polly ihm hinterherwinkte, hatte sie ein wahnsinnig schlechtes Gewissen und schwor sich, alles wieder gutzumachen.

Kapitel 11

An diesem Tag stellte Polly zum ersten Mal seit ihrer Ankunft ganz ohne Gewissensbisse den Ofen an. Um sich Gillian gegenüber weniger schuldig zu fühlen, machte sie sich daran, einen kleinen Gute-Besserung-Korb mit Zuckerkringeln, Brioches und Pains au chocolat zusammenzustellen, und sie genoss diese anspruchsvolle, langwierige Arbeit. Am Nachmittag trug sie irgendwann Neil ans Fenster.

»So, na los«, sagte sie traurig zu ihm. Sonnenschein glitzerte auf dem Wasser und ließ den ganzen Hafen leuchten. Draußen war es wunderschön. »Üb ein bisschen Fliegen!«

Neil protestierte krächzend, und als sie ihn aufs Fensterbrett setzte, hopste er wieder auf den Fußboden, wo er sich auf die Suche nach Krümeln machte.

»Keine Krümel mehr!«, schalt sie ihn und dachte schuldbewusst an die Brioche zurück, die sie ihm gegeben hatte. »Du wirst nämlich wirklich fett.«

Wieder setzte sie ihn auf die Fensterbank.

»Ich will dich ja nur ungern schubsen«, fuhr sie fort. »Es sind heute schon mehr als genug Leute irgendwo runtergefallen. Aber du solltest dringend … es muss einfach sein. Ich muss dich nämlich zurückbringen, zu diesem … na ja, für heute lassen wir es erst mal gut sein. Aber du musst wirklich gehen. Und dafür musst du so weit sein.«

Neil beäugte sie argwöhnisch und flatterte dann ein wenig mit den Flügeln. Die verheilte Schwinge war so gut wie neu, man sah ihr nicht an, dass damit mal etwas nicht in Ordnung gewesen war.

»Genau!«, rief Polly. »Das mein ich! Warum fliegst du nicht raus und fängst einen Fisch?«

Tatsächlich schien Neil interessiert aufs Meer hinauszuschauen. Er legte das Köpfchen schräg, als die Möwen laut und kehlig krächzten und sich zu balgen begannen. Der Papageientaucher bewegte die Krallen hin und her. Polly ließ einen Moment von der bemehlten Tischplatte ab, um sich das näher anzusehen. Im Hafen hingen die Fischer rum, unterhielten sich und rauchten, Tarnie war allerdings nicht bei ihnen. Jayden winkte, und als er sah, was sie da machte, legte er die offenen Hände zusammen und streckte sie dem Vögelchen entgegen.

»Ne-il! Ne-il!«, feuerten dann alle zusammen den Papageientaucher an. Jayden hielt sogar einen Fisch hoch. Polly musste lächeln.

»Siehst du?«, sagte sie. »Na, dann mal los, hopp, hopp!«

Ganz sanft schob sie ihn vor. Zögerlich streckte Neil die Flügel aus und warf sich dann so elegant in die Luft, wie das einem etwas übergewichtigen Papageientaucherjungvogel eben möglich war.

Polly klatschte in die Hände.

»Los, Neil!«, rief sie. »Los, mein Junge! Flieg!«

Das machte ihn nervös, er flatterte ein wenig zu heftig und trieb nach rechts ab, dann aber konzentrierte er sich auf die ihn anfeuernden Fischer und glitt ungeschickt und zappelnd direkt Jayden in die Hände, der mit seinem Fisch auf ihn wartete.

»Yeah!«, jubelten alle.

»Yeah!«, rief auch die grinsende Polly oben in ihrer Wohnung. »Wartet mal, das müssen wir fotografisch festhalten.«

Sie griff nach ihrem Handy, und als Jayden ihn zu ihr zurückgeschickt hatte, machte sie ein Bild von Neil in der Luft vor den lachenden Männern.

Danach wollte er dann den ganzen Tag hin- und herfliegen, um sich zur Belohnung Fisch und Briochestückchen abzuholen. Besonders naturnah war dieses Training wohl nicht, aber wenigstens verbesserte Neil so seine Flugkünste.

Ihre Brioches, die Zuckerkringel und Pains au chocolat wurden ein Gedicht. Polly brachte zwei Körbe davon runter und wies Tarnie an, sich einen mit seinen Kollegen zu teilen, den anderen aber Mrs Manse im Krankenhaus vorbeizubringen. Sie erfuhr von ihm, dass die Bäckerin ein paar Tage zur Beobachtung dableiben musste, zum Teil wegen der Kopfwunde, aber auch, um festzustellen, ob sie geistig voll da war. Darüber war Polly froh, sie machte sich aber Sorgen um die Bäckerei. Wenn die nicht leer geräumt wurde, würden da mit Sicherheit Mäuse Einzug halten. Polly sprach Muriel darauf an.

»Ich würde ja helfen«, sagte die, »aber ich schiebe hier Zwölfstundenschichten. Das packe ich einfach nicht.«

»Du meine Güte!«, entfuhr es Polly. Wie hart in diesem winzigen Ort alle um sie herum arbeiteten, um über die Runden zu kommen. »Ich nehme mich der Sache an.«

Als sie am nächsten Tag die Tür zum Laden aufschloss, roch es bereits nach Schimmel, und sie war sich ziemlich sicher, eine Maus trippeln zu hören. Ein paar der Laibe, die noch in Ordnung waren, packte sie ein, um damit Brotauflauf zu machen. Wenn sie den einfror, konnte sie ihn vielleicht sogar verkaufen. Das war zwar keine brillante Idee, aber das Beste, was ihr im Moment so einfiel. Dann rollte sie die Ärmel hoch, beugte sich über Kerensas Karton mit Putzmitteln und machte sich an die Arbeit.

Eins wurde schnell klar: Hier hatte schon seit Ewigkeiten niemand mehr richtig geputzt. Kein Wunder, nach allem, was Gillian so durchgemacht hatte. Zwischen den Scheiben der (eigentlich ganz hübschen) fünfziger-Jahre-Vitrine drängten sich die Krümel, unter der Decke klebte ein Schmierfilm, und im Lagerraum, in dem längst keine Mehlsäcke mehr standen, war alles voller Spinnweben. Sie hatte sich gefragt, wie man es überhaupt schaffen konnte, ganz allein eine Bäckerei zu führen. Muriel hatte ihr erklärt, dass Gillian im Sommer eine Aushilfe einstellte. Außerdem backte sie schon lange nicht mehr selbst, weil es billiger und praktischer war, Fertigprodukte einzukaufen. Leider war die Firma, die sie belieferte, auf billiges, gestrecktes Mehl und eklige, lang haltbare Produkte spezialisiert. Die waren zwar billig, aber der Preis spiegelte sich im Geschmack wider. Und wenn es eins gab, was Polly nicht ausstehen konnte, dann war es billiges Brot. Brot war doch eine der Säulen der Ernährung, eine Lebensgrundlage! Sie hatte immer das Gefühl, dass nach schlechtem Brot zum Frühstück auch der Rest des Tages schiefgehen musste.

Und als es dann in Mode gekommen war, Brot als ungesunden Dickmacher zu verfluchen, hatte sie das in ihrer Ansicht nur noch bestätigt. Wenn man weniger Brot aß, sollte dieses doch erst recht qualitativ so hochwertig wie möglich sein. Auch Polly liebte ein knuspriges, würziges, fettiges Sandwich aus billigem Weißbrot mit Speck. Aber generell war schlechtes Brot eine Verschwendung. Vor allem, wo hier doch der Ofen und die anderen Apparate alle noch standen und nur darauf warteten, wieder angeschmissen zu werden. Brotbacken war zwar zeitaufwendig, aber nicht schwierig, und das Ergebnis war den Aufwand immer wert.

Während sie saugte, putzte und schrubbte, musste Polly irgendwann feststellen, dass sie diese Arbeit gar nicht schlimm fand, sondern sie sogar geradezu als läuternd empfand. So war es ja auch bei ihrer kleinen Wohnung gewesen. Die Sonne schien durch die frisch gewienerten Fensterscheiben herein, und Polly war froh, dass sie sich nützlich machen konnte. Zwischendurch steckten ein, zwei Leute den Kopf zur Tür herein, fragten nach Brot und erkundigten sich nach Mrs Manse – natürlich hatte die Nachricht längst im ganzen Ort die Runde gemacht. Polly erklärte so wahrheitsgemäß wie möglich, dass Mrs Manse gestürzt war und zur Beobachtung im Krankenhaus war.

»Übernimmst du jetzt den Laden?«, fragte Jayden, der zur Mittagszeit hereingeschneit kam. »Hast du vielleicht ein paar Pasteten oder so?«

»Nein, leider nicht«, antwortete Polly. »Waren Mrs Manses Pasteten denn lecker?«

»Nein«, entgegnete Jayden traurig. »Aber du weißt ja, wie es heißt – selbst die schlechteste Pastete ist immer noch ziemlich gut.«

»Das wusste ich nicht«, sagte Polly.

»Also«, meinte Jayden nun. »Du kannst doch backen, warum machst du es dann nicht hier?«

»Weil man nicht einfach in ein fremdes Geschäft marschieren und sich dort an die Arbeit machen kann.«

»Aber genau das tust du hier doch gerade«, wandte Jayden ein.

Polly lächelte. »Ich versuche bloß zu helfen.«

»Und warum hilfst du dann nicht mir und backst mir eine Pastete?«, fragte er.

»Na ja, wenn du es so ausdrückst, klingt es wirklich ganz einfach«, fand Polly.

Als Tarnie am Abend vorbeikam, wich die Müdigkeit in seinem Gesicht dem Erstaunen. »Wow!«, meinte er nur.

Polly lächelte. Sie war selbst erschöpft – schließlich hatte auch sie so gut wie nicht geschlafen –, aber sie konnte kaum fassen, wie weit sie heute mit der Bäckerei gekommen war. Sie hatte sogar die lange vernachlässigten, fettverschmierten Öfen geputzt. Jetzt warteten sie eigentlich nur darauf, wieder zum Leben zu erwachen.

»So sah das hier ...«, Tarnie klang ein wenig abwesend, »... schon seit Jahren nicht mehr aus.«

»Wie geht's ihr denn?«, erkundigte sich Polly.

Tarnie zuckte mit den Achseln. »Streitlustig wie eh und je. Als die ihr vorgeschlagen haben, ein komplettes psychologisches Profil zu erstellen, hat sie ihnen gesagt, wo sie sich das mal hinstecken können.«

»Bravo!«, sagte Polly. »Wenigstens ist sie zu allen gleich grantig. Hat sie denn mein Gebäck gegessen?«

»Allerdings«, sagte Tarnie. »Bis auf den letzten Krümel, wobei sie mir allerdings versichert hat, wie scheußlich das Zeug schmeckt.«

»Na, wenn das kein gutes Zeichen ist«, fand Polly.

Wieder sah sich Tarnie um. »Es ist wirklich ein Jammer, dass sie so ein Sturkopf ist«, sagte er. »Ich meine, du brauchst doch Arbeit, oder etwa nicht?«

»Und ob!«, bestätigte Polly mit Nachdruck.

»Das bietet sich ja wirklich an«, überlegte Tarnie. »Ihr müsstet zusammenarbeiten, du bäckst und Gillian übernimmt den Verkauf.«

Polly richtete sich auf. »Moment mal!«

»Was denn?«, wunderte sich Tarnie.

»Äh, die hasst mich doch!«

»Ja, und? Ihr sollt ja nur zusammen arbeiten. Jayden hasst mich doch auch.«

»Jayden vergöttert dich«, entgegnete Polly. »Und hier zehn Stunden am Tag auf engstem Raum mit Mrs Manse? Glaub mir, das gibt Mord und Totschlag.«

»Und was willst du dann machen? Dich etwa bei der Armee verpflichten?«

»Könnte ich nicht Fischerin werden?«

Er lächelte, und in seinem sonnengebräunten Gesicht strahlten seine Zähne weiß.

»Dafür muss man geboren sein.«

»Das ist aber ganz schön rassistisch.«

»Nein, das meine ich ernst. Wenn man dafür nicht gemacht ist, ist es einfach zu schlimm.«

Polly sah zu den Öfen rüber.

»Vielleicht könnte ich wenigstens hier arbeiten … bis sie wieder da ist.«

Wieder zuckte Tarnie mit den Achseln. »Meinst du denn, dass du das packst?«

»Ich weiß es nicht«, antwortete Polly ehrlich. »Was glaubst du?«

Tarnie lächelte. »Weißt du was?«, sagte er. »Ich glaube, du kannst alles hinkriegen, was du dir vornimmst.«

Sie lächelte zurück. »Außer fischen«, sagte sie.

»Äh, ja, außer fischen.«

Am nächsten Morgen schlief Polly aus, bis sie von dröhnendem Geknatter geweckt wurde, gefolgt von unnachgiebigem Hupen.

»Wer ist das denn?«, murmelte sie und machte das Fenster auf. Es war ein zauberhafter Tag, und flauschige Wolken hopsten wie Kinder auf dem Weg zum Strand den Horizont entlang.

Draußen entdeckte sie Huckle auf seinem lächerlichen Motorrad. Er hatte sich die Brille über dem Helm hochgeschoben.

»Hey!«, rief er. »Wie geht's dir?«

»Gut«, antwortete Polly und sog die frische Seeluft ein. »Was machst du denn hier?«

Er wirkte verwirrt. »Wir waren doch verabredet, oder?«

Polly schüttelte verwundert den Kopf. Es war ja nun wirklich nicht so, als gäbe es in ihrem Kalender jede Menge Termine, die sie vergessen konnte.

»Äh, nein?«

»Doch, wegen Neil.«

»Was ist denn mit Neil?«

»Wir bringen ihn heute in die Kolonie, das haben wir am Samstag doch abgemacht.«

Das hatte Polly total vergessen. Ehrlich gesagt musste sie sich nun eingestehen, dass sie es völlig verdrängt hatte, weil sie es einfach nicht wahrhaben wollte.

Am liebsten hätte Polly Huckle einfach wieder weggeschickt. Sie wollte nicht, nein, nein, nein! Jetzt, wo Neil richtig fliegen konnte, folgte er ihr noch lieber überallhin. Er lag mit dem Wasserkocher im Clinch und tanzte um ihn herum, wenn es darin brodelte. Auch wenn Polly ihn davon abzuhalten versuchte, marschierte Neil auf den Kocher zu, wenn er pfiff, und pickte gelegentlich aggressiv danach. Einmal gelang es ihm sogar, ihn auszustellen, was er als großen Triumph zu verbuchen schien.

»Schieb ab«, sagte Polly und stellte das Ding nun zu Neils großer Empörung an. Unfassbar, dass sie diese Verabredung über die Aufregung der letzten Tage völlig vergessen hatte. Aber sie durfte sich keinen Papageientaucher als Haustier halten, das war einfach nicht in Ordnung. Alle Welt sagte ihr immerzu, wie falsch und grausam das war.

Dennoch ging ihr jetzt alles zu schnell. Sie strich Neil übers Gefieder und fütterte ihn mit Überresten einer Brioche. Das Vögelchen schmiegte sich an ihre Finger, als ahnte es etwas.

»Na gut!«, knurrte sie. »Bringen wir es hinter uns.«

»Du siehst ja aus wie sieben Tage Regenwetter«, bemerkte Huckle, als sie endlich runterkam. Sie war schnell unter die Dusche gesprungen und hatte ihre Lieblingsjeans und alte Chucks angezogen.

Polly blickte wirklich traurig drein.

»Na komm«, sagte der Amerikaner. »Ich musste bei mir zu Hause schnell lernen, mein Herz nicht an Tiere zu hängen.«

»Wo war das denn, etwa auf einer Farm?«, fragte Polly gereizt.

»Äh, ja, auf einer Farm«, antwortete Huck.

Nun herrschte kurz Schweigen, und Polly starrte das Sidecar an. »Soll ich wirklich in dieses Ding steigen?«

»Nö, folg mir einfach. Neil kann doch fliegen und dich in den Klauen tragen.«

Er reichte ihr einen schwarzen Retro-Helm mit einer kleinen Klappe oben, die wie ein Mützenschirm aussah, und eine runde Brille.

»Ist hier in der Nähe irgendwo ein deutsches Kampfflugzeug abgestürzt?«, fragte Polly.

»*Danke, Huckle*«, knurrte der Bienenzüchter, »*dass du dir die Umstände machst und deine Zeit dafür opferst, anderen zu helfen.*«

Polly atmete einmal tief durch, setzte dann den Helm auf und stieg ins Sidecar, das überraschend bequem war. Sie konnte die Beine darin ausstrecken, und da es mit einer Art Lederkissen ausgekleidet war, fühlte es sich fast an wie ein luxuriöser Schlafsack. Dann stellte sie die Schachtel mit Neil neben sich, und der streckte neugierig den Kopf heraus. Schließlich warf Huckle den Motor an, senkte den schweren schwarzen Stiefel, und sie sausten los.

Auch wenn man darin saß, war es wahnsinnig laut. Sie schreckten die Vögel in den Bäumen auf. Und ehrlich gesagt hätte Polly nicht erwartet, so viel Aufsehen zu erregen. Wenn sie angebraust kamen, zeigten die Leute auf sie, Kinder lachten, und alte Männer lächelten bei ihrem Anblick. Polly kam sich fast ein bisschen vor wie ein Promi.

Der Fahrdamm war frei, seine Steine glänzten in der Morgensonne, dann waren sie auch schon auf der anderen Seite, und Huckle fuhr nun über Feldwege. Sie rasten um Kurven herum, an großen Weiden voller Mädesüß vorbei, an Herden desinteressierter Kühe, die um ihren Wassertrog zusammenstanden und tratschten, und an ein paar wunderschönen Palominoponys, die auf einem Hügel galoppierten. Auf ihrer Fahrt über die Halbinsel wurden aus den schrill kreischenden Möwen Sperber, die am Himmel perfekte Kreise zogen, und in den Hecken tschilpten Drosseln. Wie kleine weiche Fellbüschel sausten Kaninchen vorbei.

Der Wind pfiff den beiden um die Ohren, aber in eine Decke eingekuschelt fand Polly es im Sidecar überhaupt nicht kalt.

Wäre der Anlass ein anderer gewesen, hätte sie diese Fahrt wirklich genossen. Fest hielt sie Neils Schachtel umklammert. Von Zeit zu Zeit schaute Huckle zu ihr rüber, als wollte er sehen, wie es ihr ging. Aber bei diesem Lärm konnten sie sich ohnehin nur per Nicken verständigen, wenn zum Beispiel eine sonnenbeschienene Bucht auftauchte, man zwischen Hügeln Wasser plätschern sah oder sie mitten im satten Grün ein altes Cornwall-Bauernhaus aus grauem Schiefer entdeckten, das gleichermaßen nüchtern wie gemütlich wirkte. Polly war in dieser Haltung dem Asphalt der Straße so nahe, dass sie sich dem Landstrich regelrecht verbunden fühlte, den sie da durchquerten. Und es schienen sich unterwegs alle über ihren Anblick zu freuen, Autofahrer, Radler und Spaziergänger, manche winkten sogar.

Polly bekam langsam richtig gute Laune, aber dann erreichten sie die Abzweigung mit dem braunen Schild des National Trust, auf dem »Papageientaucher-Schutzgebiet« stand. Nun wurde ihr das Herz wieder ganz schwer. *Einfach nicht daran denken*, sagte sie sich selbst. *Denk an irgendwas anderes.* Sie warf einen Blick auf Huckles lange Schenkel, die lässig das Bike kontrollierten. Okay, daran vielleicht lieber auch nicht.

Hier oben im Norden war die Landschaft felsiger und rauer, und der Wind wehte viel kälter. Dieser Teil von Cornwall lag an der Irischen See mit ihren kalten Stürmen und riesigen Wellen. Also die perfekte Umgebung für einen kaltes Wasser liebenden Vogel, sagte sie sich. Und wie viel Spaß er hier mit seinen vier Millionen neuen besten Freunden haben würde!

Vor der Abfahrt hatte sie überlegt, ob sie Neil irgendwie markieren sollte, damit sie ihn wiedererkennen konnte, falls sie ihn später mal besuchen wollte. Vielleicht konnte sie ja die Mitarbeiter dort darum bitten, aber dann würden die sie bestimmt für total bekloppt halten. Oder sie konnte hoffen, dass Neil sie dann wiedererkennen würde, aber das war ja nun endgültig bescheuert. Immerhin war er ein Vogel und sie eine Frau, das wäre sowieso nie gut gegangen. Bei diesem Gedanken musste sie grinsen, und dann legte sie sich mit dem Motorrad in die Kurven des gewundenen Pfads. Die Fahrt war damit eigentlich gar nicht so unbequem, wenn man sich erst einmal daran gewöhnt hatte, wie nahe man dem Asphalt war.

Huckle hatte vorher angerufen, und eine nette junge Frau hieß sie freundlich willkommen. Mit ihrem neuseeländischen Akzent und ihrer Sportlerfigur wirkte sie nüchtern und pragmatisch.

»Dann wollen wir uns den kleinen Kerl mal ansehen«, sagte sie und holte Neil mit einer geübten Bewegung aus seiner Schachtel. Panisch blickte der Papageientaucher Polly an.

»Schon okay«, beruhigte ihn diese. »Alles in Ordnung.«

»Ein Flügel war also gebrochen?« Die junge Frau untersuchte Neil aufmerksam und drehte ihn dabei mit vorsichtigen Bewegungen. »Das haben Sie aber wirklich gut hingekriegt!«

»Äh … schön.« Zu ihrem eigenen Entsetzen musste Polly feststellen, dass ihre Stimme zu brechen drohte.

»Auch wenn du dabei ordentlich zugelegt hast«, sagte die Sportskanone streng zu Neil. »Aber von jetzt an musst du auf

Zack sein, dich ins Getümmel stürzen und für deinen Fisch selbst was tun.«

Neil piepste und wollte zurück zu Polly, aber die Neuseeländerin hielt ihn mit eisernem Griff fest.

»Kann ich … ich meine, gibt es vielleicht irgendeine Möglichkeit, ihn zu markieren?«, fragte Polly. »Nur für den Fall, dass ich …«

»Falls Sie zurückkommen und Hallo sagen wollen?« Die junge Frau kratzte sich am Kopf. »Na ja … ich meine, die werden schon beringt, aber nur, um ihre Wanderbewegungen zu beobachten. Wenn ich da jetzt zusätzlich etwas anbringe, könnte das irreführend sein.«

»Auch gut«, nickte Polly. »Es war ja nur so ein Gedanke.«

»Wissen Sie«, sagte die junge Frau, »mit der Auswilderung tun Sie ihm wirklich den allergrößten Gefallen! Ehrlich!«

Mit zitternder Lippe nickte Polly.

»Der ist nämlich kein Haustier. Seine Gene wollen, dass er im Schwarm lebt, sich paart und Junge aufzieht, genau wie seine Artgenossen. Und diese Chance hat er doch verdient, meinen Sie nicht?«

»Ja«, sagte Polly und riss sich zusammen. »Ja, das finde ich auch.«

»Sie sind klasse. Na los, dann wollen wir ihn mal freilassen.«

Ein mit kleinen Papageientauchern bemaltes Schild wies ihnen den Weg, und vom höchsten Punkt des Hügels aus führte ein Pfad hinunter zu einer ins Meer ragenden Felsnase. Polly kriegte den Mund nicht wieder zu. Hier gab es so viele Vögel, dass es völlig unmöglich war, sie alle zu zählen.

Überall drängten sich große und kleine Tiere mit schwarzen und orangefarbenen Schnäbeln. Sie krächzten, tauchten ins Wasser, hüpften herum oder standen einfach auf dem Felsen und starrten mit unergründlichem Blick aufs Meer hinaus. Es war wie ein schwarz-weißer Teppich – ein Wahnsinnsanblick.

»Hier wird es ihm gut gehen.«

Polly griff nach der Schachtel. Neil spürte offensichtlich bereits, dass hier irgendetwas im Busch war, hektisch hüpfte er auf und ab und schaute zu den Vögeln in der Luft hinauf.

»Als ob er es schon wüsste«, murmelte Polly.

»Und das weiß er auch«, bekräftigte Huckle und legte sanft den Arm um sie. Mit der anderen Hand zog er etwas aus der Tasche.

»Hier«, sagte er, »vielleicht kannst du ja das benutzen?«

Es war das kleine Plastikplättchen, das sonst an seinen Honiggläsern baumelte. Man konnte es gut festmachen, es war aber leicht, und es stand gut erkennbar »Huckles Honig« darauf.

»Ich war nicht ganz sicher …«, fuhr er fort.

Die lebhafte Neuseeländerin schaute sich das mal an.

»O ja«, meinte sie. »Super Idee. Das können die von den Studien nicht mit ihren Ringen verwechseln.«

Polly sah zu ihm hoch. »Vielen Dank.«

»Keine Ursache«, sagte Huckle. Dann nahm er das Plastikplättchen und befestigte es vorsichtig an Neils linkem Bein. Der begann sofort, unwirsch daran herumzupicken.

»Pst!«, mahnte Polly. »Mach das nicht, sonst …«

Nun griff sie nach dem kleinen Papageientaucher und kraulte ihm zum letzten Mal an seiner absoluten Lieblingsstelle den Kopf. Dann rieb sie die Nase an seinem Schnabel.

»Du warst der erste Freund, den ich hier gefunden habe«, sagte sie zu ihm. »Und dafür möchte ich dir danken.«

Sie sah ihm in die schwarzen Augen.

»So, und jetzt auf!«, rief sie. »Hau ab, flieg los! Such dir Freunde, bau ein Nest!«

Sie setzte ihn auf einen Felsen. All das Schnattern und Flattern der Tausenden von Vögeln um ihn herum schien ihn zu faszinieren. Er machte einen kleinen Schritt vor, dann wieder einen zurück und sah sie fragend an.

»Nein«, stammelte sie, und dabei brach ihre Stimme wieder ein bisschen. »Alles ist gut. Na los!«

Erneut watschelte Neil ein Stück vor. Ein letztes Mal tätschelte ihn Polly und stand dann auf.

Vorsichtig und zögernd hopste Neil von seinem Fels auf den nächsten. Er war eindeutig molliger als seine Artgenossen. Augenblicklich wurde er von anderen Papageientauchern umringt, die ihn sich mal näher ansehen wollten. Es gab Geschnatter und Flügelschlagen.

»Wehe, wenn ihr ihn schikaniert!«, rief Polly. Neil wandte sich noch einmal kurz zu ihr um. Polly kramte ihr Handy für ein letztes Foto hervor, aber als sie endlich die Kamerafunktion aufgerufen hatte, fand sie Neil unter den Hunderten von Vögeln schon nicht mehr.

»O Huckle«, stöhnte sie. »Welcher ist es denn? Ich erkenn ihn gar nicht mehr.«

»Pst«, machte Huckle. »Sieh nur!«

Eine Gruppe junger Papageientaucher hatte sich in die Lüfte erhoben und umkreiste einen jungen Mann im Polohemd, der Fisch verteilte. Und tatsächlich, mitten im Grüppchen flog ein leicht übergewichtiger Vogel mit einem Plastikplättchen am Bein. Er schaukelte ein wenig, konnte aber mithalten. Polly sah zu, bis er über den Rand des Felsens segelte, von der Menge verschluckt wurde und aus ihrem Blickfeld verschwand.

Huckle drückte sie kurz, und dann machten sie sich über den Pfad auf den Rückweg. Polly war viel zu traurig, um zu sprechen.

»Ich weiß ja, wie albern das ist«, krächzte sie schließlich, »er ist schließlich nur ein Vogel.«

»Neil ist doch nicht einfach nur ein Vogel«, widersprach da Huckle heftig. »Er ist der coolste Papageientaucher, dem ich je begegnet bin.«

Darüber hätte Polly zwar eigentlich gern gelacht, sie war sich aber nicht sicher, ob auf das Lachen nicht augenblicklich Tränen gefolgt wären, deshalb presste sie lieber die Lippen aufeinander, um die Fassung zu wahren.

»Es gibt hier auch ein Café, falls Sie Hunger haben«, erklärte die gut gelaunte Neuseeländerin. Als sie dort den Kopf zur Tür hereinsteckten, roch es nicht nur nach kaltem Frittierfett und unglücklichen Wochenendausflüglern, das Lokal quoll auch geradezu über von Bildern mit Papageientauchern, niedlichen Plüschpapageientauchern und allen möglichen anderen Souvenirs, die irgendwas mit Papageientauchern zu tun hatten. Das Ganze wirkte nicht sehr einladend, aber es war schon relativ spät.

»Hast du Hunger?« Polly sah Huckle an.

»Da brat mir einer einen Papageientaucher«, versetzte der. »Sorry, das war wohl kein sehr gelungener Witz.«

»Nein, ganz und gar nicht!«, sagte Polly. Sie wandte sich noch einmal an die junge Frau: »Vielen Dank für alles.«

»Kein Problem.«

»Hier ist noch meine Handynummer, und die E-Mail-Adresse hab ich Ihnen auch aufgeschrieben ...«

Fragend starrte die Neuseeländerin auf den Zettel.

»Na ja, falls er doch nicht klarkommen sollte ... oder ihm vielleicht irgendwas zustößt ...« Mit tränenerstickter Stimme verstummte Polly.

»Äh, ja, okay«, sagte die junge Frau wenig überzeugt.

»Na komm«, sagte Huckle nun, »lass uns fahren.«

Die Mitarbeiterin sah ihn an. »War schön, Sie kennenzulernen!«, sagte sie in einem Tonfall, den selbst Polly in ihrer Traurigkeit als Flirtversuch erkannte.

Huckle schenkte ihr das breite Grinsen eines amerikanischen Farmersjungen und führte Polly dann zurück zu seinem Motorrad.

Polly beschloss, mit dem Heulen zu warten, bis sie sicher im Sidecar saß und sie niemand sehen oder hören konnte, mal abgesehen von Schülergruppen auf Besuch hier in der Kolonie. Und Kinder würden es doch sicher für unmöglich halten, dass jemand, der in einem Sidecar mitfahren durfte, aus irgendeinem Grund traurig sein und heulen könnte.

Sie wusste ja, dass sie es übertrieb und wie albern sie sich aufführte, und sie wollte gar nicht wissen, was Huckle wohl von ihr hielt, aber trotzdem. Neil war zwar nur ein Vogelkind gewesen, aber er hatte ihr in den einsamsten Wochen ihres Lebens Gesellschaft geleistet. Sie hatte guten Grund, ihm hinterherzutrauern. Sie fragte sich, ob es wohl ähnlich war, wenn man Kinder hatte. Und dann fiel ihr wieder ein, was ihre Mutter ihr mal erklärt hatte: dass Gott nämlich Teenager so unausstehlich gemacht hatte, damit man froh war, wenn sie endlich auszogen.

Irgendwann war ihr Weinkrampf dann vorbei, und bei einem Blick auf ihre Umgebung wurde ihr klar, dass sie keine

Ahnung hatte, wo sie sich eigentlich befanden. Sie nahmen eindeutig nicht den direkten Weg zurück nach Hause, stattdessen schienen sie der nördlichen Küstenlinie zu folgen. Jedes Mal, wenn sie dabei über einen Hügel fuhren, verschwand das Meer kurz aus ihrem Blickfeld und tauchte dann wieder auf. Fragend schaute sie zu Huckle rüber, aber der behielt mit aufmerksamem Blick die Straßenschilder im Auge und bemerkte es gar nicht. Dann kam Polly mit dem Fuß aus Versehen an Neils leeren Pappkarton und musste sich schwer zusammenreißen, um nicht schon wieder in Tränen auszubrechen.

Mit quietschenden Bremsen und einem gewagten Manöver, das Polly beinahe aus dem Sidecar geschleudert hätte, bog das Motorrad plötzlich rechts ab.

»Sorry«, hauchte Huckle wegen des Motorenlärms lautlos. Kein Wunder, dass er die Abzweigung beinahe verpasst hätte, sie war nämlich nicht ausgeschildert. Polly fragte sich, wohin es hier wohl ging.

Nun ruckelte das Motorrad einen Sandweg entlang. Eigentlich hatte Polly erwartet, dass er zu einem Hof führen würde, aber stattdessen fiel er neben einem Feld ab und zog sich dann zu den Dünen hinauf, bei denen ein paar Jeeps parkten. Dort kam das Motorrad dann zum Stehen, und die plötzliche Stille war nach dem endlosen Geknatter fast überwältigend.

Polly stieg aus dem Sidecar, sah sich um und reckte sich erst einmal. »Wo sind wir denn hier?«, fragte sie.

Amüsiert schaute Huckle sie an. »Hast du dich ausgeheult?«

»Äh, ja«, murmelte Polly beschämt. »Ich denke schon.«

»Weißt du, weinen ist total okay.«

»Schon klar«, sagte Polly und rieb sich das Gesicht, falls die Wimperntusche verschmiert sein sollte.

Als sie dann auf dem Gipfel der Dünen standen und hinunterschauten, hielt Polly die Luft an. Unter ihnen erstreckte sich ein langer goldener Strand schier endlos in die Ferne. Gewaltige blaue Wellen mit kilometerlanger Schaumkrone brandeten an ihn heran.

Abgesehen von einem hölzernen Büdchen war der Strand völlig verwaist, im Wasser waren allerdings Surfer zu sehen, ein paar Figuren im Neoprenanzug und hier und da Köpfe an der Oberfläche. Das wahre Ausmaß der Wellen konnte Polly nur daran erkennen, wie winzig diese Gestalten dagegen wirkten.

»Wo sind wir hier denn gelandet?«, fragte sie. Auch so früh in der Saison waren die üblichen Surferstrände immer völlig überlaufen, man drängelte und schubste sich gegenseitig aus dem Weg, und es kam manchmal sogar zu Handgreiflichkeiten. Hier hingegen ...

»Das gehört alles Reuben Finkle«, sagte Huckle. »Den kennen Sie vielleicht, so ein Silicon-Valley-Wunderkind? Er hat ein Riesenvermögen mit dem Verkauf von streng geheimem Sicherheitsschnickschnack gemacht und sich mit 28 zur Ruhe gesetzt, um nur noch den ganzen Tag zu surfen.«

»Beeindruckend«, befand Polly. »Und das Ganze ist wirklich sein Strand?«

»Das ist sein Strand, und sein Haus steht da oben. Kein Mensch weiß das, aber seine Freunde dürfen manchmal vorbeischauen.«

»Echt?«

»Ich kenne ihn noch von früher, aus Wharton ... Na ja, also ...«

Polly sah sich weiter um. Das war einfach nur zauberhaft. Inzwischen war die Sonne rausgekommen und ließ den feinen Sand erglühen. Es schien heute der erste richtig warme Tag des Jahres zu werden.

»Komm«, forderte Huckle sie auf. »Hast du Hunger, oder bist du dafür noch zu traurig?«

»Traurig bin ich zwar«, sagte Polly. »Aber ich habe auch ein bisschen Hunger.«

Huckle zog seine Stiefel und Socken aus und ließ sie neben dem Motorrad stehen, und Polly tat es ihm mit ihren Chucks gleich, dann rollten sie die Hosenbeine der Jeans hoch und schlitterten die Düne hinunter. Polly fiel dabei einmal auf den Hintern, und irgendwie fühlte es sich ganz natürlich an, dass Huckle sie auslachte und sie ihm die Zunge rausstreckte.

Als sie unten ans Wasser kamen, war der feuchte Sand angenehm, und die Wellen selbst waren zwar kalt, aber es war toll, darin herumzuplanschen.

»Es ist doch wirklich unfassbar, wie viel manche Menschen besitzen«, sagte sie. Von hier aus konnte man nämlich das Haus von Reuben Finkle sehen, ein rundes Ding aus Glas, der absolute Wahnsinn. Es sah aus, als würde Tony Stark darin wohnen.

»Schon«, begann Huckle vorsichtig, »aber ist es nicht super, dass er damit etwas so Wunderschönes erhält? Und er tut auch sonst viel zum Schutz der Meere.«

»Der klingt ja wie ein toller Typ.«

»Er ist ein Penner«, sagte Huckle. »Aber für die Meere tut er wirklich viel.«

Nachdem sie ein paar von Huckles Surfer-Kumpels zugewinkt hatten, gingen sie zu der Holzhütte rüber, die Polly von den Dünen aus gesehen hatte. Sie war weiß gestrichen, und als sie dort ankamen, stellte Polly fest, dass es sich um ein richtiges kleines Café handelte. Draußen standen Tische und Stühle, es gab einen Bartresen und eine offene Küche mit beneidenswerter Ausstattung.

»Wow«, staunte Polly. »Das ist ja wirklich beeindruckend. Wie kommt es, dass die Kids aus der Gegend hier nicht einfallen und alles kaputt machen? Die müssen den Strand doch kennen, und die Straße ist auch nicht weit.«

»Klar, natürlich kennt man den Strand. Aber sie träumen wohl alle davon, dass sie eines Tages mal herkommen dürfen. Und es wird gemunkelt, dass es hier Sicherheitskameras und Wachen mit Maschinengewehren gibt.«

Polly starrte ihn an. »Im Ernst?«

»Ach, das sind doch nur Gerüchte«, sagte Huckle. »Nehme ich mal an.«

Sie setzten sich an einen der Tische. Es war angenehm warm, nicht zu windig, und die Sonne im Nacken hatte auf Polly eine wunderbar tröstliche Wirkung. Sie seufzte erleichtert. »Ist das herrlich!«

Ein vierschrötiger Mann mit militärisch gestutztem Haar und jungenhaftem Schmollgesicht kam in einer weißen Schürze über den Shorts zu ihnen herüber. »HUCK! ALTER!«

Huck hob die Hand und setzte zu einem komplizierten Abklatschgruß an, der dann im letzten Moment irgendwie schiefging. Der Koch boxte ihm in die Schulter.

»Der hat also seinen eigenen Koch?«, murmelte Polly, bevor sie sich auf die Zunge beißen konnte.

»Wer hat seinen eigenen Koch?«, fragte der kleine Mann.

»Sorry«, sagte Polly. »Ich meinte den Typen, dem das alles hier gehört. Hi, ich bin Polly.«

»Ich bin der Typ, dem das alles hier gehört«, sagte ihr Gegenüber und gab ihr die Hand. »Und ich koche eben gern. Aber ich hab auch einen Koch, ehrlich gesagt sogar drei. Ja, cool. Reuben Finkle, schön, dich kennenzulernen. Du bist also eine Freundin von Huckle, was? Häh? Na? Hab ich recht? Eine ganz besondere Freundin? Eine ganz besonders gute Freundin?«

Dann zwinkerte er Huckle übertrieben zu und schob ein wenig die Hüfte vor. Jetzt verstand Polly, warum Huckle Reuben als Penner bezeichnet hatte.

»Polly hat's im Moment nicht so leicht«, erklärte Huckle auf seine langsame, nachdrückliche Art und Weise. »Also dachte ich mir, vielleicht kann sie ja das beste Essen in ganz Cornwall ein wenig aufheitern.«

»Absolut, so gefällt mir das! Möchtest du vielleicht einen Martini?« Reuben sah sie an und schnippte mit den Fingern. »Nein, nein, ich hab genau das Richtige für dich. Du brauchst eine Margarita. Hab ich recht, oder hab ich recht? Margaritas spülen jegliche schlechte Laune einfach weg. Bis man dann irgendwann zwischen Mülltonnen aufwacht. HA!« Er stieß ein erstaunlich lautes bellendes Lachen aus.

»Hm ...«

Polly fand, dass dieser Tag immer seltsamer wurde, aber Huckle nickte ihr kaum merklich zu.

»Äh, ja, das wäre schön«, sagte sie daher.

»Und für dich ein leichtes Bier? Ein kühles Blondes für den blonden Farmersjungen da in der Ecke?«

»Klar«, sagte Huckle, »immer her damit.«

Reuben kehrte mit ihren Getränken zurück und setzte sich

zu ihnen. Polly fand seine Gesellschaft ganz entspannend, weil er nicht aufhörte, vor sich hinzuplappern. Er erzählte, wo er schon überall zum Surfen gewesen war, mit wie vielen Frauen er bereits gefeiert hatte (Polly hatte beim Wort »feiern« bisher eigentlich immer an eine nette kleine Party gedacht, aber Reuben schien hier eher von Komasaufen zu sprechen), wie toll der Sommer werden würde und wie er das Angebot eines russischen Oligarchen für dieses Grundstück ausgeschlagen hatte. Der Typ hatte ihm wohl mit Deportation nach Sibirien gedroht, aber kein Problem, Reuben konnte nämlich Kung-Fu und hatte ihn offenbar in die Flucht geschlagen. Ach, und dann wollte er noch wissen, ob Polly *Star Wars* mochte.

Als sie erklärte, dass sie die Filme tatsächlich mochte, oder zumindest Harrison Ford in *Star Wars*, setzte Reuben eine strenge Miene auf und verkündete, dass die neuen Folgen völlig unterschätzt wurden und man sie wirklich unter neuen Gesichtspunkten analysieren sollte, was er dann ausführlich tat.

Da Polly zu der Unterhaltung eigentlich nichts beitragen musste, schaltete sie weitestgehend ab und genoss einfach nur das Geräusch der Wellen und den blauen Himmel. Und wie sie sich irgendwann eingestehen musste, fand sie auch die Gesellschaft von Huckle äußerst tröstlich, der sich mit seinem riesigen Körper in einem der verwitterten Holzstühle fläzte und die langen Zehen mit den ordentlich geschnittenen Nägeln in den Sand grub. Seine Augen hatten dieselbe Farbe wie das Meer. Plötzlich verspürte sie das Bedürfnis, die Füße auf seinen Schoß zu legen, obwohl das natürlich an der (wirklich vorzüglichen) Margarita lag. Und sie verscheuchte den Gedanken auch ganz schnell wieder, denn eins hatte sie bei Huckle schnell gelernt: Er war lieb und nett, solange man ihm ja nicht zu nahe kam und ihn nicht nach seinem Privatleben fragte.

Und das passte ihr bestens, sie hatte schließlich genug mit ihren eigenen Problemen zu tun. Die junge Neuseeländerin in der Papageientaucherkolonie fiel ihr ein. Es war für Huckle doch sicher nicht schwierig, Frauen kennenzulernen. Wenn er trotzdem allein war, dann vermutlich, weil er es nicht anders wollte.

Ohne seinen Redefluss zu unterbrechen, sprang Reuben, während er Huckle noch fragte, in welcher Farbe er eigentlich seinen neuen Hubschrauber lackieren sollte, irgendwann auf und fing an zu kochen. Beim Brutzeln und dem Duft von Zwiebeln und Bärlauch aus der Pfanne wurde Polly erst klar, dass sie wirklich Hunger hatte und wie sehr ihr die Margarita zu Kopf gestiegen war. Sie sah Reuben dabei zu, wie er nachdenklich vor dem Weinkühlschrank stand. Schließlich entschied er sich für einen kalten Chablis.

Huckle schienen langsam die Augen zuzufallen, auch wenn Polly bei einem so furchtbar entspannten Menschen schlecht einschätzen konnte, wann er müde war. Um ihn nicht die ganze Zeit anzustarren und den Kopf wieder frei zu kriegen, ging sie zu Reuben in die Küche rüber.

»Du kochst also gerne?«, fragte sie.

»Oh, ich liebe das!«, sagte er. »Und ich bin unheimlich gut. Wenn ich kein Computergenie wäre, hätte ich inzwischen vermutlich neun Michelin-Sterne. Das wären dann zwei mehr, als je vergeben wurden.«

Polly lächelte. »Und was kochst du heute?«

»Ich nehme immer das, was wir so fangen«, erklärte er. »Heute Morgen waren das zwei frische Hummer. Die Saison ist leider fast zu Ende, aber noch sind die ganz gut, das Wasser ist immer noch ziemlich kalt.«

»Sie kocht auch«, warf Huckle schläfrig von draußen ein.

Mit glänzenden Augen sah Reuben Polly an. »Ach ja? So gut wie ich aber bestimmt nicht.«

»Auf keinen Fall«, sagte Polly. »Und ehrlich gesagt ist Kochen auch gar nicht mein Ding, ich würde mich eher als Bäckerin bezeichnen.«

Sie lief rot an, weil ihr klar wurde, dass sie sich gerade zum ersten Mal so genannt hatte. Das musste wohl am Alkohol und Reubens unglaublichem Selbstvertrauen liegen. »Aber deine Küche find ich toll.«

Zufrieden lächelte er. »Ja, die ist wirklich erste Sahne. Hat mich eine Viertelmillion Pfund gekostet. Das hab ich alles aus Deutschland einfliegen lassen.«

Höflich nickte Polly.

»Willst du uns nicht auch irgendwas machen, was zum Lunch passt?«

»Äh«, machte Polly. »Da bin ich mir jetzt nicht mehr so sicher. Wahrscheinlich würde ich in deiner superteuren Küche nur irgendwas kaputt machen.«

»Jetzt sei doch nicht albern«, entgegnete Reuben. »Dann kauf ich mir eben eine neue.«

Plötzlich entdeckte Polly weiter hinten etwas. »O mein Gott, ist das etwa ein Steinofen?«

»Na klar«, sagte Reuben, »und der wird auch schon seit einer Stunde befeuert. Mir hier draußen eine Küche ohne Steinofen hinzubauen, das wäre doch nichts. Wo sollte ich dann die Pizza machen? Ich würde lieber sterben, als schlechte Pizza zu essen. Meine Pizza ist einfach köstlich!«

»Verstehe«, sagte Polly lächelnd. So langsam wurde sie

mit Reuben wirklich warm. »Na ja, wenn du willst, könnte ich uns vielleicht eine Socca machen.«

»Eine was?« Er runzelte die Stirn, und Polly hatte den Eindruck, dass der kleine Reuben es gar nicht leiden konnte, wenn er etwas nicht wusste.

Sie lächelte. »Hast du eventuell Kichererbsenmehl da?«

»Natürlich«, entgegnete der Gastgeber ein wenig eingeschnappt. Er griff nach dem Walkie-Talkie an seinem Gürtel. »Kichererbsenmehl. Jetzt sofort.«

»Das ist so eine Art Pfannkuchen«, erklärte Polly. »Der wird dir schmecken.«

Reuben beäugte sie von oben bis unten.

»Okay«, sagte er dann. »Meeresfrüchte mit Pfannkuchen, das passt schon.«

Das Mehl wurde von einer Hausangestellten gebracht, die höflich lächelte, aber nichts sagte, als Polly ihr dankte. Polly fragte sich, ob sie vielleicht gar kein Englisch sprach.

»Also«, sagte Reuben, während er dabei zusah, wie sie sich die Zutaten zusammensuchte, »bumst du den guten alten Huckle?«

Polly hätte beinahe die Eier fallen lassen.

»Wieso?«, fragte sie. »Hättest du sonst Interesse an ihm?«

Wieder brach Reuben in bellendes Gelächter aus.

»Hey, Huck!«, rief er. »Die Kleine ist ja der Brüller.«

Geschickt rührte Polly den Teig an und gab so lange Mehl und Wasser hinzu, bis er so dünn wie irgend möglich war. Dann ölte sie sorgfältig die heiße Platte und goss die Mischung darauf, die sie nach ein paar Minuten fachkundig umdrehte. Auf der Unterseite waren die dunklen Blasen zu sehen, die sie so toll fand. Nach einer weiteren Minute holte sie mit dem langen Ofenschieber aus Holz den Fladen heraus und legte ihn auf einen Teller, wo sie ihn mit reichlich Salz und Pfeffer bestreute. Sie zerbrach die Socca in Viertel und reichte Reuben eins zum Probieren. Anstatt erst einmal abzuwarten und zu pusten, biss er sofort gierig hinein und verbrannte sich natürlich den Mund.

»Au, verdammt«, knurrte er. »Dieser bescheuerte Ofen ist einfach viel zu heiß.«

»Das ist ein toller Ofen«, befand Polly. »Auf den bin ich richtig neidisch.«

Eine Sekunde später probierte Reuben es noch einmal, und dann verputzte er den ganzen Fladen.

»O Mann«, seufzte er mit vollem Mund. »Das ist ja fantastisch.«

Polly grinste. »Ganz gut, was?«

Sie backte einen Fladen für Huckle, den sich aber ebenfalls Reuben unter den Nagel riss, und erst danach schaffte sie es endlich, auch dem Imker einen rauszubringen. Als schließlich die Surfer herbeikamen, waren sie von den Kichererbsenpfannkuchen so begeistert, dass Polly noch dreimal neuen Teig anrühren musste, bevor Reuben auch nur seinen Hummer auf den Grill gelegt hatte.

Die Surfer waren riesige freundliche Kerle, überwiegend Engländer. Als die letzte Person das Wasser verließ und sich aus dem Neoprenanzug schälte, kam darunter ein umwerfender Bikini mit roten Tupfen zum Vorschein. Die Surferin kämmte sich mit der Hand die langen blonden Locken zurück – sie war eine der schönsten Frauen, die Polly je gesehen hatte, ehrlich gesagt kam sie ihr vor wie ein Bikinimodel aus einer amerikanischen Zeitschrift für Sportbekleidung. Ihre goldene Haut war leicht gebräunt, sie war völlig ungeschminkt, hatte grüne Katzenaugen und einen breiten, vollen Mund. Selbst Huckle schaute ihr wohlwollend hinterher, als sie in dem wunderschön bestickten Kaftan vorbeiging, in den sie ihren langen schlanken Körper gehüllt hatte. Polly fragte sich, wie es sein musste, so alle Blicke auf sich zu ziehen – spürte sie es wohl überhaupt noch, dass alle Augen auf sie gerichtet waren? Oder hatte sie sich daran irgendwann gewöhnt? Würde sie mit fünfzig eines Morgens aufwachen und sich fragen, wann sich die Welt eigentlich so verändert hatte?

Die junge Surferin ging lässig zum Kühlschrank rüber, schnappte sich ein Bier und nahm dann wie in einem Werbespot einen langen Zug daraus. Schließlich schmiegte sie sich katzenhaft an Reuben, den sie um einen ganzen Kopf überragte.

»Hey, Baby!«, sagte sie nun. Reuben grunzte. »Das riecht ja fantastisch«, schwärmte die Frau. »Du hättest heute Morgen mit rauskommen sollen, das war der helle Wahnsinn. Einfach toll!«

»Na, wenn du es sagst«, murmelte Reuben launisch. Von der Socca bot er ihr nichts an.

Nun wandte die Göttin ihre Aufmerksamkeit kurz Polly zu, die das unangenehme Gefühl hatte, von einer Maschine gescannt und als nicht bedrohlich eingestuft zu werden. Am liebsten hätte sie die Hand ausgestreckt, um sich einen Stempel abzuholen.

»Hi«, sagte die Frau mit einem Lächeln, das ihre perfekt weißen Zähne zeigte. »Ich bin Jaz.«

»Äh, hi, Jaz, ich bin Polly.«

Als Polly sich nun wieder ihrer Socca zuwandte, starrte Jaz sie stirnrunzelnd an. »Er lässt dich seine Küche benutzen?«

»Jaz, setz dich doch da rüber«, sagte Reuben. »Wir sind hier nämlich beschäftigt.«

Jaz zog eine zauberhafte Schnute, ging aber zu ihren Surferkameraden, die sie wie eine Königin umringten.

»Wow, deine Freundin ist ja umwerfend«, platzte es aus Polly heraus, bevor sie sich auf die Zunge beißen konnte. Ganz untypisch für Reuben erwiderte er darauf nichts.

Zum Essen gab es den Hummer mit Zitrone und Bärlauch auf einem Bett aus frischen, pfeffrigen Rucolablättern. Sie hauten alle ordentlich rein, und der Chablis war der perfekte Begleiter, genau wie die warme Sonne und das Geplänkel der Surfer, die über Sex Wax und Hang Tens sprachen, was Polly so gar nichts sagte.

Aber irgendwann musste sie sich eingestehen, dass sie sich hier trotzdem extrem wohlfühlte.

Nach dem Essen, Kaffee und einer großen Schachtel amerikanischer Süßigkeiten, die Reuben herumgereicht hatte, gingen die Männer wieder raus aufs Wasser.

»Kannst du eigentlich surfen?«, fragte Huckle.

»Na klar«, behauptete Polly, »ich hab die perfekte Surferfigur, ist dir das noch nicht aufgefallen?«

Huckle zuckte mit den Achseln. »Dass jemand in Cornwall aufgewachsen ist und nicht surfen kann, find ich schon seltsam.«

»Na ja, ich bin schließlich in Devon groß geworden.«

Polly fiel auf, dass nun die Hausangestellte wieder aufgetaucht war und diskret abräumte. Sie konnte sich gar nicht vorstellen, jemanden zu haben, der das für einen übernahm, und es dann kaum mitzukriegen.

»Danke«, sagte Polly. Die junge Frau schaute kurz auf und machte dann weiter.

»Also, die Sache ist die«, rief nun Reuben. »Man muss … du musst einfach surfen!«

»Das sieht ganz schön schwierig aus«, fand Polly.

»Nein, ich meinte jetzt nicht *surfen*«, schnaubte er. »Das war doch total die Metapher.«

»Das war mir nicht klar«, sagte Polly.

»Du musst deinem Traum folgen, hat dir das noch nie jemand gesagt?«

»Nein, vielleicht ist das so ein amerikanisches Ding?«

Huckle auf der anderen Seite des Tisches grinste.

»Wie alles, was toll ist, Baby«, sagte Reuben und zwinkerte ihr zu. »Ja, du musst deinem Traum folgen. Nur so kann man leben. Du musst tun, was du liebst. Und wenn du es gefunden hast, musst du alle Energie darauf verwenden. Auf die Art und Weise wird alles ganz wunderbar, und dann kannst du surfen. Und das wiederum macht dich dann glücklich. Was machst du denn am liebsten?«

Polly zuckte mit den Achseln. »Na ja … vielleicht Brot backen. Generell Sachen backen. Aber ständig würd ich das wohl nicht machen wollen, also, so richtig als Arbeit. Verdirbt man sich damit denn nicht den Spaß?«

»Weil man dafür bezahlt wird?«, fragte Reuben fassungslos. »Gott, nein, kapier doch! Das macht es doch nur noch besser!«

Polly sah sich um. »Na ja, vielleicht schon.«

»So ist es zumindest, wenn der Traum darin besteht, sich in Computersysteme einzuhacken, die Amerikaner vor chinesischem Copyright-Diebstahl zu schützen und damit im Jahr Milliarden zu verdienen«, erklärte Huckle. »Das hilft schon. Mein Traum bringt mir ungefähr zwei Pfund pro Glas ein.«

Reuben zuckte mit den Achseln. »Das ist doch egal. Als du in Savannah gehockt hast, warst du nicht so glücklich wie jetzt, oder?«

Es war, als hätte jemand die Kühlschranktür aufgemacht, mit einem Mal war die schöne Stimmung dahin. Huckle gefror und starrte aufs Meer hinaus, was Reuben allerdings gar nicht mitzubekommen schien.

Nun herrschte langes Schweigen. Irgendwann schüttelte Jaz ihre Mähne und gab ebenfalls ihren Senf dazu: »Tja, ich bin meinem Traum auch gefolgt, und jetzt seht nur, wo ich gelandet bin.«

Reuben schenkte ihr einen finsteren Blick.

Polly schlug vor, dass es wohl an der Zeit wäre, sich auf den Rückweg zu machen, und Huckle war sofort einverstanden.

Wegen des Lärms konnten sie sich auf dem Rückweg nicht unterhalten, aber Polly hatte ja viel Stoff zum Nachdenken. Huckle erholte sich hier in England von irgendetwas, das war ganz offensichtlich. Und Reuben war offenbar ein schwieriger Fall und schien überhaupt nicht mitzukriegen, was andere von ihm und seinem Redeschwall hielten. Andererseits hatte er ihr den Rat gegeben, ihren Traum zu leben ... Könnte sie das denn überhaupt?

»Danke«, sagte sie, als Huckle sie absetzte. »Dein Freund ist ja ziemlich interessant.«

Huckle schob seine Schutzbrille hoch.

»Er mochte dich«, erklärte er. »Was eher ungewöhnlich ist.«

»Zu seiner Freundin war er aber nicht sehr nett.«

Huckle lächelte. »Das ist auch nicht seine Freundin. Er ist

nur eben ständig von Frauen umringt, die auf den Hauptgewinn aus sind.«

»Ach«, machte Polly. »Ernsthaft, denen geht's ums Geld? ... Wow, darauf wäre ich nie gekommen. Das ist aber ganz schön ... wo Jaz so toll aussieht, die könnte doch jeden ...«

»Verurteile sie nicht«, sagte Huckle. »Das ist da draußen eine harte Welt, und wir müssen alle sehen, wo wir bleiben.«

»Ja, das ist mir schon klar«, murmelte Polly.

»Es hat eben nicht jeder so eine Gabe wie du.«

Sie brauchte einen Moment, um das Kompliment zu erfassen. »Meinst du das ernst?«, fragte sie dann mit roten Wangen.

Huckle zuckte mit den Achseln. »Na klar«, sagte er. Dann wirkte er plötzlich ganz verlegen, als er etwas aus einer Satteltasche holte. »Äh, das hab ich für dich gekauft, als du mit der Neuseeländerin gesprochen hast.« Er reichte ihr einen kleinen Papageientaucher aus Plüsch.

»Oh«, hauchte Polly. Sie war ganz gerührt, als sie ihn nahm, und hatte richtig weiche Knie. »Ich danke dir.«

»Ehrlich? Ich war mir nicht sicher, ob ich die Sache damit besser oder nur noch schlimmer mache.«

»Besser, solange ich ihn nicht *Neil 2* nenne und in einen Karton setze«, lächelte Polly. »Nein, danke, wirklich vielen Dank.«

Huckle wirkte erleichtert und verlegen zugleich.

»Das war ein wunderbarer Tag«, sagte Polly. »Und ich bin mir sicher, Reuben wollte auch gar nicht so unhöflich sein.«

»Im Gegenteil«, entgegnete Huckle. »Das ist eins seiner Hobbys. Aber ich bin's gewohnt.«

Dann drückte er ihr einen raschen Kuss auf die Wange, bevor er mit dem üblichen Getöse das Motorrad anwarf. Polly umklammerte den Stoffvogel und schaute Huckle hinterher, bis er über das Kopfsteinpflaster verschwunden war.

Kapitel 12

Polly hätte niemals zugegeben, wie sehr ihr Neil an diesem Abend fehlte. Schließlich war er doch nur ein Vogel, kein Wachhund oder so. Aber sie wachte bei jedem Knarzen auf, bei jedem Klappern der Masten draußen, jedem Kreischen der Möwen. Dementsprechend schlief sie überhaupt nicht gut und gab es dann um fünf Uhr auf. Sie stand auf und knetete den Teig für ein Sesambrot. Das konnte sie vielleicht Reuben schicken, um sich bei ihm zu bedanken. Am besten machte sie Stangen daraus, die hielten sich länger.

Um sieben Uhr hörte sie die Fischkutter zurückkommen, und die fröhlichen Rufe verrieten ihr, dass der Fang gut gewesen war. Sie brachte Tarnie einen Kaffee und die frischen Grissini, die schon fertig waren, weil ihr Teig nicht gehen musste.

»Hallo!«, grüßte der Fischer lächelnd. Er sah müde, aber glücklich aus. »Wir hatten eine erfolgreiche Nacht.«

»Super!«, rief Polly, die hoffte, dass er sich nun mal ein paar Tage freinehmen und sich ausruhen würde.

»Wo steckt denn Neil?«

»Ah«, seufzte Polly und erklärte es ihm.

»Tja, das tut mir wirklich leid«, sagte Tarnie. »Mir kam er eigentlich nie traurig oder unglücklich vor.«

»Ich weiß«, nickte Polly. »Aber es meinten eben alle, dass es das Beste für ihn ist. Na, egal.«

»Übrigens hab ich Neuigkeiten für dich«, erklärte nun Tarnie. »Die vom Krankenhaus haben sich bereit erklärt, Gillian zu entlassen, wenn sie im Laden Hilfe bekommt und die Gemeindeschwester regelmäßig vorbeischaut. Ich hab dir einen Job besorgt!«

»Das ist jetzt nicht dein Ernst!«, rief Polly aus. »Und damit ist sie einverstanden?«

»Natürlich«, behauptete Tarnie, der lieber nicht verraten wollte, was ihn das für Überredungskünste gekostet hatte.

Polly ließ sich noch einmal das Gespräch mit Reuben durch den Kopf gehen, bei dem der Millionär sie gedrängt hatte, ihrem Traum zu folgen. Und dann dachte sie daran, wie viel Geld sie noch übrig hatte, wie viele Bewerbungen sie losgeschickt hatte (38) und zu wie vielen Vorstellungsgesprächen man sie daraufhin eingeladen hatte (0).

Also ignorierte sie alle Zweifel, hörte auf ihr Bauchgefühl und antwortete: »Fantastisch!« Wenigstens hatte sie nun Arbeit, und zwar auch noch welche, die ihr lag. Sie würde sich später Gedanken darüber machen, dass sie dabei für jemanden arbeiten musste, den sie nicht mochte. Und wenn Gillian Manse sie wieder feuerte, hatte sie im Bäckereigewerbe wenigstens einen ersten Schritt gemacht. »Wann kann ich anfangen?«

»Äh, morgen«, sagte Tarnie. »Sie wird heute entlassen und zeigt dir morgen alles.«

Eigentlich hatte Polly so gar keine Lust auf eine Einweisung von Gillian, also ging sie am Nachmittag in die Bäckerei rüber, um mal zu sehen, ob sie allein herauskriegen konnte, wie man die Öfen in Gang brachte. Die glänzten immer noch vor Sauberkeit, und Polly sah sich sowohl nervös als auch aufgeregt um. All die Öfen! Und um die würde sie sich ganz allein kümmern! Mit der Hand fuhr sie über die Holzoberflächen der Arbeitsplatten und warf einen Blick in die riesige Knetmaschine. Sie hoffte, dass Mrs Manse dann nicht mehr so viele Fertigprodukte kaufen würde. Denn genau deshalb stand die Bäckerei ja kurz vor dem Ruin. Polly hatte schon genug Zeit in ein Pleite-Unternehmen investiert, das sollte ihr nicht noch einmal passieren.

Während Polly die Öfen inspizierte, wurde an die Hintertür geklopft, und es erschien ein kräftiger Mittfünfziger, dessen wettergegerbtes Gesicht so aussah, als ob er sein ganzes Leben an der frischen Luft verbracht hatte.

»Stimmt es wirklich?«, fragte er mit so starkem Akzent, dass Polly ihn kaum verstehen konnte. »Ist es wahr, Schätzchen?«

»Äh«, fragte Polly. »Was denn?«

»Dass die Öfen wieder angeworfen werden? Wird hier jetzt wieder gebacken?«

Polly lächelte. »Ich denke, wir werden es auf jeden Fall versuchen.«

Der Mann reichte ihr die Hand. »Ich bin Ted Kernesse«, stellte er sich vor. »Früher hab ich der Bäckerei das Mehl geliefert. Gillian Manse war eine prima Bäckerin.«

»Wirklich?«, fragte Polly. »Was ich hier mal gekauft habe, war aber nicht sehr gut.«

»Nee, weil sie die Sachen doch jetzt fertig kauft. Nach... dieser Geschichte... hat sie eben einfach das Interesse daran verloren«, sagte er und nahm seinen Hut ab. »Na ja, brauchen Sie denn jetzt wieder Mehl?«

»Ja, ich denke schon. Wann könnten Sie mir denn welches liefern?«

»Es steht morgen früh vor Ihrer Tür«, versprach Ted. »Wissen Sie schon, wo Sie Ihren Sauerteig ansetzen?«

»Keine Ahnung«, musste Polly zugeben, die mit einem Mal doch ein wenig unruhig wurde, bisher hatte sie nämlich immer nur mit Trockenhefe gebacken.

»Na, stellen Sie einfach eine Schüssel in den Kühlschrank, und überlassen Sie das Biest sich selbst.«

»Das mach ich«, nickte Polly. »Mann ...«

Nervös sah sie sich um, »ich muss wohl noch viel lernen.«

»Ich find es einfach großartig, dass Sie das machen«, sagte Ted. »Damit tun Sie Mount Polbearne mit Sicherheit einen großen Gefallen. Und Gillian auch.«

Pollys Herz raste. Die Zusammenarbeit mit dieser Frau machte ihr wirklich Angst. Hatte sie sich da vielleicht doch zu viel vorgenommen?

»Ach, das wird schon«, beruhigte sie Ted, als könnte er ihre Gedanken lesen. »Hunde, die bellen, beißen nicht. Na ja, zumindest eher selten.«

Hoffnungsvoll lächelte Polly.

»So ist's recht!«

Wie versprochen stand am nächsten Morgen um halb sechs ein riesiger Sack Mehl vor der Tür, daneben sechs Flaschen Milch und eine Tupperdose mit einem gelben Klebezettel, auf dem »Ein kleines Geschenk« stand. Aber als Polly den Deckel anhob, stieg ihr der intensive Gestank eines Sauerteigansatzes in die Nase.

»Puh!«, entfuhr es ihr, während sie das Zeug schnell weit weg hielt.

»Tja, ich weiß wirklich nicht, was das werden soll, wenn Sie nicht einmal damit klarkommen«, sagte da eine knurrige Stimme.

Gillian Manses riesiger Umriss erschien, die Bäckerin öffnete die Tür und sah dabei zu, wie Polly den Sack hereinschleppte. Er schien eine Tonne zu wiegen. Irgendwie hatte Polly ja ein Danke oder Hallo erwartet oder dass Mrs Manse die Situation ein wenig unangenehm sein würde – immerhin hatte Polly ihr das Leben gerettet –, aber das war wohl zuviel verlangt.

»Das ist ein Geschenk von Ted«, erklärte Polly. »Äh ... hallo.«

»Hallo«, grüßte Gillian, und dann musterten sie einander.

»Wie geht es Ihnen denn?«, erkundigte sich Polly.

»Mir geht es wunderbar«, behauptete Gillian. »Wie ich diesen bescheuerten Ärzten auch gesagt habe, das ist doch alles albern. Machen Sie so was bloß nie wieder!«

»Nein, auf keinen Fall«, versicherte Polly mit Nachdruck.

»Na ja, aber jetzt sind Sie ja schon mal da ...«, murmelte Gillian ungnädig.

»Haben Sie vielleicht Kaffee?«, fragte Polly. »Mir würde ein Tässchen jetzt ganz guttun.«

»Warum fangen Sie vor Ihrer Kaffeepause nicht erst einmal an zu arbeiten?«

Polly biss sich auf die Lippe. *Denk dran, sonst bist du arbeitslos*, sagte sie sich. *Und das hier musst du eben in Kauf nehmen.*

Polly tat ihr Bestes, um an diesem ersten Tag nicht unangenehm aufzufallen, aber das war gar nicht so einfach. Die Kunden waren begeistert, sie zu sehen, vor allem die Mitglieder des geheimen Brotrings. Gillian ließ sie zur Strafe nicht einen Moment aus den Augen, saß ihr die ganze Zeit im Nacken, bellte Befehle und wies auf jeden noch so kleinen Fehler hin. Davon wurde Polly so nervös, dass sie nur noch mehr Fehler machte.

Respektvolle Fragen der Kunden nach ihrem Gesundheitszustand schmetterte Gillian unhöflich ab, und Polly versuchte, die Unfreundlichkeit ihrer Chefin mit extra strahlendem Lächeln auszugleichen. Dass alle ausgiebig das köstliche, frische Brot lobten, machte es auch nicht besser. Es würde genauso schwierig werden, wie Polly befürchtet hatte.

Als um 15 Uhr 30 alles ausverkauft war und sie so langsam schon zumachen wollten, wurde laut an die Hintertür geklopft. Nervös schaute Polly Gillian an. »Wissen Sie, wer das sein könnte?«

»Nein«, sagte Gillian. »Machen Sie mal auf.«

Zögerlich tat Polly, wie ihr geheißen, und fand sich dann einem großen, kräftigen Zusteller gegenüber, dessen riesiger Lieferwagen die enge Straße blockierte.

»Okay«, sagte der Mann grimmig. »Ich hab stundenlang darauf gewartet, dass der blöde Fahrdamm frei wird. Also, wo ist Ihr Schornstein?«

»Wie bitte?«, entfuhr es Polly. Sie war ein wenig verwirrt.

»Das ist doch die Bäckerei von Mount Polbearne, oder nicht?«

»Hm, ja.«

»Ich hab hier eine Lieferung, einen Steinofen. Und für den braucht man nun mal einen Rauchabzug.« Er kratzte sich am Kinn.

»Nein«, versetzte Gillian. »Nein, der ist nicht für uns. Nehmen Sie den bitte wieder mit.«

Der Mann zuckte mit den Achseln. »Kann ich nicht, es steht doch hier auf dem Lieferschein.«

Gillian verschränkte die Arme vor der Brust. »Und ich sage, der ist nicht für uns.«

»Warten Sie mal«, bat Polly. »Äh, dürfte ich diesen Lieferschein vielleicht mal sehen?«

»Ich weiß nicht, was das bringen soll«, knurrte Gillian. »Und an meinem Schornstein pfuscht niemand herum.«

Polly fuhr mit dem Finger über den Zettel. Die Adresse stimmte: »Bäckerei Mount Polbearne«. Und dann entdeckte sie die kurze Nachricht ganz unten: »Lebe deinen Traum«, stand dort. Und die große, protzige Unterschrift darunter stammte von Reuben Finkle.

»UNGLAUBLICH!«, schnaufte sie völlig überwältigt. »Der hat mir einen Ofen gekauft!«

»Wer hat Ihnen einen Ofen gekauft?«, fragte Gillian wütend.

»Äh, dieser Typ ... der Freund von einem Freund«, erklärte Polly.

»Wir brauchen keinen neuen Ofen, unsere Öfen reichen völlig aus.«

»Ja, aber mit so einem«, entgegnete Polly mit glänzenden Augen, »könnten wir Ciabatta machen, Fladenbrot und Bruschetta. Lauter ganz tolle Sachen ...«

»Könnten wir stattdessen nicht den Gegenwert in Geld bekommen?«, fragte Gillian gereizt. »Das könnte ich gut gebrauchen, anders als das ganze ausländische Zeug.«

»Nein!«, rief Polly, »Das geht doch nicht –«

»Wir nehmen die Ware nicht zurück«, sagte der Fahrer, der langsam sauer wurde.

In einer Hinsicht hatte Gillian allerdings recht, dachte

Polly, die Backstube war wirklich nicht groß genug. Vielleicht, wenn sie alles zusammenschoben ... nein, das würde nicht geschehen, daran ließ Gillians Miene keinen Zweifel. Aber plötzlich fiel Polly etwas ein, es gab schließlich einen Ort, an dem viel Platz war ...

»Wir könnten ihn doch in die Backstube am Strandweg stellen«, schlug sie vor. »Unter meiner Wohnung. Da ist doch genug Platz, oder?«

Gillian runzelte die Stirn. Sie wollte den Ofen nicht, andererseits wollte sie auch ungern etwas ausschlagen, was sie umsonst bekam. Polly starrte zu Boden, auf keinen Fall wollte sie Mrs Manse ansehen und damit provozieren, dass sie schon aus reinem Trotz Nein sagte.

Die Bäckerin schwieg so lange, dass der Fahrer schon auf die Uhr schaute, dann knurrte sie schließlich: »Na gut, solange mir das Ding ja nicht unter die Augen kommt. Und solange es mich nichts kostet!«

»Das wird es nicht.«

Polly stieg mit dem Mann und seinem Kollegen in die Fahrerkabine und zeigte ihnen den kurzen Weg zu ihrer Wohnung. Gillian hatte ihr die Schlüssel für das Lokal unten gegeben, da ihr offenbar nicht klar gewesen war, dass sie längst Zugang dazu hatte.

Die Staubschicht war hier so dick wie eh und je, und Polly hatte nie genug Geld gehabt, um das von Neil zerbrochene Fenster zu reparieren. Die Männer sahen sich fassungslos um.

»Ist das Ihr Ernst?«, fragte einer der beiden. »Wissen Sie, das ist ein ziemlich teures Teil.«

Strahlend sah Polly es an. Wenn der Laden ihr schon nicht gehörte, nun tat es wenigstens dieser Ofen.

»Ich weiß«, sagte sie. »Und das ist auch nur der Anfang. Bauen Sie den Ofen mal ein, ich mach uns in der Zwischenzeit Tee. O Mist, ich hab schon wieder vergessen, Milch zu kaufen.«

Kapitel 13

Polly hatte gehofft, dass Gillian und sie sich im Laufe der Zeit aneinander gewöhnen und ein wenig besser verstehen würden. Nur ein bisschen, es war ja auch nicht zwingend nötig, dass man seine Arbeitskollegen mochte.

Aber sie hatte das Gefühl, dass es immer schlimmer wurde. Gillian schien sich vorgenommen zu haben, jeden einzelnen Vorschlag abzuschmettern, also brachte Polly irgendwann einfach keine mehr vor. Im Laden schob sich Mrs Manse grob an Polly vorbei, und sie ließ sie nur das allersimpelste Weißbrot backen, obwohl ihr Brot schon allein durch die Übung immer besser wurde, leicht und köstlich. Der Laden war so sauber wie schon ewig nicht mehr, und es war auch wieder mehr los. Aber das schien Gillian nur noch bitterer zu stimmen, und irgendwie störte es sie sogar, dass Polly immer stiller wurde.

Die hatte Reuben eine überschwängliche Dankeskarte geschrieben. Auch wenn sie seine genaue Adresse nicht kannte, war sie ziemlich sicher, dass die Karte ihren Empfänger schon erreichen würde. Nun nutzte sie abends jede freie Minute, um das Lokal unten zu putzen, damit sie so bald wie möglich anfangen konnte, mit ihrem neuen Ofen zu experimentieren. Aber das frühe Aufstehen und die Situation in der Bäckerei laugten sie aus, und sie war fix und fertig. Auch die Bezahlung war ... knapp. Wenn sie jetzt ein Loch in ihrer Schuhsohle entdeckte, müsste sie es wohl trotzdem mit Panzerband flicken.

Eines grauen Samstags schleppte sie sich nach der Arbeit nach Hause, da klingelte ihr Handy.

»OKAY!«, rief Kerensa in den Hörer. »Ich mach mich jetzt auf den Weg zu dir. So langsam dürftest du ja wohl damit fertig sein, dir die Wunden zu lecken.«

»Wie bitte?«, fragte Polly. Sie wollte nur ungern zugeben, dass sie beim Thema Arbeit wohl vom Regen in die Traufe gekommen war.

»Ich komme dich besuchen, um einen draufzumachen und mit dir in Polbearne durch die Clubs zu ziehen.«

»Hm«, machte Polly. »Die gibt's hier gar nicht, fürchte ich.«

»Aber irgendwo müssen die Leute doch hingehen.«

Im Hafen gab es den großen Pub mit einer dunklen Holztür. Er war so alt, dass er noch den dazugehörigen Hof hatte, in dem die Gäste früher mal ihre Pferde angebunden hatten. Inzwischen standen dort Tische und Stühle, und jetzt, wo die Abende wärmer wurden, war dort am Freitag und Samstag tatsächlich auch was los. Polly wäre schon gern mal hingegangen, hatte sich aber nicht getraut. Wahrscheinlich gingen die Fischer dort ab und an was trinken, Polly hatte sie aber nicht fragen wollen, die hatten schließlich ihr eigenes Leben. Und Huckle hatte sie schon ewig nicht mehr gesehen. Plötzlich wurde ihr klar, wie sehr sie sich nach der Gesellschaft von jemandem sehnte, der nicht vorwurfsvoll schnalzte, weil sie ein bisschen Mehl verschüttet hatte.

»Na ja, das ist hier nicht gerade das, was du gewohnt bist ...«

»Das ist mir so was von egal, Schätzchen. Ich muss einfach mal hier raus.«

»Ist wieder eins von deinen Internet-Dates schiefgegangen?«

»Diese Typen sind doch alle Mist, Polly, durch die Bank! Die halbwegs anständigen Männer sind alle vergeben.«

»Ha!«, machte Polly, der erst jetzt etwas klar wurde. »Ich kann dir sagen, was wir hier in Polbearne im Überfluss haben.«

»Barkeeper?«, fragte Kerensa hoffnungsvoll.

»Nö«, sagte Polly. »Aber Kerle gibt es hier in Hülle und Fülle.«

»Ich sitze schon im Auto.«

Kerensa tauchte in einem lachhaft unpassenden pinkfarbenen Minikleidchen auf und hatte leuchtend rot gefärbtes Haar. Sie sah eigentlich ziemlich erschreckend aus, aber Polly freute sich so sehr, dass sie beinahe in Tränen ausgebrochen wäre.

»Nun«, begann Kerensa, »das ist also dein berühmtes neues Leben.« Sie sah sich um. »Du hast aus der Wohnung ja richtig was gemacht, gefällt mir.«

»Danke«, sagte Polly. Viel hatte sie ja nicht verändern können, aber wenigstens war der Fußboden gebohnert und der Tisch abgebeizt. Außerdem hingen an den Wänden nun Kunstdrucke, die sie einst gekauft hatte, als sie noch entspannt durch Galerien geschlendert war und am Schluss ihre Kreditkarte gezückt hatte. Aber vor allem machte nach dem Fensterputzen schon allein die Aussicht die kleine Wohnung viel gemütlicher.

»Ich kann einfach nicht fassen, dass wir dich überhaupt

nicht zu Gesicht bekommen«, sagte Kerensa. »Du musst dich hier ja wirklich blendend amüsieren.«

»Ach, Kerensa«, sagte Polly, die ihren billigen Rosé lieber ganz hinten im Kühlschrank stehen ließ und stattdessen die edle Flasche Sekt aufmachte, die Kerensa netterweise mitgebracht hatte. »Ich war einfach ganz furchtbar ...«

Ihr fiel es schwer, die Worte auszusprechen.

»Ich war ziemlich einsam«, gab sie schließlich zu und starrte aus dem Fenster.

Kerensa sah sie an und goss den Sekt in zwei nicht zueinanderpassende Gläser.

»Ich doch auch«, sagte sie. »Und ja, bevor du mir jetzt damit kommst, es stimmt schon, ich hab einen tollen Job und jede Menge Freunde, bla, bla, bla ... aber meine beste Freundin fehlt mir eben. Ich möchte mich mal bei jemandem einfach nur wohlfühlen, aber in Plymouth machen alle ständig einen auf dicke Hose. Und das meine ich jetzt nicht im positiven Sinne.«

Nun ging die Sonne in der Bucht unter, und es breiteten sich zauberhafte rosafarbene Schlieren aus, die die Wolken erhellten. Kerensa ging zum Fenster rüber, um sich das genauer anzusehen.

»Also, hör mal, das ist ziemlich cool.«

»Ich weiß«, sagte Polly.

»Und du hast jetzt auch Arbeit.«

»Ja, aber die nervt. Na ja ...«

»Ich dachte, das wäre die perfekte Stelle für dich.«

»Tja, du kennst eben meine Chefin nicht.«

»Oje«, machte Kerensa. »Eine Chefin aus der Hölle?«

»Nein, die kommt eher da her, wo die aus der Hölle Leute hinschicken, die ihnen zu nervig sind.«

Sie stießen an.

»Auf ein Leben ohne Einsamkeit«, sagte Kerensa leise. »OH, MIST, das war wohl der deprimierendste Trinkspruch aller Zeiten. Wie wär's denn damit: Darauf, dass wir immer so umwerfend bleiben!«

»Viel besser!«, befand Polly, die sich über Kerensas Besuch tierisch freute.

Irgendwann wollten sie dann noch in den Pub gehen, und Kerensa zwang Polly dafür in ein leuchtend buntes Top. »Wenn ich hier als Einzige aufgetakelt bin, komme ich sonst noch wie die Lebedame des Ortes rüber.«

»Erstens bist du doch genau das und zweitens: Für was hast du dieses Nest denn gehalten?«

»Für St. Ives«, erwiderte Kerensa finster. »Ich hatte eigentlich darauf gehofft, hier Prinz Harry aufzugabeln.«

Polly lachte. »Ach, Kerensa, ich bin so froh, dass du da bist. Na komm!«

Der Abend war mild, und der alte Innenhof des Pubs war mit Windlichtern auf den Tischen und Teelichtern in Gläsern überall fröhlich erleuchtet. Eine Kellnerin nahm ihre Bestellung auf, und dann waren Kerensa und Polly bald wieder ins Gespräch vertieft. Nachdem sie sich erst einmal auf den neuesten Stand gebracht hatten, plauderten und tratschten sie schon wieder, als würden sie sich jeden Tag sehen.

»Weißt du, wie's Chris geht?«, fragte Polly, als sie sich mit dem dritten Glas endlich genug Mut angetrunken hatte.

Kerensa zuckte mit den Achseln. »Ja, so in etwa. Über das Schlimmste ist er wohl hinweg.«

»Wohnt er immer noch bei seiner Mutter?«, erkundigte sich Polly.

»Jap.«

»Weißt du, er hat sich kaum bei mir gemeldet. Er hat nicht ein Mal gefragt, wie's mir geht oder so.«

»Ich weiß«, sagte Kerensa. »Und deshalb hab ich ihm auch ordentlich den Marsch geblasen.«

»Ach, echt? Wann hast du denn mit ihm gesprochen?«

»Auf dem Vierzigsten von Shanoosha und Michael – wo wir dich übrigens alle vermisst haben.«

Polly zuckte mit den Achseln. Sie wollte nur ungern zugeben, dass ein Geschenk für sie einfach zu teuer gewesen wäre. Außerdem hätte sie es schrecklich gefunden, zwischen all diesen erfolgreichen, gesetzelten Typen mit ihren Hypotheken und schicken Autos und Babybäuchen zu stehen und über ihren Minijob in der Bäckerei zu plaudern. Sie hätte die allgemeine Teilnahme und das Mitleid nicht ertragen.

»Ich weiß«, sagte sie. »Und Chris war da?«

Kerensa verzog das Gesicht. »Ehrlich gesagt hat er es etwas zu sehr ausgenutzt, dass die frisch gemixten Cocktails umsonst waren.«

»Die hatten einen Barmixer?«

»Reine Angeberei«, befand Kerensa. »Na ja, wie auch immer. Er war jedenfalls ein bisschen ...«

»Wie denn? Was für einen Eindruck hat er auf dich gemacht?«

»Er sah müde aus«, erklärte Kerensa.

»Oje«, seufzte Polly. »Und was hat er gesagt?«

»Er hat mich gefragt, wie es dir geht. Und als ich ihm dann gesagt hab, dass du umgezogen bist und eine neue Arbeit hast und so, da ...«

Polly wurde das Herz ganz schwer. Sie ahnte es schon. »War er etwa neidisch?«

Kerensa nickte. »Er denkt, bei dir ist jetzt alles wieder in Ordnung. Dass es dir leichtgefallen ist, noch mal neu anzufangen, weil dir die Firma eigentlich gar nicht wichtig war. Immerhin war er ja der kreative Kopf, bla, bla, bla.«

Tränen stiegen Polly angesichts dieser Unterstellung in die Augen. »Er hat mein Leben ruiniert, Kerensa. Sieh es dir doch nur an, ich bin AM ENDE! Nur weil ich nicht bei meiner Mutter zu Hause hocke und schmolle ...«

»Ich weiß«, nickte Kerensa. »Und das hab ich ihm auch verklickert. Ich hab ihm ins Gesicht gesagt, dass er gleich in Selbstmitleid ertrinkt.«

»Und was hat er dann gemacht?«

»Sich betrunken und versucht, die Cocktailkellnerin abzuschleppen.«

Mitfühlend verzog Polly das Gesicht. »O Gott, der arme Chris.«

»Von wegen der arme Chris!«, knurrte Kerensa. »Der muss sich jetzt endlich mal am Riemen reißen und die ganze Geschichte hinter sich lassen. Und wie er dich behandelt hat, war einfach das Letzte.«

»Er hat doch sein Bestes gegeben«, wandte Polly ein.

»Nichts da. Er hat bei jedem kleinen Rückschlag rumgeschmollt, so kann man doch kein Geschäft führen.«

»Nein«, sagte Polly nun nachdenklich. »Und mal im Ernst, was fällt ihm ein! Warum geht er bloß davon aus, dass es bei mir super läuft und ich mich hier köstlich amüsiere? Verdammt noch mal, es ist furchtbar hier, mein Leben ist ein Desaster! Ich bin ein Loser, alles ist eine absolute Katastrophe, und ich finde es schrecklich hier, UND ZWAR ALLES!«

Plötzlich verstummte die Menge um sie herum, und Polly

merkte auf einmal, dass jemand hinter ihr stand. Es war Tarnie, der sehr verlegen aussah.

»Äh, sorry«, murmelte er. »Ich wollte nur kurz vorbeischauen, aber du scheinst ja beschäftigt zu sein.«

»O nein«, stöhnte Polly entsetzt. »Dich hab ich doch nicht gemeint. Dich kennenzulernen war doch das einzig Gute, was mir hier passiert ist. Kerensa, das ist Tarnie.«

»Hal-loo!«, sagte Kerensa gedehnt. Polly warf ihr einen Blick zu, und dann schaute sie wieder Tarnie an. So ohne seinen Fischeroverall sah er wirklich ziemlich gut aus, er trug ein schlichtes Hemd, verwaschene Jeans und Chucks.

»Hey, was geht?«, ertönte da eine leise Stimme mit amerikanischem Akzent, und Huckle schob sich mit Reuben zusammen ins Bild. Beide hielten ein Bier in der Hand.

»Ich hasse diese Kneipe. Was machen wir hier eigentlich, das ist doch ein Saftladen! Und das Bier ist furchtbar, warum schenken die denn nichts Vernünftiges aus? Am besten kaufe ich den Schuppen einfach«, nörgelte Reuben. Er sagte nicht mal Hallo.

»Polly hat gerade erzählt, wie schrecklich sie ihr Leben hier findet«, erklärte Tarnie ernst.

»Ich, stimmt doch gar nicht ... Ach, Klappe!«, fauchte Polly mit leuchtend roten Wangen.

Kerensa wusste gar nicht, wo sie zuerst hinsehen sollte.

»Hallöchen auch!«, sagte sie.

»Findest du etwa auch alles schrecklich?«, fragte Tarnie.

»Jetzt nicht mehr«, flötete Kerensa.

Am Ende saßen sie alle zusammen, sechs oder sieben Fischer, die beiden Amerikaner und dann auch noch ein paar von den Surfern, die dazugestoßen waren. Jaz war heute nicht dabei, aber sie hatten Felicia mitgebracht, eine geradezu lachhaft schöne junge Frau mit asiatischem Einschlag und endlos langem schwarzem Haar. Sie buhlte um Reubens Aufmerksamkeit, er würdigte sie aber keines Blickes. Schließlich musste sie sich neben Jayden auf die Bank quetschen. Dessen Gesichtsausdruck war unbezahlbar, er schien zu erstarren und wagte es nicht, sich zu rühren, während er die Göttin an seiner Seite fixierte.

»Könntest du bitte aufhören, mich so anzustieren?«, bat sie ihn sanft.

»Äh, rufst du sonst die Polizei?«, fragte Jayden mit trockenem Mund.

»Nein«, antwortete Felicia und warf sich das Haar über die Schulter.

»Dann vielleicht nicht. Aber ich werd's versuchen. Oder auch nicht. Du lieber Gott!«, stammelte Jayden.

Felicia wandte sich von ihm ab, und Polly fragte sich, ob ihr so was wohl ständig passierte. Wahrscheinlich.

»Probier's doch mit dem Witz, den du mir erzählt hast«, flüsterte Polly Jayden zu.

»Das geht nicht«, protestierte er mit weit aufgerissenen Augen. »Ich kann ja nicht mal mehr klar denken.«

»Aber Frauen mögen Männer, die sie zum Lachen bringen.«

Jayden hustete. »Äh, Felicia?«

Felicia gewährte ihm einen kurzen Blick. »Hm?«

»Welche Faxen macht ein Clown im Büro?«

»Keine Ahnung.«

Jayden wurde blass. »Scheiße, das hab ich jetzt falsch erzählt. Ich meinte natürlich: Was macht ein Clown im Büro? ... Egal, vergiss es.«

Felicia kehrte ihm wieder den Rücken zu, Jayden setzte

sich auf seine Hände und starrte mit roten Ohren auf die Tischplatte. Polly drehte sich zu Kerensa um. Jaz war ihr bis jetzt lieber gewesen, aber die Frauen in Reubens Entourage schienen zumindest alle umwerfend auszusehen.

»Hier geht ja doch viel mehr ab, als ich dachte«, bemerkte Kerensa nun. »Wer ist denn der nervige Typ?«

»Meinst du etwa mich?«, fragte Reuben, der die Ohren eines Luchses haben musste. »Ich bin doch nicht nervig! Huckle, sag ihnen, dass ich nicht nervig bin, sondern total cool!«

»Nein, natürlich bist du nicht nervig«, gurrte Felicia träge. »Schätzchen, das ist doch Quatsch.«

Kerensa rollte mit den Augen. »Ach so, sag bloß, du bist zufällig stinkreich!«, rief sie laut.

»Allerdings«, nickte Reuben.

»Hab ich's mir doch gedacht«, murmelte Kerensa und warf Felicia einen triumphierenden Blick zu. Felicia wandte sich ab, womit sie wieder Jayden anschaute, der rot anlief und sich am Kopf kratzte. Polly stand auf und ging zu Reuben rüber.

»Danke für den traumhaften Ofen«, sagte sie. »Haben dir denn die Brotstangen geschmeckt?«

»Wenn ich die selbst gemacht hätte, hätten sie mir noch besser geschmeckt«, erwiderte er. »Aber sie waren gar nicht schlecht. Es hat noch ein bisschen Pfeffer gefehlt.«

»Beim nächsten Mal denk ich dran«, erwiderte Polly lächelnd. »Auf jeden Fall war das wirklich nett.«

»Ach, das war doch gar nichts«, winkte Reuben ab. »Ehrlich gesagt hatte ich die ganze Sache längst vergessen. So was sind für mich doch Peanuts.«

»Na, dann danke für die Peanuts«, beharrte sie.

»Wer ist denn deine Freundin?«, fragte Reuben jetzt beiläufig. »Die ist ganz schön unverschämt. Das gefällt mir bei Frauen.«

»Das ist Kerensa. Soll ich sie dir mal offiziell vorstellen?«

»Nein.«

»Kerensa!«, sagte Polly und winkte sie herbei. »Das hier ist Reuben, der Typ, der mir den tollen Ofen geschenkt hat.«

»Ich hab einen Hubschrauber!«, verkündete Reuben.

»Hubschrauber find ich ätzend«, antwortete Kerensa. »Die sind doch Quatsch.«

Tarnie brachte noch eine Flasche Wein für alle, nur für Jayden und ein paar seiner Fischerkollegen hatte er Cider bestellt. Er zog sich einen Stuhl heran und setzte sich neben Polly.

»Also, wie läuft es so?«, fragte er. Normalerweise hatte er überhaupt kein Problem damit, sich mit Polly zu unterhalten, aber inmitten all der Leute fiel es ihm plötzlich schwer.

»Ganz ehrlich«, sagte Polly, »ich bin dir so dankbar, dass du mir den Job besorgt hast.«

»Aber ...«

»Im Ernst, Tarnie, die macht mich fertig. Sie lässt mich kein richtiges Brot backen, nur Schaumrollen und diese blöden Doughnuts und Pasteten und Weißbrot. Und selbst das würde sie am liebsten längst wieder bestellen, weil ich ihr offenbar zu langsam bin. Sie will einfach keine Veränderungen oder Verbesserungen.«

Tarnie nickte.

»Doughnuts waren Jims Lieblingsgebäck«, sagte er schließlich.

»Du liebe Güte«, sagte Polly. »Ich weiß ja, dass sie immer noch trauert. Und ich tu wirklich mein Bestes, um mich nützlich und alles richtig zu machen, aber ... es kommt mir so vor, als würde sie mich ständig für irgendwas bestrafen.«

Sie nippte an ihrem Glas und lächelte kläglich. »Das mag ja jetzt bescheuert klingen, aber irgendwie hatte ich mir vorgestellt ... dass ich die Dinge zum Besseren wenden könnte. Ich dachte, wenn Mrs Manse jemanden hat, der ihr bei der Arbeit hilft und dem gegenüber sie sich öffnen kann, dann würde sie vielleicht ihren Frieden finden oder so ähnlich. Das war wohl ziemlich naiv.«

»Das ist doch eine schöne Vorstellung«, erwiderte Tarnie sanft. »Aber ich bin mir nicht sicher ... Ich fürchte, sie ist schon so lange verbittert, dass sie innerlich ... irgendwie versteinert ist.«

»Sie tut mir ja leid«, sagte Polly störrisch, »aber sie ist jeden einzelnen Tag wirklich ekelhaft zu mir.«

Nun kam Huckle herbei und zog seinerseits einen Stuhl heran. Ihm mochte der Blick entgangen sein, den Tarnie ihm zuwarf, Polly bemerkte ihn aber.

»Hey«, brachte er so langsam und gedehnt wie immer hervor. »Wie geht's denn so?«

»Ich nörgele gerade über meinen Job«, erklärte Polly, »den ich ja erst seit zwei Wochen habe. Ich bin ganz schön erbärmlich, was?«

Huckle runzelte die Stirn. »Habt ihr Reubens Ofen in der Bäckerei aufgestellt?«

»Der hätte da gar nicht reingepasst«, erklärte Polly, »deshalb mussten wir ihn in den anderen Laden bringen, den unter meiner Wohnung. Aber Mrs Manse will damit nichts zu tun haben, weil sie ihn für irgendwas Ausländisches hält. Sie will nur Pasteten und große weiße Brötchen.«

Wieder legte Huckle die Stirn in Falten. »Jetzt kommen doch bald die Touristen, oder?«

»Äh, ja.«

»Und das Haus, in dem du wohnst, gehört doch Mrs Manse, nicht wahr?«

»Genau.«

»Tja, es würde doch keine Zusatzkosten verursachen, wenn ihr beiden die Arbeit unter euch aufteilt. Du arbeitest hier im Hafen und backst in Reubens Ofen Brot, während sie sich in ihrer Backstube um die Pasteten und Kuchen kümmert. Auf die Art und Weise gibt es keinen Streit. Sie muss kein Brot verkaufen, das ihr nicht passt, und spart damit jede Menge Zeit und Kraft. Außerdem müsst ihr so nicht miteinander konkurrieren, denn eigentlich gehört ihr doch zur selben Firma.«

Die drei schwiegen einen Moment.

»Also«, sagte Polly dann, »das könnte beinahe klappen. Wenn ich ihr das vorschlage, wird sie allerdings sofort nein sagen. Sie sagt immer erst Nein und überlegt sich danach, warum.«

Polly versuchte so angestrengt, Tarnie nicht anzusehen, dass ihr Mundwinkel zuckte.

»Du willst also, dass ich ihr SCHON WIEDER mit Veränderungen komme?«, fragte der und trank schlürfend seinen Cider.

»Begreif doch«, stieß Polly aus. »Sie will mich nicht im Laden um sich haben!«

»Hmm«, machte Tarnie.

»Aber sie weiß, dass es für sie allein zu viel Arbeit ist.«

»Hmm.«

»Und der Platz ist ja da.«

»Und was ist mit all den Leuten, die sich vertun und in der Bäckerei landen, die gar nicht verkauft, was sie eigentlich suchen?«

»Die Läden liegen doch nur zwei Straßen auseinander«, wandte Polly ein. »Ich glaube, das kriegen die schon hin. Und Mrs Manse hätte weniger Arbeit, wenn ich mich um das Brot kümmere.«

Tarnie wollte es zwar nur ungern zugeben, aber die Idee war wirklich nicht schlecht.

»Und«, sagte Huckle, »wenn du wirklich so gut bist, wie wir alle glauben, dann nehmen die Leute für dein Brot gerne den Umweg auf sich. Und für meinen Honig.«

»Du willst, dass ich deinen Honig verkaufe?«

»Als Dankeschön für meinen brillanten Vorschlag?«, sagte er. »Nein, du hast schon recht, das war vermutlich ein blöder Einfall.«

»Nein, NATÜRLICH verkaufen wir da deinen Honig!«, rief Polly aufgeregt. »Das ist eine tolle Idee.«

Tarnie starrte auf seine Hände. Ihm wurde klar, dass er eifersüchtig darauf war, wie sie hier gerade ohne ihn Pläne schmiedeten.

»Mannomann«, seufzte Polly. »Ich bin schon richtig aufgeregt. Nur leider wird sie Nein sagen, und dann muss ich weiterhin bei ihr im Laden arbeiten, und das wird umso schlimmer sein, weil ich schon einmal den Duft der Freiheit in der Nase hatte.«

Sie tranken Glas um Glas, und es schien hier auch keine Sperrstunde zu geben. Um Mitternacht war Polly ziemlich beschwipst, und hinter ihrer Stirn zogen bunte Bilder vorbei, sie hatte bereits jede Menge Ideen für den Laden unter ihrer Wohnung. Kerensa hatte den ganzen Abend heftig mit Reuben diskutiert, über Politik, Feminismus, Waffenkontrolle, Meinungsfreiheit im Internet und eigentlich so ziemlich alles, worüber zwei Menschen unterschiedlicher Ansicht sein konnten. Irgendwann stand Jayden auf, der ganz schön einen im Kahn hatte.

»Also, jetzt!«, rief er Andy zu, der als Alleinbesitzer dieser Kneipe und der Frittenbude ziemlich gut im Geschäft war.

»O nein!«, stöhnten die anderen Fischer gleichzeitig, während sich Andy verbeugte und zum CD-Player rüberging.

»Also, wenn das die Damen nicht beeindruckt, dann weiß ich es auch nicht«, lallte Jayden.

»Äh, hm«, sagte Polly, aber Kerensa hatte sich schon gespannt aufgerichtet. Felicia rollte nur mit den Augen.

»Du beeindruckst doch mit gar nichts«, rief Kendall, und Jayden zeigte ihm den Stinkefinger.

»Archie! Tarnie! Kendall!«

Die Männer grummelten und schnaubten, standen zu Pollys Überraschung aber tatsächlich auf. Nun scharten sich die anderen Gäste des Lokals um sie, die offensichtlich genau wussten, was sie jetzt erwartete.

Andy drückte auf einen Knopf am CD-Player, und es ertönte ein lang gezogener, trauriger Klageton. Daraus wurde dann ein Volkstanz in Moll, der sowohl angeregt als auch melancholisch klang. Es war ein raues Lied, und Polly spürte, wie ihr das Herz ob seiner merkwürdigen Schönheit wehtat. Zu ihrer Verblüffung begannen die Männer dann zu tanzen, zunächst ein wenig verlegen, aber dann immer selbstbewusster, während sie in den Rhythmus fanden. Sie beugten und neigten sich und stampften mit den Füßen. Das war eine echte Seemanns-Hornpipe. So etwas hatte Polly noch nie gesehen, und als die Musik immer schneller wurde, wirkten die sich drehenden Männer gleichzeitig jung und uralt. Begeistert klatschte Polly in die Hände, als Tarnie ihr mit seinen weißen Zähnen ein strahlendes Lächeln schenkte. Dann kamen die Fischer wirbelnd in der Mitte zusammen und trennten sich wieder voneinander, bis die Musik einen schnellen, hektischen Höhepunkt erreichte. Der ganze Raum brach in lautes Grölen und Jubelrufe aus.

Unter Huckles aufmerksamem Blick lief Polly zu Tarnie, der ganz rot war, sich das Grinsen aber nicht vom Gesicht wischen konnte.

»Das war ja unglaublich!«, rief sie.

»Och«, sagte der Fischer schüchtern. »Der Tanz ist ein Brauch hier aus der Gegend … Mein Großvater hat ihn mir beigebracht.«

»Das ist WIRKLICH SEXY!«, verkündete Kerensa laut hinter Polly. »Nur zu schade, dass du nicht so sexy sein kannst, Reuben.«

»Und ob ich sexy bin!«, hörte Polly Reuben protestieren, aber dann rief Andy die letzte Runde aus, und es wurde langsam Zeit zum Aufbruch.

»Was für ein widerlicher kleiner Kotzbrocken«, murmelte Kerensa, als ein Bentley mit Chauffeur auf der kopfsteingepflasterten Straße vorfuhr. Felicia schob sich hinter Reuben hinein, der ihr den ganzen Abend kaum Beachtung geschenkt hatte.

»Oh, tut mir leid, dass du dich nicht amüsiert hast«, sagte Polly, die nach dem Tanz der Fischer immer noch ganz aufgekratzt war. Sie hakte sich bei ihrer Freundin unter, auf dem Heimweg wollte sie noch zur Frittenbude gehen. Polly hatte Kerensa noch nie Pommes essen sehen, die wusste vielleicht nicht einmal, wie das überhaupt ging.

»Oh, Gott, die riechen ja himmlisch«, seufzte Kerensa

kurz darauf und sog das Aroma der frittierten Kartoffelspalten tief ein.

»Man kann die auch essen«, sagte Polly. »Tu dir keinen Zwang an.«

In der noch immer warmen Nachtluft waren die Pommes mit Salz und Essig, die sie mit Fanta runterspülte, einfach köstlich. Die beiden Frauen hockten auf der Hafenmauer und ließen die Beine baumeln. Die Männer waren winkend und johlend von dannen gezogen, und Jayden hatte eine Partie mit einem Boot ans Festland übergesetzt. Polly hatte ihn allerdings kurz gefragt, ob das nach all dem Alkohol noch eine gute Idee sei. Jayden hatte mit todernster Miene entgegnet, dass die Männer von Mount Polbearne das schon seit achthundert Jahren täten, damit würden sie heute Nacht nun wirklich nicht aufhören. Dann hatte er mit Nachdruck die Hacken zusammengeschlagen, und Polly hatte nicht anders gekonnt, als zum Abschied lediglich kichernd zu winken.

»Ich habe mich doch amüsiert, sogar bestens«, sagte Kerensa.

Aufmerksam schaute Polly sie an. Konnte das wirklich wahr sein, aß Kerensa da etwa gerade ... eine Fritte?

»Was denn?«

»Aber findest du den Typen denn nicht das Letzte? Ich hab doch gehört, wie ihr euch angeschrien habt, es ging wohl um George W. Bush.«

»Ja, natürlich finde ich ihn das Letzte. Aber die Streiterei mit ihm hat schon Spaß gemacht. Du verstehst schon ...«

»Nein«, erwiderte Polly. »Ich streite mich nie gern, egal, mit wem.«

»Ach so«, machte Kerensa. »Na ja, wenn man so eine unhöfliche Arschgeige trifft, dann muss man sich eben nicht zurückhalten und kann mal so richtig vom Leder ziehen.«

»Hmm«, machte Polly. »Vielleicht solltest du ja in der Bäckerei arbeiten.«

Kerensa schaute sie an. »Und was ist mit dir, du Herzensbrecherin?«

Polly lief rot an und starrte konzentriert auf ihre Pommes. »Ich hab keine Ahnung, wovon du redest.«

»Ich rede von diesen beiden absolut umwerfenden Typen. Wie zum Teufel hast du das nur hingekriegt?«

»Ich hab doch überhaupt nichts hingekriegt«, murmelte Polly. »Das liegt wohl vor allem daran, dass es in dieser Stadt nicht viele Frauen gibt. Außerdem wollen die ja überhaupt nichts von mir. Wenigstens Huckle eindeutig nicht.«

»Dafür hat er dich aber ziemlich genau beobachtet.«

»Das glaub ich nicht«, seufzte Polly. »Er hat nämlich ... eine tragische Vergangenheit.« Mit den Fingern malte sie Anführungszeichen in die Luft. »Sobald irgendwer sein Privatleben erwähnt, macht er komplett dicht. Mal im Ernst, er ist nicht unattraktiv, aber ich bin doch nicht blöd – und er ist eindeutig nicht bereit, eine Beziehung einzugehen.«

»Und was ist mit dem anderen?«

»Tarnie?«, fragte Polly. »Machst du Witze? Der hat doch einen Bart.«

»Er hat einen BART? So eine bescheuerte Begründung hab ich ja noch nie gehört! Er hat einen BART? Brad Pitt trägt BART. Johnny Depp trägt BART. George Clooney trägt BART. Ben Affleck trägt BART. Muss ich fortfahren? Notfalls zieh ich sogar Mark Ruffalo in die Sache mit rein.«

Unbehaglich schaute Polly sie an. »Er ist schon wirklich nett zu mir gewesen.«

»O ja«, sagte Kerensa und machte eine obszöne Geste. »Weil er dir nämlich ans Ölzeug will.«

»Aber auch nur, weil es hier eben nicht viele Frauen gibt«, behauptete Polly wieder. Aus dem Augenwinkel sah sie Kerensa an. »Findest du den wirklich sexy?«

»Lass mich mal überlegen ...«, begann Kerensa. »Groß und durchtrainiert mit leuchtend blauen Augen und kräftigem Kiefer ... Polly, bist du denn blind?«

Die ertappte sich dabei, dass sie schon wieder in ihre Fritten starrte. »Das liegt nur daran, dass ich neu im Ort bin.«

»Ja, und?«, fragte Kerensa. »*Warum* er auf dich steht, ist doch wohl nicht entscheidend, oder?«

»Auf mich steht doch nie jemand«, murmelte Polly.

»Klar, weil sie normalerweise zuerst *mich* sehen«, nickte Kerensa weise. Es herrschte kurz Schweigen, und dann brachen beide in schallendes Gelächter aus.

»Jetzt halt den Rand, du blöde Pute!«

»Mal im Ernst«, begann Kerensa nun wieder. »*Buuhuu, mir geht's ja so schlecht, mein Leben ist eine Katastrophe!* Und dabei wohnst du an diesem wunderschönen Ort«, leicht angetrunken fuchtelte sie mit den Armen herum und deutete auf den Horizont, »in dieser süßen kleinen Wohnung –«

»Bruchbude«, fiel Polly ihr ins Wort.

»Nein, Wohnung«, beharrte Kerensa. »Und du bist hier schon zu Hause. Du hast Arbeit, neue Freunde inklusive dieser Nervensäge, ein ganz neues Leben. Ganz ehrlich, Polly«, sie stießen mit den Fanta-Dosen an, »das ist einfach unglaublich!«

»Du beschönigst da aber so einiges.«

»Es ist, was es ist«, sagte Kerensa. »Chris hingegen wohnt bei seiner Mutter, betrinkt sich und gräbt Kellnerinnen an.«

Polly sah sich um. Außer ihnen war keine Menschenseele zu sehen, und der Imbiss hatte inzwischen zu, aber das Meer schwieg niemals, sie hörten es im Hafenbecken leise schwappen, während die Masten klimperten.

»Na ja«, fing sie dann an, »okay, ganz so schlimm ist es hier wohl wirklich nicht ...«

»Was ist eigentlich aus meiner stets so fröhlichen Freundin geworden?«

Polly biss sich auf die Lippe.

»Na komm schon! Wo ist denn dein Lächeln hin? Das war ja früher gar nicht wegzudenken.«

Polly grinste sie an. »Jetzt hör schon auf!«

»Ha!«, lachte Kerensa. »Ich wusste doch, dass wir dich bald wiederhaben.« Sie fuhr Polly mit dem Finger über die Stirn. »Und jetzt brauchst du nur noch ein winzig kleines bisschen Botox, um diese Sorgenfalten loszuwerden ...«

Kapitel 14

Am nächsten Morgen schlief Polly aus, endlich mal wieder. Als sie aufwachte, war Kerensa schon weg, auf dem Weg zurück in die Stadt, zu all den Läden und der allgemeinen Geschäftigkeit. Irgendwie hatte Polly vorher angenommen, dass sie neidisch auf ihre Freundin sein und sie anbetteln würde, sie doch mitzunehmen.

Aber als sie nun zur Kaffeemaschine hinübertapste, wurde ihr klar, dass sie tatsächlich froh darüber war, nicht in diese Welt mit ihren lauten Radios, Pendlern, Staus, Drive-ins und vollgestopften Einkaufszentren zurückzumüssen. Es war, als hätte Kerensa ihr einen ganz neuen Blick auf Mount Polbearne ermöglicht. Durch Kerensas Augen sah sie das Städtchen nun als zauberhaften Ort, an dem man unbedingt leben wollte.

Polly schaute kurz auf ihr Handy. Sie hatte eine Nachricht von Reuben: *Ich liebe deine Freundin*, stand da. *Sag ihr doch bitte, sie soll mich anrufen, dann schick ich ihr mein Flugzeug.*

Polly lachte laut auf und war direkt ein bisschen enttäuscht, weil sie Kerensas Miene angesichts dieser SMS nicht sehen konnte. Mit ihrer Tasse Kaffee trat sie ans Fenster, und da war Tarnie.

»Was hast du denn heute so vor?«, rief er zu ihr herauf.

»Ich werd mal das schrecklich schmutzige Ladenlokal unten in Angriff nehmen, falls ich darin wirklich bald eine Bäckerei führen darf«, erklärte sie und verzog das Gesicht.

»Auf gar keinen Fall!«, rief Tarnie. »Heute ist doch Sonntag und ein wunderschöner noch dazu. Also, komm mit mir fischen!«

»Du willst mich zur Arbeit mitnehmen?«

»Nein, das ist nur zum Vergnügen.«

»Du fischst schon die ganze Woche, und in deiner Freizeit dann auch noch?«

»Müssen wir wirklich quer durch den Hafen schreien, um das zu diskutieren?«

Polly lächelte. »Okay. Soll ich ein Picknick mitbringen?«

»Nicht nötig«, sagte Tarnie. »Na ja, außer, bei dir liegt sowieso noch irgendwas Essbares rum.«

Polly dachte an den Graubrotteig, den sie gestern Abend aus reiner Gewohnheit angesetzt hatte.

»Ich muss sowieso erst noch das Boot klarmachen«, erklärte Tarnie.

»Gut«, rief Polly zurück. »Dann bin ich in vierzig Minuten unten.«

Als sie gewaschen und angezogen war, war auch das Brot fertig und duftete köstlich. Sie packte Honig und ein Messer in einen Korb, Käse, den sie am Straßenrand gekauft hatte, ein paar frühe Äpfel, eine große Flasche Wasser und dann aus einer Laune heraus die Geschenke von Kerensa, Macarons und teuren Weißwein. »Ha, so was kriegst du am Arsch der Welt nicht, oder?« Damit hatte sie durchaus recht gehabt.

Es war ein perfekter Tag, sonnig und warm mit einer frischen Brise, die winzige Wolkenfetzen über den Himmel trieb. Das Wasser hatte eine einladende blaue Farbe. Polly zögerte einen Moment und warf dann todesmutig auch noch ihren Badeanzug in den Korb, bevor sie die Treppe runterlief. Auf dem Weg nach unten blieb sie stehen und fragte sich, warum sie bloß das Gefühl hatte, etwas vergessen zu haben. Wegen Neil natürlich.

Eigentlich hatte sie ja an eine Fahrt mit dem Kutter gedacht, Tarnie hatte jedoch etwas anderes gemeint. Er stand neben einem kleinen Ruderboot mit einem kleinen Motor hinten.

»Willkommen auf meiner Jacht«, lächelte er.

»Wie hübsch«, bemerkte Polly und ließ sich von ihm ins Boot helfen.

»Hast du keinen Hut?«, fragte er.

»O nein«, sagte Polly. »Daran hab ich nicht gedacht.«

»Da draußen brennt die Sonne ziemlich«, gab Tarnie zu bedenken und warf ihr eine Mütze mit kleinen Taschen an den Seiten zu.

Polly zog sie sich über das rotblonde Haar. »Und, steht die mir?«

Tarnie lächelte. »Damit siehst du aus, als wärst du ungefähr fünf.«

»Das fasse ich mal als Nein auf.« Rasch nahm sie das Ding wieder ab. »Wofür sind denn diese Taschen? Für Würmer?«

»Irgendwie scheinst du ja davon besessen zu sein, Tiere mit dir herumzutragen«, stichelte Tarnie. »Aber nein. Das ist vor allem für Haken und Köder. Die kannst du allerdings heute mir überlassen.«

»Willst du damit andeuten, dass ich vom Angeln nichts verstehe?«

»Kannst du denn angeln?«

»Nein, aber du solltest nie etwas voraussetzen.«

Tarnie lächelte, als Polly sich eine Schwimmweste überzog.

»Was denn? Macht man das nur, wenn man ganz uncool ist?«

»Sorry«, sagte Tarnie. »Mein Fehler. Ich hatte angenommen, dass du schwimmen kannst.«

»Natürlich kann ich schwimmen.«

»Dann brauchst du das Ding auch nicht – außer natürlich, du willst unbedingt. Aber ich pass schon auf, dass es nicht so schaukelt.«

Während er die Hand auf die Pinne legte, zog Polly die sperrige Schwimmweste wieder aus und setzte sich vorne auf die hölzerne Bank. Tarnie sollte recht behalten: Das Boot machte zwar zunächst einen Satz, danach glitt es aber sanft durch die Wellen mit ihren weißen Spitzen. Außer ihnen war niemand auf dem Wasser, nur ein paar einsame Angler standen am Ende der Mole und warteten darauf, dass etwas anbiss. Die Sonne schien warm auf sie herunter, und Polly genoss die flotte Fahrt in dem kleinen Boot unendlich. Der Motor war laut, daher sprachen sie nicht und sahen nur dabei zu, wie der Umriss von Mount Polbearne langsam im Morgennebel verschwand, der Dunst ließ die sich aneinanderdrängenden Häuschen und kopfsteingepflasterten Straßen irgendwie so sanft und niedlich aussehen. Merkwürdigerweise stellte sie fest, dass sie den Ort schon fast als ihr Zuhause empfand.

Und dann waren sie bereits auf dem offenen Meer, das sich in seiner Endlosigkeit aufregend vor ihnen ausbreitete.

»Hier draußen ist es wunderschön«, rief Polly, lehnte sich zurück und genoss Sonne und Wind auf ihrer Haut. Als ihr warm wurde, streckte sie die Hand aus und ließ sie durchs Wasser gleiten. Das fühlte sich einfach toll an.

Nach vierzig Minuten sah sie etwas aus dem Meer ragen. Als sie näher kamen, wurde ihr klar, dass es sich um eine Mini-Insel handelte, ein winziges Stück Land mitten im Nichts.

»Wo sind wir denn hier?«

»Ich glaub, die hat nicht einmal einen Namen«, überlegte Tarnie. »Vogelinsel vielleicht.«

Als er mit dem Boot heranfuhr, entdeckte Polly einen wackeligen Landungssteg. »Wohnt hier etwa jemand?«

»Nein, das ginge gar nicht. Aber es gab jemanden, der früher oft hergekommen ist, so eine Art Einsiedler, glaub ich. Der Zweitgeborene einer reichen Familie, der mit der Welt nie richtig klargekommen ist. Der wurde hier früher mit jeder Menge Verpflegung rausgebracht und ist dann bis zum Winter ein paar Monate geblieben.«

»Was hat er denn die ganze Zeit gemacht?«, fragte Polly.

»Wahrscheinlich einfach nur aufs Meer geguckt«, sagte Tarnie, machte das Boot fest und hielt ihr die Hand hin. »Ehrlich gesagt weiß ich das nicht so genau. Als es noch keine Fernseher gab, waren die Leute vielleicht noch nicht so anspruchsvoll.«

Tatsächlich, oberhalb des Stegs und des schmalen gelben Strands standen die verlassenen Überreste eines Häuschens aus grob behauenem Stein.

»Wow«, sagte Polly.

»Ich weiß«, nickte Tarnie und schaute zu den Graffiti rüber. »Im Sommer stehlen Jugendliche ihren Eltern das Boot und kommen hierher, um wer weiß was zu treiben. Am besten bewundern wir das nur aus der Ferne.«

Es gab auch Überreste mehrerer Lagerfeuer.

»Darf man hier denn Feuer machen?«, erkundigte sich Polly.

»Legal ist das zwar nicht«, sagte Tarnie, »aber klar.«

Sie drehten eine Runde – auf der Insel standen große Eschen, die vom Wind ganz krumm waren, und hier und da huschten Kaninchen vorbei. Es war sehr einsam hier – das Festland war nur noch eine schmale Linie am Horizont –, aber auch wunderschön.

»Wie ist der denn an Trinkwasser gekommen?«, fragte Polly plötzlich.

»Oh, er hatte eine Regentonne. Von dem Zeug fällt ja nun wirklich genug vom Himmel.«

»Allerdings«, nickte Polly.

»Von Zeit zu Zeit kam hier die Flotte vorbei, wir zum Beispiel fahren diese Route jeden Tag. Genau wie die Fischer aus Looe.«

Polly nickte.

»Okay«, sagte Tarnie. »Bereit zum Angeln?«

Polly hatte Angst davor, sich mit dem Haken ein Auge auszustechen, aber Tarnie zeigte ihr, wie man die Angel richtig auswarf, dann saßen sie auf dem Steg und warteten. Tarnie erklärte, dass die Fische hier durch all die Wasserpflanzen viel zu fressen hatten. Außerdem hatten Polly und er wohl wirklich Glück gehabt, heute Morgen als Erste hier gelandet zu sein. »Setz dein strengstes Gesicht auf, wenn jemand vorbeikommt«, fügte er noch hinzu.

»Selber!«, sagte Polly.

Tarnie lächelte, und seine Augen waren sehr blau.

»Ehrlich gesagt fahren die meisten sowieso weiter, wenn sie sehen, dass schon jemand da ist«, erklärte er. »Die Insel ist so klein, dass einfach nicht für mehrere Platz ist, wenn man hier einen ruhigen Tag verbringen will. Also haben wir sie quasi besetzt.«

»Unsere eigene kleine Insel«, schwärmte Polly. Wieder grinste der Fischer sie an.

Sie hatte als Erste Glück, plötzlich zog etwas an ihrer Schnur. Als sie aufstand, wäre sie beinahe im Wasser gelandet.

»Hurra!«, rief sie. »Ich hab einen! Ich hab einen!«

Tarnie lächelte. »Gut gemacht! So, jetzt mal los, langsam einholen! Na, zieh!«

»O mein Gott!«, rief Polly aufgeregt, als der große silberne Umriss sichtbar wurde und unter der Oberfläche zuckte und zappelte. »O Gott, nein, auf keinen Fall will ich einen Fisch umbringen.«

Tarnie sah sie an. »Polly, dafür ist es jetzt ein bisschen zu spät.«

»Ich weiß, ich weiß ...« Sie stieß einen gequälten Laut aus und hätte die Angel beinahe fallen gelassen.

»Soll ich mal übernehmen?«

Sie nickte rasch und ärgerte sich gleichzeitig, weil sie so ein Theater machte. Tarnie trat hinter sie und nahm ihr sanft und wie beiläufig die Angelrute aus der Hand, dann machte er einen Schritt beiseite und begann die Schnur einzuholen.

Die Sonne glänzte auf dem Wasser und auf den silbrigen Schuppen, als der zappelnde Fisch ganz langsam hochgezogen wurde. Es war ein Hering, und zwar ein großer.

»Es tut mir leid, Herr Fisch«, murmelte Polly.

»Das ist nicht der beste Zeitpunkt, um plötzlich Vegetarierin zu werden«, sagte Tarnie, während er den Fisch gekonnt vom Haken zog. »Okay«, fügte er hinzu, »jetzt guckst du vielleicht besser nicht hin.«

Er griff in seine Tasche, holte ein langes, silbernes Messer hervor und begann den Fisch dann mit raschen, ruhigen Bewegungen auszunehmen. Polly schielte durch die Finger hindurch, und Tarnie lächelte sie an.

»Du stellst dich ganz schön an«, sagte er.

»Ich weiß«, murmelte Polly, »das ist echt albern. Aber die kauf ich normalerweise eingeschweißt im Supermarkt.«

»Dann hast du wohl noch nie richtigen Fisch gegessen«, stellte Tarnie schlicht fest. »Zur Strafe musst du uns jetzt Holz sammeln.«

»Im Ernst?«

»Im Ernst.«

Eigentlich fand Polly es herrlich, durch den smaragdgrünen Baldachin vor der Sonne geschützt im kleinen Wäldchen herumzulaufen. Sie verlor sich immer tiefer im Hain und hob unterwegs Äste und Zweige auf. Außer Vogelgezwitscher war kein Laut zu hören, es war einfach nur still und wunderschön. Allmählich verstand sie, warum in Cornwall so viele Menschen noch an Elfen glaubten, der Ort war wirklich magisch. Tief sog sie die frische, salzige Luft ein und lächelte. Konnte es denn sein, dass sie beinahe glücklich war?

Als sie schließlich zurückkehrte, hatte Tarnie noch mehrere Fische gefangen. Sie übergab ihm das Holz, und er fing an, daraus ein hübsches kleines Lagerfeuer aufzuschichten.

»Aber das ist doch illegal«, wandte sie ein.

»Ja, für betrunkene Teenager, die damit womöglich die ganze Insel in Brand stecken«, meinte Tarnie. »Das sollten wir auch lieber nicht machen.«

Bald war ein Prasseln zu hören, Tarnie holte Alufolie, Butter, eine Zitrone und Petersilie aus seiner Tasche. Dann wickelte er die Fische ein und platzierte sie auf Steinen neben den Flammen.

Polly holte die Weinflasche, die Tarnie vorausschauend zum Kühlen ins Wasser gelegt hatte, und riss Stücke vom frischen Brot ab, das immer noch ofenwarm war. Das bestrichen sie mit Butter und aßen es zum Fisch, der durch das Feuer ein unglaubliches, rauchiges Aroma angenommen hatte. Sie bekamen ganz fettige Hände, weil Polly die Servietten vergessen hatte, und verbrannten sich hier und da die Finger. Als sie dann schließlich die Gräten ins Wasser warfen, musste Polly zugeben, dass das alles vielleicht nicht besonders damenhaft war, dafür aber die beste Mahlzeit ihres Lebens.

Vom kühlen Wein und der warmen Sonne wurde Polly ganz schläfrig. Sie legte sich hin und holte sich einen Apfel aus ihrem Picknickkorb. Als sie hineinbiss, bemerkte sie, dass Tarnie sie dabei nicht aus den Augen ließ, und mit einem Mal schien sich die Stimmung zwischen ihnen zu verändern.

»Auch 'n Apfel?«, fragte sie.

Tarnie blinzelte. »Nein, danke.« Er wandte den Blick ab, und dann sah er sie wieder an. »Äh«, machte er.

Und plötzlich wurde Polly klar, dass Kerensa wohl recht gehabt hatte. *Guck dir doch nur mal an, wo wir hier sind und was wir hier machen.* Das war kein Angelausflug unter Freunden, sonst hätte er bestimmt auch seine Kumpels mitgebracht. Nein, das hier war etwas ganz anderes.

Einen Moment saßen sie schweigend da, dann stand Tarnie auf und ging über den Sand zum Wasser hinunter.

»Mir ist heiß!«, rief er und zog ohne Vorwarnung sein T-Shirt aus. Er war schlank, schmaler, als Polly erwartet hatte, sehnig und trotzdem muskulös.

Die langen Shorts ließ er an und sprang damit einfach ins Wasser.

Polly schaute ihm hinterher – er war offenbar ein hervorragender Schwimmer und kam erst wieder an die Oberfläche, als sie schon anfing, sich Sorgen zu machen. Aber dann tauchte ein dunkler Kopf wie der eines Seehundes auf. Tarnie winkte.

»Wie ist denn das Wasser?«, fragte sie.

»Erfrischend!«, rief er zurück.

»Das heißt normalerweise *eiskalt*«, sagte sie.

»Feigling!«

»Hey, was fällt dir ein!«, knurrte Polly. Tatsächlich war auch ihr heiß, und sie war ganz verschwitzt. »Außerdem darf man direkt nach dem Essen sowieso nicht baden, oder wurde das inzwischen widerlegt?«

»Feigling!«

Bevor sie allzu lange zögerte, huschte sie in das Wäldchen und schlüpfte dort in den Retro-Badeanzug mit Kirschmuster, den sie zu einer Zeit online gekauft hatte, in der Shoppen einfach ein angenehmer Zeitvertreib gewesen war. Ganz kurz wünschte sie sich einen Spiegel, dann war sie aber froh, dass sie keinen hatte. Damit würde sie ja doch nur anfangen, an sich herumzukritteln und nach Problemzonen zu suchen – nach dem langen Winter war sie zum Beispiel am ganzen Körper schneeweiß. Auch deshalb war es wohl das Beste, einfach loszurennen und ins Wasser zu springen, bevor sie es sich anders überlegen konnte.

Es war überhaupt nicht erfrischend oder wenigstens nur kalt. Es war verdammt noch mal eisig.

»Aaah!«, kreischte Polly und strampelte wie verrückt, während sich in ihr alles zusammenzog. »Was ist das denn?«

Tarnie brach in Gelächter aus. Fröhlich dümpelte er in Rückenlage auf dem Wasser, und es war seltsam, ihn so entspannt zu sehen.

»Daran gewöhnst du dich schon«, versprach er. »Ein bisschen kaltes Wasser hat noch niemandem geschadet.«

»O doch, das kann ja nicht gesund sein!«, protestierte Polly, der der Schreck immer noch in den Knochen steckte. Aber dann tauchte sie wieder unter, und es gelang ihr sogar, nicht zu quieken, als ein Fisch ihr Bein streifte. Das Wasser war hier so klar wie im Mittelmeer.

Irgendwann gewöhnte sie sich dann wirklich an die Temperatur und kam neben Tarnie wieder nach oben. Die Sonne fühlte sich auf der Haut einfach umwerfend an, als sie sich auf den Rücken legte und mit den Armen ruderte, um nicht unterzugehen.

»Mensch, das ist einfach super«, sagte sie lächelnd.

Tarnie sah sie an. Auf einmal waren seine Augen noch viel blauer, und seine Zähne noch viel weißer. Und plötzlich kam es ihr wie das Einfachste auf der Welt vor, sich an ihn herantreiben zu lassen, unter dem blauen Himmel und der Sonne die Augen zu schließen, sich von Tarnie näher ziehen und küssen zu lassen.

Es waren die Gegensätze gewesen: die warme Sonne und das kalte Wasser, sein rauer Bart und ihre weiche Haut, die weite See und die Nähe zu einem anderen Menschen, die nach so langer Zeit neu, aufregend und anders war.

Auf dem Rückweg lag Polly zufrieden im Boot, sie war müde und ein wenig kichrig. Irgendwie fühlte sie sich gar nicht so recht wie sie selbst. Sie hatte sich mit Blick in Richtung Tarnie vorne im Boot ausgestreckt, und von Zeit zu Zeit sahen sie sich an oder lächelten. Ansonsten hielt sie einfach nur wieder die Hand ins Wasser und genoss das wunderbare Gefühl, hier in ihrem eigenen Körper zu stecken und diesen Augenblick zu erleben. In diesem Moment grübelte sie nicht über die Vergangenheit nach und dachte auch nicht an die Zukunft. Sie zerbrach sich nicht den Kopf darüber, was sie alles noch erledigen musste, sondern konzentrierte sich einfach nur darauf, zu erleben und zu fühlen. Langsam sank die Sonne am Horizont, und die Wolken verfärbten sich rosa. Und dann wurde ihr auf einmal klar, dass sie glücklich war. Sie war glücklich.

Als sie in den Hafen von Polbearne tuckerten, machten die anderen bereits den Kutter fertig. Tarnies Kollegen johlten gutmütig und winkten – da würden sie beide in nächster Zeit wohl einige Sticheleien über sich ergehen lassen müssen.

»Hm«, machte Tarnie und grinste sie entschuldigend an.

»Ich nehme mal an, dass du nicht noch mit reinkommen kannst, oder?«, fragte Polly kühn.

»Ich muss arbeiten«, sagte er, dann streckte er seine raue, schwielige Hand aus und streichelte ihr übers Gesicht. Sie schmiegte sich an seine Handfläche.

»Aber bald«, versprach er und sah sie aus stechend blauen Augen an.

»Bald«, wiederholte sie flüsternd.

»HALLO!«, rief Jayden vom Boot aus. »WIE WAR DIE SPRITZTOUR?«

»Halt's Maul, Jay!«, grummelte Tarnie.

Sie sahen einander an.

»Danke für den schönen Tag«, sagte Polly.

Tarnie senkte den Blick.

»Es, äh, war mir ein Vergnügen«, sagte er. Dann lehnte er sich vor und küsste sie vor aller Augen zart auf die Wange. Polly errötete sanft und ging mit ihrem Picknickkorb nach Hause.

»Du hast was?«, kreischte Kerensa. »Und auch noch auf einer Insel? Mein Gott, bin ich neidisch!«

»Und warum gehst du dann nicht mit den Millionen von Männern aus, die dich ständig um ein Date anflehen?«

»Ich hab schließlich so meine Ansprüche«, schnaubte Kerensa. »Das war jetzt nicht so gemeint, wie es klang.«

»Na, und ob!«, widersprach ihr Polly. Sie hatte die Füße auf das Fensterbrett hochgelegt, trank ein Bier, betrachtete den Sonnenuntergang und war einfach unglaublich zufrieden. »Aber keine Sorge, heute stört es mich nicht.«

»Weil dich die ganzen Sexhormone völlig kirre machen.«

»Das nun nicht gerade, aber es geht mir einfach gut.«

»Eben«, sagte Kerensa. »Genau darin liegt ja ihre Wirkung.«

Polly rollte mit den Augen. »Hattest nicht du mich gedrängt, endlich wieder in den Sattel zu steigen?«

»Da hast du allerdings recht.«

Und da fiel es Polly endlich wieder ein.

»Übrigens, dieser kleine Amerikaner hat mir gesagt, dass er dich liebt.«

»Ha!«, rief Kerensa. »Na, dann richte ihm mal von mir aus, wie ätzend ich ihn finde.«

»Du weißt schon, dass er unfassbar reich ist, oder?«

»Oh, klar, für so viel Geld verkaufe ich mich natürlich auch gerne an jemanden, den ich nicht ausstehen kann«, maulte Kerensa. »Na, vielen Dank.«

Polly nahm noch einen Schluck Bier.

»Also«, sagte sie, »auf jeden Fall war es super. Einfach unglaublich.«

»Ja, ist ja gut«, murmelte Kerensa. »Hör mal, könntest du vielleicht irgendwann mal Chris anrufen?«

»Wieso das denn?« Polly schreckte aus ihrer Träumerei auf.

»Ach, nur so. Ihm geht es wohl ziemlich dreckig. Ich glaube, er hat das Gefühl, dass es bei dir super läuft und er hingegen ganz arm dran ist. Deshalb ist er ziemlich verbittert.«

»Und wie soll ich ihm da weiterhelfen?«

»Das weiß ich auch nicht«, gab Kerensa ohne Umschweife zu. »Aber vielleicht kannst du ihn ja davon überzeugen, dass er nach vorne sehen und sein Leben wieder in die Hand nehmen muss.«

Polly seufzte. »Ja, okay«, sagte sie, »dann ruf ich ihn wohl mal an.«

»Frauen fällt so ein Neuanfang immer leichter«, bemerkte Kerensa. »Wusstest du das? Männer sind in solchen Sachen ganz schlecht. Deshalb heiraten sie auch immer wie aus Versehen.«

»Hmm«, sagte Polly. »Vielleicht kannst du ihm ja sagen, dass er mich anrufen soll.«

»Versuch einfach, nicht allzu sextrunken und glücklich zu klingen.«

»Ich bin doch gar nicht ...« Polly lächelte. »Na ja, ein kleines bisschen vielleicht doch.«

»Gut«, versetzte Kerensa. »Das wurde auch wirklich Zeit.«

Kapitel 15

Am nächsten Morgen lag weiterhin ein Lächeln auf Pollys Lippen, und das wurde sogar noch strahlender, als sie Mrs Manse ihre neue Idee erklärte: Sie würde in der einen Bäckerei, Gillian in der anderen arbeiten, und Polly würde ihr weiter alle schwere körperliche Arbeit abnehmen. Überraschenderweise schien ihre Chefin gar nicht abgeneigt.

»Na gut, so lange, bis Sie wieder aus Mount Polbearne wegziehen«, schniefte sie, was für ihre Verhältnisse beinahe begeistert klang.

»Also, wenn das klappen sollte, dann bleibe ich vielleicht sogar«, gab Polly zu bedenken, aber Mrs Manse starrte sie nur finster an und ließ unheilvoll den Busen wogen. Trotzdem freute sie sich offensichtlich darüber, ihren Laden bald wieder für sich zu haben. Es schmeckte ihr weiterhin nicht recht, dass Polly weitestgehend das Backen übernehmen würde, weil sie selbst dafür nicht mehr die Kraft hatte.

Polly nahm ohne Murren einen sehr langen Arbeitstag in Angriff. Zunächst half sie Mrs Manse dabei, in ihrem Laden wieder alles so zu arrangieren, wie sie es haben wollte, dann zog sie mit dem Mehl ins andere Gebäude um.

Natürlich war das Geschäft ziemlich heruntergekommen, aber jetzt, wo es wenigstens nicht mehr ständig regnete, konnte man hier schon arbeiten. Wenn sie den Laden zum

Laufen bringen und damit ein wenig Geld verdienen würde, könnte sie ihn ja vielleicht zum Winter hin etwas herrichten lassen. Sie fand es selbst schockierend, dass sie so weit im Voraus dachte, aber sie konnte nicht anders, sie war nämlich vor Aufregung ganz kribbelig. Ihre eigene Bäckerei! Na ja, gut, nicht so ganz ihre, aber immerhin ... Sie musste unbedingt Huckle anrufen und ihm für die gute Idee danken. Und vielleicht würde später noch Tarnie vorbeikommen, und ... beim Gedanken an ihn lief sie rot an und machte sich lieber schnell wieder an die Arbeit.

Als sie den großen Zentralschalter für den Strom umlegte, musste sie daran denken, wie ängstlich sie bei ihrem ersten Besuch hier unten gewesen war, bis sie dann schließlich den armen kleinen Neil entdeckt hatte. Zum ersten Mal zündete sie nun Holz für den Steinofen an. Der gab eine unglaubliche Hitze ab, Reuben hatte an der Qualität wirklich nicht gespart. Das normale Brot würde sie in den Standardöfen backen können, und sie würde auch genug Gelegenheit haben, die großen Industriemixer zu nutzen, aber jetzt wollte sie erst einmal mit etwas ganz Einfachem anfangen. Mrs Manse würde in ihrem Laden Pollys Brot verkaufen und konnte sich so beim Backen auf ihre Pasteten und Sandwiches konzentrieren. Sie würden erst einmal sehen, wie es lief. Das basierte alles auf einer formlosen Abmachung, und Polly hatte das Gefühl, dass Mrs Manse wohl fast allem zugestimmt hätte, was sie aus ihrer direkten Umgebung fernhielt. Sie tröstete sich mit dem Gedanken, dass es ja nicht persönlich gemeint war und Gillian eben niemanden leiden konnte.

Nun schob Polly ihre ersten sechs Focacciafladen in den Ofen und verbrannte sich sofort die Finger am langen Ofenschieber. Außerdem verbrannte auch das Brot. Sie musste noch dreimal frischen Teig zubereiten, bis die Focaccia dann endlich perfekt wurde. Die Fladen waren viel schneller fertig, als sie angenommen hatte, und es war auch gar nicht so einfach, die richtige Menge Olivenöl sowie die perfekte Balance aus Salz und Rosmarin hinzubekommen.

Als das Brot dann endlich etwas geworden war, war der Qualitätsunterschied allerdings unglaublich. Diese Focaccia war ganz anders als alles, was sie je gebacken hatte: außen knusprig und rösch, innen weich und elastisch. Der Geruch war himmlisch, der warme Duft frischen Brotes mit leichtem Röstaroma. Polly war drauf und dran, das komplette Ding in sich hineinzustopfen.

Als Nächstes probierte sie es mit einer Pissaladière, einem Gemüsekuchen mit langsam gegarten Zwiebeln. Der war noch viel besser, die durch die rauchige Hitze des Ofens weichen und süßen karamellisierten Zwiebeln bildeten einen wunderbaren Gegensatz zum kräftigeren Geschmack der Anchovis und der Oliven, die sie darübergestreut hatte. Dann backte sie ein Käsebrot mit knusprigem Schmelz.

Polly betrachtete den Ofen von der Seite und musste sich eingestehen, dass sie durch ihn auf einen Schlag eine hundertmal bessere Bäckerin geworden war. Deshalb schrieb sie Reuben eine SMS und lud ihn ein, jederzeit vorbeizuschauen. Dann ging sie zögerlich zum Schild an der Ladentür rüber und drehte es um, sodass von außen »Geöffnet« zu lesen war.

Die Passanten konnten einfach nicht widerstehen. Vielleicht wollten sie nur unbedingt wissen, was hier los war, vielleicht zog sie auch der Duft magisch an. Jedenfalls hatte Polly schon nach einer Viertelstunde eine wahre Menschenmenge angelockt – oder zumindest das, was in Mount Polbearne als Menschenmenge durchging. Sie stellte Teller mit Probierportionen auf die Theke, in die sie Zahnstocher gepikst hatte.

»PROBIERPORTIONEN!«, sagte sie zu Jayden, der nicht antworten konnte, weil er den Mund voll hatte. »Das heißt, dass du ein Stück probierst, um zu sehen, ob es dir schmeckt.«

»Aber es schmeckt mir doch«, sagte Jayden finster, »das ist echt lecker, und genau deshalb nehm ich mir ja auch nach.«

»Nein, als Nächstes kauft man dann was.«

»Oh«, machte Jayden. »Das wäre auch zu schön gewesen, um wahr zu sein.«

»Das ist hier doch schließlich ein Laden.«

»Okay«, murmelte er. »Kann ich welche davon haben?« Er deutete auf ihre Käsestangen. »Was kosten die denn?«

»Gute Frage«, sagte Polly. »Das hätte ich mir vielleicht vorher überlegen sollen. Hm, ein Pfund?«

Sorgfältig zählte Jayden drei Münzen auf die Theke.

»Dann hätte ich gerne drei Stück.«

»Bist du sicher? Die sind ziemlich groß.«

Jayden starrte sie an.

»Ich bin mal nach Exeter gefahren und hab da vier Big Macs gegessen«, erklärte er. »Danach war mir dann schlecht, aber ich hab's geschafft!«

»Meinen Glückwunsch!«, sagte Polly.

»Das war der beste Tag meines Lebens«, verkündete Jayden.

Dann schaute er sie mit einem Mal verschmitzt an.

»Also, äh, hast du eigentlich schon mit Tarnie gesprochen?«

Streng schaute Polly ihn an.

»Jayden, ich würde dir wirklich ungern Ladenverbot erteilen.«

»Du verwandelst dich ja schon in eine zweite Mrs Manse!«

Polly öffnete eine der Papiertüten, die sie aus der anderen Bäckerei mitgebracht hatte. Sie schob die Käsestangen hinein und versetzte: »So, dann zieh mal Leine!«

»Ich könnte ihn von dir grüßen«, schlug Jayden keck vor.

»Und ich könnte ihn bitten, dir einen Tritt in den Hintern zu geben«, sagte Polly, bevor ihr klar wurde, dass die elegante Dame, die gerade den Laden betreten hatte, das auch gehört hatte.

»Oh, tut mir leid.«

»Kein Problem«, sagte die Frau. Ihrem Akzent und den Klamotten nach zu urteilen, war sie nicht hier aus der Gegend.

»Sind Sie neu hier?«, fragte Polly und wurde bei dem Gedanken ganz aufgeregt, dass es in Polbearne womöglich Leute gab, die noch nach ihr hergezogen waren.

»Äh, also ...« Die Frau sah sich um. »Wissen Sie, wir sind auf der Suche nach einem Feriendomizil, einem Ort, an dem wir mal alles hinter uns lassen können. Wir suchen was ganz Ruhiges, das Problem ist nur, dass an den wirklich ruhigen Orten die Infrastruktur fehlt, da gibt es keine Restaurants und so.«

Sie galt wohl als hübsch, dachte Polly, sehr dünn, mit Strähnchen und fuchsiafarbenem Lippenstift.

»Na ja«, sagte Polly, »genau deshalb ist es da ja so ruhig. Weil es da eben keine Restaurants gibt und auch sonst rein gar nichts.«

»Dann verstehen Sie ja mein Dilemma«, nickte die Frau.

»Wir möchte gerne was ganz Unberührtes, wo es aber auch tolles Essen und lokale Produkte gibt.«

»Das ist allerdings ein Problem«, murmelte Polly und dachte bei sich, dass diese Frau wohl besser in einen der größeren Orte passen würde. »Haben Sie schon mal an Rock gedacht?«

Die Frau verzog das Gesicht. »O ja, grauenhaft. Voll von Leuten mit Wochenendhäusern, die laut palavernd auf den Restaurantterrassen sitzen.«

»Und das wollen Sie nun wirklich nicht?«

Man musste der Frau zugutehalten, dass sie darüber lächelte.

»Ja, ja, ich weiß. Wir möchten eben gern irgendwo die Ersten sein. Und das ist wirklich nicht einfach!«

»Tja, damit kann ich Ihnen leider auch nicht helfen«, musste Polly zugeben. »Aber ich könnte Sie mit Brot versorgen.« Sie deutete auf die Laibe in den neuen Körben, die sie zwar im Ramschladen erstanden hatte, die aber angenehm rustikal aussahen.

Die Frau studierte den Laden einen Moment, und dann erhellte sich ihre Miene.

»Haben Sie da tatsächlich ... einen Steinofen?«

»Jap.«

Die Augen der Frau wurden immer größer.

»Und ist das da etwa ... Brot mit getrockneten Tomaten?«

»Allerdings.«

Polly griff nach ihrem Tomatenbrot und ließ die Frau ein kleines Stück davon probieren. Sie verzehrte eine winzige Krume und quietschte dann laut.

»Henry! Hen!«, rief sie mit gellender Stimme zu dem Range Rover hinüber, der draußen die halbe Straße versperrte. »Ich glaube, wir haben es gefunden. Das ist es! Von diesem Ort haben die Hambleton-Smythes bestimmt noch nie gehört! Das wird unser unentdecktes Juwel!«

Ein bulliger Mann stieg aus dem Wagen. Er war um einiges älter als seine Frau und hatte den Kragen seines rosafarbenen Rugby-Shirts hochgestellt.

»Gott sei Dank«, sagte er zu Polly. »Wenn sie nicht ordentlich angeben kann, kommt sie nie aus dem Quark. Und das sieht hier ja wirklich ganz nett aus.«

»Ich bin mir allerdings nicht sicher, ob hier irgendwas zum Verkauf steht«, gab Polly zu bedenken. Am Samstagabend hatte sie Lance, den molligen Immobilienmakler, im Pub getroffen. Er hatte ein ziemlich finsteres Gesicht gezogen, als sie ihn gefragt hatte, wie denn die Geschäfte so liefen.

Das Ehepaar begann zu lachen.

»Oh, am Ende krieg ich immer, was ich will«, sagte der Mann.

»Ja, das tust du, mein Schatz«, säuselte die Frau.

»Jeder hat eben seinen Preis. Also, ich nehme etwas von allem, was Sie haben. Für dich allerdings nicht, Püppchen, wir wollen doch nicht, dass du in die Breite gehst, oder?«

»Nein, Hen«, lispelte sie. »Ich bleibe dein süßes kleines Mäuschen.«

Polly sah ihnen hinterher, als sie gingen, Henry stürzte sich bereits gierig auf die Tüte mit dem Gebäck. Merkwürdigerweise hatte sie fast ein schlechtes Gewissen, weil sie etwas hereingelassen hatte, was nicht zu Polbearne gehörte. Wenn die beiden statt bei ihr in Mrs Manses Bäckerei gewesen wären, hätte der Mann seinen Range Rover mit Sicherheit nicht einfach so mitten auf der Straße stehen lassen. Andererseits hatten im Laufe des Vormittags ja auch die Einheimischen vorbeigeschaut, Muriel vom Lädchen und der Tierarzt, der sich freundlich nach Neil erkundigt und dann ein geschnittenes Weißbrot gekauft hatte. Danach war noch eine endlose Prozession von Fischern durch den Laden gezogen, die zwar etwas zu essen kaufen, aber auch einen Blick auf die Frau werfen wollten, die Tarnie ins Netz gegangen war. So langsam bekam sie ein ungutes Gefühl in der Magengrube, und ein Teil von ihr wünschte sich, sie wäre nicht vor aller Augen zusammen mit ihm im Boot vorgefahren. Aber was war ihnen denn anderes übriggeblieben? Sie fragte sich, wann er sich wohl bei ihr melden würde.

Denn er würde sie doch anrufen, oder? Bestimmt. Schließlich war das kein übles Date in einem lauten Nachtclub gewesen, in dem sie sich die ganze Zeit angeschrien hatten, und auch kein peinliches Essen in einem mittelmäßigen Restaurant, in dem sie verkrampft versucht hatten, über Sport, Musik oder Politik einen gemeinsamen Nenner zu finden. Das hier hatte sich ganz natürlich ergeben, oder etwa nicht? War es nicht einfach so aus all dem erwachsen, was sie zusammen erlebt hatten? Genau, so war es gewesen. Und deshalb musste sie sich auch keine Gedanken darüber machen, ob er anrufen würde, weil sie sich ja ohnehin sehen würden – er arbeitete schließlich direkt vor ihrem Fenster. Und wenn sie sich das nächste Mal begegneten, würde es ganz locker und schön sein, selbst wenn im Hintergrund seine Fischerfreunde kicherten.

Als sie nun an den Vortag zurückdachte, war ihr die ganze Sache trotzdem ein wenig peinlich. Sie hatte sich hinreißen lassen, unter normalen Umständen hätte sie nämlich nicht ... aber es war so ein schöner Tag gewesen, und sie hatte endlich mal wieder Spaß gehabt ... Daher verbot sie sich, jetzt ein schlechtes Gewissen zu bekommen.

Aber dieses erste Mal nach so langer Zeit war schon seltsam gewesen. Sein Körper war so ganz anders als der von Chris, der während ihrer langen Beziehung immer weicher und schlaffer geworden war. Zu viel Fast Food, zu viele Nächte vor Computer oder Zeichenbrett, zu viel Bier am Wochenende. Tarnie hingegen hatte sich hart und kantig angefühlt. *Nicht besser oder schlechter*, dachte sie, *eben anders*. Aber das war ja zu erwarten, wenn man so aus der Übung war. Da lief dann nicht schon beim ersten Mal alles glatt, man brauchte Übung, um sich aneinander zu gewöhnen, davon war sie überzeugt.

Sie rieb sich den Nacken und backte dann noch eine Ladung Käsestangen, die waren nämlich ein großer Hit. Das Honigbrot blieb hingegen unberührt, das war für ihre bisherige Kundschaft vielleicht zu anspruchsvoll, aber kein Problem, sie würde ihnen noch ein bisschen Zeit geben.

Und tatsächlich, um zwei Uhr hatte sie ihre komplette Ware verkauft. Die Leute, die jetzt noch kamen, zogen enttäuscht wieder von dannen.

Polly warf einen Blick auf die Uhr und begann ihre Einnahmen zu zählen. Mrs Manse würde sich bestimmt freuen – falls die sich denn überhaupt freuen konnte. Und dann wurde Polly plötzlich klar, dass sie in der Sommersaison mit all den Ausflüglern den Laden vielleicht jeden Tag um zwei Uhr schließen konnte. Sie versuchte, die in ihr aufsteigende Begeisterung zu dämpfen. Wenn – und das war ein großes Wenn, das ganz von ihrer schwierigen Chefin abhing – wenn das also jeden Tag so laufen würde, dann wäre das mehr als ein Job, das wäre richtige Arbeit.

Und eine ganz andere Art von Arbeit – sie backte Brot und verkaufte es. Polly dachte an ihre Zusammenarbeit mit Chris, an das endlose Ringen um jeden Auftrag, das ermüdende abendliche Ausgehen, die endlosen Meetings, in denen sie Projekte besprochen und auf eine Zusage gehofft hatten, die minutiöse Planung, das Sich-Anpassen an ständige Änderungswünsche und an die Millionen unterschiedlichen Möglichkeiten, die Dinge zu tun.

Hier war alles ganz anders – wenn die Leute ein Brötchen wollten, dann kauften sie ein Brötchen. Wenn sie Brot wollten, dann kauften sie Brot. Und wenn nicht, dann eben nicht. Der ganze Vorgang hatte irgendwie etwas Erdverbundenes, Echtes an sich, was sie so noch nicht kannte. Wenn sie kein Brot backte, würde sie nichts einnehmen und nichts verdienen. Wenn sie gute Sachen backte, würden die Leute wiederkommen – und vielleicht sogar ein Haus kaufen, nur um näher an ihrer Bäckerei zu sein.

Plötzlich kam es ihr vor, als sei in der kleinen Bäckerei am Strandweg alles möglich. So sah es in diesem Moment wirklich aus.

Sie drehte das Schild an der Tür wieder um und begann, den Laden aufzuräumen. Sie musste sich angewöhnen, sauberer und effizienter zu arbeiten, oder vielleicht konnte sie ja auch jemanden stundenweise zum Putzen einstellen. Als sie sich gerade ermahnte, sich bloß nicht schon zu sehr in irgendwas hineinzusteigern, klingelte ihr Telefon.

Ihr früheres Handy war auf die Firma gelaufen. Das Mr Bassi zu überreichen war einer der schmachvollsten Momente ihres Lebens gewesen. Sie hatte sich ein neues, billiges

Mobiltelefon gekauft, aber kaum jemandem die Nummer gegeben. Das konnte sie immer noch tun, wenn sie irgendwann wieder so weit war, ihren Freunden entgegenzutreten.

Die Nummer auf dem Display kannte sie nicht, aber das musste Tarnie sein. Sie lächelte und war auf einmal ganz aufgeregt. Wie würde das wohl laufen? Würden sie sich jetzt zu einem richtigen Rendezvous verabreden? Plötzlich kam ihr die Vorstellung von Tarnie in einem netten Restaurant oder im Kino albern vor, Polly hatte ihn ja auch kaum nur im Inneren eines Gebäudes gesehen. Er war eben kein Stubenhocker, sondern jemand, der an die frische Luft gehörte, wo ihm das Salzwasser um die Ohren spritzte.

»Hallo?«, sagte sie forsch ins Handy. Sie gab sich viel selbstbewusster, als sie sich eigentlich fühlte: »Na, wie geht's dir denn so?«

»Nicht grad gut«, erklang eine saure Stimme.

»Chris?«

»Was hast du denn gedacht, wer dran ist?«, sagte er eingeschnappt und mies gelaunt.

»Äh, ja, natürlich. Hallo! Also, wie geht's?«

Mit einem Mal war Pollys so hart erworbenes neues Hochgefühl wie weggewischt, und sie spürte, wie sie ganz weiche Knie bekam. Nach allem, was Chris und sie gemeinsam durchgemacht hatten, was sie in ihrer Verzweiflung alles versucht hatte ... aber dann fiel ihr wieder ein, was Kerensa zu ihr gesagt hatte, dass sich nämlich alle Sorgen um Chris machten.

»Alles klar bei dir?«, fügte sie hinzu.

»Na, bei dir ja wohl schon, so wie es klingt«, murmelte Chris schwermütig.

Polly sah sich in ihrer kleinen Bäckerei um. Das Fenster

war immer noch kaputt, aber wenigstens hatte der Laden Charme.

»Äh, na ja, leicht ist es nicht gerade«, sagte sie schnell. »Und, was treibst du so?«

»Was glaubst du denn? Ich lebe bei meiner Mutter und versuche, mein Leben wieder auf die Reihe zu kriegen.«

»Geht's ihr gut?«, fragte Polly. Chris' Mum hatte sie immer gemocht, aber als die Dinge dann den Bach runtergegangen waren, hatte ihr Gesicht einen abgespannten, gequälten Ausdruck angenommen.

Polly sah geradezu vor sich, wie Chris am anderen Ende der Leitung einen Schmollmund zog.

»Sie sagt, dass sie langsam die Nase voll von mir hat. Genau wie du.«

»Chris«, wandte Polly ein und versuchte, nicht sauer zu werden. »Ich hatte nicht die Nase voll von dir, es ist einfach nur alles schiefgelaufen. Das muss dir doch klar sein?«

Langes Schweigen.

»Natürlich ist mir das klar.« Er klang negativ.

Polly biss sich auf die Lippe.

»Also, ich hab mir überlegt, dass ich dich vielleicht besuchen könnte, was meinst du?« Er klang so, als würde er von Vornherein davon ausgehen, dass sie Nein sagte.

Sie dachte daran, wo sie im Leben gerade stand, an ihre winzige Wohnung und daran, dass sie auf einen Anruf von Tarnie wartete. Der Zeitpunkt war alles andere als ideal. Aber natürlich konnte sie Chris nicht einfach abwimmeln, selbstverständlich würde sie sich ihm stellen.

»Also?«, drängte der, als sie nicht sofort antwortete. »Was ist los, ist in deinem neuen Leben schon kein Platz mehr für mich?«

Polly wusste, dass Chris nur deshalb so harsch klang, weil er unsicher war.

»Äh, na ja, weißt du ... natürlich kannst du herkommen, ja, mach das doch bitte.«

»Kerensa hat mir erzählt, dass du irgendwo am Arsch der Welt auf so einer verrückten Insel hockst.«

»So, so.«

»Ich könnte ein bisschen Ruhe und Frieden gebrauchen. Meine Mutter treibt mich nämlich in den Wahnsinn.«

Polly konnte nicht anders, die ganze Sache frustrierte sie. Endlich hatte sie angefangen, wieder nach vorne zu schauen, all die Probleme hinter sich zu lassen. Wenn sie ehrlich war, hatte sie in letzter Zeit auch kaum mehr an Chris gedacht. Sie hatte den Schmerz einfach runtergeschluckt und sich mit anderen Dingen beschäftigt. Aber das war Chris gegenüber wohl nicht fair.

»Ja, natürlich«, sagte sie daher. »Komm, wann immer du willst.«

KAPITEL 16

Alle Welt war überrascht, wie schnell das Geschäft in der neuen Bäckerei Fahrt aufnahm, und Polly am meisten.

Sie experimentierte jeden Tag mit neuen Geschmacksrichtungen und fand schnell heraus, was funktionierte. Chorizo war besonders beliebt, auch wenn keiner wusste, was das eigentlich war, und sie die Paprikawurst extra vom Festland bestellen musste. Maisbratlinge verkauften sich auch gut, und alles, was an Pizza erinnerte, war um zehn Uhr morgens schon ausverkauft, weil man es ihr geradezu aus den Händen riss.

Als nun die Touristen über den Fahrdamm ins Städtchen zu strömen begannen, überlegte Polly ernsthaft, bald eine Aushilfe einzustellen. Die langen Stunden auf den Beinen waren aber schnell vergessen, wenn um zwei Uhr alles ausverkauft war, sie den Laden zumachen konnte und nur noch putzen musste. Ein paarmal schlichen sie und Tarnie sich dann heimlich nach oben, ohne dass jemand es mitbekam. An diesen Nachmittagen fiel die Sonne durchs Fenster herein, und die Luft duftete nach Salz. Aber irgendwie kam es Polly trotzdem so vor, als seien sie gar kein richtiges Paar, sie gingen zum Beispiel nie zusammen essen – wo denn auch? Manchmal stießen sie zu den anderen im Pub dazu, aber das Gestichel war nicht auszuhalten, und dann setzten sie sich doch allein an einen Tisch.

Dennoch ging es ihr wirklich gut. Als die Tage immer wärmer wurden und endlich der Sommer richtig hereinbrach, erwachte die kleine Stadt zum Leben, und auch Polly fühlte sich endlich wieder wohl in ihrer Haut. Jeden Morgen wachte sie beim ersten rosafarbenen Sonnenstrahl auf, um Teig anzusetzen und zu kneten, Neues auszuprobieren, sich an den Aromen zu ergötzen, Kaffee zu kochen, ihre neuen Freunde zu grüßen und sich bei Klatsch und Tratsch auf den neuesten Stand zu bringen. Bald wurde es zu einer allgemeinen Angewohnheit, kurz bei ihr im Laden vorbeizukommen, erst recht, nachdem sie Pappbecher gekauft hatte und anfing, den Kaffee aus ihrer guten Maschine zu verkaufen. Patrick schaute herein und klagte über räudige Katzen, Muriel stöhnte, dass ihre Füße sie noch umbrachten, Andy aus dem Pub kaufte bei ihr Brötchen, bevor er mittags den Grill anwarf, und Huckle brachte ihr seinen Honig.

Die Touristen konnten meist gar nicht fassen, was für ein hübsches kleines Lädchen sie da entdeckt hatten, und Polly freute sich, weil die Kasse klingelte. Wenn sie die Einnahmen zum Abrechnen in die andere Bäckerei rüberbrachte, grunzte Mrs Manse nur. Polly fand aber schnell heraus, dass ihre Chefin ein wenig Dorfklatsch nicht abgeneigt war, vor allem, wenn ihre Angestellte ihr dazu eine Tasse Tee kochte. Dann hörte Gillian ihr gerne zu und schnalzte hier und da missbilligend mit der Zunge. Polly hätte ihre Beziehung zwar im Leben nicht als Freundschaft bezeichnet, aber wenigstens schien das Eis langsam ein wenig zu tauen.

Nach dem harten Arbeitstag fiel sie dann abends bei Sonnenuntergang ins Bett. Sie bekam Farbe, wurde immer fröhlicher und stärker, und inzwischen kam es ihr so vor, als würde ihr altes Leben langsam zurückweichen wie die Wellen an dem kleinen Sandstrand beim alten Leuchtturm.

Und dann kam Chris tatsächlich und brachte ebendieses alte Leben mit nach Polbearne.

Polly starrte lange auf ihr Sofa – ihr heiß geliebtes Sofa –, zog es dann widerwillig aus und machte es als Bett fertig.

Bei seinem Anruf hatte sie auch ohne einen Blick auf den Gezeitenkalender gewusst, dass er bei Flut ankommen würde. Er hatte jedoch gemault, dass er das auch nicht ändern konnte, weil er schon losgefahren war. Sie hatte geseufzt und ihm versprochen, sich was einfallen zu lassen.

Unten am Hafen war Tarnie nirgendwo zu sehen, aber Jayden entheddterte wenig begeistert Netze und war Feuer und Flamme, als sie ihm ein paar Milchbrötchen versprach, wenn er sie zum Festland fuhr, damit sie Chris dort abholen konnte.

Es war ein schöner Spätnachmittag, und der Himmel fing gerade an, sich am fernen Horizont rosa zu verfärben, als sie über das Wasser fuhren, welches das Kopfsteinpflaster verschluckt und Mount Polbearne wieder in eine Insel verwandelt hatte. Die Seevögel kreischten, und das Festland kam Polly weit weg vor, als sie sich hinten ins Boot setzte. Inzwischen kletterte sie mühelos in einen solchen Kahn und setzte sich mit der gleichen Selbstverständlichkeit hinein wie in ein Auto. Sie grinste, als Jayden den kleinen Motor anwarf.

»Da hast du ja wirklich den Formel-1-Flitzer unter den Nussschalen«, sagte sie und erhielt zur Antwort ein dankbares Lächeln.

»Das ist heute schon meine zweite Fahrt«, erklärte Jayden. »Bald fang ich wieder mit dem Taxi-Service an.«

Im Sommer dienten die Beiboote der Fischer als inoffizielle Taxis und brachten Ausflügler, die nach einem Bier zu viel im Pub auf Mount Polbearne gestrandet waren, zurück zum Festland. Als Fixpreis hatten sie einen unverschämt hohen Betrag festgelegt, mit dem sie gerade eben noch so durchkamen, und es gab nur eine einzige Regel: Die Einnahmen wurden zusammengelegt, um im Pub für alle eine Runde zu schmeißen.

»Ihr seid also im Prinzip Piraten«, hatte Polly gesagt, als sie von dem Arrangement erfahren hatte, und alle hatten grinsend genickt.

»Ach, du warst heute schon mal drüben?«, fragte Polly nun. Noch kamen ja gar nicht so viele Touristen, und die Einheimischen kannten die Gezeiten doch in- und auswendig.

»Genau«, sagte Jayden. »Ich hab Tarnie rübergefahren, zu seiner —«

Polly hatte gar nicht richtig zugehört. Wenn Jayden nicht plötzlich so offensichtlich verstummt und rot angelaufen wäre, wäre ihr vermutlich gar nichts aufgefallen.

Jayden hätte »zu seinem neuen Boot« sagen können oder »zu seiner Kleingartenkolonie« oder was auch immer ihm gerade in den Sinn kam, aber hinter seiner Stirn herrschte einfach nur gähnende Leere, und deshalb stand er jetzt knallrot da, riss den Mund auf wie ein Fisch und kratzte sich am Kopf.

Zuerst fiel Polly das gar nicht auf. Dann ließ sie sich seine Worte noch einmal durch den Kopf gehen und sah schluckend auf.

»Zu seiner was, Jayden?«, fragte sie betont ruhig und gleichgültig, während das Herz in ihrer Brust in Wirklichkeit raste.

»Äh, gar nichts«, sagte Jayden und hoffte wohl, sie würde es damit gut sein lassen.

»Nein, von wegen nichts«, versetzte Polly steif. Sie fixierte ihn, aber er konnte ihr nicht in die Augen sehen und schwieg.

Polly konnte die Sache einfach nicht auf sich beruhen lassen.

»Äh«, murmelte Jayden schließlich, als sie sich bereits dem Festland näherten. Polly konnte schon den kleinen weißen Polo von Chris' Mutter auf dem Parkplatz erkennen.

»Also?«

»Seiner ... äh, Frau.« Das letzte Wort stieß er hastig aus und starrte dabei auf den Boden des Bootes.

»Seiner ...« Polly musste sichergehen, dass sie da richtig gehört hatte. »Jayden, hast du da gerade ›seiner Frau‹ gesagt?«

Schuldbewusst nickte der.

»Tarnie ist verheiratet?«

»Ja.«

»Und das wusstest du?«

Er löste die Augen immer noch nicht vom Grund des Kahns. »Ja.«

Polly rauschte das Blut in den Ohren, und ihre Hände zitterten. Tja, das erklärte dann wohl, warum ihre Beziehung mal abgesehen von gelegentlichen gemeinsamen Kneipenbesuchen nur wenig Fortschritt gemacht hatte. Und dann begriff sie plötzlich noch etwas anderes.

»Und ... ich kann wohl davon ausgehen, dass das im Ort jeder weiß?«

Jayden zuckte mit den Achseln.

Jetzt fluchte Polly lautstark und schleuderte ein Steinchen ins Wasser, das im Boot gelegen hatte.

»Himmelherrgott noch mal! Warum hast du mir das denn nicht gesagt?«

»Das ist doch nicht meine Angelegenheit!«, murmelte Jayden.

Wutschnaubend dachte Polly nach. Sie hatte Tarnie nie gefragt ... Na ja, ehrlich gesagt wäre es ihr einfach nicht in den Sinn gekommen zu fragen, und er trug auch keinen Ring – der wäre bei seiner Arbeit allerdings auch ein Sicherheitsrisiko.

Wenn sie früher mit Kerensa in Plymouth durch die Kneipen gezogen war, hatten sie bei willigen Männern – Marineoffizieren auf Landgang und Geschäftsreisenden auf Durchreise – immer zweimal nachgehakt. Aber durch ihre lange Beziehung zu Chris war das schon ewig kein Thema mehr gewesen. In dieser Zeit hatte sich nur Kerensa mit den Männern rumärgern müssen, sie selbst hatte einen Bin-schon-vergeben-Vibe ausgestrahlt, und das hatte auch gut geklappt ... Aber jetzt hatte sie den größten Anfängerfehler aller Zeiten begangen. Sie kam sich so was von bescheuert vor.

»Mein Gott!«, knurrte sie. »VERDAMMTE SCHEISSE! Ich kann nicht fassen, dass mir niemand was gesagt hat! Warum hat mich denn Mrs Manse nicht gewarnt?« Dann beantwortete sie sich ihre Frage selbst: »Weil sie mich nicht mag. Und wieso hat Huckle nichts erwähnt?«

»Der bekloppte Amerikaner?«, fragte Jayden. »Woher soll der das denn wissen?«

»Wie ist sie denn so?«, erkundigte sich Polly. »Oh, Himmel, sag jetzt bitte nicht, dass die beiden auch Kinder haben.«

Jayden schüttelte den Kopf.

»Sie hat für die Fischerei nichts übrig«, erklärte er. »Deshalb kommt er während der Saison her, während sie in Looe bleibt. Er pendelt hin und her.«

»SCHEISSE!«, schnaubte Polly. »Der muss mich ja für leichte Beute gehalten haben.«

Jayden war untröstlich. »So seh ich dich aber nicht«, versicherte er. »Ich finde dich wirklich nett.«

»Danke, Jayden«, murmelte Polly.

Jetzt waren sie schon fast am Anleger, und Polly hatte längst noch nicht alles erfahren, was sie wissen wollte.

»Das zieht er also jeden Sommer ab?«, fragte sie. »Sucht sich eine Neue und macht sie klar? Ich bin also nur die Sommerromanze dieses Jahres? O Gott, und dann diese Insel. Da schleppt er sie wahrscheinlich alle hin.«

Ehrlich gesagt konnte sie sich kaum jemanden vorstellen, der auf sie weniger wirkte wie ein Aufreißer, aber vielleicht war ja gerade das Tarnies Masche. Vielleicht gab er sich nur rau und unsicher, während er in Wirklichkeit ganz genau wusste, was er da tat.

Jayden schüttelte energisch den Kopf.

»Nee«, sagte er. »Der hat eine Heidenangst vor Selina. So was hab ich ihn noch nie abziehen sehen, ehrlich.«

Polly starrte ihn an.

»Das stimmt echt«, beteuerte Jayden.

Als das Boot näher kam, stieg Chris aus dem Auto, und der Wind von der See her wehte die Gischt zu ihm herüber.

»Ist das dein Freund?«, fragte Jayden.

»Nicht so ganz«, grummelte Polly. »Mein Gott, könnt ihr denn nur in Sexkategorien denken?«

Wütend stieg sie auf den Anleger, aber sie wusste, dass sie diese neuen Informationen jetzt erst einmal in den hintersten Winkel ihres Verstandes verbannen musste. Und nun blitzte noch ein Gedanke auf – wenn sie je versucht gewesen sein sollte, Chris auch nur ein kleines bisschen selbstzufrieden gegenüberzutreten, war das jetzt wirklich ausgeschlossen.

Kapitel 17

Polly musterte ihren Ex und versuchte zu ignorieren, wie sehr es in ihr brodelte. Sie hatten sich bloß drei Monate nicht gesehen, aber es kam ihr viel länger vor. Irgendwie sah Chris anders aus, inzwischen war er nicht mehr so blass und käsig wie während der Firmenpleite. Er musste dringend mal zum Friseur, aber das längere Haar stand ihm gar nicht schlecht. Außerdem hatte er nicht nur die Kilos wieder drauf, die er in jener stressigen Zeit verloren hatte, sondern auch noch ein paar mehr, und die Tränensäcke unter den Augen würden wohl nicht mehr verschwinden. Er trug ein altes Karohemd und Jeans, die ihm ein bisschen zu klein waren.

»Hey«, grüßte er argwöhnisch.

Auch er war verblüfft darüber, wie anders Polly ihm vorkam. Sie wirkte schmaler und irgendwie abwesend. Von der vielen frischen Luft hatte ihre Haut eine schmeichelhafte Bräune angenommen, und sie hatte sich das rotblonde Haar achtlos zu einem Pferdeschwanz zusammengebunden. Ein paar Strähnen fielen ihr ins Gesicht, was wirklich hübsch war. Polly trug auch Jeans und dazu ein rotes T-Shirt mit pudrigen Flecken, Mehl, nahm er mal an. Sie wirkte jünger als früher, weniger angespannt. Plötzlich meldete sich bei Chris das schlechte Gewissen – das war auch seine Schuld gewesen.

»Hey«, sagte sie, und sie beäugten sich verlegen. Nach

dieser langen Trennung waren sie nicht sicher, wie sie sich begegnen sollten. Dann murmelte Polly: »Na, komm schon her«, breitete die Arme aus und zog ihn zögerlich heran. Ihr stieg sofort wieder Chris' altbekannter Geruch in die Nase, für ihn roch sie jedoch anders – nach Brot mit einer Spur Salzwasser.

»Wow«, sagte er schließlich, »du siehst ja wirklich toll aus.«

Plötzlich wurde Polly bewusst, dass sie sich seinetwegen gar keine Mühe gegeben hatte. Früher hätte sie sich extra für ihn was Schickes angezogen und sich sorgfältig geschminkt. Heute trug sie nur einen Hauch Lippenstift, und jetzt wurde ihr auch klar, warum. Zum einen, weil es ihr gar nicht in den Sinn gekommen wäre, und zum anderen auch, weil sie ihrer Meinung nach ja mit einem anderen zusammen gewesen war – sie kam sich so bescheuert vor. Rasch verdrängte sie den Gedanken an Tarnie, damit konnte sie jetzt nicht umgehen.

»Äh, tja«, sagte sie. »Danke. Du auch.«

Nun entstand eine unangenehme Pause, bis Jayden schließlich hustete und sie damit daran erinnerte, dass er den unbequemeren Weg rund um die Landspitze zurück nehmen musste, wenn sie noch lange blieben und die Ebbe kam. Also sprang Polly ins Boot, und Chris folgte etwas unbeholfen mit seiner Reisetasche.

»Du bist ja schon richtig seefest geworden«, sagte er, und Polly lächelte, obwohl sie am liebsten gestorben wäre.

Jayden war offenbar klar, was er auf der Hinfahrt angerichtet hatte, und hielt auf dem Rückweg lieber den Mund. Nur leider kam es Polly so ein wenig vor, als würde sie hier der Fährmann über den Styx bringen.

Bei der Fahrt in die Bucht beobachtete Polly Chris und freute sich über seinen Gesichtsausdruck, als er die kleine Stadt betrachtete, deren Stein und Schiefer im Licht der untergehenden Sonne golden erglühten. Die Fenster funkelten, das Kopfsteinpflaster glänzte, und die Masten der Boote klingelten im Wind.

»Wow«, sagte Chris. »Hier wohnst du also? Das ist ja wirklich schön.«

Stolz lächelte Polly. »Ich weiß.«

»Nur leider am Arsch der Welt.«

Polly konnte direkt fühlen, wie Jayden hinter ihr eine spöttische Miene aufsetzte.

»Wie man's nimmt«, sagte sie. »Gar nicht so wenigen Leuten gefällt gerade das.«

»Wie muss es denn hier erst im Winter sein?«

Polly dachte an die tosenden Stürme im Frühling zurück und daran, wie einsam es tatsächlich gewesen war.

»Gemütlich«, erwiderte sie rasch.

Chris wirkte nicht überzeugt, holte sein Handy hervor und nahm fassungslos zur Kenntnis, dass er keinen Empfang hatte.

Jayden setzte sie ohne ein Wort ab und warf Polly nur noch einen entschuldigenden Blick zu, den sie aber nicht erwiderte. Eins nach dem anderen. Sie wusste noch nicht, was sie tun würde, wenn sie Tarnie das nächste Mal begegnete, aber schön würde das nicht werden.

»Ich dachte, wir könnten vielleicht später noch was trinken gehen«, schlug sie vor und wünschte sich plötzlich, es gäbe mehr als nur den einen Pub im Ort. Aber Tarnie war schließlich auf dem Festland, und von Huckle hatte sie schon länger nichts mehr gehört.

»Perfekt«, antwortete Chris. »Gibt's da auch Fish and Chips? Darauf hätte ich wirklich Lust.«

»Na, und ob!«, sagte Polly und freute sich. Wenigstens war Chris offenbar nicht nach Mount Polbearne gekommen, um ihr das Leben schwer zu machen.

Sie brachten Chris' Tasche in die Wohnung über der Bäckerei. Seit Polly den Laden unten betrieb, war auch das Leben in ihrer kleinen Butze angenehmer geworden. Durch die Öfen wurde sie auch an kalten Tagen backewarm, und es war längst nicht mehr so feucht und klamm. Außerdem hatte Tarnie sie an einem Mittwochnachmittag zum Lager gefahren, und sie hatte ihre Sachen geholt, all das Zeug, das Chris damals nicht in seinem minimalistischen Paradies hatte haben wollen. Jetzt lag auf dem Fußboden ein warmer roter Teppich, an den Wänden standen simple Bücherregale aus Backstein und Brettern. Sie hatte auch abstrakte Landschaftsbilder aufgehängt, die Chris immer zu sehr an Kinderzeichnungen erinnert hatten. Aber aus genau dem Grund hatten sie Polly ja so gut gefallen. Auf dem hinreißenden grauen Sofa lagen jede Menge Kissen. Die Wohnung war zwar ein wenig zu voll, aber saugemütlich.

»Wow«, sagte Chris und verzog das Gesicht. »Na, das ist nun wirklich was ganz anderes als unsere Wohnung in Plymouth.«

Polly sah ihn von der Seite an.

»Ich meine, echt nett.«

»Tee?«, fragte sie, holte nicht zueinanderpassende Tassen und ein paar übrig gebliebene Brötchen hervor.

Chris nickte, und als sie den Tisch beim großen Fenster deckte, ging die Sonne in beeindruckendem Pink und Lila unter, so als würde sie diese Show nur für sie beide hinlegen.

»Also«, sagte Polly sanft und stellte ihre Tasse ab.

Chris starrte in seinen eigenen Tee und dann aus dem Fenster.

»Du betreibst also diese Bäckerei da unten?«, fragte er ungläubig.

»Ja«, nickte Polly. »Klar, die sieht jetzt nicht sehr aufregend aus, und ich bin da nur angestellt, aber weißt du ...«

»Wie schaffst du es bloß, für so viele Leute zu backen?«

Polly zuckte mit den Achseln. »Ach, das ist reine Übungssache. Du weißt schon ... nach all den Wochenenden ...«

Sie musste den Satz nicht zu Ende führen: all den Wochenenden, während derer er nicht von der Arbeit nach Hause gekommen war oder nicht ausgehen wollte, weil er einfach zu gestresst war. Oft musste er sich auch von einem Kater erholen, weil er versucht hatte, seine Sorgen zu ertränken. Diese Taktik hatte nicht gerade gut funktioniert oder lange vorgehalten.

»Nur die Dimensionen sind etwas anders.«

Chris schüttelte den Kopf. Es war unübersehbar, wie sehr er von Neid zerfressen war.

»Äh, weißt du, und so toll ist das nun auch wieder nicht«, sagte sie nun. »Ich meine, ich muss immer superfrüh aufstehen, und dann ist es noch eiskalt. Die Leute im Ort können manchmal echt UNMÖGLICH sein, und ...«

Ihr wurde klar, dass sie jetzt einfach nur noch vor sich hinbrabbelte, aber etwas Besseres fiel ihr nicht ein.

»Tja, also, bei mir läuft es auch bestens«, warf Chris schnell ein. »Ich hab an ein paar Webseiten mitgearbeitet ... Vor allem, um zu zeigen, was ich kann, und mir einen Namen zu machen, verstehst du.«

O ja, so was kannte Polly nur zu gut. Bei kreativen Tätigkeiten versuchten viele Kunden, sich vor der Bezahlung zu drücken. Sie argumentierten gern damit, dass eine Veröffentlichung der Arbeit doch eine werbewirksame Maßnahme war. Auf die Idee, seinen Klempner nicht zu bezahlen, würde hingegen nie jemand kommen, oder eben seinen Bäcker.

»Das ist ja super«, brachte sie trotzdem hervor. »Und wie geht's deiner Mutter?«

Chris runzelte die Stirn. »Äh ... ganz gut. Aber sie findet, ich sollte mir allmählich mal wieder eine eigene Wohnung suchen. Aber leider kann man sich ja heutzutage nur noch absolute Bruchbuden leisten. Du hingegen hattest echt Glück.«

Das ging Polly ein bisschen gegen den Strich.

»Die Zeiten sind ganz schön hart.« Chris hatte das Gesicht verzogen und jammerte hier gerade wie ein enttäuschtes Kind.

»Ich weiß«, sagte Polly so freundlich wie nur irgend möglich. »Hast du mal darüber nachgedacht, vielleicht die Branche zu wechseln?«

»Und Kuchen zu backen?«, schnaubte Chris. »Hör mal, bei mir ist das wirklich was anderes, ich bin ein Profi.«

Polly beschloss, dass sie lieber schnell die Wohnung verlassen sollten, bevor sie ihm noch die Teekanne auf den Kopf knallte.

Im Pub kannte sie zum Glück nur Patrick, den Tierarzt. Als sie dann vor Fish and Chips mit Weißwein saßen, räusperte sich Polly schließlich. »Nun«, sagte sie unbeholfen und füllte ihre Gläser, »Was ist eigentlich mit der Wohnung?«

»Ja«, sagte Chris. »Richtig.« Er wurde ein wenig rot und räusperte sich ebenfalls, so als hätte er etwas bekanntzugeben. »Also, darüber hab ich nachgedacht. Jetzt, wo du Geld verdienst, könntest du doch vielleicht die Hypothek weiter abbezahlen. Dann könnte ich zurück in die Wohnung ziehen und mich nach Arbeit umsehen. Und wenn ich wieder auf die Füße gekommen bin, kannst auch du nach Plymouth zurückkommen und dir was Vernünftiges suchen. Auf die Art und Weise wird alles so wie früher, und wir können die Wohnung vielleicht halten.«

Polly nahm einen tiefen Schluck Wein. Da saß Chris nun vor ihr und sagte das, worauf sie seit sechs Monaten gewartet hatte – nein, eigentlich schon viel länger, nämlich seit zwei Jahren. Sie spürte, wie sie mehrmals schnell blinzelte.

»Aber ich hab doch Arbeit hier«, hörte sie sich dann sagen.

Plötzlich war sie – obwohl sie das Kerensa gegenüber doch immer wieder behauptet hatte – gar nicht mehr so sicher, ob das mit Mount Polbearne nur eine vorübergehende Geschichte war, bis sie sich von der Firmenpleite erholt hatte. Und genauso sah es auch mit ihrer zeitweiligen Trennung aus, bis das Traumpaar Chris und Polly sich wieder zusammengerauft hätte.

Davon mal abgesehen, würde ihr Verdienst kaum reichen, um die Miete und die Hypothekenraten bezahlen zu können.

»Aber weißt du«, Chris deutete auf die Stadt hinter ihnen, »dieses winzige Nest – das bist doch nicht du, Polly. Das sind wir nicht.«

Polly dachte an ihren gemeinsamen Traum zurück: zwei hippe junge Selbstständige, die in ihrer schicken Wohnung lebten, in allen Trendschuppen gesehen wurden, immerzu wichtige Besprechungen hatten und mit denen es beruflich steil bergauf ging. Sie wusste kaum mehr, wie sie damals eigentlich gewesen war.

Sie holte tief Luft, drehte sich um und sah aufs Meer. Der

Leuchtturm schickte seinen dicken Strahl in die Runde und beleuchtete die Pflastersteinstraßen, die Kaimauer, die sich wie betrunkene Teenager streitenden Möwen, die kleinen Straßenschilder. Kurz war auch die bröckelige Fassade ihrer kleinen Bäckerei zu sehen, über der die Seevögel in der Luft tanzten.

Sie richtete sich auf und sah Chris wieder an. Der sah nervös aus. Ihr wurde klar, dass er Angst vor ihrer Antwort hatte. Und ihr wurde klar, dass sie selbst bis zu diesem Moment nicht gewusst hatte, wie diese Antwort ausfallen, wie sie sich entscheiden würde. Sie hatte immer behauptet, der Umzug nach Mount Polbearne sei nur übergangsweise. Aber bei allen Höhen und Tiefen – es bedeutete ihr inzwischen viel, viel mehr.

»Vielleicht«, sagte sie und schluckte, »vielleicht bin ich ja genau das hier.«

Beide schwiegen sie lange.

»Wie meinst du das?«, fragte Chris schließlich.

Polly hatte plötzlich einen dicken Kloß im Hals und kämpfte mit den Tränen.

»Damit will ich sagen ... ich glaube, ich will nicht, dass alles wieder so wie früher wird.«

Chris runzelte die Stirn. »Gut, du willst also kein Unternehmen mehr führen, kein Problem, das dürfen wir die nächsten zwei Jahre sowieso noch nicht. Aber wir könnten wenigstens die Wohnung halten, wenn du dafür die Kosten –«

»Nein.«

Mit einem Mal wurde Polly klar, wie selten sie Chris in der Vergangenheit etwas abgeschlagen hatte. Stattdessen hatte sie ständig versucht, ihn glücklich zu machen. Kein Wunder, dachte sie nun reumütig, dass sie auf den erstbesten Kerl reingefallen war, der danach des Weges kam. Der Gedanke machte sie ganz krank, und sie verdrängte ihn schnell wieder.

»Das ist jetzt nicht dein Ernst, oder?«

Der Strahl des Leuchtturms wanderte wieder vorbei, im Hafen gingen auf den Kuttern die Lichter an, und in Polly zog sich etwas zusammen, als die Fischer zu ihrer langen, arbeitsreichen Nacht hinaustuckerten. Zwei Touristen auf der Hafenmauer saßen Arm in Arm da, der junge Mann drückte seiner Freundin kleine Küsse aufs Haar. Muriel und ihr Mann kamen auf ihrem Abendspaziergang vorbei, und am Himmel über ihnen zeigten sich nach und nach die Sterne.

Polly zuckte mit den Achseln. »Ich denke … ich denke, ich möchte zumindest eine Zeit lang –«

»Aber du bist doch Managerin!«

»Hier in der Bäckerei … da tue ich etwas, was ich liebe«, erklärte Polly. »Und diesen Ort finde ich einfach wunderbar. Er hat irgendwie etwas Magisches an sich, das kann ich gar nicht recht erklären.«

Chris zog ein langes Gesicht. »Du versteckst dich hier vor dem wahren Leben.«

»Vielleicht«, sagte Polly. »Vielleicht stimmt das. Aber unsere Firma ist nun mal den Bach runtergegangen.« Sie bemühte sich, die Worte so sanft wie möglich auszusprechen. »Und unsere Beziehung ebenfalls, Chris. Wir haben unser Bestes getan, aber es hat eben nicht geklappt.«

Er sah zu ihr auf, und die Tränensäcke unter seinen Augen wirkten schwer und traurig.

»Na ja, du weißt schon, die Krise, diese verdammten Tories … Aber wir raufen uns bestimmt wieder zusammen.«

»Nein«, sagte Polly und legte ihre Hand auf seine. »Ich

war nicht gut für dich. Immer hab ich dich angetrieben und mir Sorgen um dich gemacht, und das kannst du nicht ertragen. Du brauchst eine Frau, zu der du aufsehen kannst, und nicht jemanden, der dir immer hinterherrennt.«

Plötzlich standen Chris Tränen in den Augen.

»Ich möchte doch nur, dass alles wieder so wird wie früher.«

Polly musste an die Zeit denken, als sie sich gerade erst kennengelernt hatten. Wie jung er gewesen war, wie gutaussehend und clever, mit seiner Mappe voller Kunst und Design, den zauberhaften Schriftzügen, all den Ideen. Und sie beide hatten gut zueinandergepasst, voller Energie waren sie aufgebrochen, um die Welt zu erobern. Damals hatten sie aus ganzem Herzen an sich geglaubt. Aber an diesen Punkt konnten sie nie wieder zurückkehren.

»Ich weiß«, sagte sie verzweifelt und auf einmal furchtbar müde. »Ich weiß.«

Chris legte sich aufs Sofa und Polly ins Bett, aber an Schlaf war für sie beide nicht zu denken. Sie lagen da und starrten vor sich hin, Chris aufs Meer und Polly unter die Decke, während hinter ihrer Stirn die Gedanken Amok liefen. Hatte sie mit der Ablehnung seines Vorschlags einen schrecklichen Fehler gemacht? War das womöglich ihre letzte Chance auf ein »normales« Leben, wie es jedermann von ihr erwartete? Sie konnte sich mit Chris verloben, sich irgendwo einen netten kleinen Bürojob suchen, vielleicht sogar irgendwann Kinder bekommen. Schließlich wurde sie ja auch nicht jünger. Wenn sie das alles jetzt nicht machte, würde sie sich dann allmählich in Mrs Manse verwandeln?

Im Laufe der Nacht hätte sie Chris mehrmals beinahe versichert, dass sie es doch noch einmal versuchen wollte und alles gut werden würde. Tief in ihrem Inneren wusste sie aber, dass es eben nicht ginge.

Um vier Uhr morgens gab Chris dann schließlich auf und schlich aus dem Apartment. Polly hörte ihn gehen und wollte ihm eigentlich hinterherlaufen. Aber genau in diesem Moment übermannte sie dann endlich der Schlaf, und sie konnte ihre bleischweren Glieder einfach nicht zum Aufstehen bewegen.

Am nächsten Morgen schlief sie bis elf und schreckte dann plötzlich hoch. Sie fragte sich, wann sie wohl zum letzten Mal so spät aufgewacht war. Ein warmes, ausgeruhtes Gefühl erfüllte sie, sie kam sich wie neugeboren vor. Als sie dann in den großen Wohnraum trat, war von Chris nichts zu sehen. Er war immer schon so ordentlich gewesen, und sein Besuch hatte nicht die geringsten Spuren hinterlassen.

Als Polly nun den Abend mit ihm in Gedanken noch einmal durchging, stieg langsam Panik in ihr auf. Aber dann sagte sie sich, dass sie sich korrekt verhalten hatte, sie hatte sich richtig entschieden. Als sie ihre geliebte Kaffeemaschine anstellte, war ihr das Herz plötzlich viel leichter. Die Sorge darum, wie sie das mit Chris regeln sollte, schien sie wie eine unsichtbare Last mit sich herumgetragen und jetzt endlich abgeworfen zu haben. Ja, es hatte wehgetan, und ja, nun lag eine ungewisse Zukunft vor ihr. Aber sie wusste genau, dass sie einen großen Fehler machen würde, wenn sie jetzt zu ihm zurückkehrte – noch einmal würde sie mit Sicherheit nicht wieder so schnell auf die Beine kommen.

Als Polly nun einen Blick aus dem Fenster warf, starrte ihr ein Grüppchen Dorfbewohner entgegen. Erschreckt zuckte sie zurück und stellte fest, dass wenigstens ihr Nachthemd keine allzu tiefen Einblicke gewährt hatte. Was wollten die denn alle hier?

Nach einer Katzenwäsche zog sie sich rasch an und lief dann die Treppe hinunter. Inzwischen war sie in Sorge. Hatte etwa jemand bei ihr eingebrochen? Oder hatten Teenager aus dem Ort das Schaufenster mit Graffiti besprüht? Warum starrten denn nur alle die Bäckerei an?

Als sie in Jeans und gestreiftem Ringelshirt barfuß auf die Straße trat – der Tag versprach heiß zu werden –, erstarrte sie und schlug sich die Hand vor den Mund.

Sie musste zugeben, dass sie ja eigentlich geglaubt hatte, Chris sei schmollend von dannen gezogen. In Wirklichkeit hatte er ihr ein Geschenk gemacht. Er hatte die schlaflose Nacht genutzt, um sich unten umzusehen. Die Verbindungstür zwischen Laden und Wohnung schloss Polly längst nicht mehr ab. Dabei war er im Hinterzimmer wohl über ein paar alte Dosen mit weißer und grauer Farbe gestolpert und hatte das Äußere des Ladens in einem neuen hocheleganten, hellen Grau gestrichen – derselben Farbe wie ihr Sofa. Und dann hatte er mit seinem geschulten Auge und guten Geschmack einen zauberhaften geschwungenen Schriftzug über das Schaufenster gesetzt:

Kleine Bäckerei am Strandweg
P. Waterford
2014

KAPITEL 18

Der Sommer war nun in vollem Gange, und jeden Tag sah man Familien mit Eimern, Spaten und Netzen über den Fahrdamm anmarschiert kommen. Die Kinder quietschten, wenn das Wasser über das Kopfsteinpflaster schwappte, und wenn die Flut kam, sputeten sich alle, aber irgendwer verspätete sich immer und musste dann rennen oder die Hilfe der Fischer in Anspruch nehmen.

Der Ort war neuerdings in aller Munde, Henry und Samantha, das elegante Paar von neulich, hatte nämlich ein Haus ganz oben auf dem Hügel gekauft. Es handelte sich um eine weitläufige viktorianische Villa mit einem riesigen Garten, großem Gewächshaus und rankenden Stockrosen an der Fassade. Die beiden brachten dauernd Besucher mit, angeblich, um ihnen »das beste Brot in ganz Cornwall« zu zeigen. Vor allem wollten sie aber wohl damit angeben, dass sie diesen Ort entdeckt und sich hier als Erste einen Zweitwohnsitz zugelegt hatten. Sie legten großen Wert darauf, zu zeigen, wie gut sie Polly kannten, nannten sie ständig beim Vornamen und schlugen ihr neue Geschmacksrichtungen vor, die sie doch mal ausprobieren könnte. Oft tat sie das dann wirklich.

Wenn die Leute bei ihr weiterhin so Schlange standen, brauchte sie bald wirklich Hilfe im Laden – sie war jeden

Tag früher ausverkauft. Zu Pollys Erleichterung hatte sich herausgestellt, dass Mrs Manse mit Adleraugen über den Papierkram wachte – deswegen war es gar nicht nötig, dass Polly für sie das Kassenbuch führte oder sich um Buchhaltungskram kümmerte. Ansonsten ließ ihr die Chefin ganz freie Hand. Insgeheim vermutete Polly ja, dass ihre Bäckerei viel mehr Geld einbrachte als die von Mrs Manse. Ihr war aufgefallen, dass Gillian inzwischen einen Kühlschrank für Getränke und eine Tiefkühltruhe für Eis gekauft hatte. Außerdem bot sie weniger Brot und Sandwiches an, nur die Pasteten waren geblieben.

Es war Polly gelungen, Tarnie völlig aus dem Weg zu gehen, was in einem Ort mit weniger als tausend Einwohnern eine ziemliche Leistung war. Bei manchen Windrichtungen hörte sie früh am Morgen manchmal seine raue Stimme und stöhnte, weil das hieß, dass sie runter in den Laden musste. Sie arbeitete, arbeitete und arbeitete. Von all dem Kneten bekam sie richtig muskulöse Arme, und abends fiel sie meistens einfach nur ins Bett, weil sie viel zu k. o. war, um noch irgendetwas zu unternehmen. Unter den Umständen ein Segen.

Tarnie betrat ihren Laden nicht mehr, die anderen Fischer kamen aber vorbei und blieben auf ein Schwätzchen. Polly entging nicht, dass sie immer etwas mehr kauften, als sie eigentlich brauchten. Das fand sie von Tarnie ziemlich schäbig, schließlich schuldete er ihr eine Riesenentschuldigung, aber sie wollte sich damit einfach nicht aufhalten. Stattdessen stürzte sie sich lieber in die Arbeit. Sie hegte und pflegte den Sauerteig, den Ted Kernesse ihr geschenkt hatte – einen widerlichen gärenden Pilz, der im Kühlschrank hauste und sich dort wie ein lebendiges Wesen fortpflanzte. Dann sagte sie sich, dass er ja genau das auch war. Sie benutzte ihn für ein neues, kräftigeres Bauernbrot. Zunächst wurde sie das nicht so einfach los – die Leute liebten eben ihr Weißbrot –, aber sie stellte hartnäckig immer wieder Probierhäppchen hin, weil sie ja wusste, dass dieses Zeug mit seinem unglaublichen Geschmack geradezu süchtig machen konnte. Tatsächlich mauserte es sich nach und nach zu einem ihrer Verkaufsschlager. Um die Traditionalisten zu besänftigen, experimentierte Polly auch mit einem süßen Milchbrötchen, das eigentlich eher ein Kuchen war. Mit etwas Marmelade bestrichen war es am Nachmittag eine schwere Konkurrenz für die traditionelle Tea Time mit Cremeröllchen.

Eines Samstagnachmittags räumte Polly gerade den Laden auf, als sie draußen ein ihr nur zu bekanntes Dröhnen auf der Straße hörte.

Huckle hatte sie in letzter Zeit selten zu Gesicht bekommen – wahrscheinlich war um diese Jahreszeit viel bei seinen Bienen zu tun –, aber sie hatte inzwischen vier Kisten von seinem Honig verkauft, und sie musste ihn unbedingt mal bezahlen. Lächelnd ging sie nach unten.

Als Huck sie sah, wurde sein Gesichtsausdruck ernst.

»Ist was?«, fragte sie.

»Schätzchen, was ist denn mit dir passiert?«

Polly suchte nach einer passenden Antwort.

»Äh, dies und das«, antwortete sie dann ausweichend. Ihr wurde klar, dass sie sich schon länger nicht mehr zurechtmachte, und sie konnte sich nicht einmal mehr daran erinnern, wann sie sich das letzte Mal die Haare gewaschen hatte. Man konnte es mit dem Sich-in-die-Arbeit-Stürzen wohl auch übertreiben, und das schien jetzt passiert zu sein.

»Wo ist denn die hübsche Polly hin?«, fragte Huckle mit einem schmalen Lächeln.

»Du solltest mich aber schon so nehmen, wie ich bin«, entgegnete die ein wenig eingeschnappt.

»Ich weiß«, antwortete Huckle traurig. »Wahrscheinlich bin ich für die modernen Zeiten einfach nicht geschaffen.«

»Wieso denn, sehen bei dir zu Hause etwa alle Frauen aus wie Dolly Parton?«

»Na, da muss es doch auch einen goldenen Mittelweg geben«, erwiderte er und grinste jetzt. »Aber Dolly würdest du mögen.«

»Bestimmt, auch wenn sie meine Garderobe vermutlich nicht gutheißen würde.«

»Allerdings«, sagte Huckle. »Vielleicht schau ich einfach nicht so genau hin.«

»HUCKLE!«, schimpfte Polly halb im Ernst. Aber es freute sie, dass es überhaupt noch jemandem auffiel, wie sie aussah. »Na ja, warte jedenfalls mal, ich hab nämlich Geld für dich.«

»Diesen wunderbaren Satz hab ich schon lange nicht mehr gehört«, grinste Huck. »Ich hab übrigens auch was für dich. Aber dafür müssen wir zu mir fahren, und weil gleich die Flut kommt, müsstest du dann im Gästezimmer übernachten.«

»Was ist das denn?«, fragte Polly verblüfft. »Ich mag es ja eigentlich nicht, nicht nach Hause zu können, wann ich will.«

»Na komm schon, darauf hab ich schon ewig gewartet! Außerdem hast du doch sowieso nichts Besseres vor.«

»Darum geht es doch gar nicht.«

Sie sah sich nach links und rechts um.

»Ich hoffe nur, die Sache lohnt sich auch.«

»Auf jeden Fall, wirst schon sehen«, versprach Huckle. »Sag all deine glamourösen Pläne ab und begleite mich. Ach, und vergiss das Geld nicht!«

Huckle hatte noch ein paar Sachen im Ort zu regeln, also konnte Polly sich wenigstens schnell die Haare waschen. Aber da sie ja gleich wieder in dieses Sidecar steigen musste, hielt sie sich mit Föhnen gar nicht erst auf. Als sie ihren Schrank aufmachte, sagte sie sich, sie müsste endlich mal ihre restlichen Sachen aus dem Lager holen oder sich vielleicht ganz von ihnen trennen. Ehrlich gesagt fand sie es in mehr als nur einer Hinsicht wirklich schön, mit so wenig zu leben. Sie hatte sich daran gewöhnt, ohne Glätteisen und Handtaschensammlung auszukommen, und das ganze Zeug überhaupt nicht vermisst.

Nun wühlte sie in den Ecken ihres Schrankes herum, die sie normalerweise keines Blickes mehr würdigte, weil sie zur Arbeit vor allem Jeans und T-Shirt trug. Es überraschte sie, wie viele Sachen sie hier entdeckte, die sie einst für unverzichtbar gehalten hatte. Mit den Fingern fuhr sie über die schicken Ausgehtops, dunklen Anzüge und weißen Hemden für die Arbeit. Hatte sie früher wirklich so oft gebügelt? Diese Klamotten kamen ihr mit all ihren Knöpfen und dem kratzigen Material mittlerweile ganz schön unbequem vor. Sie konnte sich kaum mehr an die Polly erinnern, die sich mal so gekleidet, so ausgesehen hatte. Kerensa vermutlich schon. Früher war Polly mit ihrer Freundin zusammen zur Kosmetikerin gegangen oder auch zur Maniküre. Jetzt konnte sie über die Vorstellung nur noch lachen. Sie warf einen Blick auf ihre Hände – sie hatte sich die Nägel kurz und rechteckig geschnitten, um sie nach dem Teigkneten einfach sauber zu kriegen.

Ihr Lieblingsparfüm – Eau Première von Chanel – lag in der Luft, und plötzlich musste Polly daran denken, wie sie nach dem Tod ihrer Großmutter deren Schrank ausgeräumt hatte. Sie hatte damals einfach nicht fassen können, dass ihre Oma wirklich tot war, wenn es doch noch so intensiv nach ihr gerochen hatte. Natürlich hatte diese Erinnerung mit der Gegenwart nicht viel zu tun, schließlich war Polly ja nicht gestorben. Aber es kam ihr trotzdem ein wenig so vor, als würde sie hier eine Garderobe aus längst vergangenen Zeiten betrachten.

Sie schüttelte den Kopf, um diese albernen Gedanken loszuwerden, und kämmte sich die Haare. Die waren ganz schön gewachsen und fielen ihr längst nicht mehr nur bis auf die Schultern. Normalerweise band sie die zu einem Pferdeschwanz zusammen, durch das Lufttrocknen ringelten sie sich jetzt aber, und Polly ließ sie einfach so. Früher hatte sie ihre Locken gnadenlos geglättet, aber jetzt störten sie sie eigentlich nicht mehr.

Am Ende einer Reihe unberührter Klamotten hing ein altes Sommerkleid, das Polly während der kalten Monate völlig vergessen hatte. Sie hatte es aber auch vorher kaum getragen. Es handelte sich um ein Secondhandkleid aus einem verwaschenen Baumwollstoff mit Blümchenmuster. Polly hatte das Kleid mit dem vollen Rock und dem hübschen Bateau-Ausschnitt irgendwann aus einer Laune heraus gekauft, weil sie gedacht hatte, dass Chris und sie nach all der harten Arbeit doch sicher auch mal wegfahren oder vielleicht auf ein Festival gehen würden, um abzuschalten. Aber sie hatten nie aufgehört zu schuften.

Als sie sich das Kleid nun über den Kopf streifte, war sie erstaunt darüber, wie locker es saß – ein Gutes hatte es wohl doch, dass sie den ganzen Tag Mehlsäcke schleppte.

Es gab in dieser Wohnung nur eine Möglichkeit, sich komplett im Spiegel zu sehen, wenn sie nämlich auf dem Rand der Badewanne balancierte. Polly fiel auf, dass sie sich mal wieder die Zehennägel lackieren könnte, aber abgesehen davon ... rasch schmierte sie sich ein wenig getönte Tagescreme ins Gesicht, aber so wenig, dass man die Sommersprossen auf ihrer Nase noch sehen konnte, die sie früher restlos überschminkt hätte. Dann tuschte sie sich die Wimpern, um ihre Augen größer wirken zu lassen, und trug etwas korallenroten Lippenstift auf. Sie schob sich das von der Sonne heller gewordene rotblonde Haar hinters Ohr und lächelte sich selbst versuchsweise an.

»Entschuldigen Sie bitte, Madam, aber ich wollte eigentlich zu Miss Polly Waterford.«

»Huckle, jetzt hör schon auf, ich bin's«, lachte Polly und versetzte ihm einen Hieb mit dem Kuchenbrot, das sie mitgebracht hatte.

»Nein, Aschenputtel, das können gar nicht Sie sein, die läuft nämlich immer unmöglich rum.«

Polly errötete und schaute nach links und rechts, bevor sie ins Sidecar kletterte. Und tatsächlich kamen bereits einige der Fischer für die nächtliche Ausfahrt zusammen. Das würde ihrem Ruf in dieser Stadt wirklich nicht guttun, aber sie konnte es eben nicht ändern. Am liebsten hätte sie allen die Zunge rausgestreckt.

»Okay, Aschenputtel«, sagte Huckle, als sie Helm und Brille aufgesetzt hatte. »Ab die Post!«

Der Abend war ein Traum, und wenn sie um eine Ecke bogen, leuchtete der Scheinwerfer des Motorrads Insekten an, die über der Wiese summten und tanzten. Der riesige Himmel über ihnen war dunkellila, und die ersten Sterne erschienen. In der Abenddämmerung dufteten die Blüten von Hecken, Klatschmohn und rankenden Wildrosen, genau wie die frisch umgepflügte Erde, die auf die Aussaat wartete. Die Luft war geradezu betörend, und Polly sog sie tief ein. Die junge Frau sah zu Huckle rüber, der sich auf die Straße konzentrierte und mit seinen kräftigen Schenkeln die Maschine vorantrieb. Als er ihren Blick bemerkte, lächelte er sie an, woraufhin sie ihm sofort bedeutete, er solle sich lieber wieder auf die Straße konzentrieren. Sie schmunzelte vor sich hin und lehnte sich dann entspannt zurück, um das Zwitschern der Vögel, die köstlichen Düfte und die Weite des Himmels zu genießen.

Jetzt fuhren sie den zerfurchten Matschpfad entlang. Huckle war offenbar ziemlich sicher gewesen, dass sie mitkommen würde, im zauberhaften Garten rund um sein Häuschen hatte er nämlich Teelichter in Gläsern verteilt, und es blinkten kleine Glühbirnen in den Bäumen.

»Lichterketten? Im Ernst?«, fragte Polly.

»Ich weiß, aber die waren schon da, als ich hier eingezogen bin«, verteidigte sich Huckle. »Ich hab mir gedacht, solange es hier keinen Kurzschluss gibt, lasse ich sie hängen.«

Lange wollte Polly ihren Spott aber nicht aufrechterhalten, alles sah nämlich einfach wunderschön aus. Die Abendluft war noch immer warm, Huckle entzündete jedoch vorsichtshalber ein Feuer in einer Metallschale.

Polly schaute ihn aus zusammengekniffenen Augen an.

»Das sieht ja alles ... schwer nach Verführung aus«, sagte sie.

»Ich weiß«, nickte Huckle und nahm ihren Einwand durchaus ernst. »Tut mir leid, das wird mir jetzt auch klar. So war das eigentlich nicht geplant, nur leider ist Reuben heute nicht da. Soll ich dich lieber wieder nach Hause bringen?«

»Das hab ich nicht gesagt«, verneinte Polly. »Aber mal im Ernst, ich bin nach Reuben nur deine zweite Wahl?«

»Nein«, versicherte Huck. »Aber ich wollte es hier für ihn eben ein bisschen aufmotzen, sonst wird der so zickig. Tut mir echt leid.«

Polly lächelte. Obwohl die Nacht warm war, rückte sie noch ein bisschen näher ans Feuer, das war so angenehm.

»Na, dann mal los. Zeig mir die tolle Sache, wegen der du mich hergelockt hast. Aber eins kann ich dir jetzt schon sagen, wenn es sich dabei um ein Motorrad mit zwei Sidecars handeln sollte, bin ich nicht sehr beeindruckt.«

»Nee, nee«, versicherte Huckle und verschwand im Haus. Dann erschien er wieder mit zwei Humpen und einem großen verkorkten Krug.

»Mein Interesse ist schon geweckt«, erklärte Polly.

Als Huckle den Krug auf den kleinen Tisch stellte und den Korken herauszog, beugte Polly sich vor und schnupperte daran, zuckte aber schnell wieder zurück.

»Wow!«, rief sie aus.

»Ich weiß«, erwiderte Huckle.

»Das ist ja ... was ist das?«

»Met«, erklärte Huckle stolz. »Den hab ich hier selbst gebraut. Für den Honig hab ich nämlich einfach nicht genug

Abnehmer, und das macht meine Bienen echt fuchsig. Und jetzt darfst du mir gern dazu gratulieren, wie gut ich eure britischen Ausdrücke inzwischen beherrsche.«

»Also, fuchsige Bienen sind natürlich unerfreulich«, sagte Polly und starrte in ihren Humpen, den Huckle genau wie seinen großzügig füllte.

»Ist das denn so richtig?«, fragte sie. »Wird der denn aus Bierkrügen getrunken? Nicht eher wie Wein?«

Huck warf ihr einen strengen Blick zu. »Hast du noch nie einen Wikingerfilm gesehen? Man muss das Zeug literweise in sich reinkippen und dabei ›HOHO!‹ ausrufen.«

»HOHO!«, machten sie beide und stießen an.

Polly nahm einen Schluck. Der Honigwein war stark, aber einfach köstlich: warm und süß, und zum Honigaroma kam noch ein anderer, dunkler Geschmack hinzu.

»Wow«, sagte sie und sah Huckle an. »Weißt du was, der ist echt gut.«

»Danke«, strahlte der Amerikaner. »Dafür waren aber auch … so einige Kanister nötig.«

»Ich glaube, den könntest du sicher auch verkaufen.«

»Da denken wir wohl in die gleiche Richtung«, nickte Huckle.

Sie prosteten sich noch einmal zu, dann gab Polly Huckle zu seiner großen Begeisterung endlich den Erlös aus den Honigverkäufen, und schließlich plauderten sie ganz locker, während es Nacht wurde.

Später holte Polly das mitgebrachte Brot hervor. Huckle steuerte zu ihrem Mahl einen Käse aus der Gegend und eine riesige Schüssel Erdbeeren bei. Die hatte er auf einem Bauernhof in der Nähe gepflückt. Im Gegenzug hatte er zwei Gläser Honig dagelassen. »Inzwischen bin ich fast völlig auf

Tauschhandel umgestiegen«, erklärte er. Als Polly nun aufstand, merkte sie, dass sie schon ziemlich blau war. Dieses Zeug war einfach tödlich.

»Ich glaube«, sagte sie mit ein wenig schwerer Zunge, »mir hat irgendwer die Beine geklaut.«

»Das passiert jedes Mal, wenn ich diesen Wein mache«, erwiderte Huckle, der jetzt noch gedehnter sprach als sonst. »Ich muss wirklich mal was brauen, bei dem man seine eigenen Beine behalten darf. Oder zumindest die von irgendjemandem.«

»Ich hätte gern die von Elle Macpherson«, stimmte Polly zu und fand sich selbst unglaublich witzig. »Oh!«, rief sie dann plötzlich aus. »Guck mal!«

Zunächst hatte sie es für Funken des Feuers gehalten, das ihnen in der jetzt frischeren Nachtluft Wärme spendete. Aber als sie die leuchtenden Punkte genauer anstarrte, entdeckte sie, dass es sich in Wirklichkeit um winzige Insekten handelte.

»Leuchtkäfer«, erklärte Huckle und sah sie an. »Glühwürmchen. Bei uns zu Hause gibt's davon viel zu viele. Aber bis zu meinem Umzug hierher wusste ich nicht, dass es die hier auch gibt.«

»Und ich erst recht nicht!«, verkündete Polly. Fasziniert, wenn auch etwas wacklig auf den Beinen, stand sie da. »Wunderschön!« Sie sah zu, wie die Insekten komplizierte Muster in die Luft malten und dabei eine schwache Leuchtspur hinter sich herzogen. »Oh, wow! Wenn das nicht grausam wäre, würd ich wirklich gern eins davon in einem Glas halten.«

»Na, genieß die doch einfach so, wie du sie jetzt vor dir hast«, empfahl Huckle umständlich und wedelte mit den Armen. »Leb den Augenblick. Mach nicht einmal ein Foto, versuch nicht, den Moment festzuhalten und für immer einzufrieren. Lass uns einfach die Glühwürmchen genießen.«

»Und vielleicht«, hickste Polly, »noch ein Glas von diesem köstlichen Met.«

Später verschwanden die Leuchtkäfer wieder, das Feuer brannte herunter, und die beiden wurden still. Huckle holte Polly eine Decke, die nach Rauch roch, und es war richtig gemütlich, als sie sich schläfrig darin eingewickelt hatte.

»Warum bist du eigentlich hierhergekommen?«, fragte sie träge. »Ich meine, du weißt schließlich ALLES über mich ... Oder davon gehe ich zumindest mal aus.«

»Äh, ja«, gab Huckle entschuldigend zu. »Es spricht sich eben rum. Tut mir leid. So ein Arsch. Ein echtes Arschloch. Na, ein Arsch eben.«

»Ich hatte wirklich keine Ahnung, ich hoffe, das ist dir klar.«

»O ja, er ist einfach ein Arsch.«

»So was würde ich wirklich nie tun. Wie kann man das nur jemandem antun und dann abends nach Hause ins Ehebett zurückkehren?«

»Hattest du ihn denn wirklich gern?«, fragte Huckle sanft.

Polly stieß einen tiefen Seufzer aus und legte den Kopf in den Nacken, bis sie zu den Sternen hochstarrte.

»Na ja, ich war vielleicht nicht total verliebt in ihn oder so. Aber weißt du, ich war schon so lange allein und hatte harte Zeiten hinter mir. Also wollte ich mir ein bisschen was gönnen. Ich bin ja so bescheuert. Mit meinem Ex war ich die meiste Zeit meines Erwachsenenlebens zusammen, und deshalb ... kenn ich wohl einfach die Regeln nicht mehr. Vielleicht hat sich ja alles völlig geändert, ich hab echt keine Ahnung. Ich fühl mich wie ein Landei, das zum ersten Mal in die Stadt kommt und sich an einer Straßenecke von den Hütchenspielern sein ganzes Geld abknöpfen lässt.«

Huckle lachte. »Klar!«, sagte er. »Du bist ja auch der erste und einzige Mensch, der in dieser Hinsicht je einen Fehler gemacht hat.«

Gequält verzog Polly das Gesicht. »Wahrscheinlich nicht, aber ich hab diesen Fehler vor den Augen der ganzen Stadt und all diesen Menschen gemacht, die ich gerade erst kennengelernt hatte.«

»Und die alle auf deiner Seite sind, falls dich das tröstet. Jayden ist stinkwütend, ich glaube, der schwärmt für dich, so Mrs-Robinson-mäßig.«

»Hey!«, knurrte Polly und ließ den Kopf wieder sinken. »Das mit dem Schwärmen hätte schon gereicht, okay?«

»Okay«, nickte Huckle. »Und Tarnie geht's ganz schön dreckig.«

»Gut!«, fauchte Polly. »O Gott, das klang jetzt furchtbar. Ich meine ja nur ... die ganze Sache war einfach schrecklich peinlich. WIRKLICH peinlich. Ich komme mir vor wie ... ein dämlicher Teenager.«

»So sehe ich dich nun wirklich nicht«, sagte Huckle.

»Ach, nein?«, fragte Polly hoffnungsvoll.

»Nein, ich sehe in dir eher eine dämliche erwachsene Frau.«

Polly warf ein Kissen nach ihm, das er lachend auffing.

»Na los, jetzt du«, drängte Polly. »Immerhin kennst du all meine schmutzigen kleinen Geheimnisse.«

»Wirklich alle?«

Streng blickte sie ihn an.

»Du bist dran. Normalerweise beschließen Männer nicht einfach so ohne Grund, ihre Zelte abzubrechen und ans andere Ende der Welt zu ziehen. Also, schieß los.«

»Und wenn nicht, was dann? Tust du dann einem Glühwürmchen irgendwas Schlimmes an?«

»Nein. Aber dann bin ich ... ziemlich sauer auf dich.«

»Ich zittere vor Angst.«

»Und ich erzähle jedem, dass du in deinen Met pinkelst.«

»Das wagst du nicht!«

»Wetten, dass?«

Eine Minute starrte Huckle sie aus zusammengekniffenen Augen an. Dann schaute er ins Feuer, stieß einen tiefen Seufzer aus und streckte die langen Beine aus.

»Ach, was soll's!«, stöhnte er schließlich. »Vielleicht hilft es mir ja sogar, wenn ich mal mit jemandem darüber rede.«

Polly lächelte aufmunternd.

»Ich bin sowieso völlig blau, falls dich das beruhigt«, sagte sie. »Morgen früh erinnere ich mich bestimmt an nichts mehr.«

Huck lachte. »Ja, stimmt auch wieder. Und du darfst keinem auch nur ein Sterbenswörtchen verraten.«

Umständlich lehnte Polly sich vor und streckte den Arm aus.

»Versprochen«, sagte sie, und Huckle schüttelte ihr mit seiner großen, warmen Pranke die Hand.

Dann schenkte er ihnen noch mal nach.

»Also«, begann er schließlich. »Es war einmal ein junger Huckle, der in Savannah als Manager arbeitete. Das ist in Georgia, da, wo ich aufgewachsen bin. Und ich fand es super. Der Job war mein Leben, ich hatte verrückte Bürozeiten und keinen Urlaub, aber ich war jung und gut und hab die Arbeit geliebt. Also war doch eigentlich alles in Ordnung, oder?«

Polly nickte. »Ja, an so was erinnere ich mich nur zu gut«, sagte sie und verstummte dann schnell, damit er weiterredete.

»Und dann hab ich ein Mädchen kennengelernt, das auch da gearbeitet hat. Eine junge Frau, sollte ich wohl besser sagen, Candice. Sie war ... sie ist wunderschön, wirklich clever und auf Zack.«

Bis jetzt kam die Geschichte Polly ziemlich bekannt vor. Nachdenklich nippte sie an ihrem Humpen.

»Na ja, und ich hab mich in sie verliebt, und zwar Hals über Kopf.«

Das ist also die Art von Frau, die ihm gefällt, dachte Polly ein wenig bedauernd.

»Und ihr ging es genauso. Wir haben Pläne gemacht, wollten hart arbeiten und unser Geld zusammenhalten, dann vielleicht eines Tages heiraten und kürzertreten – ich hab mich damals schon für Imkerei interessiert –, na ja, das Übliche halt.«

Polly nickte. »Das klingt doch nach einer guten Idee.«

»Hab ich ja auch gedacht.«

Nun herrschte lange Schweigen.

»Und?«

»Oh, und ... offenbar ist es schwieriger, so einen Lebensstil aufzugeben, als ich gedacht hatte. Immer hieß es ›nächstes Jahr, nächstes Jahr‹, sie wurde wieder befördert, und dann wollte sie einen coolen, neuen Lexus und eine coole Penthousewohnung. Irgendwann mussten wir beide wegen der Arbeit häufig reisen und haben uns kaum noch zu Gesicht bekommen, dann all die teuren Restaurants und Bars ...«

»Das kenn ich irgendwoher«, seufzte Polly.

»Und weißt du, es hat ja auch was, dieses ganze Yuppie-Ding durchzuziehen. All die In-Lokale, immer unter Leuten.«

Polly nickte. Ja, das machte schon Spaß.

»Also?«

Huckle zuckte mit den Achseln. Es erstaunte sie, wie verlegen er aussah.

»Na ja, nach all der gemeinsamen Zeit und all unseren Plänen ... hat sie jemanden kennengelernt, der mehr als ich verdient hat. Und so hat sich herausgestellt, dass ein ruhigeres Leben auf dem Land wohl doch nicht das war, wonach ihr der Sinn stand.«

»O je!«, sagte Polly.

»Alles gut«, beschwichtigte Huckle sie. »Es war meine eigene Schuld. Ich war einfach völlig verrückt nach ihr. Deshalb war ich von der ganzen Sache so überzeugt, dass ich ihr damit wohl die Luft zum Atmen genommen habe. Ich hatte einfach alles perfekt durchgeplant.«

Er lächelte ein wenig gequält. Polly dachte daran, wie sie in ihren Träumen ihr Leben mit Chris auch perfekt durchgeplant hatte.

»Und wie ... bist du dann hier gestrandet?«, erkundigte sie sich nun.

»Ha! Ehrlich gesagt bin ich quasi wütend davongestürmt ... hab verkündet, dass ich die Sache dann eben allein durchziehe. Und hab mir das erstbeste Flugticket gekauft.«

»Du bist durch Zufall hier gelandet?«

Er zuckte mit den Achseln. »Mein Vater war Engländer, deshalb hab ich einen britischen Pass. Und ich wusste auch, dass Reuben hier irgendwo steckt.« Er rieb sich die Augen. »Aber ja, irgendwie schon.«

»Und jetzt gefällt es dir hier?«

Huck zuckte mit den Achseln. »Na ja, einiges schon.« Sein Gesichtsausdruck wirkte gequält. »Manchmal bin ich echt ein bisschen einsam. Gott, ich kann nicht fassen, dass ich das gerade wirklich gesagt habe.«

»Kein Problem«, versicherte Polly und strich ihm übers Bein. Dann sah er ihre Hand jedoch an, als würde sie beißen und Polly zog sie lieber schnell wieder zurück.

»Und mir fehlt das Penthouse ... Savannah ist wirklich eine tolle Stadt.«

»Ja, so klingt es auch«, erwiderte Polly. »Aber du könntest doch einfach deinen Stolz runterschlucken und wieder zurückgehen, oder?«

Er lächelte. »Vermutlich schon. Aber, weißt du ... das ist auch nicht so einfach.«

»Ja, das kann ich mir vorstellen«, nickte Polly und sah ihn lange an. Sie kam sich bescheuert vor, als er plötzlich aufstand.

»Ach so, vergiss besser nicht, ein paar Schmerztabletten einzuwerfen, bevor du schlafen gehst, dein Kopf wird es dir danken«, riet ihr Huckle. Seine Stimme klang jetzt ganz anders, so als hätte er seine Erinnerungen ganz schnell wieder in den hintersten Winkel seines Gehirns verbannt.

»Danke«, sagte Polly und hatte den Tipp sofort wieder vergessen.

»Also, ja. Jetzt mache ich etwas ganz anderes ... und damit geht es mir ... es geht mir eindeutig besser«, murmelte Huckle. »Eindeutig besser.«

»Gut«, bemerkte Polly. Sie stocherte in der Glut herum

und sah Huckle dann an. Plötzlich war die Stimmung gekippt, aber Polly war froh, dass sie jetzt wenigstens im Bilde war und es zwischen ihnen keine Geheimnisse mehr gab.

»Na ja!«, rief sie dann aus, um Huckle ein wenig aufzuheitern. »Das ist nun wirklich nicht so schlimm, wie ich dachte. Ich war ja davon überzeugt, dass du in Reno einen Mann erschossen hast, nur um ihn sterben zu sehen.«

Ein schwaches Lächeln umspielte Huckles Lippen, das war aber auch schon alles. Jetzt starrte er ins Feuer und schien in Gedanken weit weg. Polly dachte an Candice, versuchte, sie sich vorzustellen – die hatte doch bestimmt immer perfekt manikürte Nägel. Dann seufzte sie, als ihr wieder in den Sinn kam, wie Huckles Traum von einem Familienleben auf dem Land zerplatzt war.

»Na ja, wir gehen wohl mal besser schlafen«, schlug sie schließlich vor.

Huckle hatte ihr ein hübsches Einzelbett mit einem steifen weißen Laken und einer schweren, bestickten Patchworkdecke fertig gemacht. In dem kleinen Strohdachhäuschen war es gemütlich und roch gut, und sie spürte schnell, wie der Schlaf sie übermannte. Aber bevor sie sich ganz in Morpheus' Arme sinken ließ, warf sie noch einen Blick durch das winzige Sprossenfenster.

Huckle stand weiter an derselben Stelle und starrte niedergeschlagen in die Flammen, einen Humpen Met zu seinen Füßen.

KAPITEL 19

Zunächst wusste Polly gar nicht so recht, wo sie sich eigentlich befand. Durch das kleine Fenster wehte das schwere Aroma von Geißblatt herein, und es lag ein Summen in der Luft. Und dann kam ein zweiter, wundervoller Duft hinzu, nämlich der von frisch gekochtem Kaffee, und dann auch noch das Aroma von gebratenem Speck. Fröhlich setzte sie sich auf, stellte beim Anblick der vorsorglich neben dem Bett deponierten Tablettenschachtel und dem Glas Wasser aber schnell fest, dass sie ihre Medizin nicht genommen hatte. Das holte sie nun schleunigst nach. Durch die Vorhänge fiel hell die Sonne herein.

»Au«, stöhnte sie und schob die hölzerne Bogentür auf. Huckle war schon auf und trug eine lose Farmersjungen-Latzhose ohne T-Shirt. Das hätte eigentlich total albern wirken müssen, aber ehrlich gesagt war es eher anrührend. Seine Brust war behaart, aber nicht zu sehr, und der sanfte Flaum glänzte golden. Polly wurde klar, dass sie am liebsten darübergestrichen hätte, deshalb verschränkte sie lieber schnell die Hände hinter dem Rücken.

»Morgen!«

Huckle schenkte ihr sein träges Lächeln. »Hey!«

Heute schien er viel besser drauf zu sein als gestern Abend, er kam ihr wieder so lässig vor wie immer.

»Und, wie sieht's bei dir aus?«, fragte sie. »Mal abgesehen davon, dass du eine Latzhose trägst ...«

Er schaute sie lange an und erklärte dann: »Ehrlich gesagt gar nicht schlecht. Ich fühl mich gut und bin wirklich erleichtert, dass ich es mal jemandem erzählt habe.«

Polly schüttelte den Kopf. »Womöglich bist du ja auch gerade noch davongekommen. Vielleicht wart ihr einfach nicht füreinander bestimmt.«

Huckle nickte. »Ja, ja, klar, das sag ich mir auch immer wieder ... zumindest an guten Tagen. Tja, und wie geht's dir so?«

»Schlecht«, stöhnte Polly. »Gestern Abend hab ich das Wasser und die Tablette und so weiter vergessen.«

»Hier«, sagte Huckle. Er goss ihr ein großes Glas Apfelsaft ein. »Trink das.«

»Ich dachte, ihr Amerikaner trinkt immer O-Saft.«

»Euer Orangensaft ist einfach ungenießbar, da sind ja Stückchen drin. Der Apfelsaft hingegen ist ganz passabel.«

Dankbar schüttete Polly alles auf einmal runter.

»Schon viel besser«, sagte sie. Die Tür des Häuschens stand weit offen, und die Sonne schien herein. Es war ein wunderschöner, strahlender Tag.

»Kaffee?«

»O ja!«

»Speck?«

»Und ob!«

»Pfannkuchen?«

»WOW! Ich liebe dich«, platzte es aus Polly heraus. Es sollte nur ein Witz sein, klang aber überhaupt nicht so. »Ich meine, deine Pfannkuchen«, fügte sie hastig hinzu. »Denn du trägst ja schließlich Latzhosen. Aber gegen Pfannkuchen ist man einfach machtlos.«

Als die Pfannkuchen dann kamen, waren sie außen knusprig, innen weich und elastisch. Huckle servierte sie ihr mit knisterndem Speck und Ahornsirup.

»Okay, das ist wirklich das beste Frühstück, das ich je gegessen habe«, lobte Polly mit vollem Mund. »Mal im Ernst. Wenn du je Geldprobleme hast, mach doch ein Bed and Breakfast auf. Ich würde da sofort einziehen.«

Huckle lächelte. »Na ja, ganz so weit ist es noch nicht. Aber es freut mich, dass es dir schmeckt.«

Als sie fertig waren, wäre Polly am liebsten einfach wieder ins Bett gekrochen. Huckle fragte jedoch, ob sie vielleicht gern die Bienen sehen wollte, und sie stimmte ein wenig nervös zu. Huckle steckte sie in seinen zweiten Imkeranzug und nahm sie dann mit zu den Stöcken.

Es war wirklich faszinierend. Huck beruhigte die Bienen mit Rauch, während er sich ihnen näherte. Dann entnahm er ein Stück Wabe, aber so wenig, dass sich die Bienen darüber nicht sehr aufregten. Er deutete auf die dicke Königin, die mit ihrem ungewöhnlichen Aussehen unverwechselbar war. Polly starrte sie sowohl fasziniert als auch ein wenig ängstlich an.

Der Imker zeigte ihr, wie man den Honig aus der Wabe holte, und ließ ihn in goldenen Kringeln in Gläser laufen. Er roch klebrig, und Polly genoss die Zeit inmitten all des Summens und der blühenden Wildblumen.

Aber als dann die Mittagszeit heranrückte, wurde ihr klar, dass sie sich langsam mal auf den Rückweg machen musste.

Sie küsste Huckle rasch auf die Wange, und er zog sie zu einer Umarmung heran.

»Danke«, sagte er. »Ich hab wirklich mal jemanden gebraucht, der mir zuhört. Kannst du das bitte für dich behalten?«

»Klar«, nickte Polly. »Und könntest du bitte für dich behalten, dass ich aus Versehen mit einem verheirateten Typen geschlafen habe? Auch wenn das im Umkreis von hundert Meilen jeder längst weiß?«

Feierlich schüttelten sie einander die Hand.

Trotz Huckles widerwilliger Enthüllung hatte Polly gestern einen der schönsten Abende seit Langem erlebt, und sie holte mit federnden Schritten aus. Huckle hatte ihr zwar angeboten, sie mit dem Motorrad zu fahren, aber das hatte sie abgelehnt. Der Tag war wunderschön, und es würde ihr guttun, wenn sie beim Laufen wieder einen klaren Kopf bekam.

Endlich hatte sie einen Freund gefunden, einen richtigen Freund, nicht einen gemeinen Fischer, der sie nur auf eine einsame Insel locken wollte. Bei diesem Gedanken huschte ein Lächeln über ihre Lippen, wenn auch nur ein ganz kleines. Eins hatte Huckle ihr jedenfalls klargemacht, vielleicht gab es wirklich Schlimmeres auf der Welt, als in der Liebe von jemandem reingelegt worden zu sein. Das sollte sie wohl einfach als Erfahrung verbuchen. Wenigstens hatte sie beim Thema Männer nach Chris jetzt den ersten Schritt schon hinter sich. Und wenn sie nun jeder im Ort für eine schreckliche Schlampe hielt, dann sollten die sich mal an einem Samstagabend in Plymouth unters Volk mischen.

Sie hatte sich dämlich benommen, aber deshalb musste sie sich nun wirklich nicht fertigmachen. Das Leben ging weiter.

Sie hatte beschlossen, nicht den Weg über die Landstraße zu nehmen, sondern an der Küste entlangzulaufen. Dafür musste sie aber ein Stück übers offene Moor und spürte nun, wie der Wind stärker wurde. Am Anfang blies er noch sanft, dann aber immer heftiger. Zum ersten Mal seit Wochen brachte er graue und schwarze Wolken mit sich, die groß und schwer heranzogen, richtig unheilvoll. Sie erschienen wie aus dem Nichts und nahmen zuerst eine Hälfte des Himmels, dann auch noch die andere ein. Zunächst legte Polly einen Zahn zu und begann sogar zu rennen, aber irgendwann blieb sie einfach stehen, weil es ja doch nichts brachte. Sie würde gleich bis auf die Haut nass werden, und dagegen konnte sie gar nichts tun. Sie streckte die Hände aus und ließ sich vom Regen liebkosen. Wie eine Dusche war er, warm, aber auch erfrischend. Ihr Kater war wie weggeblasen, und plötzlich fühlte sie sich unglaublich frei und so lebendig wie schon lange nicht mehr.

»Aaaahhh!«, schrie sie zu den Elementen hinauf, schließlich stand sie hier ganz allein auf einem Hügel. Einem Teil von ihr war natürlich bewusst, dass sie sich wie eine Verrückte aufführte. Aber ein anderer Teil hatte eben Lust, dieser Verrücktheit Ausdruck zu verleihen. Es war schon bescheuert, aber hier oben hörte sie ja niemand, und es fühlte sich so gut an, einfach alles rauszulassen, die Frustration der letzten Monate aus sich herauszuschreien, ach was, der letzten Jahre.

»Gggrrr!«, knurrte sie dem Himmel entgegen. »Aaaaahhhh!« Sie drehte sich unter den schweren Regentropfen um die eigene Achse.

»Geht's dir jetzt besser?«, fragte da eine ruhige Stimme. Polly erschrak beinahe zu Tode.

Die Stimme gehörte zu Huckle, der mit einem riesigen schwarzen Regenschirm hinter ihr stand. »SPINNST DU?«, entfuhr es ihr. »Wo zum Teufel kommst du denn so plötzlich her?«

»Äh, sorry«, murmelte Huckle. »Ich hab den Regen aufziehen sehen und dachte mir, dass du einen Schirm ganz gut gebrauchen könntest. Ich konnte ja nicht wissen, dass du hier oben deine eigene kleine Version von *Sturmhöhe* aufführst.«

Polly war die Sache unendlich peinlich, aber sie war auch stinksauer.

»Hau ab!«, rief sie. »Du gruseliger Stalker.«

»Ach, komm schon. Ich fand es ehrlich gesagt ganz niedlich«, sagte er.

»Sag lieber nichts mehr!«, knurrte Polly. Ihre Wangen brannten.

»Na ja, gut. Aber hättest du den Schirm vielleicht trotzdem gerne?«

Ihr floss das Wasser in die Augen und lief ihr das Gesicht herunter, sie war bis auf die Haut nass. Zunächst zögerlich, dann entschlossener hielt Huckle ihr den Schirm hin, womit er sich natürlich selbst dem Wetter aussetzte und innerhalb kürzester Zeit genauso durchgeweicht war wie sie. Nutzlos schwebte der riesige schwarze Schirm zwischen ihnen. Polly weigerte sich, ihn zu nehmen, und Huckle bestand darauf, ihn ihr weiter anzubieten. Plötzlich ergriff eine Böe das Ding und ließ es hoch über das Moor aufsteigen, wo es in der Luft tanzte und zuckte.

Huckle und Polly sahen einander wortlos an und sausten dann hinterher. Das feuchte Haar klebte Polly an der Stirn, ihre Schuhe quatschten, und sie hatte hier im Herzen des Sturms das Gefühl, selbst wie der Schirm vom Wind hin und her gerissen zu werden. Mit seinen langen Beinen war Huckle natürlich viel schneller als sie, rannte mit ausgebreiteten Armen durch Wind und Wasser, legte den Kopf dabei in den Nacken und lachte darüber, wie verrückt das alles war. Sie hopsten und sprangen in die Luft, doch dem Schirm gelang es jedes Mal, im letzten Moment zu entkommen. Schließlich konnten sie ihn in die Enge treiben, weil er mit einer Speiche an einem Baum hängen blieb. Huckle hob Polly mühelos hoch, sie packte den Regenschirm und wedelte triumphierend damit herum, während Huckle sie mit diesem Schatz vorsichtig wieder absetzte. Polly drehte sich zu ihm um und sah, wie ihm die Regentropfen die langen Wimpern hinabliefen, die für so einen blonden Mann erstaunlich dunkel waren. Um die Augen herum legte sich seine Haut in kleine Fältchen, und das Haar klebte ihm am löwenhaften Schädel. Eine Sekunde lang stand sie so in seinen Armen da und dachte plötzlich, dass es doch sicher das Einfachste auf der Welt wäre, sich jetzt zu ihm hochzurecken und ...

Nein, nein, das ging einfach nicht. Genau so etwas hatte sie doch gerade erst durchgemacht. Hatte sie denn nicht vor ein paar Minuten noch im Regen brüllend ihre Freiheit gefeiert?

»Also, ehrlich gesagt«, murmelte sie und spürte auf einmal deutlich, wie ihr vor Kälte die Zähne klapperten, »ehrlich gesagt nehm ich den Schirm vielleicht doch.«

Ritterlich verneigte sich Huckle. »Madam, darf ich Sie vielleicht nach Hause begleiten?«

»Nein«, entgegnete Polly. »Du schaffst es vor der Flut nicht zurück.« Mit diesen Worten wandte sie sich ab und marschierte glücklich zurück nach Polbearne.

Huckle blieb stehen und sah ihr hinterher. Schließlich strich er sich das feuchte Haar aus den Augen und machte sich in die entgegengesetzte Richtung auf den Weg zurück zu seinem Häuschen.

Kapitel 20

Ein himmlischeres Bad hatte Polly noch nie genommen. Sie machte den Ofen an, sodass ihre kleine Wohnung kuschelig warm wurde, und auch den Boiler. Während der das Wasser erhitzte, bereitete sie den Teig für den nächsten Tag vor und trank dabei eine riesige Tasse Tee. Sie brauchte das ganze heiße Wasser auf, weil sie die Wanne bis zum Rand füllte. Dann warf sie die letzten ihrer edlen Badesalze hinein, bis die ganze Wohnung von warmem Dampf erfüllt war und umwerfend duftete. Das Badesalz hatte sie im Vorjahr zum Geburtstag bekommen, und an den erinnerte sie sich nur zu gut – sie waren alle in ein sündhaft teures Restaurant gegangen, in dem man ein Vermögen für winzige Gemüsewürfel bezahlte, und sie hatte mit Schrecken an die Rechnung gedacht. Aber schließlich hatten, von Kerensa angestiftet, ihre Freunde zusammengeschmissen und sie eingeladen.

Obwohl erst früher Nachmittag war, fühlte es sich doch an wie eine Winternacht, und heute waren auch keine Ausflügler in der Stadt. Polly konnte kaum fassen, in welchem Tempo das Wetter umgeschlagen war, der Wind war von der See her wütend über das Land hereingebrochen. Unheilvoll grummelte der Donner, und Blitze zuckten über den unruhigen Himmel, manchmal gleichzeitig mit dem Strahl des Leuchtturms, der heute früher eingeschaltet worden war als sonst. Polly blieb lange im Badewasser liegen und las, bis ihr wieder durch und durch warm war. Dann zog sie ihren gemütlichsten Baumwollschlafanzug und Wollsocken an, um sich ans Fenster zu setzen und das Unwetter draußen zu beobachten.

Plötzlich bemerkte sie entsetzt, wie Tarnies Land Rover vorfuhr und die Fischer ausstiegen. Sie wirkten beklommen und ließen mutlos die Schultern hängen. *Die können bei diesem Sturm doch wohl nicht rausfahren!*, dachte Polly. *Das geht doch nicht!*

Ohne nachzudenken, warf sie ihren alten Regenmantel über, rannte nach unten und hinaus in den Wind, der immer schlimmer wurde.

»Das dürft ihr nicht!«, brüllte sie und versuchte, sich über das Brausen hinweg verständlich zu machen. »Ihr dürft doch bei diesem Wetter nicht auslaufen!«

Tarnie wandte sich zu ihr um, und da fiel ihr erst wieder ein, dass sie ja eigentlich wütend auf ihn war. Traurig schaute er sie aus seinen stechend blauen Augen an.

»Ach, Polly, hallo«, murmelte er und senkte den Blick.

»Ebenso«, sagte Polly.

»Tja, also …«, stammelte er. »Weißt du, es tut mir wirklich leid.«

»Ja, das war echt unmöglich«, erwiderte Polly, die das Unwetter auf einmal völlig vergessen hatte, aber immer noch brüllte. Eine halbe Ewigkeit war sie Tarnie erfolgreich aus dem Weg gegangen, und jetzt stand er hier plötzlich vor ihr. »Richtig übel, weißt du. Du hast mich ausgenutzt.«

»Ich weiß«, sagte Tarnie, der nun tiefrot anlief und den Kopf schüttelte. »Das hätte ich nicht tun sollen, es tut mir wirklich leid.«

»Mein ganzes Leben war sowieso schon im Eimer, und du

hast es noch schlimmer gemacht. Warum hast du mir das angetan?«

Jetzt schaute Tarnie wieder zu ihr hoch, und seine Augen nahmen sich vor dem wogenden grauen Meer noch viel blauer als sonst aus.

»Ich fand dich eben so zauberhaft«, sagte er sanft.

Das nahm Polly komplett den Wind aus den Segeln. »Aber ... das gibt dir nicht das Recht zu so einem Verhalten.«

»Ich weiß«, nickte Tarnie. »Es tut mir ja so leid. Das war einfach furchtbar. Zwischen meiner Frau und mir lief es schon lange nicht mehr gut, und ich ... ich hab mich eben einsam gefühlt.«

Schon wieder dieses Wort.

»Na ja, da hättest du aber nicht mich mit reinziehen dürfen«, entgegnete Polly streng.

»Nein.«

Tarnie kratzte sich am Hinterkopf, während die anderen Fischer sie beobachteten. Hier in der Stadt konnte man eben nichts für sich behalten.

»Können wir denn nicht wieder Freunde sein?«, bat er schließlich. »Bitte? Dabei hätte ich es nämlich belassen sollen.«

Polly schwieg eine Sekunde. »Na gut, in Ordnung.«

Unbeholfen streckte Tarnie die Hand aus, und Polly schüttelte sie.

»Und ein Kuss!«, rief Jayden, aber Kendall hielt ihm den Mund zu.

»Also«, murmelte Polly. »Leider hab ich heute gar nichts zu essen für euch.«

»Kein Problem«, winkte Tarnie ab.

Wieder ließ Donner den lilafarbenen Himmel erzittern.

»Ich hasse diesen Job«, mischte sich nun Jayden ein.

»Müsst ihr denn wirklich rausfahren?«, fragte Polly und schaute entsetzt zum Himmel hoch. »Das sieht da draußen schlimm aus.«

»Ich hab schon Schlimmeres erlebt«, versicherte Tarnie. »Zur Hölle damit!«

Polly blickte ihn an. »Und ich fand es total daneben, dass du Jayden losgeschickt hast, damit er Brot für dich kauft.«

»Ich weiß. Aber jetzt komm schon. Ich muss ohne dich leben, aber ich glaube, ohne dein Brot halte ich es nun wirklich nicht aus.«

»Wirst du dich denn von jetzt an benehmen?«, fragte sie.

Tarnie nickte heftig. Dann zog er ein Buch aus seiner Gesäßtasche, es war ihre Ausgabe von *Alice im Wunderland*.

»Danke«, sagte er. »Das hab ich wirklich gern gelesen.«

»Gut«, befand Polly und schob es in ihre Jackentasche. Dicke Regentropfen fielen auf sie herab. »Ich kann immer noch nicht fassen, dass ihr wirklich loswollt.«

»Das ist doch bloß Wetter«, rief Archie, der bereits anfing, den Kutter fertig zu machen. »Einfach nur Wind und Regen.«

»Also, dann passt da draußen gut auf euch auf.«

»Wir sind dem Sturm immer eine Nasenlänge voraus. Unser Kutter schafft das schon, der hält was aus«, erklärte Tarnie.

»Genau wie deine Frau!«, rief Kendall, und die Männer brachen in schallendes Gelächter aus. Tarnie erwiderte nichts und fluchte nur lautstark. Polly zog sich zurück.

Sie sah dabei zu, wie die Männer ihr gelbes Ölzeug anlegten, die Netze sicherten und die Winsch überprüften. Plötzlich verstand sie auch, warum sie diese riesigen gelben Hüte trugen. In der winzigen Kombüse machte schon jemand Tee.

»Viel Glück«, sagte die junge Frau leise, wandte sich ab und ging. Sie kehrte zurück ins Bad, wo sie das Wasser in der Wanne gelassen hatte, um darin gleich noch ihre Wäsche zu waschen. Zum Glück war es noch halbwegs warm.

An diesem Abend konnte sich Polly auf nichts anderes konzentrieren, sie dachte die ganze Zeit an die kleinen Kutter da draußen auf dem Meer, an die winzigen Schiffe unter dem wütenden Himmel. Vielleicht war es ja einfacher, Fische im aufgewühlten Wasser zu fangen, weil die womöglich auch nicht schlafen konnten. Polly versuchte Kerensa anzurufen, um ein wenig mit ihr zu plaudern und sich von ihr ablenken zu lassen, und dann probierte sie es bei ihrer Mutter, aber sie hatte wegen des Sturms gar keinen Empfang und gab es schließlich auf.

Später wurde ihr Schlaf vom Donnergrollen und der tosenden See gestört. Einmal glaubte sie im Traum zu ertrinken. Das Meer zog sie runter, das Boot brach auseinander, alles verlor sich in schweren, dunklen blauen und schwarzen Schatten. Panisch wälzte sie sich hin und her, ein Schweißfilm lag auf ihrer Haut, das Herz raste in ihrer Brust, und sie riss plötzlich die Augen auf. Sie stellte fest, dass sie kaum Luft bekam, weil sie sich komplett in ihrer Bettdecke verheddert hatte. Der Sturm toste immer noch ums Haus, und sie fuhr zusammen, als plötzlich etwas gegen das Fenster knallte. Zu ihrem Entsetzen wurde ihr klar, dass es sich um eine Welle handelte, die mit unglaublicher Kraft über die Hafenmauer und die Straße geschwappt war. Sie war ganz mühelos bis an den ersten Stock gekommen, so als hätte ein Gigant eine

Handvoll Wasser in ihre Richtung geschleudert. Der Lärm war ohrenbetäubend.

Als Polly sich dann schließlich beruhigt hatte, fiel sie in einen entspannteren Schlaf, der vom Honigduft der Bienen und leisem Summen erfüllt war. Und als sie dann irgendwann aufwachte, summte tatsächlich etwas, allerdings war es ihr Handy, auf dem eine Nachricht einging. Eigentlich hatte sie damit gerechnet, dass sie zur selben Zeit wie immer aufwachen würde. Den Wecker stellte sie sich meist gar nicht, weil sie hörte, wie die Kutter zurück in den Hafen kamen, und dann die Lieferwagen der Fischhändler, die über das Kopfsteinpflaster fuhren. Nun aber wurde ihr klar, dass sie verschlafen hatte, und sie sprang panisch auf. Draußen zogen die großen Wolken weiter, und der Sturm schien sich müde geblasen zu haben.

Hektisch griff Polly nach ihrem Telefon: 7:30. Verdammt, verdammt, VERDAMMT! Die ersten Brotlaibe hätten schon vor zwei Stunden im Ofen sein müssen, und in einer halben Stunde machte die Bäckerei eigentlich auf. Jetzt blieb ihr nicht einmal mehr Zeit für eine Tasse Kaffee! Polly streifte ein Top und Jeans über, galoppierte nach unten und stellte die Öfen an, so heiß wie möglich. Zum Glück schwelte der Holzofen ohnehin die ganze Nacht vor sich hin, weil es sonst morgens zu lange dauern würde, ihn auf Betriebstemperatur zu kriegen. Dann klatschte Polly ohne ihre übliche Sorgfalt Laibe auf die Bleche, zu mehr reichte es heute eben nicht.

Als die Brote im Ofen waren und sie mit den Brötchen anfing, warf sie zum ersten Mal einen Blick vorne durchs Schaufenster und bemerkte davor jede Menge Leute. Zunächst dachte sie, die würden darauf warten, dass sie aufmachte, aber sie standen mit dem Rücken zum Lokal und schauten aufs Meer hinaus. Keiner sprach oder rührte sich, nur gelegentlich murmelte jemand etwas in sein Handy oder starrte es an, als böte es Antworten auf all seine Fragen.

»ALLE MANN!«, hörte sie.

Polly drehte das Ladenschild von »Geschlossen« zu »Geöffnet« um und schob den Riegel zurück. Die Türklingel ertönte, als sie unter den boshaft grauen Himmel hinaustrat, an dem schwere Wolken hingen. Kein Wunder, dass sie verschlafen hatte, es schien heute gar nicht richtig hell werden zu wollen.

»Was ist denn los?«, fragte sie Patrick, der mit seinen drei Hunden auf seinem Morgenspaziergang war. Aber als sie seinem Blick folgte, wurde es ihr selbst klar – das Hafenbecken war leer. Mal abgesehen von den üblichen Booten und den Dingis der Wochenendausflügler lag dort kein einziges Schiff.

»Die Kutter«, stammelte sie schockiert, und Patrick nickte, während sie sich an der Wand festhielt, um nicht das Gleichgewicht zu verlieren. »Oh, Gott, wo sind denn die Kutter?«

»Das wissen wir noch nicht, jetzt müssen wir eben abwarten, Pol«, erklärte einer ihrer Stammkunden. »Es heißt, dass es ein paar von ihnen bis Looe geschafft haben und dort vielleicht nachts an Land gegangen sind.«

Er sah zum Himmel hoch. Es fiel noch immer Regen, und der Wind zerrte an den Bäumen. »Jetzt könnten sie langsam mal wieder zurückkommen.«

Polly schlug das Herz bis zum Hals. »O Gott, aber Tarnie hat doch gesagt, dass er dem Sturm eine Nasenlänge voraus sein würde. Das hat er gesagt.«

Beruhigend legte Patrick ihr eine Hand auf den Arm. »Ganz bestimmt. Bestimmt ist er irgendwo gestrandet und stopft da gerade ein riesiges englisches Frühstück in sich rein.«

»Ruft ihn doch an!«, sagte Polly mit scharfer Stimme, aber Pat schüttelte den Kopf.

»Die Funkmasten sind wohl beschädigt«, erklärte er. »Das war gestern Nacht ganz schön heftig, und jetzt kommt keiner durch.«

Polly schlug sich die Hand vor den Mund, dann drehte sie sich zu dem Teil der Hafenmauer direkt am Fahrdamm um.

»ALLE MANN!«, hörte sie wieder jemanden in der Ferne rufen. Mehrere Leute hasteten hin und her, zogen gelbes Ölzeug an und machten sich auf den Weg zum Schuppen der Seerettung. Sie ließen das leuchtend orangefarbene Boot bis zum Wasser hinunterlaufen, wo es mit einem Platsch landete, und sprangen dann an Bord.

»Warum sind die denn nicht früher rausgefahren?«, fragte Polly wütend. »Warum erst jetzt?«

Streng wandte sich Patrick zu ihr um.

»Sie waren schon dreimal draußen«, sagte er. »Das ist die vierte Expedition. Immer wenn ihnen der Diesel ausgeht, müssen sie umdrehen und kommen zurück.«

»Entschuldige«, stöhnte Polly. »Tut mir leid! Und man hat sie immer noch nicht gefunden?«

»Noch nicht«, versetzte Patrick düster.

Ein Teenager aus dem Ort rannte herbei und rief: »Schiffbruch! Schiffbruch drüben in der Darkpoint Bay! Und es ist ein Riesending!«

Patrick erstarrte. »Ach je, das gibt einen Massenauflauf.«

»War das etwa einer der Fischkutter?«, fragte Polly entsetzt.

»Nein, ein großer Frachter! Voll beladen!«

Mehrere junge Männer, die nach ihrem Einsatz im Rettungsboot ziemlich müde ausgesehen hatten, wurden plötzlich wieder munter.

»Da ist längst auch Polizei!«, warnte Patrick. »Ihr wisst genau, wo ihr landet, wenn ihr da jetzt auf Raubzug geht.«

Polly folgte einfach blind der Menge über den Fahrdamm aufs Festland und dann die Spitze der Landzunge hinauf. Zunächst konnte sie die Ausmaße dessen, was da ins Blickfeld geriet, gar nicht ermessen. Es sah aus, als sei ein Wolkenkratzer einfach seitlich umgekippt. Ein Teil des Frachters war am Strand aufgelaufen, ein anderer lag jedoch unter Wasser. So etwas Riesiges hatte Polly noch nie gesehen, das Frachtschiff musste wohl an die zweihundert Meter lang sein, und seine Schieflage wirkte extrem merkwürdig. Die Kisten, die der riesige Superfrachter geladen hatte, schwammen auf dem Wasser.

»Himmel«, zischte Patrick, »hoffentlich läuft da kein Öl aus.«

»Was ist denn mit der Besatzung?«, fragte Polly ängstlich. Als sie die Augen zusammenkniff, konnte sie sechs oder sieben Personen erkennen, die am Bug hockten und heftig winkten.

»Wir schicken denen den Arzt raus«, sagte Patrick. »Aber bis dahin ...«

Polly konnte den Anblick kaum ertragen, als sie mit anderen Bewohnern des Ortes zusammen den Hang hinunterschlitterte. Auch Muriel aus dem Laden war da.

»Die armen Kerle«, murmelte sie. Dann sah sie sich nach beiden Seiten um. »Wusstest du, dass man so was früher mit Absicht provoziert hat?«, sagte sie zu Polly.

»Wie meinst du das?«

»Na ja, in alten Zeiten haben Strandräuber ganz bewusst

falsche Leuchtsignale angezündet, um Schiffe stranden zu lassen. Dann haben sie die Seeleute umgebracht und sich die Fracht geholt. Davon haben damals viele Menschen hier gelebt.«

»Machst du Witze?«, fragte Polly. »Na, kein Wunder, dass alle so nervös sind.«

Das größte Problem würde darin bestehen, die Männer vom Schiff zu bekommen, so viel wurde klar, als sie den Strand erreichten. Je näher sie kamen, desto riesiger wirkte der Schiffskörper nämlich. Und bald darauf hörte man dann auch den Hubschrauber einer nahen Rettungszentrale die Küste entlangknattern. Ein Rettungsboot dümpelte um den Rand des Schiffes herum, das von dort unten wie eine riesige Klippe aussehen musste.

»Ich frage mich, wo die hier landen wollen«, sagte Patrick und schaute zum Himmel hinauf. Aber der Helikopter verharrte nur reglos, und dann sahen sie, wie ein Mann an einem Seil herabgelassen wurde.

»Wow!«, entfuhr es Polly. Die Besatzung des gekenterten Schiffes wedelte aufgeregt mit den Armen. Nun bemerkte Polly, dass es dort offenbar auch einen Verletzten gab. Sie sah Patrick an. »Kann ich nicht irgendwie helfen? Ich will hier nicht einfach nur rumstehen.«

»Weißt du was?«, sagte der Tierarzt. »Was wir hier alle gut gebrauchen könnten, wäre eine Tasse Tee und vielleicht was zu essen. Meinst du, du könntest vielleicht …«

»Den Laden aufmachen?«, führte Polly seinen Gedanken zu Ende. »Das sollte ich wahrscheinlich, oder? Hier wird es gleich vor Leuten nur so wimmeln.«

»Vor allem, wenn wirklich Öl ausläuft.«

»Bitte nicht.«

Auf dem havarierten Schiff halfen die Seeleute gerade dem Mann aus dem Hubschrauber, ihren verletzten Kameraden am Seil zu befestigen. Schaulustige filmten den Vorgang mit dem Handy. Eigentlich hätte Polly auch gern zugesehen, aber Patrick hatte schon recht – bald würde sich jeder nach einer Tasse Tee sehnen, und wahrscheinlich würde sogar die Presse auftauchen. Außerdem hatte sie ja auch Brot im Ofen. Sie wandte sich ab und machte sich auf den Rückweg.

Obwohl sie dadurch die ganze Aufregung verpasste, hatte es auch etwas Gutes, dass Polly jetzt zur Bäckerei zurückflitzte. Dort hatte sie nämlich so viel zu tun, dass ihr nicht mehr viel Zeit blieb, sich um Tarnie und seine Männer zu sorgen. Wo die wohl steckten? Inzwischen war das Meer wieder ruhiger, und sie konnten zurückkehren, wenn sie es versuchten. Aber vielleicht trieben sie mit Maschinenschaden irgendwo herum. Und warum hatte sie nur bis jetzt niemand reingeholt? Es waren doch alle auf der Suche nach ihnen, das brachten sie sogar im Radio. Der Sprecher erklärte auch, dass es so einen Sturm schon lange nicht mehr gegeben hatte und er viel schlimmer gewesen war als vorhergesagt. Es wurden Stimmen laut, die die Wetterdienste zur Verantwortung ziehen wollten, und die Versicherungsgesellschaften rechneten schon mit dem Schlimmsten.

Für den Tee kramte Polly hinten im Lager einen alten Topf hervor, und Muriel brachte aus dem Lebensmittelgeschäft vier staubige Kisten mit unverkauften Mount-Polbearne-Souvenirkannen, jede Menge Plastikbecher und Milch. Sie holten den Tisch von oben, stellten ihn vor die Bäckerei und boten allen kostenlos Tee und Brote an. Die Männer, die in Schichten mit dem Rettungsboot rausfuhren, kamen frustriert und vor Kälte schlotternd zurück. Auch Hubschrauber waren im Einsatz, aber die Fischereizonen waren eben weitläufig. Inzwischen trafen bereits die ersten Fernsehteams ein. Da der Damm kaum noch passierbar war, fuhren nur einige wenige der Gefahr ungeachtet mit ihren Geländewagen durchs Wasser, die anderen nahmen den langen Weg mit dem Boot auf sich. Über Polbearne hatte das Unwetter trotz seines breiten Einflussgebiets wohl am schlimmsten gewütet.

Um elf Uhr gab es dann endlich erste gute Nachrichten: Die Besatzung der *Free Bird*, eines der Fischkutter aus Polbearne, hatte die Leuchtpatrone seiner Signalpistole abgeschossen, und es war bereits ein Rettungsboot auf dem Weg. Der Kutter war durch den Wind mehr als dreißig Kilometer vom Kurs abgekommen, seine elektronischen Geräte waren ausgefallen und die Netze weggerissen worden. Niemand an Bord hatte die *Trochilus* oder die anderen beiden Schiffe gesehen.

Die *Free Bird* wurde hereingeschleppt, und die Leute versammelten sich am Hafen, um die Fischer jubelnd willkommen zu heißen. Weinende Ehefrauen hielten Kinder hoch, die keine Ahnung hatten, was hier eigentlich los war, sich aber über Umarmungen und Gratis-Brötchen freuten. Polly hatte ein riesiges Blech in den Ofen geschoben und noch mehr Brot. Das würde sie später Mrs Manse erklären müssen, aber sie wusste einfach nicht, was sie sonst tun sollte. Zum millionsten Mal schaute sie auf ihr Handy, um zu sehen, ob sie inzwischen Empfang hatte. *Bitte, lieber Gott!* Es war ja eigentlich Sommer, aber in den eiskalten Tiefen da draußen konnte man leicht umkommen. Sie fuhr zusammen, als ihr der Traum von letzter Nacht wieder in den Sinn kam: wie es sie in die Tiefe gezogen hatte, das Licht langsam versickert und es um sie herum dunkel geworden war. Ihre Hände begannen zu zittern, aber das war bestimmt keine Vision gewesen. An so etwas glaubte sie doch gar nicht!

Der Tag zog sich endlos in die Länge. Um zwei Uhr fand ein Suchteam alle fünf Männer von der *Lark* in einer Rettungskapsel – einer Art Schlauchboot mit Zeltdach, das in Richtung Devon trieb. Von ihrem Kutter war nichts mehr übrig, der war gesunken, aber die Besatzung hatte es gerade noch rechtzeitig von Bord geschafft. Jetzt wurden sie von der Devonshirer Polizei zurück nach Polbearne gebracht. Die Fischer waren still, blass und zitterten, als sie ihre Familien in die Arme schlossen. Genauso ging es der Besatzung der *Wiverton*, deren Leuchtpatrone stecken geblieben war und nicht funktioniert hatte. Ein Helikopterpilot mit Adleraugen hatte den neongelben Gegenstand im Wasser entdeckt und die Männer per Seil in den Hubschrauber gehievt.

»HEY!«

Müde schaute Polly auf. Sie hatte den ganzen Tag gebacken, Essen ausgegeben und auf Neuigkeiten gewartet. Blinzelnd starrte sie nun die Person an, die da vor ihr stand. Mit der hatte sie nun wirklich nicht gerechnet.

»Was machst du denn hier?«

Kerensa setzte eine Unschuldsmiene auf. »Machst du Witze? Hier wimmelt es doch nur so von heißen Hubschrauberpiloten.«

Sie trat näher. »Alles klar bei dir?«

Polly zuckte mit den Achseln. »Einer der Kutter ist noch nicht wieder zurück.«

»Ausgerechnet der mit dem sexy Bartträger?«

Polly schluckte und nickte. Nun kamen ein paar Leute aus dem Ort vorbei und klopften ihr auf die Schulter, um ihr für ihren Beitrag zu danken.

»Na, mach mal Platz«, sagte Kerensa und fing an, Brötchen zu schmieren. »Ich kann nicht fassen, dass du das alles umsonst verteilst. So kann man doch kein Geschäft führen, den ganzen Gaffern solltest du eigentlich das Dreifache berechnen.«

Finster starrte Polly sie an.

»Okay, okay, ich mein ja nur.«

Nun kam eine kräftige Gestalt mit einem großen Tablett näher. Polly blinzelte.

»Wer ist das denn?«, erkundigte sich Kerensa. »Oh, ist das etwa die alte Schnepfe?«

»Pst«, machte Polly, weil Mrs Manse schon in Hörweite war und sich schniefend ansah, was ihre Angestellte da so trieb. Polly biss sich auf die Lippe, weil sie mit einer Standpauke rechnete. Das war schließlich nicht ihr Laden, daher sollte sie solche Entscheidungen eigentlich nicht eigenmächtig treffen. Mrs Manse betrachtete den improvisierten Stand, der zum Treffpunkt geworden war und um den sich alles drängte. Dann räusperte sie sich einmal vernehmlich und knallte das Tablett auf den Tisch. Darauf lagen Schaumrollen und anderes Gebäck, mindestens so viel, wie sie sonst an einem ganzen Tag verkaufte.

»Das Blech brauch ich morgen früh wieder«, knurrte sie noch, bevor sie sich umdrehte und wieder abdampfte.

»Na, sieh mal einer an«, grinste Kerensa, während Polly bereits begann, den Kuchen an hungrige Helfer und Kinder zu verteilen.

Als es Abend wurde und der Rettungskreuzer auch beim sechsten Mal erfolglos zurückkehrte, brannten wieder Tränen in Pollys Augen. Die Besatzungen der anderen Kutter waren zum Glück relativ unversehrt geblieben – hier und da gab es angeknackste Rippen oder ein gebrochenes Handgelenk, ein paar Schnitte oder Blutergüsse und Unterkühlung. Es hatte sie in ihrer Hoffnung bestätigt, dass Tarnie und seine Männer jeden Moment in einem Polizeiwagen auftauchen und von ihren Abenteuern erzählen würden.

Aber jetzt wurde es immer später. Die Geretteten, die sich von ihren Familien loseisen konnten, schauten im Pub vorbei, und die restlichen Einwohner scharten sich zusammen mit Medienvertretern um sie. Man lauschte ihren Geschichten, die mit fortschreitendem Abend und jedem Bier ein wenig aufregender und spannender wurden.

Als dann schließlich kein einziger Teebeutel mehr übrig war, kein Tropfen Milch, nicht ein einziges Brötchen, machte Polly den Laden zu und räumte alles zusammen.

»Na komm«, sagte Kerensa. »Lass uns einen Spaziergang machen. Ich will nämlich das verunglückte Schiff sehen.«

»Den Frachter?«

»Hm-hm.«

»Du willst dir ein Schiff ansehen, das auf der Seite liegt?«

»So ausgedrückt klingt das zwar komisch – aber ja.«

Polly wollte sowieso nicht in den Pub, auf keinen Fall würde sie sich anhören, wie alle anderen dem Tod noch einmal von der Schippe gesprungen waren. Und weil natürlich jeder von ihr und Tarnie wusste, würden alle sie fragen, ob sie schon etwas gehört hatte ... Nein, das würde sie nicht durchstehen.

»Okay«, sagte sie deshalb.

Inzwischen leuchtete der Himmel in einem sanften Goldton, und die See wurde ruhiger. Jetzt konnte man sich kaum mehr vorstellen, was für Kräfte sie nur vor Stunden aufgepeitscht hatten. Als Polly in Plymouth gewohnt hatte, hatte sie eigentlich nie einen Gedanken an das Wetter verschwendet. Aber jetzt lebte sie ja so nah an der Trennlinie zwischen Meer und Land. Hier bestimmte der Ozean einfach alles: ob man den Damm überqueren konnte, ob die Männer Arbeit hatten, sogar, ob man das Haus verlassen konnte. Das war hier eben jedermanns tägliches Brot. Und während sie mit Kerensa schweigend über die Dünen trottete, verstand sie endlich, was es hieß, Salzwasser in den Adern zu haben.

Auf der anderen Seite der Landzunge waren immer noch jede Menge Leute unterwegs. So viele Menschen auf einmal hatte Polly schon seit Monaten nicht mehr gesehen. Die Polizeiabsperrung gab ihr allerdings Rätsel auf, bis Kerensa ihr erklärte, dass man damit vermutlich Plünderungen vermeiden wollte.

»Aber wenn das Zeug doch sowieso über Bord gegangen ist, warum dürfen es sich die Leute nicht einfach holen?«, fragte Polly.

»Weil sie sich dann darum streiten und es sich gegenseitig abnehmen würden. Und wenn das nächste Mal ein Frachter am Horizont auftaucht, dann locken sie ihn vielleicht mit Absicht hierher«, überlegte die pragmatische Kerensa.

»Das würden die doch nie machen«, protestierte Polly, aber einige der Jugendlichen am Strand wirkten durchaus nicht abgeneigt. Sie forderten energisch Zugang. Wenigstens schien kein Öl ausgelaufen zu sein.

»Was ist das denn?«, fragte Polly nun und deutete auf das

Wasser, auf dem Gegenstände zu tanzen schienen, die neben dem riesigen Frachter winzig aussahen.

»Keine Ahnung«, erwiderte Kerensa. »Komm, lass uns mal gucken.«

Sie schlitterten zum Strand runter, aber da wollte ein Polizist sie wieder zurückschicken. Als sie sich schon abwandten, ertönte auf einmal ein lautes Geräusch, und ein lachhaft protziges Boot mit einer langen Spitze tauchte auf. Es war aus hellbraunem Holz und sah aus, als könnte es aus den fünfziger Jahren stammen, war dabei aber blitzschnell. Als der Flitzer mit einer angeberischen Kurve das Wasser spritzen ließ, konnte man darin luxuriöse Ledersitze erkennen.

»Hey, Officer!«, rief eine grelle, ihnen nur zu bekannte Stimme. »Wir sind hier, um die Ladys abzuholen!«

»Ladys?«, stöhnte Polly.

Kerensa war schon zum Wasser runtergelaufen, um sich das mal genauer anzusehen. Das wunderschöne Boot wurde von Reuben gesteuert, und Huckle saß auch darin.

Der Polizist winkte die beiden Frauen durch.

»Aber nicht auf den Frachter klettern!«, rief er ihnen noch warnend hinterher. Dabei wurde der sowieso von kreisenden Rettungsbooten in Orange und weißen Polizeischiffen vor Plünderern beschützt.

»Ich kauf das Ding einfach«, knurrte Reuben verstimmt und fuhr näher ans Ufer heran, damit die beiden Frauen an Bord kommen konnten. Huckle streckte eine Hand aus, um ihnen dabei zu helfen.

»Nicht schlecht«, bemerkte Kerensa und betrachtete anerkennend das Interieur aus Walnussholz.

»Das ist meine *Riva*«, erklärte Reuben. »Eins meiner kleinen Boote, hat mich achthunderttausend Dollar gekostet.«

»Ehrlich gesagt find ich es ganz furchtbar«, behauptete Kerensa nun und wandte sich abschätzig von Reuben ab.

»Hey«, sagte Huckle leise zu Polly. Es machte ihm Sorgen, wie sie ihn mit leeren Augen anstarrte, ohne ein Lächeln oder einen Anflug von Wärme im Blick. »Wie geht's dir?«

»Habt ihr nach ihnen gesucht?«, fragte Polly eindringlich.

»Nö«, sagte Reuben, »wir hatten uns nur gedacht, dass heute vielleicht ein schöner Tag für eine Spazierfahrt wäre.«

»Ignorier Reuben einfach«, riet Huckle und legte ihr die Hand auf den Arm. »Natürlich waren wir auf der Suche.«

Polly schüttelte den Kopf. »Ich konnte dich telefonisch nicht erreichen. Wo stecken die bloß? Warum findet man sie nicht?«

»Weil sie wahrscheinlich auf dem Meeresgrund liegen und dort von Haien gefressen werden?«, rief Reuben. Dann legte er einen Gang ein.

»Halt doch einfach mal den Mund, du Rüpel«, rief Kerensa.

Reuben sah sie an.

»Ich finde dich wirklich attraktiv«, erklärte er laut und ohne jede Verlegenheit. »Was für teure Geschenke gefallen dir denn so?«

Kerensa beachtete ihn gar nicht und ließ sich so weit weg von ihm wie möglich nieder. Als sie nun losfuhren, fragte Polly sich zunächst, warum sie so langsam waren, dann wurde ihr jedoch klar, dass sie da durch irgendetwas hindurchfuhren. Es war wirklich merkwürdig, aber das Wasser war voll von ...

»Sind das etwa ...?«, fragte sie und war plötzlich hellwach.

Huckle sah sie an und schenkte ihr ein kleines Lächeln. »Ich weiß, alles andere muss wohl untergegangen sein. Außer denen ...«

Unter dem rosafarbenen Abendhimmel trieben in alle Richtungen unzählige – vermutlich Tausende – kleine gelbe Gummienten. Manche hatten einen Schnurrbart oder trugen einen pinken Hut, andere waren kleine Golfer oder Teufel, einige hatten einen Polizeihelm, aber sie gehörten alle zur selben Familie der kleinen gelben Gummientchen.

»Die haben sich wohl in einer der Lieferungen befunden«, überlegte Huckle. »Und durch den Unfall wurden sie dann befreit.«

»Die sind also ausgebrochen?«

»Ja, sozusagen.«

»Guckt euch die doch nur mal an!«, rief Kerensa. »Wie sie in die Freiheit schwimmen!«

»Toyota wird weniger begeistert sein«, sagte nun Huckle. »Dem Internet zufolge war auch eine Lieferung mit deren Wagen an Bord. Die schaffen es eher nicht aus eigener Kraft an Land.«

Nun starrten alle ins Wasser und fragten sich, was sich wohl gerade unter ihnen befand.

»Ich werd hier eine Tauchschule aufmachen«, platzte es plötzlich aus Reuben heraus. »Das wird die beste Tauchschule der Welt. Da können die Leute dann tauchen und so tun, als würden sie unter Wasser Auto fahren.«

»Was für eine bescheuerte Idee«, knurrte Kerensa.

»Sei still!«, meinte Huck. Polly schwieg nur.

Sie arbeiteten sich weiter durch die Menge der Quietscheentchen vor, die auf dem Wasser schaukelten, und als sie dann die Landzunge umrundet hatten, hielt Polly die Luft an.

Es sah aus wie eine Regatta – Schiffe, so weit das Auge reichte. Winzige Ruderboote, große Rennflitzer, breite Luxusjachten, Rettungsboote in leuchtendem Orange und kleine schwarze Beiboote. Alle patrouillierten auf dem Wasser, hielten nach Hinweisen Ausschau, nach irgendeiner Spur, suchten nach den vermissten Fischern.

»Mein Gott!«, sagte Polly.

Sie gesellten sich dazu und kamen unterwegs an der kleinen Insel vorbei, deren Anblick Polly kaum ertragen konnte. Die *Riva* fuhr in Richtung tiefer Fahrwasser weiter. Ab da musste man sich vor den riesigen Fähren in Acht nehmen. Unterwegs winkte die kleine Gruppe anderen Booten zu, denen sie begegnete, hielt den Blick aber weitestgehend aufs Wasser gerichtet. Vielleicht würden irgendwelche Überreste – eine Schwimmweste, ein Stofffetzen, vielleicht ein im Wasser treibender Funksender oder ein Stück von einem Mast – einen Hinweis auf den Verbleib des gesuchten Kutters geben.

Im Nachhinein würde es Polly so vorkommen, als hätte diese Fahrt tagelang gedauert, obwohl es sich in Wirklichkeit nur um Stunden handelte. Sie ließ die Hand durchs kalte Wasser gleiten und suchte verzweifelt den Horizont ab. Dann starrte sie wieder in die Wellen, als könnte sie darin etwas erkennen, wenn sie nur aufmerksam genug guckte. Irgendwann gab Reuben wieder Gas, sie fuhren weiter und suchten einen anderen Bereich ab, änderten dann noch einmal ihr Suchgebiet …

Polly konnte einfach nicht fassen, dass Tarnie – unter dessen harter Schale doch ein so weicher Kern steckte – womöglich nie mehr zurückkehren würde. Er war doch der beste Kapitän der Fischereiflotte, das hatten alle immer gesagt. Und er war so stark. Er würde es einfach nicht zulassen, dass irgendetwas passierte. Und dann der freche Jayden, der noch so jung war und die Fischerei hasste, und der kleine Kendall.

Sie waren geborene Seeleute, in ihren Adern floss Salzwasser. *Sie müssen zurückkehren*, dachte sie flehentlich, *das müssen sie einfach*.

Sie rieb sich die Lider und starrte dann wieder auf den Horizont, musste die Augen dafür aber so heftig zusammenkneifen, dass sie kaum noch etwas erkennen konnte.

»Schätzchen, die Falten!«, warnte Kerensa und strich ihr über den Rücken. Ihr war klar, wie mitgenommen Polly war. Ihre Freundin schien wie unter Schock zu stehen, so sehr machte die Sorge um die jungen Männer ihr zu schaffen. Entsprechend verständnislos starrte Polly Kerensa nun an.

»Nicht blinzeln!«, mahnte die. Sie wandte sich an die beiden anderen vorne. »Wir Frauen setzen uns lieber so hin, dass wir beim Suchen nicht ins Licht gucken, ihr Männer übernehmt die Sonnenseite. Bei euch sehen Lachfalten nämlich gut aus.«

»Bei mir sieht doch alles gut aus«, entgegnete Reuben, der eine viel zu grelle teure Sonnenbrille von Oakley trug.

»Behaupten das deine Freundinnen?«, fragte Kerensa.

»O ja«, nickte Reuben. »Und die müssen es wissen, die sind schließlich Models.«

»Klar«, schnaubte Kerensa, »deshalb hängen sie ja auch völlig zugekokst auf Partys rum, mit Plastikbeuteln statt Schuhen und einem Schwan auf dem Kopf.«

Reuben zog eine Schnute. »Du wirst zu solchen Veranstaltungen ja offenbar nicht eingeladen.«

Kerensa suchte Pollys Blick, aber ihre Freundin war in Gedanken meilenweit weg und schien gar nichts mitzubekommen. Huckle sah sie besorgt an. Am liebsten hätte er den Arm um sie gelegt, nach Sonnenuntergang war es jetzt nämlich frisch geworden, und die See wurde auch wieder unruhiger. Aber er wollte keine falschen Signale senden und Polly womöglich erschrecken. Stattdessen berührte er nur ganz sanft ihr Haar.

»Hey«, sagte er.

Als sie zu ihm aufsah, standen Tränen in ihren Augen.

»Wir müssen sie einfach finden«, versetzte Polly.

»Wir tun ja schon, was wir können«, gab Huckle zu bedenken.

Reuben hatte einen Korb mit gekühltem Champagner, frischem Hummer und Räucherlachs-Sandwiches dabei, aber es war keinem nach Essen zumute. Stattdessen fuhren sie weiter, bis es schließlich stockfinster wurde, die Luft war schwer und schwarz. Aus einem Hubschrauber rief ihnen ein Mann per Lautsprecher zu, dass sie bei der bewegten See jetzt umkehren sollten. Die RNLI, die Königliche Seenotrettungsorganisation, würde die Suche fortsetzen.

»Aber wir können sie nicht noch eine Nacht hier draußen lassen«, stammelte Polly mit klappernden Zähnen.

»Uns bleibt nichts anderes übrig«, bedauerte Huckle. »Sonst suchen die von der RNLI morgen nach uns.«

Dann zog er seine Jacke aus und legte sie Polly um die Schultern. Als die junge Frau es nicht einmal zu registrieren schien, sah er zu Kerensa rüber.

»Ich mach mir echt Sorgen um sie«, murmelte er.

»Ich bring sie gleich nach Hause«, versprach Kerensa, zog Polly an sich heran und schmiegte sich an sie.

Eigentlich hätte Huck das ja lieber selbst übernommen. Er wollte nämlich verhindern, dass Kerensa Polly mit Wein abfüllte und es ihr dann noch schlechter ging, aber er schwieg lieber. Einer von Reubens Wagen parkte am Ufer, und das Boot würden sie dann morgen zurückbringen.

Im Hafen war immer noch viel los, und es standen alle unter Hochspannung, als sie zurückkehrten – die Polizei, die Presse und Anwohner, die das Salzwasser von ihren Booten wuschen. Jeder fragte den anderen, ob es schon etwas Neues gab. Kerensa brachte Polly nach oben, ließ ihr ein heißes Bad ein und machte ihr einen Käsetoast, den ihre Freundin aber unberührt stehen ließ. Da Kerensa selbst völlig k.o. war, schlug sie um zehn Uhr vor, langsam mal schlafen zu gehen, Polly lehnte jedoch ab. Sie überließ Kerensa ihr Bett und setzte sich im Wohnzimmer ans Fenster, googelte immer wieder die Nachrichten und las Tweets auf ihrem winzigen Handy. Dabei schaute sie zu, wie sich die Leute im Hafen schließlich zerstreuten und eins nach dem anderen die Lichter rund um den Hafen ausgingen. Polly war so furchtbar müde, aber wenn sie versuchte, die Augen zuzumachen, sah sie doch immer nur Tarnies wie in Stein gemeißeltes, ernstes Gesicht vor sich, seine strahlend blauen Augen, seine fröhliche, junge Besatzung. Dann hörte sie seine Stimme, wie er davon erzählte, dass er nur da draußen unter den Sternen völligen Frieden fand.

»Bitte«, hörte sie sich sagen, »bitte.«

Sie musste wohl doch auf dem Stuhl eingenickt sein. Als sie die Augen wieder aufschlug, standen die Sterne nämlich höher am Himmel, und es fühlte sich alles irgendwie gedämpft an. Polly stand auf und schaute aus dem Fenster. Draußen auf der Hafenmauer entdeckte sie eine vertraute Silhouette.

Wie im Traum wandelte Polly zur Tür rüber und nahm sich eine Decke vom Sofa mit, sie konnte einfach nicht anders.

Im Freien schien der Mond viel heller, als es von innen ausgesehen hatte. Die Wellen waren wieder hoch und klatschten gegen die Hafenmauer, das sah aber längst nicht so schlimm aus wie in der Nacht davor. Aber es war kalt, deshalb zog sich Polly die Decke über Kopf und Schultern und versuchte, nicht darüber nachzudenken, wie eisig es erst da draußen auf See sein musste.

Polly näherte sich Mrs Manse, die wie immer völlig reglos blieb. Die junge Frau schluckte, sagte aber kein Wort und harrte einfach nur neben der alten Bäckerin aus.

Nachdem sie fünf Minuten so dagestanden, den Horizont betrachtet und auf den Lichtstrahl des Leuchtturms gewartet hatten, spürte Polly, wie ihre Zähne zu klappern begannen.

»So ist es eben«, ertönte eine Stimme neben ihr, aber Mrs Manse klang gar nicht so schnippisch und wütend wie sonst, sondern resigniert, traurig, ernst. »So ist das, wir Frauen bleiben zurück und warten. Das ist unser Los.«

Polly sah sie an. »Und, hilft es?«

Mrs Manse zuckte mit den Achseln. »Das bringt sie uns auch nicht wieder.«

Polly nickte. »Trotzdem haben Sie die Hoffnung nicht aufgegeben?«

Mrs Manse schwieg lange. Wieder fuhr der Strahl des Leuchtturms über sie hinweg. Dann sagte sie endlich etwas.

»Ich weiß nicht, was ich sonst tun soll«, erklärte sie.

Polly biss sich auf die Lippe.

Leise fuhr Mrs Manse fort: »Irgendwie hab ich immer gedacht, dass er vielleicht ausgerechnet in der Nacht zurückkommt, in der ich hier nicht mehr stehe ... dass er sich mit allerletzter Kraft hierherschleppt, es dann aber nicht über die Hafenmauer schafft. Und dann bin ich nicht da, um ihm zu helfen ...«

Das konnte Polly voll und ganz verstehen.

Plötzlich drehte sich Mrs Manse zu ihr um, und ihr fülliger Körper blieb auch bei diesem Wind unbewegt und reglos.

»Bitte«, bat sie in dringlichem Tonfall, »bitte gehen Sie nach Hause. Werden Sie bloß nicht wie ich.«

»Aber ich muss doch auf sie warten«, entgegnete Polly.

Mrs Manse schüttelte den Kopf. »Nein, nicht so«, bat sie inständig. »Bitte, nicht so. Tun Sie sich das nicht an.«

Polly zog die Decke noch fester um sich. »Ich kann aber an nichts anderes mehr denken.«

»Trotzdem passieren die Dinge nicht, nur weil man es sich so sehr wünscht«, erwiderte Mrs Manse wütend. »Begreifen Sie das denn nicht? Sich etwas zu wünschen, bringt einfach nichts.« Nun schaute sie Polly direkt in die Augen. »Bitte«, sagte sie, flehte nun beinahe. »Bitte gehen Sie nach Hause.«

Polly sah noch ein letztes Mal hinaus zum Horizont. Ihr Kopf fühlte sich ganz dumpf an, so als wäre er voller Watte.

»Bitte«, wiederholte Mrs Manse. »Bitte. Werden Sie nicht wie ich.«

Polly starrte die ältere Frau an, die inzwischen zu zittern begonnen hatte. Mrs Manse sehnte sich so verzweifelt danach, der Falle zu entkommen, in die sich ihr Leben verwandelt hatte. Und plötzlich schien Polly aufzuwachen. Was zum Teufel machte sie hier bloß? Das würde weder Tarnie noch sonst jemandem helfen.

»Könnten Sie ... würden Sie vielleicht gerne mit zu mir hochkommen?«, fragte sie. »Und eine Tasse Tee trinken?«

»Nein, das kann ich nicht«, sagte Mrs Manse und schüttelte den Kopf. »Aber *Sie* können. Bitte, verschwinden Sie hier, solange es noch geht.«

»Aber ich kann Sie doch nicht einfach hier draußen stehen lassen.«

»Doch, das müssen Sie wohl«, seufzte Mrs Manse. »Aber

das ist schon in Ordnung. Ich weiß, was ich tue.« Tapfer versuchte sie sich an einem kleinen Lächeln, wandte den Blick dabei aber nicht vom dunklen Horizont ab.

Ohne darüber nachzudenken, lehnte sich Polly zu ihrer Chefin vor, umarmte sie einmal ganz fest und drückte ihr die Lippen auf die faltige Wange.

Kapitel 21

Zurück in der Wohnung setzte sich Polly wieder auf ihren Stuhl, eingewickelt in ihre Decke. O Gott, wo steckten die Fischer nur? Ein Teil von ihr war ziemlich sicher, dass die nicht noch eine Nacht da draußen überleben konnten, nicht so eine Nacht. Sie versuchte, sie sich tot vorzustellen. Hatten sich all ihre Energie und ihre Sorgen einfach in nichts aufgelöst? Der Gedanke, dass die Männer so ohne Weiteres ausradiert worden waren, war seltsam, geradezu schockierend. Polly war zwar erst seit vier Monaten hier, trotzdem waren die Fischer inzwischen Teil ihres Lebens.

So gegen fünf musste sie wohl wieder eingedöst sein, sie wurde nämlich von einem lauten Geräusch wach, als bereits Tageslicht ins Zimmer fiel.

Es erklang eine Art Knall und dann noch einer. Polly schrak hoch. Was war denn das? Zunächst fürchtete sie, der Frachter sei in der unruhigen See vielleicht auseinandergebrochen. Aber so weit entfernt klang das nicht. Dann dachte sie, dass vielleicht die Fischer nach ihrer Heimkehr hungrig an ihre Tür hämmerten. Oder sie womöglich ertrunken aus ihrem nassen Grab zurückgekehrt waren und nun ans Fenster pochten ... Panisch riss sie die Augen auf.

Die brauchten erst einmal einen Moment, um sich an das

Licht im Raum zu gewöhnen. Als dann das Klopfen wieder ertönte, sah sie zum Fenster rüber und schrie leise auf.

Draußen versuchte ein kleiner schwarzer Vogel mit großem orangefarbenem Schnabel verzweifelt, ihre Aufmerksamkeit auf sich zu lenken.

Sie rannte zum Fenster – das konnte doch nicht sein! Das war doch unmöglich! Aber da hockte er, und an seinem Bein hing ein kleines Plastikplättchen, das nach der langen Reise ganz schmutzig war. Darauf stand »Huckles Honig«.

»NEIL!«, rief Polly und riss das Fenster auf. Der Papageientaucher stürzte sich auf sie. »NEIL!«

Begeistert schlug der Vogel mit den Flügeln und stieß Piepslaute aus, während Polly ihn mit Küssen übersäte. Er roch ein bisschen ölig und nach Fisch, aber so etwas Schöneres war Polly noch nie in die Nase gestiegen. Sie weinte an seinem flaumigen Kopf. Er ließ sich ihre Zuneigungsbekundungen ziemlich lange gefallen und rieb sich heftig an ihrem Finger, schaute sich dabei aber immer wieder im Zimmer um.

»Hast du etwa Hunger?«, fragte Polly. »Natürlich, nach dem langen Flug musst du ja völlig ausgehungert sein. Na komm.«

Ihr unberührtes Abendessen lag im Mülleimer ganz oben, also fischte sie es heraus und legte es auf einen Teller. Neil quietschte begeistert und stürzte sich darauf. Als er dann satt war und aus einer Untertasse Wasser getrunken hatte, flatterte er fröhlich durchs Zimmer, so als wollte er sein altes Revier erst einmal unter die Lupe nehmen. Von Zeit zu Zeit kehrte er zurück, um zwischen den Krümeln herumzupicken.

»Ich freue mich ja so, dich zu sehen«, sagte Polly, die sich das Grinsen nicht aus dem Gesicht wischen konnte, als er sich wie der Papagei eines Piraten auf ihrer Schulter niederließ. »Aber du bist ganz schön dünn geworden.«

Sie kitzelte Neil am Bauch.

»Du hattest eben nicht genug Kohlenhydrate, zu viel Algen und Fisch. Eigentlich sind die ja besser fürs Gehirn, aber du bist trotzdem zurückgekommen, was?«

Gähnend erschien Kerensa in der Tür.

»Träume ich«, fragte sie, »oder redest du da etwa mit einem Vogel?«

»Nicht einfach nur irgendeinem Vogel!«, verkündete Polly. »Guck, das ist mein Vogel! Und der ist meilenweit geflogen, um zu mir zurückzukommen, den ganzen weiten Weg. Neil, du bist einfach unglaublich!« Wieder überschüttete sie ihn mit Küssen.

»Äh, okay«, murmelte Kerensa. Sie sah sich im Raum um. »Gibt es schon was Neues?«

Polly griff nach ihrem Handy.

»Keine Nachrichten«, sagte sie. »Wenigstens hab ich wieder Empfang, aber es gibt keine ...«

Plötzlich war die ganze Freude über das Wiedersehen mit Neil verpufft. Sie sank in sich zusammen. »O Gott, Kerensa. O Gott.«

»Am besten setz ich mal Wasser auf«, sagte ihre Freundin hastig. »Wir trinken jetzt eine schöne Tasse Tee und essen eine Kleinigkeit.«

Polly ließ sich auf ihren Stuhl sinken, während Neil herumhüpfte und besorgte Laute von sich gab. Als Kerensa gerade den Wasserkocher anstellen wollte, hörten sie jedoch etwas. Ein seltsames Geräusch, das von draußen kam.

»Was ist das denn?«

Es war die Glocke der alten Kirchenruine, die da erklang. Der Turm gehörte zu den wenigen Teilen des Gebäudes, die noch standen. Aber nun war nicht das helle Bimmeln zu hören, das am Sonntag einst Gläubige aus der ganzen Gegend in das Gotteshaus zusammengerufen hatte, welches angeblich sogar noch aus vorchristlicher Zeit stammte. Und es waren auch keine Hochzeitsglocken oder fröhliche, heitere Osterglocken. Nein, das war ein dunkles, eindringliches Läuten, dong, dong, dong. Es klang schmerzlich und traurig.

»Was ist das?«, wiederholte Kerensa. Der Tee war längst vergessen. Schnell zogen sich beide an – Polly konnte sich nicht daran erinnern, Kerensa vorher schon mal unfrisiert gesehen zu haben – und liefen nach unten. Polly hatte Neil auf dem Arm.

Die Einwohner des Ortes fanden sich im Hafen zusammen, rieben sich die Augen, waren im Schlafanzug gekommen oder hatten sich den Pullover falsch herum angezogen. Es war kurz nach sechs.

Zuerst war gar nichts zu sehen. Dann erschien ganz langsam ein winziger schwarzer Umriss am Horizont, der sich schnell näherte und immer besser zu erkennen war.

»Das darf ja wohl nicht wahr sein«, murmelte Polly.

Das Boot sauste über die Wellen, die in den ersten Sonnenstrahlen zu glitzern begannen. In der Menge war ein Raunen zu hören.

»Hm«, machte Kerensa, »dieser angeberische Fahrstil ...«

Und tatsächlich, als das Wasserfahrzeug näher kam, konnten sie sehen, dass es sich um die *Riva* handelte.

»Aber die hatten doch gestern Abend aufgegeben«, stammelte Polly.

»Die haben euch nur abgesetzt«, erklärte jemand, der offensichtlich dabei gewesen war. »Und sind dann noch mal rausgefahren.«

»Im Dunkeln?«

Fast so, als wollte sie diese Frage beantworten, legte die Riva jetzt eine Kurve hin und zeigte ihren riesigen Scheinwerfer vorne am Bug.

Das Boot kam immer näher und ließ die Gischt schäumen, und während die Glocke weiter ihr tiefes, behäbiges Lied sang, kam der schicke Flitzer schließlich mit einem protzigen Bremsmanöver vor der Hafenmauer zum Stehen. Reuben winkte vom Steuer aus rüber, während Polly und alle anderen hektisch seine Passagiere zählten. Wenn man mal von Huckles gelbem Schopf absah, waren hinten im Boot vier Köpfe zu erkennen.

Vier.

Aber der Kutter, der vorgestern Abend aus Polbearnes Hafen getuckert war, hatte fünf Fischer an Bord gehabt.

Kapitel 22

Der ganze Ort war da, schweigend drängten die Menschen voran, und es warteten bereits zwei Krankenwagen. Zunächst ging Huckle von Bord, er sah müde, aber zufrieden aus und half den Fischern an Land.

Als Erster kam Archie, der Bootsmann mit der sanften Stimme. Er war ganz bleich und grau im Gesicht, und sein Blick zuckte durch den Hafen, so als wüsste er gar nicht so recht, wo er sich hier eigentlich befand. Rasch eilten Sanitäter mit einer silberfarbenen Decke herbei. Alle begannen zu klatschen, als Archie ganz, ganz langsam den Kai entlanghumpelte. Jemand stürzte vor, um ihm eine Tasse Tee in die Hand zu drücken, dann gab man ihm einen Schluck Whisky.

Als Nächster kam Kendall, der unter seinem großen gelben Hut sogar noch jünger aussah. In Hausschuhen rannte ihm seine Mutter kreischend und schreiend entgegen, und seine vier Brüder – die zu den längst geretteten Crews der anderen Kutter gehörten – brachen in lauten Jubel aus. Polly konnte nicht über die Köpfe der Menschen hinwegsehen und schaffte es auch nicht, sich durch die Menge zu schieben, obwohl ihr Neil helfen wollte und nach den Leuten pickte. Sie wusste also nicht, was da vor sich ging. Heftig klopfte das Herz in ihrer Brust, und sie atmete stoßweise, während sie panisch den Hals reckte.

Dann kam John, und es ging ein Raunen durch die Menge, als seine beiden kleinen Kinder auf ihn zurannten und »Daddy! Daddy!« riefen. Er stand auf wackeligen Beinen und ließ sich nun auf die Knie sinken. Die beiden warfen sich ihm in die Arme. Als Polly sich umschaute, entdeckte sie am Rand der Menge Mrs Manse, die wie immer mit unbewegter Miene dastand.

Zwei Sanitäter waren mit einer Trage zum Boot rübergelaufen und brachten damit nun Jayden auf den Kai. Der sah bleich und ausgezehrt aus, unter der Decke stand eins der Beine in einem merkwürdigen Winkel ab, und er war kaum ansprechbar.

Und dann war das Boot leer.

Kopflos schob sich Polly nun durch die Menge auf die *Riva* zu, um sich mit eigenen Augen noch einmal zu überzeugen – und wurde plötzlich von kräftigen Armen zurückgehalten. Groß und stark wie ein Bär umarmte sie Huckle.

»Was denn?«, fragte sie und versuchte, sich loszumachen, konnte gegen ihn aber wenig ausrichten. Er drehte sie zu sich um und flüsterte ihr »Na, na« ins Ohr.

Während sie sich immer noch freizukämpfen suchte, fiel Pollys Blick wieder in Richtung *Riva*, und sie verstand plötzlich. Denn neben dem leeren Boot stand gebeugt eine schmale rothaarige Frau, die schluchzte und von Trauer geschüttelt wurde. Polly wusste augenblicklich, wer das war.

»O nein«, keuchte Polly. »O nein.«

»Wir sind noch nicht fertig«, erklärte Huckle mit Nachdruck, obwohl ihm die Erschöpfung ins Gesicht geschrieben stand. Tatsächlich glitt das Rettungsboot bereits wieder den Slip hinunter und ins Hafenbecken. Aber Polly schaute mit tränenverschleiertem Blick zu den geretteten Fischern hinüber, die in einer Traube von Freunden, Familie und Reportern standen. Nach der ersten Freude über ihre Rückkehr malte sich nun ein grimmiger Gesichtsausdruck auf ihre Züge. Polly wollte zu ihnen. Huckle begriff, und gemeinsam schleppten sie sich hinüber.

Gerade sprach Kendall, der um zehn Jahre gealtert zu sein schien. Jemand stützte Tarnies ... Polly konnte sie innerlich einfach nicht als seine Witwe bezeichnen. Aber ehrlich gesagt konnte sie sowieso keinen klaren Gedanken fassen. Ihr Inneres schien zu Eis erstarrt, das hier war das Schlimmste, die allerfurchtbarste Nachricht, die sie sich auch nur ausmalen konnte.

Während die Fernsehkameras an ihn heranzoomten, war Kendall so überwältigt vor Kummer, dass er kaum einen vernünftigen Satz hinbekam.

»Er wollte nicht ... er konnte einfach nicht ... Tarnie musste Jayden da reinhieven, er hat ihn nicht ... es war einfach alles ...« Dann brach Kendall in Tränen aus. Polly reimte sich dann später alles durch die Nachrichten zusammen. Da saß sie schon mit Kerensa schweigend in ihrer Wohnung und starrte auf das leere Hafenbecken hinunter, auf die verwirrten Touristen und die Journalisten, die sich dort immer noch herumdrückten.

Der Sturm war viel schlimmer gewesen, als es in der Vorhersage geheißen hatte. Ein Hoch und ein Tief waren in großem Tempo aufeinandergetroffen und hatten der Region das schlimmste Unwetter seit dreißig Jahren beschert. Als die *Trochilus* ins Auge des Sturms geraten war, war der Mast gebrochen, und den Männern war schnell klar geworden, wie hoffnungslos ihre Situation war. Polly stellte sich vor, wie die Wellen von den Ausmaßen eines dreistöckigen Gebäudes den Kutter einfach so in die Höhe hoben und dann mit voller Wucht wieder hinabschleuderten. Und diese Bilder konnte sie nicht ertragen.

Sie erinnerte sich noch gut daran, was Tarnie mal zu ihr gesagt hatte, dass es immer am besten war, so lange wie möglich auf dem Schiff zu bleiben. Deshalb warteten sie auch ewig damit, die Rettungsinsel zu Wasser zu lassen. Aber der umgeknickte Mast hatte Jayden das Bein zertrümmert. Verzweifelt versuchten sie, das Rettungsboot beim Kutter zu halten, und Tarnie wich Jayden nicht von der Seite, bis er ihn befreit hatte. Dann gelang es ihm mit übermenschlichen Kräften, Jayden hinüberzuhieven. Polly sah das alles vor ihrem geistigen Auge, sie wusste ganz genau, dass Tarnie Jayden niemals zurückgelassen hätte. Für Jayden hatte er getan, was er damals für seinen Freund Jim Manse nicht hatte tun können. Und dann ging der Fischkutter unter. Die Männer versuchten mit aller Kraft, Tarnie am Arm noch zu fassen zu kriegen, aber trotz aller Seile und aufblasbarer Rettungswesten riss ihn der Sog des Kutters mit in die Tiefe. Auch die Rettungsinsel wurde unter Wasser gezogen, tat aber das, wofür man sie entworfen hatte, und tauchte wieder auf. Als die gelbe Plastikpyramide wieder oben schwamm, war in der tosenden See nichts weiter zu sehen als ein paar Stücke Treibholz. Die Männer saßen in benommenem Schweigen da und taten eigentlich nur noch alles, damit Jayden bei Bewusstsein blieb, während sie von der Stelle abgetrieben wurden, an der Tarnie verschwunden war. Und sie versuchten, irgendwie mit dem Verlust ihres Kapitäns klarzukommen, ihres Auskommens und ihrer ganzen Welt.

Nach einem weiteren 24-stündigen Einsatz kehrte das letzte Rettungsboot noch einmal zurück. Da es an anderer Stelle gebraucht wurde, musste jetzt eine Entscheidung getroffen werden. Zum hundertsten Mal stellte Polly den Wasserkocher an, starrte aus dem Fenster und knetete lustlos Brotteig. Sie konnte nicht einmal erahnen, wie es wohl Selina ergangen sein musste, als sie diese Nachricht gehört hatte.

Obwohl Polly eigentlich genug andere Sorgen hatte, rief sie schließlich bei der Vogelstation an, wo sie die energische Neuseeländerin an der Strippe hatte.

»Äh, hi. Ich glaube, ich hab hier einen von Ihren Papageientauchern. Der ist wohl entflogen.«

»Oh! Na ja, vermisst haben wir ihn ehrlich gesagt nicht. Wir haben hier nämlich so ungefähr —«

»Eineinhalb Millionen, ich weiß. Aber dieser hier trägt ein Honigschildchen am Fuß.«

»Ah, an Sie kann ich mich erinnern. Sind Sie die Frau, die ihren Papageientaucher so geliebt hat?«

»Ich finde, jeder Papageientaucher hat das Recht, geliebt zu werden«, erwiderte Polly.

»Klar. Aber wohnen Sie denn nicht an der Südküste?«

»Allerdings«, erklärte Polly stolz. »Er hat es den ganzen Weg hierher zurückgeschafft.«

Eigentlich erwartete sie ja, die junge Frau würde jetzt wahnsinnig beeindruckt sein und verkünden, dass Neil der unglaublichste Papageientaucher war, von dem sie je gehört hatte.

»Na ja«, sagte die stattdessen. »Sie können ihn gerne zurückbringen, wenn Sie wollen.«

Polly sah zu Neil herüber. Der guckte sie mit seinen schwarzen Knopfaugen an und piepste leise.

»Wissen Sie was?«, sagte sie dann. »Ich denke, wir kommen hier schon klar.«

Und dann kamen die Leute in den Laden. Alle hatten das Bedürfnis, über das Geschehene zu sprechen, wieder und immer wieder. Das Schlimmste dabei war, dass es ohne Leichnam keine Beerdigung gab, durch die man mit der Sache vielleicht hätte abschließen können. Aber um angemessen zu trauern, mussten die Menschen darüber reden, und dafür suchten sie sich ausgerechnet Pollys Bäckerei aus.

Jeder im Städtchen hatte seine eigene Geschichte, seine eigene Version der Ereignisse. Manche hatten es im Traum vorhergesehen, wieder andere hatte ein Geist besucht. Alle machten sich Sorgen um Jayden, den Jungen, der das Fischen so hasste. Er lag in Plymouth im Krankenhaus, würde aber wohl wieder in Ordnung kommen. Aus dem ganzen Land schickten Menschen ihm Gute-Besserungs-Karten und Geschenke, aber es waren so viele, dass die Klinik inzwischen beschlossen hatte, sie unter allen Patienten aufzuteilen.

Polly fand eigentlich, dass man unbedingt etwas organisieren musste, sie hatte aber das Gefühl, dass es ihr als Neuzugezogener nicht zustand. Außerdem wollte sie ihre Verbindung zu Tarnie nicht noch unterstreichen.

»Aber irgendwas sollte man schon machen«, sagte sie immer wieder.

Auf der Insel gab es keinen Priester, aber eine Pastorin aus der Nähe hatte angeboten, eine Trauerfeier in ihrer Kirche in Looe zu organisieren. Kerensa hielt dagegen, man sollte sie stattdessen in der uralten Kirchenruine auf Mount

Polbearne abhalten, obwohl die schon lange nicht mehr geweiht war.

Selina war zu ihrer Mutter aufs Festland zurückgekehrt, und auch wenn natürlich niemand so trauerte wie sie, so fühlten doch alle mit ihr. Jeder konnte auch die Verzweiflung der Männer nachempfinden, die nicht nur dem Tod ins Auge geblickt hatten, sondern auch noch von Schuldgefühlen geplagt wurden.

Am Montagmorgen, zwei Wochen nach dem Unglück, Neil planschte gerade begeistert im Spülbecken, klingelte bei Polly das Telefon. Sie steckte bis zu den Ellbogen im Teig und bat deshalb Kerensa – die noch einmal vorbeigekommen war, um ihrer Freundin seelischen Beistand zu leisten –, doch ranzugehen.

»Hallo, Pol«, sagte ein noch ziemlich verschlafen klingender Reuben. »Was geht?«

»Hier ist nicht Polly, sondern Kerensa.«

Vom anderen Ende war ein Geräusch zu hören, das an ein Sichschütteln erinnerte. Als Reuben wieder sprach, hörte er sich schon viel wacher an, und seine Stimme war etwa eine Oktave tiefer.

»Na, hal-lo!«, versetzte er so männlich, wie er nur konnte. Kerensa rollte mit den Augen.

»Hör mal«, sagte sie nun, »wir überlegen, für den Kutter und Tarnie eine kleine Gedenkfeier abzuhalten. Wahrscheinlich müssen wir das leider in Pollys furchtbarer Bruchbude machen. Aber du kannst gerne kommen, wenn du willst.«

Reuben wirkte fast eingeschnappt, weil sie nicht auf die Idee gekommen war, ihn zu bitten, die Gedenkfeier bei sich auszurichten.

»Ich hab hier eine riesige Tanzfläche mit Lightshow und

DJ!«, schrie er ins Telefon. »Und einen vollen Weinkeller!« Polly konnte ihn selbst von der anderen Seite des Raumes aus noch hören.

»Das ist eine Trauerfeier, du Vollpfosten!«, knurrte Kerensa. »Keine Party!«

»Aber genau so etwas sollte doch jedem zustehen, der stirbt«, fand Reuben. »Das würde ich mir jedenfalls wünschen.«

»Ganz unrecht hat er ja nicht«, warf Polly ein.

»Und was könntet ihr da überhaupt auffahren, höchstens Toast!«, erklärte Reuben.

»Ich mag Toast«, entgegnete Kerensa.

»Na schön«, seufzte Reuben. »Ich lasse nicht nur einen Sushikoch einfliegen, sondern auch noch einen Toastkoch.«

Nach einem kurzen Blickwechsel nickte Polly. »Da sollten wir nicht nein sagen, das ist wichtig für Mount Polbearne.«

»Na gut«, versetzte Kerensa also herablassend, so als würde sie Reuben damit einen großen Gefallen tun, und legte auf.

»Du solltest wirklich netter zu ihm sein«, fand Polly. »Immerhin hat er mit seinem Boot die Fischer gefunden. Das war doch eine echte Heldentat.«

»Erstens wollte er da wieder nur angeben wie immer«, widersprach Kerensa.

»Du bist viel zu hart zu ihm«, sagte Polly.

»Und zweitens hat ihn Huckle dazu gebracht.«

»Das weißt du doch gar nicht.«

»Und ob, Reuben hat es mir erzählt. Ich hab es ihm auf den Kopf zugesagt, und er hat nicht widersprochen.«

»Ich kann nicht fassen, dass du diesen Kerl nicht leiden kannst, ihn aber trotzdem dazu gebracht hast, die Trauerfeier auszurichten.«

Kerensa rollte mit den Augen. »Und das ist der Grund dafür, dass ich noch nicht pleitegegangen bin.«

»Das war aber ein Schlag unter die Gürtellinie.«

Kerensa streckte ihr die Zunge raus.

»Egal«, sagte Polly. »Es gibt reichlich zu tun.«

KAPITEL 23

Kerensa nahm sich selbst beim Wort und brachte die Pastorin dazu, den Gedenkgottesdienst in der alten Kirche abzuhalten. Der würde Samstag stattfinden, und danach gäbe es dann die Feier bei Reuben zu Hause. Als Polly allen im Dorf Bescheid sagte, hoffte sie nur, das Wetter würde mitspielen.

Zum Glück hatten sich die Medien in der Zwischenzeit weitestgehend wieder verzogen, aber ihr Besuch im Ort hatte merkwürdige Folgen. Nach den Reportagen über die »Tragödie auf der Gezeiteninsel« blieb den Leuten gar nicht so sehr das Schiffsunglück in Erinnerung, sondern vielmehr die sich wunderschön in die Höhe windende Straße, die romantische Kirchenruine, das malerische Kopfsteinpflaster, das Meer, auf dem die Sonnenstrahlen glitzerten, und vielleicht sogar ein bisschen die hübsche kleine Bäckerei, in der selbst gebacken wurde. Ausflügler waren in Massen über den Ort hereingebrochen, und zwar nicht nur Schaulustige, sondern auch Menschen, die wirklich ein paar Tage ausspannen wollten. Kerensa war wieder in Plymouth, aber Polly hätte ihre Hilfe dringender gebraucht denn je. Sie kam mit der Arbeit überhaupt nicht mehr nach, weil ihr quasi aus den Händen gerissen wurde, was auch immer sie backte. Sie hatte so viel zu tun, dass sie das Geschehene manchmal völlig vergaß. Wenn sie dann aus dem Fenster sah, suchte sie mit Blicken nach den klingelnden Masten, den Fischern, die sich mit lauten Rufen unterhielten oder neckten, und nach der vertrauten großen Gestalt mit den leuchtend blauen Augen. Aber Tarnie war ja nicht mehr da, und wenn ihr das dann wieder bewusst wurde, war das wie ein Tritt in die Magengrube.

Am Mittwoch zog sie gerade das Rouleau runter, da entdeckte sie eine schmale, gebeugte Frau, die an der Hafenmauer entlangging. Es war ein Traumtag, deshalb waren die Ausflügler heute alle am Strand, und die Stadt hatte sich nach dem Mittagessen zur Siesta zurückgezogen. Polly sah niemanden sonst, daher nahm sie zwei Becher Tee und ging zu der Frau an der Hafenmauer.

»Hallo«, sagte sie. »Ich hab hier einen Tee für Sie, aber ich kann auch gern wieder gehen, wenn sie lieber allein sein möchten.«

Verwirrt blinzelnd sah Selina zu ihr hoch. »Hallo, tut mir leid, ich ...«

»Ich bin Polly Waterford«, erklärte Polly und setzte sich. »Ich war mit Tarnie befreundet ... Na ja, mit allen Fischern eben, ich arbeite nämlich da drüben.«

»O ja, die Bäckerei.« Selina lächelte traurig. »Über die hat er ständig geredet. Ihr Brot fand er toll.«

»Hören Sie, ich möchte nicht stören, deshalb ...«

»Nein«, sagte Selina. »Kein Problem, ich musste zu Hause nur mal raus. All die schräg gelegten Köpfe und dann die ganze Zeit dieses ›Wie geht es dir?‹. Alles mit ganz sanfter Stimme, weil die Leute zeigen wollen, wie unglaublich fürsorglich sie doch sind. SCHEISSE, davon hab ich die Nase so voll!«

Polly nickte.

»Und dann muss ich immer sagen: ›Ja, ich komme schon klar‹, damit DIE sich besser fühlen, wirklich. Und das geht jetzt wohl den Rest meines Lebens so weiter.«

Sie drehte den Ehering an ihrem Finger.

»Aber wie sollte es Ihnen denn auch gut gehen?«, fragte Polly ein wenig durcheinander. »Was ist das denn für eine bescheuerte Frage, die müssen Sie ja für so eine Art Monster halten.«

»ALLERDINGS!«, versetzte Selina. Dann schwieg sie wieder, und die beiden Frauen schauten aufs Meer hinaus.

»Aber eigentlich bin ich wohl ein Monster«, sagte Selina dann. »Weil ich nämlich einfach wahnsinnig wütend auf ihn bin. Ich hab's ihm doch gesagt, ich hab ihm gesagt, er soll nicht mehr rausfahren. Angebettelt hab ich ihn, die Fischerei aufzugeben. Alle wissen doch, wie gefährlich das ist, und man kann damit noch nicht mal Geld verdienen. Und er war immer weg, also, hier, meine ich. Wie kann man denn hier leben, das ist doch nicht mal eine richtige Insel, verdammt noch mal! Im Ernst, aus genau diesem Grund waren wir auch ständig drauf und dran, uns zu trennen. Wir haben uns immer und immer wieder über seinen blöden Job gestritten, und was macht er dann?«

Tränen schossen ihr in die Augen.

»Er zieht los und beweist mir, dass ich recht habe, dieser verdammte Scheißkerl. Scheißkerl! Ich bin so wütend auf ihn.«

Hastig wischte sie sich übers Gesicht. »O Gott, jetzt geht die Heulerei wieder los«, stöhnte sie. »Sorry. Tut mir leid, dass ich mich hier so bei Ihnen auskotze. Halten Sie mich denn für ein Monster?«

»Nein, das klingt doch alles total vernünftig«, befand Polly und fühlte sich dabei ganz schrecklich. Sie mochte diese Frau. Gott, Tarnie war so bescheuert gewesen.

»Ich vermisse ihn«, murmelte Selina. »O Gott, mir fehlt sogar die ewige Streiterei mit ihm.« Sie schniefte. »Und ich wünschte wirklich, alle würden aufhören, ihn wie einen Heiligen zu verklären.«

»Ich weiß«, bekräftigte Polly mit Nachdruck.

»Manchmal konnte er ein richtiges Arschloch sein. Aber er war eben MEIN Arschloch.«

Polly legte ihr den Arm um die Schulter.

»Glauben Sie, das lassen die mich auf den Gedenkstein schreiben?«, fragte Selina mit einem schluchzenden Lachen.

»Na ja, so teuer, wie die Dinger sind, sollte man eigentlich draufschreiben dürfen, was man will«, erwiderte Polly, und darüber mussten sie beide lachen, auch wenn sie gleichzeitig ein wenig weinten. Irgendwann dachte Polly sich, *Scheiß drauf!*, ging in ihre Wohnung hoch und holte eine Flasche Wein aus dem Kühlschrank. Sie saßen auf der Mauer, tranken ihn aus Plastikbechern, und Polly ließ Selina so viele Geschichten vom Arschloch Tarnie erzählen, wie sie nur wollte. Dann kamen allerdings irgendwann Leute vorbei und erkannten Selina. Die setzte eine finstere Miene auf und erklärte, Superwitwe sei wohl der übelste Promistatus aller Zeiten. Deshalb brach sie lieber auf, umarmte Polly aber noch, bevor sie ging.

Diese Woche war in der Bäckerei noch mehr los. Mount Polbearne war jetzt berühmt, und jeder wollte ein Stück vom Kuchen abhaben. Henry und Samantha, die Zugezogenen, die gerade mitten in umfassenden Renovierungsarbeiten steckten, kamen ganz aufgeregt herein.

»In Chelsea sind wir Stadtgespräch!«, verkündete Samantha. »Ich glaube ja nicht, dass die Immobilienpreise hier noch lange so günstig bleiben. Nach dem ganzen Drama!«, zwitscherte sie.

Polly verzog das Gesicht und sah nach draußen, wo der Land Rover geparkt war und wieder mal die ganze Straße blockierte. Finster fragte sie sich, ob hier wohl bald Politessen den Verkehr regeln mussten.

»Du hast wohl nicht vor, außerdem eine Metzgerei mit regionalen Produkten aufzumachen, oder?«, fragte Henry hoffnungsvoll. Heute trug er eine pinkfarbene Cordhose, die bestens zu seinen unrasierten Wangen passte. »Das wäre wirklich großartig.«

»Was? O Gott, nein«, versicherte Polly. Nun sah sie einen der Fischer mit einem Arm voll gelber Quietscheentchen vorbeikommen.

»Hm, da hat wohl jemand wahren Unternehmergeist«, sagte Henry. »Ich frage mich, ob der vielleicht Lust hätte, so eine Metzgerei aufzumachen.«

Polly sah ihn und seine Frau an.

»Und, ziehen jetzt all eure Freunde hierher?«, fragte sie höflich.

»Ganz klar! Binky und Max und Jules und Milles und Pinky und Froufrou haben alle schon ihren Makler angerufen, nicht wahr?«, wandte sich Henry an Samantha.

»Oh, gut«, sagte Polly und schob ihnen den vorbestellten glutenfreien Laib in die Tüte. Der Preis für dieses Brot deckte ihre Heizkosten für den ganzen Monat. »Gut.«

Der Samstagmorgen brach zauberhaft an, einfach perfekt. Am Himmel hingen ein paar flauschige weiße Wolken, ansonsten war er so blau wie im Kino. Polly erinnerte dieser Tag an den der Bootsfahrt mit Tarnie auf die Insel, deshalb brauchte sie dreimal länger, um sich zurechtzumachen. Beim Gedanken an den Ausflug musste sie nämlich jedes Mal heulen, und ihr Make-up ging zum Teufel. Irgendwann sprach sie schließlich ein Machtwort mit sich selbst – sie würde sich heute nicht blamieren, o nein. Immerhin war Tarnie nichts weiter als ein Freund gewesen, den sie erst seit ein paar Monaten gekannt hatte. Es stand ihr nicht zu, einen Teil der Trauer für sich zu beanspruchen – denn die wahre Trauer würde niemals enden, sie brach Herzen und zerstörte Leben. So war es für seine Familie, seine alten Freunde, für Selina, und Polly hatte kein Recht, sich da hineinzudrängen. Sie musste in sich gehen, stark bleiben und sich zusammenreißen.

Zum Glück traf Kerensa ganz früh ein, um der Flut zuvorzukommen. In ihrem schwarzen – ein wenig zu kurzen – Spitzenkleid mit dem dramatischen Make-up und einem winzigen Hut mit Schleier sah sie völlig meschugge aus, aber auch umwerfend.

»O mein Gott«, murmelte Polly und rieb sich zum tausendsten Mal über die Augen. »Du siehst aus wie eine schwarze Witwe.«

»Gut«, befand Kerensa und stellte die Kaffeemaschine an. »Was meinst du, ist das zu dick aufgetragen?«

»Du bist ihm doch nur ein einziges Mal begegnet«, gab Polly zu bedenken.

»Ich weiß«, nickte Kerensa. »Aber ich hab mir gedacht, wenn in der Kirche jemand misstrauisch ist und nach einer möglichen Affäre Ausschau hält, dann nimmt er wohl mich ins Visier und achtet auf dich gar nicht.«

Polly stockte der Atem. »Das ist brillant.«

»Ich weiß.«

»Danke«, murmelte Polly, schon wieder in Tränen aufgelöst.

»Kein Problem«, sagte Kerensa und tätschelte ihr tröstend die Schulter. »Und selbst wenn du dir mein Outfit schnappen würdest, du sähest darin niemals so toll aus.«

Aber Polly wusste schon, wie es gemeint war, und heulte sich in Kerensas Armen aus, bis keine Tränen mehr übrig waren.

»Besser?«, fragte ihre Freundin dann.

Polly nickte.

»Dann geh jetzt erst mal duschen.«

»Das hab ich doch schon dreimal, jetzt ist nur noch kaltes Wasser übrig.«

»Umso besser, das zieht die Poren zusammen.«

Polly tat, wie ihr geheißen, dann holte Kerensa mit strengem Blick die wasserfeste Mascara hervor und steckte ihre Freundin in einen schlichten schwarzen Seidenrock und ein kurzärmeliges schwarzes T-Shirt.

»Perfekt!«, verkündete sie schließlich. »Bleib einfach im Hintergrund und halt den Ball flach. Kennst du seine Familie?«

Polly schüttelte den Kopf. »Nein, nur Selina.«

»Gut, dann können sie dich auch nicht erkennen. Es wird alles gutgehen, hörst du?«

Sie trafen sich an der Kirche mit Huckle und Reuben, die im dunklen Anzug mit Krawatte ungewöhnlich gesetzt aussahen. Reuben konnte es sich allerdings nicht verkneifen, ihnen zu erklären, dass seine Schuhe und Krawatte aus Haileder waren, dem »teuersten Leder auf dem Markt«, woraufhin ihn Kerensa als Umweltfascho beschimpfte.

Die Kirche, einst das geistige Zentrum der Gemeinde, stand ganz oben auf dem Hügel, und man erreichte sie über Stufen im Kopfsteinpflaster. Das Gotteshaus stammte aus dem Mittelalter, als die Insel noch ganz mit dem Festland verbunden gewesen war, hatte zusammen mit dem Ort durch die zunehmende Abtrennung jedoch an Bedeutung verloren und war dann Ende des neunzehnten Jahrhunderts säkularisiert worden. Inzwischen war die Kirche eher eine Ruine, es gab längst kein Dach mehr, und oben im bröckelnden Gemäuer nisteten die Vögel. Außerhalb der Mauern konnte man gut picknicken, zwischen den alten Grabsteinen war es hier oben nämlich wunderschön. Der Ausblick auf die See war in alle Richtungen atemberaubend – hier und da schaukelten Boote auf dem Wasser, und über ihren Köpfen breitete sich der Himmel wie eine riesige blaue Fahne aus.

Aus dem kleinen Gemeindezentrum hatte man Stühle für die Senioren mitgebracht, es war aber so voll, dass die meisten sich einfach an die Wand lehnten oder auf den Fußboden und in die Öffnungen im Mauerwerk setzten. Gedämpftes Gemurmel war zu hören, in ihrem besten Anzug standen die Männer unbehaglich herum und hatten von der Hitze gerötete Wangen. Vorne warteten mit gesenktem Kopf zwei Menschen, die Polly sofort als Tarnies Eltern erkannte. Sie wusste, dass seine Mutter nach dem Ruhestand seines Vaters darauf bestanden hatte, aufs Festland zu ziehen, weil sie sich davon ein etwas abwechslungsreicheres Leben erhofft hatte. Genau wie Selina war auch seine Mutter mit Tarnies Berufswahl gar nicht glücklich gewesen, sie hatte in ihren einzigen Sohn so große Hoffnungen gesetzt. Polly stellte fest, dass sie dieselben leuchtend blauen Augen hatte wie er, auch wenn sie jetzt fast blind wirkten, weil Tränen darin standen und die Frau ins Leere starrte.

Der Mann hob den Kopf nicht, aber Polly holte tief Luft, weil sie in ihm Tarnie wiedererkannte, anhand seiner Schultern und seiner langgliedrigen Figur. Was diesem alten Fischer wohl gerade durch den Kopf ging? Die mitgenommen aussehende Frau, die mehrere kleine Kinder im Auge behielt, musste wohl Tarnies Schwester sein.

Neben ihnen stand Selina in einem hübschen schwarzen Kleid, das ihre dünnen Schlüsselbeine zeigte. Als Polly ihr ein mitfühlendes Lächeln schenkte, konnte sie in Selinas Blick so viel Schmerz lesen, dass es ihr das Herz in der Brust zusammenzog. Selina wurde von ihrer Mutter und mehreren Verwandten gestützt und sah so zerbrechlich aus, als könnte sie sich tatsächlich nicht allein auf den Beinen halten.

Mrs Manse saß kerzengerade auf einem der Stühle und ignorierte jeden. Sie wirkte unbehaglich und sah in Schwarz ein wenig wie Königin Victoria aus. Polly wollte ihr eigentlich zuwinken, wurde aber mit einem missbilligenden Blick von ihr gestoppt.

Die ganze Stadt war gekommen, zu ihrem Erstaunen entdeckte Polly sogar die Neuzugezogenen, Samantha und Henry. Sie wirkten irgendwie fehl am Platz und schienen auch nicht so recht zu wissen, was sie eigentlich hier sollten. Den beiden winkte sie auf jeden Fall zu. Nervös stand jeder da und wartete darauf, dass es losging.

Endlich erschien die Pastorin vom Festland, sie kam wie alle anderen einfach durch eine der kaputten Wände herein. Als sie nach vorne trat und sich räusperte, hatte sie sofort die allgemeine Aufmerksamkeit.

»Guten Morgen«, begann die Frau. »Ich möchte euch allen dafür danken, dass ihr an einem so wunderschönen Tag hierhergekommen seid. Die Umstände dafür sind ungewöhnlich, aber wenn wir unseren Bruder Cornelius William Tarnforth schon nicht begraben können, so können wir seiner doch wenigstens gedenken.«

Als sie den Namen des Fischers aussprach, stieß seine Mutter ein unterdrücktes Schluchzen aus.

»Nicht jeder Tod ist eine Tragödie«, fuhr die Pastorin fort, »dieser hier war es aber schon.«

Sie sprach darüber, wie bekannt Tarnie im Ort gewesen war, wie sehr ihn seine Familie geliebt hatte und wie er allen fehlen würde. Dann standen Leute auf und sagten ein paar Worte, erzählten Dinge über ihn, die Polly nicht gewusst hatte: wie er manchmal Leuten Fisch mitgegeben hatte, die sich keinen leisten konnten, und dass er in seiner Freizeit mit dem Rettungsboot rausgefahren war. Dann erzählte Archie noch unter Schluchzen eine ziemlich unzusammenhängende Geschichte über eine umgeschubste Kuh.

Schließlich las die Pastorin aus der Bibel vor:

Als Jesus am Ufer des Sees Genezareth stand, drängte sich das Volk um ihn und wollte das Wort Gottes hören. Da sah er zwei Boote am Ufer liegen. Die Fischer waren ausgestiegen und wuschen ihre Netze. Jesus stieg in das Boot, das dem Simon gehörte, und bat ihn, ein Stück weit vom Land wegzufahren. Dann setzte er sich und lehrte das Volk vom Boot aus. Als er seine Rede beendet hatte, sagte er zu Simon: Fahrt hinaus auf den See! Dort werft eure Netze zum Fang aus! Simon antwortete ihm: Meister, wir haben die ganze Nacht gearbeitet und nichts gefangen. Doch wenn du es sagst, werde ich die Netze auswerfen. Das taten sie, und sie fingen eine so große Menge Fische, dass ihre Netze zu reißen drohten. Deshalb winkten sie ihren Gefährten im anderen Boot, sie sollten kommen und ihnen helfen. Sie kamen, und gemeinsam füllten sie beide Boote bis zum Rand, sodass sie fast untergingen. Als Simon Petrus das sah, fiel er Jesus zu Füßen und sagte: Herr, geh weg von mir; ich bin ein Sünder. Denn er und alle seine Begleiter waren erstaunt und erschrocken, weil sie so viele Fische gefangen hatten; ebenso ging es Jakobus und Johannes, den Söhnen des Zebedäus, die mit Simon zusammenarbeiteten. Da sagte Jesus zu Simon: Fürchte dich nicht! Von jetzt an wirst du Menschen fangen. Und sie zogen die Boote an Land, ließen alles zurück und folgten ihm nach.

Auf ein verabredetes Zeichen hin traten dann alle Fischer vor und stimmten ein Lied an:

O ewig Gott, mit starker Hand
Hältst Du die See in Rand und Band.
Teilst für Dein Volk das weite Meer
Zur Rettung vor des Feindes Heer.

Ihre Stimmen wurden lauter, kräftiger, und nun fielen fast alle Anwesenden mit ein:

Wir bitten Dich, mit Gnade steh
Bei Menschen in Gefahr auf See.

Polly sah zu Tarnies Vater hinüber, der die Worte zu formulieren versuchte, sie aber nicht über die Lippen brachte. Und in diesem Moment konnte sie einfach nicht mehr. Sie vergrub den Kopf in Huckles Jackett, schluchzte so leise wie möglich untröstlich vor sich hin und ruinierte das Futter seiner Jacke gründlich.

> O Jesus Christ, der Sturmgewalt
> Gebietest Du mit Worten Halt.
> Du schreitest sicher durch die Flut,
> Und schläfst ruhig in der Wellen Wut.
> Wir bitten Dich, mit Gnade steh
> Bei Menschen in Gefahr auf See.

»Nimmst du den Vogel gar nicht mit?«, hatte Kerensa sie vor der Trauerfeier zu Hause gefragt.

»Hm«, hatte Polly gemacht. Eigentlich hätte sie Neil zum Trost gern dabeigehabt, und außerdem hatte Tarnie ihn ja auch gemocht. Schließlich hatte sie sich einen Kompromiss überlegt: In die Kirche würde sie ihn nicht mitnehmen, aber zur Feier später dann schon.

Die Pause dazwischen nutzte Kerensa nun, um in ein Sommerkleid zu schlüpfen, Polly jedoch nicht, das wäre ihr respektlos vorgekommen.

»Nein«, erwiderte Kerensa. »Respektlos wäre es, nicht dort hinzugehen und die große Sause zu verpassen. Ihm hätte so eine Feier sicher gut gefallen.«

»Wirklich gut hätte es ihm gefallen, dabei zu sein«, wandte Polly ein.

»Ja, er hätte sich bestimmt gern auf der Party von diesem Idioten amüsiert«, sagte Kerensa und legte vor dem Spiegel noch etwas mehr Lippenstift auf.

Polly umarmte sie.

»Danke für all deine Hilfe«, sagte sie.

»Hilfe?«, echote Kerensa. »Ich fand es doch total bescheuert, dass du hier rausziehst. Ehrlich gesagt dachte ich, dass du nach zehn Tagen tränenüberströmt mit deinem grauen Sofa im Schlepptau zurückkommen würdest. Und jetzt ...«

»Was denn?«, fragte Polly.

Kerensa suchte nach ihrem Handy und hielt es Polly hin.

»Was ist das denn?«, fragte die und starrte auf das Foto eines netten kleinen Häuschens.

»Das ist ein Haus«, erklärte Kerensa. »In ...« Sie räusperte sich und brachte es kaum über die Lippen. »In der Vorstadt.«

»Und was ist damit?«

»Das wollte ich kaufen, Dummerchen! Damit du nicht mehr so ein Dickkopf bist, zurückkommst und mit mir da einziehst. Du fehlst mir nämlich, du Spinnerin!«

Wieder schlang Polly die Arme um sie.

»Ich hab dich lieb«, sagte sie.

»Ich weiß«, nickte Kerensa und erwiderte die Umarmung. »Aber irgendwie hab ich trotz all der Ereignisse in letzter Zeit inzwischen das Gefühl, dass du hier draußen viel glücklicher bist.«

Polly schossen schon wieder die Tränen in die Augen. »Ach Gott ...«

»Ich hab recht, oder?«, fragte Kerensa. »Mir kommt es vor, als würdest du zum ersten Mal seit Jahren wieder richtig leben.«

Sie hielten einander vor dem Spiegel umklammert, und eine Sekunde lang waren sie wieder wie die beiden Teenager, die sich einst mit ein paar Flaschen Ingwerbier aus Pollys winzigem Schlafzimmer geschlichen hatten.

»Na, dann wollen wir mal!«, verkündete Kerensa schließlich. »Pass vor allem auf, dass ich mich nicht allzu sehr abschieße. Ich will auf keinen Fall, dass dieser amerikanische Zwerg mich noch antatscht.«

»Und pass du bloß auf, dass ich mich nicht abschieße und irgendwas ganz Furchtbares zu Selina sage«, erwiderte Polly.

Kerensa schaute sie vielsagend an. »Wie wäre es dann damit, einen großen blonden Amerikaner anzutatschen?«

Polly rollte mit den Augen. »Der würde mich niemals auch nur in Erwägung ziehen, so heftig kann der sich gar nicht betrinken.«

Kerensa lächelte. »Also, nimmst du den Vogel jetzt mit oder nicht?«

Neil piepste.

»Natürlich, ich hab ihm ja schon seine Fliege umgebunden«, sagte Polly.

Dieses Mal war es an Kerensa, mit den Augen zu rollen.

Reuben hatte an nichts gespart und einen sündhaft teuren Eventmanager aus London kommen lassen. Der hatte arrangiert, dass die Leute mit Reisebussen zum Ort der Gedenkfeier gebracht wurden.

Der Tag war immer noch wunderschön, als sie in die Busse stiegen. Die Männer hatten bereits die Krawatten gelockert und die Jacken ausgezogen. Inzwischen stand keine einzige Wolke mehr am Himmel, er war blau, so weit das Auge reichte, und im Watt sah man in der Sonne all die braunen Schultern von Feriengästen, Strandgutsammlern und Plünderern. Die meisten Waren aus dem havarierten Schiff waren inzwischen entweder untergegangen oder aus dem Frachter herausgeholt worden. Zum Glück war auch kein Öl ausgelaufen, weil einer der jungen Ingenieure an Bord mitgedacht und die Schotten dicht gemacht hatte, als das Schiff zu kentern drohte. Polly hatte erstaunt erfahren, dass auf diesem Ungetüm nicht mehr als ein Dutzend Menschen gearbeitet hatten. Archie hatte ihr erzählt, dass nach dem Sturm im Rettungsboot ihre größte Angst darin bestanden hatte, von so einem riesigen Schiff übersehen zu werden. Es konnte durchaus sein, dass der Mann am Radar eingeschlafen war oder sie einfach für einen großen Fisch hielt, dem man keine Beachtung schenken musste.

Die drei Reisebusse fuhren zwischen Hügeln im goldenen Licht hindurch und in den Abend hinein. Der Gesang aus dem letzten Bus wies eindeutig darauf hin, dass einige der Männer aus der Kirche direkt in den Pub weitergezogen waren.

In dem Fahrzeug, in dem Polly und Kerensa saßen, war es hingegen ganz still, und niemand wusste so recht, was ihn erwartete. Die beiden Freundinnen hatten einen Platz direkt vor Patrick und seiner Frau.

Der Tierarzt war von Neils Geschichte fasziniert, obwohl er genau wie Kerensa die Fliege albern fand.

»Aber die ist doch schick«, fand Polly. »Die kann er tragen, um den Gastgeber zu begrüßen, und sie dann später abnehmen, wenn der Abend lockerer wird.«

Patrick lächelte. »Ja, gut, ein bisschen Aufmunterung können wir heute wohl alle gebrauchen.«

An diesem Abend war der geheime Weg zu Reubens Strand mal nicht so geheim, man hatte links und rechts der Abzweigung Laternen aufgestellt. Zwei riesige Kerle mit Knopf im Ohr standen mit tragbaren Tausendwattstrahlern und unfreundlicher Miene am Eingang. Sie nahmen die Busse in Augenschein, redeten ein ernstes Wörtchen mit den Fahrern und winkten sie dann durch.

Der lange Weg zum Strand war mit kleinen Feuerschalen erleuchtet, deren Flammen in der Abenddämmerung flackerten. In der Ferne konnte Polly Trommeln hören. Nervös schaute sie Kerensa an, die bereits ihren Ich-bin-ja-so-was-von-nicht-beeindruckt-Blick aufgesetzt hatte.

»Na komm«, sagte Polly. »Das wird jetzt wirklich was ganz Besonderes, und du hattest schon recht: Wir sollten es Tarnie zuliebe einfach genießen. Und du musst ja auch nicht mit Reuben reden.«

»Hast recht«, nickte Kerensa. »Mann, der muss dafür ja ein wahres Vermögen ausgegeben haben.«

Personal mit Leuchtelementen wies die Busse auf dem Parkplatz ein, dann stiegen die Passagiere allein oder in Zweiergrüppchen aufgeregt und unsicher aus.

»Hier lang! Hier lang!«, rief eine strenge Frau mit Neonweste und deutete auf den Pfad zwischen den Dünen, der mit Kerzen erleuchtet war. Dort gerieten einige der Frauen mit ihren Stöckelschuhen bereits ins Straucheln, und Polly zog ihre Sandalen einfach aus. Nach dem heißen Tag war der Sand unter ihren Füßen noch warm, das fühlte sich ganz wunderbar an.

Als dann auf der Höhe der letzten Düne das Meer in Sicht kam, blieben alle wie angewurzelt stehen und starrten hinunter.

»Meine Güte«, entfuhr es Kerensa.

Irgendwie hatten Reubens Planer es hinbekommen, den ganzen Strand mit weißen Lampions zu erhellen. Mit einer riesigen Plane hatte man an das Café seitlich eine Art Festzelt angebaut. Schwarz-weiß gekleidetes Personal wartete bereits mit Tabletts voller Getränke, und am Strand tummelten sich schon superelegante, gut aussehende Menschen – offenbar Freunde von Reuben, die sich angeregt unterhielten und hier und da bereits tanzten. Es gab ein riesiges DJ-Pult, in diesem Moment spielte aber eine Band langsamen Reggae. Bei dem Duft nach Gegrilltem, der da in der Luft hing, lief allen das Wasser im Munde zusammen. Die ganze Atmosphäre war einfach umwerfend.

»Ach du Scheiße«, stieß einer der Gäste aus Polbearne aus. Die Insulaner sahen ziemlich eingeschüchtert aus, das hier war von ihrer normalen kleinen Welt mit Meer und Pub meilenweit entfernt.

»Na, das nenne ich mal einen Leichenschmaus«, sagte ein anderer, aber es rührte sich immer noch keiner.

Schließlich kamen die Kellner zu ihnen und versorgten sie alle mit Champagner. Als Reuben höchstpersönlich nach zwei Gläsern griff und damit zu Polly und Kerensa ging, zogen die beiden unfassbar attraktiven Frauen, mit denen er gerade noch gesprochen hatte, sofort eine Schnute.

»Hi, herzlich willkommen zu meiner umwerfenden Trauerfeier für Tarnie. Wirklich nett von mir, dass ich die ausrichte, was?«, rief er, während er ihnen die Gläser reichte.

»Erkaufst du dir eigentlich öfter die Aufmerksamkeit anderer?«, entgegnete Kerensa.

»Sei nicht so unhöflich!«, warnte Polly. Sie umarmte Reuben und gab ihm einen Kuss. »Du bist ein Held, ein wahrer Held, und das wird die beste Abschiedsparty aller Zeiten. Seine Familie wird das niemals vergessen.«

»Ich weiß«, sagte Reuben.

Es waren immer noch Surfer auf dem Wasser, aber nach und nach kamen auch die an den Strand zurück, zogen den Neoprenanzug aus und holten sich ein Bier. Als Grill war extra eine Grube ausgehoben worden, in der ganze Schweine mit Kräutermarinade geröstet wurden, bis sie eine knusprige Kruste bekamen. Es gab auch ein riesiges Lagerfeuer, an dem man sich später am Abend wärmen konnte. Im Festzelt hingen Fotos von Tarnie. Polly blieb vor einem der Bilder stehen, vor einem Schnappschuss, auf dem er gerade ein Netz flickte. Das Foto war aus demselben Winkel aufgenommen worden, aus dem Polly Tarnie immer durchs Fenster ihrer Wohnung gesehen hatte. Einen Moment kam es ihr so vor, als würde sie von dort aus auf den bärtigen Fischer hinunterschauen.

Noch beeindruckender als der hell erleuchtete Strand war jedoch der Himmel, der einen Sonnenuntergang in so leuchtendem Rosa und Lila hinlegte, als hätte man den für heute extra so bestellt. Ehrlich gesagt traute Polly Reuben selbst das zu.

Kellner reichten Sushi und andere Häppchen, aber als die Band mal Pause machte und der DJ *Get Lucky* auflegte, mussten sich Polly und Kerensa eingestehen, wonach ihnen wirklich der Sinn stand.

Auf der Tanzfläche konnten sie der Wirklichkeit entfliehen und aufgestaute Gefühle loswerden. Sie tanzten vor dem Sonnenuntergang, schauten zu den letzten Surfern auf dem Wasser und sahen, wie Muriel vom Lädchen vor Aufregung zu schnell zu viele Drinks kippte und dann auf einem Stuhl in sich zusammensank, wo ihr eine gute Seele erst einmal eine Tasse Tee brachte. Die beiden entdeckten Archie und seine Frau, die sich schüchtern im Hintergrund hielten und dabei ganz nah beieinanderstanden. Sie sahen Johns Kinder quieken und lachen, als wie aus dem Nichts auf einmal Wasserpistolen auftauchten.

Die beiden Freundinnen tanzten und lachten, machten dabei neue Bekanntschaften, tanzten mit Männern oder miteinander oder allein. Polly spürte, wie sich langsam die Anspannung in ihren Schultern löste, wie inmitten all der Traurigkeit ihre Wangen vor lauter Lachen schmerzten, wie der schwarze Rock um ihre nackten Beine sauste. Es fühlte sich so an, als wollten hier alle – vor allem diejenigen, die dem Tod so gerade eben noch einmal entkommen waren – das Leben und das Glück und die reine Schönheit um sie herum feiern. Bei diesem Gedanken tanzte Polly nur noch heftiger, wirbelte wild herum.

Huckle nippte langsam an seinem Bier und ließ sie dabei nicht aus den Augen. Die Party war voller schöner Frauen – wie immer hatte Reuben eine Gruppe aus Vermögensjägerinnen, Models und mehr oder weniger käuflichen Damen um sich geschart. Aber die interessierten Huck nicht, obwohl mehr als eine durch Blicke, Unterhaltungen im Flirtton und Tanzbewegungen in seine Richtung durchaus Interesse bekundete. Mit seinen blauen Augen und blonden Haaren hatte der knapp einsneunzig große Amerikaner nie Probleme gehabt, Frauen kennenzulernen. Eine zu finden, die ihm nicht das Herz brechen würde, war hingegen eine ganz andere Sache ... Er dachte an Pollys Miene während der Suchfahrt mit der *Riva* zurück und nahm gemächlich noch einen Schluck Bier.

Polly hätte nicht sagen können, wie spät es war, aber die Sterne hatten ihre Position am Himmel verändert. Trotzdem war auf der Party nicht weniger los, es wurde sogar eher noch voller, die Getränke gingen schneller über die Theke, es wurde immer noch Essen herumgereicht, und es kamen mehr und mehr Leute auf die Tanzfläche. Selbst die Mitglieder einer erfolgreichen Boyband, die heute Abend in St. Ives gespielt hatten, schauten auf dem Rückweg nach London vorbei.

Irgendwann verstummte dann aber die Musik und Reuben griff nach dem Mikro. Es ertönte allgemeiner Jubel, und einige der jungen Frauen schoben sich rasch nach vorne, um dem Gastgeber möglichst gut sichtbar ihre Unterstützung auszudrücken.

»Also, ist das hier die beste Party aller Zeiten, oder was?«, fragte Reuben ganz locker.

»Mal im Ernst«, schniefte Kerensa, die neben Polly erschien, »der ist wie Kanye West, nur nicht ganz so zurückhaltend und bescheiden.« Ihre Haut schimmerte feucht nach dem Tanzen, und ihr Make-up war ein wenig verwischt, aber so sah sie eigentlich richtig niedlich aus. Jünger, dachte Polly, und nicht mehr ach so perfekt zurechtgemacht.

»Aber wir sind hier, um unseren Bruder Tarnie zu ehren – und all die anderen Brüder, die nicht nach Hause zurückgekehrt sind.«

»Danke, Reuben!«, rief ihm eine der jungen Frauen zu, das quittierte er jedoch nur mit einer Grimasse.

Missbilligend schnalzte Kerensa mit der Zunge. »Also wirklich!«

»Er hat doch echt eine tolle Feier organisiert«, fand Polly.

»Und die wäre noch toller, wenn er sich nicht ständig selbst loben würde.«

»Und deshalb, also ...«

Ein Fischer, der nicht zur Besatzung der *Trochilus* gehört hatte, stand auf.

»O Gott«, stöhnte Kerensa, die offenbar betrunkener war, als es Polly bisher klar gewesen war, »der singt jetzt bestimmt *My Way* oder so was.«

Der Mann ging zum Mikrofon rüber und schaute dabei unruhig auf die Menge hinunter. Alle jubelten. Die restlichen

Seeleute erhoben sich und bauten sich neben ihm auf. Auch Jayden schob man in seinem Rollstuhl herbei, er war zwar ganz dünn und aufgeregt, aber er freute sich so darüber, dass er hier dabei sein konnte.

»Hm«, begann der Fischer nun. »Ich wollte nur danke sagen. Zu Reuben, aber auch zu allen anderen, die mit dem Boot rausgefahren sind, um uns zu suchen.«

Beifall brandete auf.

»Auf den unermüdlichen Rettungsservice!«

Ein Grüppchen sturzbetrunkener Sanitäter winkte begeistert.

»Und auf alle, die ...« Hier hob er schnell sein Glas, weil seine Stimme zu brechen drohte. »Auf alle, die uns niemals aufgegeben haben.«

»Auf alle, die nie aufgegeben haben!«, wiederholten die Partygäste.

Nun wurde Jayden nach vorne geschoben und hustete nervös. Abgesehen vom Rauschen der Wellen herrschte jetzt Totenstille.

»Um uns von unserem Freund zu verabschieden, möchte ich gern ein paar Worte vorlesen«, sagte er und faltete umständlich einen Zettel auseinander. »Von Robert Burns, das ist ein Dichter.«

Er deutete zum Meer hinüber.

Hier ruht ein ehrlicher Mann,
Dem Gott im Leben Ehre getan.
Ein Menschenfreund, der Wahrheit sprach,
Der Alten Trost, der Jungen Rat;
Selten wie seins ein Herz so wahr,
Nur selten ein Verstand so klar.

Wenn es ein Jenseits gibt, dann hat's ihm Seligkeit
   gebracht.
Wenn nicht – er hat aus dieser Welt das Beste schon
   gemacht.

Dann schlug einer der Fischer auf einer Gitarre einen Akkord an, und die restlichen Männer traten vor. Polly kannte das Lied nicht, aber alle anderen offenbar schon, da zum Schluss jeder mitsang.

Ich wünscht ich wär ein Fischersmann
Und wogte auf dem Meer,
Weit, so weit vom festen Land
Und seinen Sorgen schwer.
Ich würfe meine Angel aus
Mit Leidenschaft und Glut,
Kein Dach, das mir den Atem raubt,
Oben nur Sternenflut.
Und mit dir im Arm
Wär mir so leicht zumut – –
Juchhe!

Sie spürte, wie Kerensa nach ihrer Hand griff, als die Fischer mit kräftiger, aber gedämpfter Stimme zwei weitere Strophen sangen. Beim Refrain fielen dann alle anderen mit ein. Als sie gerade fertig waren, erschien am Horizont ein winziger lichter Streifen.

»Guck mal«, sagte Polly, die nicht fassen konnte, wie spät es bereits war und dass die Party immer noch nicht zu Ende war. »Es wird schon hell.«

Als dann die letzten Töne der Gitarre verklangen, folgten

die Fischer jemandem, der die ganze Sache zu organisieren schien. Er winkte sie von der Bühne herunter und zum Ufer, an dem sechzehn beleuchtete Miniheißluftballons warteten – die Anzahl der Fischer, die nach Hause zurückgekehrt waren – und ein größerer. Zwei Männer halfen Jayden aus seinem Rollstuhl, während unter jedem ein orangefarbenes Licht entzündet wurde, dann hoben die Fischer sie hoch und ließen sie aufsteigen, wo sie der Morgendämmerung entgegenflogen und die letzten Sterne am Firmament erleuchteten.

»Wir danken der See dafür«, sagte Reuben, der dieses eine Mal mit normaler, schlichter Stimme sprach, »dass sie unsere Seelen heimgebracht hat. Und nimm unseren Bruder bei dir auf.«

Alle standen da und sahen den leuchtenden Punkten hinterher, die über den Wellen immer höher und höher stiegen. Zunächst herrschte ehrfürchtige Stille, dann brach allgemeiner Jubel aus.

»Und jetzt wird weitergefeiert, Leute!«, rief Reuben. »Das ist ein Befehl!«

Augenblicklich ließ der DJ einen Sommerhit ertönen, in dem es um den Sonnenaufgang ging und jemandem ein guter Morgen gewünscht wurde. Alle fingen wieder an zu tanzen, umarmten einander und versicherten sich gegenseitig, wie wunderschön das alles war, vor allem, als der DJ als Nächstes *Praise You* auflegte.

Für die angereisten Londoner waren die Fischer plötzlich die reinsten Promis. Als Polly an Jayden in seinem Rollstuhl vorbeikam, konnte sie sich nicht einmal kurz mit ihm unterhalten, keine Chance. Sie wusste, dass eine Krankenschwester mitgekommen war und ihn im Auge behielt – eigentlich hätte er das Krankenhaus gar nicht verlassen dürfen, aber

Reuben hatte erfolgreich gebettelt, schließlich sei das doch ein Sonderfall. Nun saß neben Jayden gerade eine hinreißende junge Frau mit dunklem Haar und riesigen braunen Augen, die mitfühlend nickte, während er seine furchtbaren Erlebnisse schilderte und erzählte, wie mutig er angesichts des Todes gewesen war. Immer wieder streckte sie besorgt die Hand aus und strich ihm über den Arm. Als sich ihre Blicke kurz trafen, zwinkerte Jayden Polly übertrieben zu, und sie lächelte in sich hinein.

Im Café drüben wurden Kaffee und Sekt mit Orangensaft serviert, dazu köstlich duftende Brötchen mit Speck. Polly holte sich etwas zu essen und setzte sich auf einen Felsen neben Huckle, der zu den Fischern rüberschaute. Von Familie und Freunden umringt, strahlten sie vor Glück.

»Hey«, sagte Huckle, der sich freute, sie neben sich zu sehen. Sehr freute. »Und, amüsierst du dich?«

»Die Party ist einfach super, alle sind ganz begeistert«, strahlte Polly. Und dann wurde ihr plötzlich klar, was für einen Hunger sie hatte. Im Laufe der letzten beiden Wochen hatte sie wirklich wenig gegessen.

Huckle setzte sein langsames, träges Lächeln auf.

»Und, wie geht's dir so?«, fragte sie.

»Ach«, sagte er, »mir geht's doch immer gut.«

Das klang aber gar nicht glücklich. Polly schaute ihn an. Langsam breiteten sich die ersten Sonnenstrahlen aus, einer fiel direkt auf seine Haare und ließ sie golden aufleuchten. Polly dachte über all das nach, was sie inzwischen über Huck wusste. Und wie sehr sie davon überzeugt war, dass er Reuben dazu bewegt hatte, an jenem Abend noch mit dem Boot weiterzusuchen. Das hatte Reuben natürlich nicht erwähnt.

»Ach, echt?«, fragte sie.

»Na ja, lass es mich mal so ausdrücken«, sagte der Imker und blickte aufs Wasser hinaus. »Ich glaube kaum, dass man an einem schöneren Ort traurig sein kann.«

Sie stellte ihren Sekt mit Orangensaft ab und schaute ihn an. Seine tiefblauen Augen waren so unergründlich wie immer.

Verdammt, dachte Polly plötzlich, *ich hab schließlich nichts zu verlieren.* Sie hatte ja schon alles aufs Spiel gesetzt, als sie in Polbearne ein neues Leben angefangen und mit dem Brotbacken begonnen hatte. Seit ihrem Umzug hierher hatte sich jedes einzelne Risiko viel mehr ausgezahlt als damals in Plymouth, wo sie ein angeblich so sicheres Dasein mit einer kleinen Wohnung, einem kleinen Job und einer kleinen Hypothek geführt hatte. Jeder Sprung ins Leere ... na ja. Ihre Gedanken streiften kurz Tarnie. Okay, beinahe jeder Sprung.

Sie schüttelte den Kopf, offensichtlich dachte sie wieder mal zu viel nach.

»Ich ...«, begann sie und merkte dann, dass ihre Hände zitterten. Gut, sie war ja auch die ganze Nacht wach gewesen, hatte zu viel getrunken und zu wenig gegessen. Am Strand rissen sich gerade die Männer und Frauen vom Sanitäterteam die Kleider vom Leib und rannten ins Meer hinaus. Fünf Sekunden später schienen alle ihrem Beispiel zu folgen, Massen von Menschen stürzten sich ins Wasser, schwammen und spritzten. Polly lächelte über ihre Ausgelassenheit. Plötzlich kam ihr dieses Plätzchen hier auf den Felsen einsamer und abgeschiedener vor als bisher, obwohl es doch immer heller wurde.

»Ich sollte ...« Sie setzte ein kleines Lächeln auf.

»Du redest ja plötzlich noch langsamer als ich«, sagte Huckle, aber hatte seine Lippe da gerade ein wenig gebebt, oder bildete sie sich das nur ein? Polly nahm all ihren Mut zusammen.

»Ich hätte gerne ... ich würde gerne versuchen, dich glücklich zu machen«, spuckte sie hastig aus und wurde dabei immer leiser. Aber als sie unter gesenkten Lidern zu ihm hochschielte, sah sie, dass er sie ganz genau verstanden hatte. Langsam holte er tief Luft, und auf einmal war seine Reaktion auf ihren Satz, den sie doch eigentlich aus einer Laune heraus vorgebracht hatte, furchtbar wichtig für sie.

»Polly«, sagte er. Dass er ihren Namen auf so sanfte, fast süßliche Art aussprach, ließ sie eine Abfuhr befürchten. Vermutlich würde er sich jetzt bei ihr entschuldigen. Er würde ihr erklären – was er ja schon einmal getan hatte –, dass er nicht zu haben war, weil die Sache mit Candice einfach noch zu sehr wehtat. Das hatten sie ja schließlich schon durchgekaut.

Sie spürte, wie er sie mit seiner großen, rauen Hand am Kinn berührte und es hochschob, damit sie ihn ansah. Mit einem Mal schienen die Musik und die Rufe der fröhlichen Schwimmer langsam zu verstummen. Polly nahm nichts mehr wahr außer Huckles leuchtend blauen Augen und seinem schönen Gesicht. Er schien in ihr nach etwas zu suchen, sah sie auf eine Art und Weise an, wie das noch nie jemand getan hatte, hungrig und neugierig, in seinem Blick lag aber noch etwas anderes. Es schien ihr fast, als hätte er endlich gefunden, wonach er schon lange suchte.

Eine Sekunde – eine köstliche Sekunde lang – blieb die Welt stehen, und plötzlich wurde Polly klar, dass Huckle sie nun küssen würde. Sie ahnte jetzt schon, dass dieser Kuss die Erfüllung all ihrer Träume sein würde, alles, was sie je gewollt hatte. Und schon da dachte sie, dass sie danach womöglich nie wieder einen anderen küssen wollte, egal, was auch passierte.

Huckles Heftigkeit überraschte sie, sie musste sich eingestehen, dass sie eigentlich mit einem sanften, zögerlichen Kuss gerechnet hatte, so entspannt und lässig wie er selbst. Stattdessen stürzte sich der Amerikaner so hungrig auf sie, als sei er ein Ertrinkender und sie seine einzige Hoffnung auf Rettung.

KAPITEL 24

Polly hätte nicht sagen können, wie lange dieser Kuss wohl dauerte. Sie wusste gar nicht mehr, wo sie sich befand oder was sie hier eigentlich tat, sondern nur noch, dass ihr ganzer Körper unter Strom stand, seit sich ihre Münder gefunden hatten. Ohne weiter nachzudenken, ergab sie sich Huckle mit Haut und Haar, spürte nur noch ihrer beider Lippen und Hände und ihr plötzliches, überwältigendes Verlangen, sich an ihn zu pressen, ihm näher zu sein. Am liebsten wäre sie unter sein Hemd gekrochen, um seine Haut zu spüren, hätte das Gesicht an seiner Brust vergraben und seinen süßen, betörenden Duft eingesogen. Sie ließ sich gehen, wurde auf einmal richtig gierig und hatte all die Menschen um sich herum total vergessen.

Und dann hörte sie, wie jemand ihren Namen rief. »Wow, los, Polly!«

Es war der Fischer, der vorhin Gitarre gespielt hatte, sie wusste nicht genau, wie er hieß. Bei seinem betrunkenen Gegröle wurde ihr plötzlich klar, was sie da eigentlich tat und unter welchen Umständen. Das ging doch nicht! Erschreckt rückte sie von Huckle ab.

»Was denn?«, fragte der trunken vor Lust. Das Haar fiel ihm in die Stirn, und seine Augen leuchteten.

Sie starrte ihn an. Er sah einfach umwerfend aus, aber ...

»Ich ... ich kann nicht«, stammelte sie. »Nicht ... nein.« Hucks Augen glühten.

»Verstehe«, versetzte er. Er hätte es wissen müssen – sie hing wohl immer noch an Tarnie.

Polly wollte ihm gerne erklären, dass die äußeren Umstände einfach nicht richtig waren – es war nicht prinzipiell falsch, sondern falsch in aller Öffentlichkeit, vor den Augen aller. Aber Huckle hatte bereits komplett zugemacht.

»Weißt du ... weißt du, nur nicht hier.«

»Nein«, sagte Huckle. »Natürlich nicht, Madam.«

Er warf einen Blick auf seine Uhr. »Es ist ja auch schon ziemlich spät. Oder ziemlich früh, wie man's nimmt. Ich glaube, ich mache mich langsam mal auf den Heimweg ...«

Unglücklich nickte Polly. Sie wollte nicht, dass er ging, aber das hier erschien ihr nicht richtig ... so gar nicht richtig.

»Ich auch«, sagte sie.

Inzwischen hatten es sich viele Leute rund um ein Lagerfeuer gemütlich gemacht. Manche schliefen, andere unterhielten sich oder machten rum.

»Äh ... sehen wir uns ... vielleicht später?«

»Die Welt ist klein«, sagte Huckle, der aufs Meer hinausstarrte.

»Es tut mir so leid«, beteuerte Polly.

Der Imker zuckte mit den Achseln. Sie sah ihn an und sehnte sich so sehr nach seinem sanften Lächeln oder seinem offenen Lachen, aber da kam nichts. Er war zur Salzsäule erstarrt. Ein letztes Mal schaute Polly zu ihm auf, wandte sich dann ab und ging den Strand entlang.

»Scheiße«, murmelte Huckle vor sich hin, als sie sich entfernte. »Scheiße, Scheiße, Scheiße.«

KAPITEL 25

Polly stolperte den Strand entlang und hatte einen dicken Kloß im Hals. Gesichter konnte sie nicht erkennen, weil vor ihren Augen alles verschwamm. Jemand rief ihren Namen, aber sie hatte keine Ahnung, wer, und es interessierte sie auch nicht. Sie kehrte zur Tanzfläche zurück, um ihre Schuhe zu finden und vielleicht auch ihren Rucksack. Kerensa konnte sie nirgendwo entdecken. Ihre Freundin war nicht im Wasser, und Polly fand sie auch in keiner der wunderschönen weißen Strandhütten aus Holz, die Reuben aufgestellt hatte, damit sich die Leute darin in Grüppchen zurückziehen konnten.

Irgendwann stolperte sie dann hinter dem Café – quasi direkt bei den Mülltonnen – fast über Kerensa. Polly sah erst nur das fuchsiafarbene Kleid.

»Kerensa!«, rief sie. »Na komm, ich will los.«

Als sie dann näher trat, wurde ihr klar, dass Kerensa dort wie ein Teenager mit jemandem rummachte. *Bestimmt einer von diesen Surflehrern,* dachte Polly. Aber als sie dann blinzelte, wurde ihr klar, dass –

»Das darf doch wohl nicht wahr sein!«, entfuhr es ihr, und sie hatte wieder mal das Gefühl, dass sie mit ihren eigenen kleinen Dramen an die von ihrer Freundin nie ganz herankam.

Jetzt musste Kerensa erst einmal Luft holen. Ihr Kleid war komplett aufgeknöpft, und sie war knallrot im Gesicht. Sie sah überhitzt und völlig überdreht aus.

»Oh, hi«, sagte Reuben.

»Was macht ihr zwei denn da? Ihr könnt euch doch nicht ausstehen!«

»Ich bin echt gut im Küssen«, verkündete Reuben. »Und bei solchen Sachen.«

Fassungslos starrte Polly ihre Freundin an.

»Äh, das ist er tatsächlich«, murmelte Kerensa entschuldigend. Ihr Lippenstift war verschmiert, und sie sah aus wie ein absolutes Flittchen.

Polly rollte mit den Augen. »Im Ernst?«

Die beiden starrten sie an.

»Äh ...« Sie rieb sich den Nacken. »Also, ich wollte jetzt eigentlich los.«

»Alles klar«, sagte Kerensa und rührte sich nicht von der Stelle.

»Ich gehe nach Hause ... Willst du nicht mit?«

Kerensa runzelte die Stirn, und Reuben legte ihr besitzergreifend die Hand auf den Schenkel.

»Ich komme noch nicht mit«, erklärte Kerensa dann. »Jetzt hab ich erst mal Sex mit Reuben.«

»O Gott, bei euch ist ja einer schlimmer als der andere.« Polly musste wirklich an sich halten, um nicht in Tränen auszubrechen.

»Kann dich Huckle nicht nach Hause bringen?«

Bei seinem Namen schnürte es ihr sofort die Kehle zu. »Na ja, ist auch egal«, würgte sie schließlich mühsam hervor. »Ich kann ja den Bus nehmen.«

»Bestens«, nickte Reuben und wandte sich wieder Kerensa zu. »Dann komm mal mit in mein Luxusschlafzimmer. Und weißt du, was echt riesig ist? Mein ...«

»Alles klar!«, rief Polly. »Wir sehen uns dann später.«

»... Bett«, führte Reuben seinen Satz zu Ende.

Polly ging zu der Stelle, an der sie Neil mit ein paar Sandwichresten zurückgelassen hatte. Er saß in einer Pfütze zwischen Felsen und sah sie schuldbewusst an.

»Neil«, stammelte sie und starrte auf das verräterische Häufchen an seiner Seite. »Hast du dich etwa übergeben?«

Neil fiepste und hüpfte ihr in die Arme.

»O mein Gott, ich schaffe es noch nicht einmal, meinen Papageientaucher vernünftig zu versorgen. Du solltest das Essen wirklich nicht so runterschlingen, dass dir schlecht wird, mein Schatz.«

»Iieep«, machte Neil.

Polly wiegte den Vogel im Arm und folgte dann einer Gruppe Partygäste, die schleppend zu den wartenden Bussen hinüberging. Sie fand zwei freie Sitze ganz hinten und ging sicher, dass Neil es in ihrem Rucksack auch bequem hatte. Dann schlief sie sofort ein, bevor sie noch Zeit hatte, ins Grübeln zu geraten.

Der nächste Tag, Sonntag, war richtig übel. Polly schlief bis um elf, und als sie dann aufwachte, fiel ihr sofort Huckle wieder ein. Was hatte sie sich dabei nur gedacht? Hätte sie nicht warten oder wenigstens irgendwo anders hingehen können, wo zum Beispiel nicht Tarnies Eltern anwesend waren? Andererseits musste Huckle das doch verstehen! Aber dann rief sie sich seinen versteinerten Gesichtsausdruck gestern in Erinnerung und wie verschlossen er gewesen war, als sie sich kennengelernt hatten. Es hatte eine Weile gedauert, bis der weiche Kern unter dieser harten Schale zum Vorschein gekommen war. Polly seufzte. Am besten rief sie ihn wohl mal an. Oder nein, vielleicht sollte sie lieber erst mit Kerensa telefonieren und sie um Rat bitten.

Es wunderte sie nicht besonders, als die nicht ranging. Polly versuchte, nicht auf ihre glamouröse Freundin eifersüchtig zu sein, und natürlich hatte sie selbst auch nicht das geringste Interesse an Reuben. Aber es war gar nicht so einfach zu verdauen, dass Kerensa nun den ganzen Tag in einem luxuriösen Bett verbringen und dort genau das tun würde, wonach sie selbst sich so sehr sehnte.

Dann scrollte Polly zu Huckles Nummer, zögerte aber. Es sollte nun wirklich nicht so aussehen, als würde sie sich ihm an den Hals schmeißen. Stattdessen stürzte sie sich lieber in die Arbeit, trank jede Menge Orangensaft und mischte für die folgende Woche ihre Hefe- und Sauerteigansätze. In der kleinen Stadt war heute viel los. Der eine oder andere Ausflügler kam sogar bis an die Bäckerei und klopfte an die Scheibe, sie schüttelte aber mit Nachdruck den Kopf. Langsam brauchte sie im Laden wirklich Hilfe, dachte sie, sonst würde sie sich noch in Mrs Manse verwandeln, wenn sie nicht aufpasste. Sie verfluchte sich dafür, dass sie hier in Selbstmitleid zerfloss, und konzentrierte sich lieber auf die Brotzöpfe, die sie schon seit Langem über die Tür hängen wollte. Heute hatte sie dafür endlich Zeit und Energie, dachte dabei aber wütend, dass sich ja doch niemand darum scherte, was sie hier tat. Sie backte und backte, bis sie völlig erschöpft war, dann ging sie früh schlafen und ärgerte sich über den Lärm der Urlauber draußen.

Um zehn Uhr abends wachte sie auf, weil ihr Handy

summte. Es war eine SMS von Huckle. Augenblicklich sprang sie auf, hellwach und begeistert. War ihm klar geworden, dass er einen großen Fehler gemacht hatte? Mit zittriger Hand griff Polly nach dem Mobiltelefon und las mit angehaltenem Atem die Textnachricht.

Tut mir leid, dass ich störe, aber könntest du vielleicht einem Imker den Weg zeigen?

Oh, na ja, dachte sie. Ein bisschen förmlich vielleicht, aber wenigstens redeten sie jetzt wieder miteinander. Und von hier konnte es doch nur bergaufgehen, oder? Sie musste daran denken, wie weich seine Lippen gewesen waren, wie rau seine Haut, wie süß er geschmeckt hatte.

Warum, wo steckst du denn?, textete sie zurück.

Als die Antwort kam, hätte sie das Handy am liebsten quer durch den Raum geschleudert.

Ich kehre für eine Zeit lang nach Savannah zurück.

Ungläubig starrte sie auf das Display. Das war niemals eine geplante Reise! Sonst hätte er die bestimmt erwähnt. Und die Sache mit dem Ersatzimker besser organisiert.

Nein, das war mit Sicherheit eine spontane Entscheidung gewesen. Und dann erkannte sie stinkwütend, dass er genau das tat, was er auch bei seiner letzten Enttäuschung in der Liebe getan hatte. Er hatte die Flucht angetreten. Das gab's doch nicht! Polly konnte es einfach nicht fassen. Zitternd starrte sie auf ihr Telefon und reckte dann die Hände gen Himmel. *Verdammt noch mal!*

Das Seeunglück hatte Huckle mehr mitgenommen, als er sich eingestehen wollte. Auf der Suche nach Sicherheit war er um die halbe Welt gereist, und es hatte ihn tief getroffen, wie zerbrechlich das Leben auf dieser kleinen Insel war.

Und dann kam noch hinzu, was zwischen Polly und ihm vorgefallen war. Nach der Beziehung mit Candice hatte es ewig gedauert, bis die Wunden verheilt waren und er endlich wieder jemandem vertrauen konnte. Und als er sich dann endlich einer Frau geöffnet hatte, die ihm Sicherheit zu vermitteln schien, die gut und sanft war, hatte auch sie dabei an einen anderen gedacht.

Deshalb war es für ihn zu Hause jetzt sicherer. Sein Experiment war gescheitert, und er wollte auf keinen Fall hierbleiben, wo er den immer gleichen Menschen über den Weg laufen würde. Er musste weg. Ohne groß darüber nachzudenken, hatte er deshalb eine Reisetasche gepackt und den ersten Zug nach London genommen.

Sag ihm, er soll zur Bäckerei kommen, textete Polly irgendwann zurück.

Huckle starrte sein Handy an. Tja, das war wohl der Beweis dafür, dass zwischen ihnen gar nichts gewesen war, nichts Echtes zumindest. Sie schien sich nicht einmal mehr daran zu erinnern ... oder vielleicht war es ihr auch einfach egal. Fassungslos schaute er sich in der Flughafenlounge voll schläfriger Geschäftsleute um. Sah jetzt so etwa sein Leben aus? Traf er nur noch Frauen, die für andere Männer mehr übrighatten? Vielleicht für Männer wie diesen dicken Typen da drüben, der eine Zehntausend-Dollar-Uhr trug und Wodka trank? Oder wie diesen Geschäftsmann, der da in sein Handy brüllte?

Danke, du bist echt ein Kumpel, textete Huckle verbittert zurück.

Polly starrte auf diese Nachricht. Die schien Huckle ja sorgfältig formuliert zu haben, um ihr klarzumachen, dass da wirklich nicht mehr war. Sie war ausschließlich ein Kumpel, auf den man sich in organisatorischen Fragen verlassen konnte. Damit servierte er sie behutsam ab. Polly ließ sich aufs Bett sinken und weinte bittere Tränen, auf die Neil einpickte, um ihr zu zeigen, dass er für sie da war.

Am nächsten Morgen machte Polly die Bäckerei auf wie immer. Es herrschte geschäftiges Treiben, die Leute hatten Hunger, und die Urlaubssaison war inzwischen in vollem Gange. Die Kombination aus gutem Wetter und dem neuen Bekanntheitsgrad des Ortes schien dafür zu sorgen, dass das ein besonders gutes Tourismusjahr für Mount Polbearne werden würde. Polly überlegte, vielleicht ein paar schmiedeeiserne Tische und Stühle raus in den Hafen zu stellen, damit die Leute sich mit ihrem Kaffee dort hinsetzen und etwas essen konnten. Das wäre doch eine logische Erweiterung ihres Geschäftes. Sie fragte sich allerdings, ob das wohl erlaubt war und wie sie das auch noch schaffen sollte.

Wie als Antwort auf ihre Frage erschienen in diesem Moment zwei Personen in der Tür, nämlich Mrs Manse und ein humpelnder Jayden, dem es aber offenbar schon ein bisschen besser ging.

»Dieser Junge braucht Arbeit«, verkündete Gillian kurz angebunden.

»Ich will nicht mehr zum Fischen rausfahren«, erklärte Jayden lächelnd. »Wusstest du, dass sich ständig Frauen nach meiner Verletzung erkundigen?« Seine Wangen glühten rosa.

»Ach, echt?«, fragte Polly. Sie musste einfach lächeln, es war so schön, ihn wieder auf den Beinen zu sehen. »Verheilt sie denn gut?«

»Möchtest du es vielleicht gern mal sehen?«

»Sieht sie denn eklig aus?«

»Nein, natürlich nicht!«, mischte sich nun Mrs Manse in die Unterhaltung ein. »Ich bringe doch niemanden mit offenen Wunden in die Bäckerei.«

»Ich bin froh, das zu hören«, erwiderte Polly.

Jayden zeigte ihr sein Bein. Am Oberschenkel fehlte ein großes Stück, und unter dem Verband war Haut transplantiert worden.

»Das ist ja widerlich«, sagte Polly.

»Und das ist noch gar nichts«, prahlte Jayden. »Vorher sah das aus wie beim Metzger, man konnte die Knochen erkennen und so. Mir ist sogar ein Krankenpfleger in Ohnmacht gefallen.«

»Äh, cool«, stammelte Polly und wandte sich dann etwas verwirrt an Mrs Manse: »Entschuldigung, haben Sie da eben irgendwas von Arbeit gesagt?«

Mrs Manse schniefte. »Es sieht doch wohl so aus, als könnten Sie hier ein bisschen Hilfe gebrauchen.«

Polly blinzelte und begriff dann.

»Oh.« Streng sah sie Jayden an. »Kannst du denn ordentlich zupacken, junger Mann?«

»Ich bin vom Kutter draußen einiges gewohnt«, sagte Jayden, und damit hatte er wahrscheinlich recht. »Ich kann zweihundert Fische in zwei Stunden ausnehmen, da komme ich vermutlich auch mit ein bisschen Brot klar.«

Herausfordernd und ein bisschen nervös sah er sie an, aber Polly war längst weich geworden.

»Willst du diesen Job wirklich, Jayden?«

Plötzlich konnte man in seinen Zügen den kleinen Jungen erkennen, der er vor wenigen Jahren noch gewesen war. Er bekam sogar ein wenig feuchte Augen.

»Sonst gibt es hier doch nichts«, stöhnte er. »Und wegziehen will ich auch nicht. Bitte, bitte, bitte hilf mir, damit ich nicht wieder aufs Meer raus muss. Das kann ich einfach nicht.«

Die letzten Worte murmelte er nur und starrte dabei zu Boden. Polly konnte wohl nicht einmal ahnen, wie schwer es ihm gefallen sein musste, sie auszusprechen.

Sie schaute Mrs Manse an, die ein einziges Mal abrupt nickte.

»Okay«, sagte Polly. »Ja, ich brauche tatsächlich Hilfe, langsam muss ich nämlich wirklich mehr Ware einkaufen. Und du könntest vielleicht für mich den Laden fegen. Du weißt doch, wie man fegt, oder?«

»Ich hab jahrelang Fischdärme zusammengekehrt.«

»Kommst du morgens problemlos aus den Federn?«

»Bei meinem letzten Job bin ich gar nicht erst ins Bett gegangen.«

Polly lächelte. »Solange ich dich nur davon abhalten kann, all unsere Ware selbst aufzufuttern, dürfte das wohl ganz gut klappen.«

Sie hielt Jayden die Hand hin. »Aber werd mir bloß nicht frech, verstanden? Na ja, mit den Kunden darfst du ruhig ein bisschen schäkern, aber Mrs Manse ist deine Chefin, und ich bin deine direkte Vorgesetzte, klar?«

Erstaunt starrte Jayden ihre Hand an und schlug dann strahlend ein.

»Klar, absolut! Ja, das wirst du nicht bereuen!« Auf einmal war er wie verwandelt. »Kann ich vielleicht gleich anfangen? Gib mir was zum Fegen!«

»Okay, mach ich, und ich zeig dir auch, wie man Teig knetet«, versprach Polly und erwiderte sein Lächeln. Dann wandte sie sich an Gillian Manse: »Und wenn er wieder fit ist, kann er natürlich auch Sachen für Sie holen oder ausliefern ...«

»Ich komme schon zurecht«, erklärte die betagte Bäckerin kurz angebunden. Tatsächlich machte sie inzwischen immer früher zu, und Polly hatte mehr als einmal mitbekommen, dass bei ihr verwirrte Kunden vor leeren Regalen gestanden hatten. Aber durch die Bäckerei am Strandweg konnte Gillian es sich erlauben, weniger zu arbeiten, und das hielt Polly für eine positive Entwicklung. Um eine höhere Provision hatte sie zwar noch nicht zu bitten gewagt, aber sie war viel zu froh über den reibungslosen Ablauf der Dinge, um sich zu beschweren. Außerdem verkauften die restlichen Läden in Mount Polbearne ja nicht viel mehr als Fish and Chips, Eimer und Schaufeln. Sie hatte sowieso keine Gelegenheit, Geld auszugeben.

»Na, dann komm mal mit.«

Sie ging mit Jayden in den Laden. Polly hatte Chris um Schürzen mit einem Aufdruck des Schriftzugs über der Tür gebeten, und sie hatte auch Kärtchen mit dem Bild der Bäckerei ausgelegt, auf denen er sich als Schildermaler anpries. Von denen hatten Urlauber und Ausflügler schon so einige mitgenommen. Wieder per Hand zu malen, statt am Computer zu designen ... das war doch vielleicht eine Geschäftsidee, die funktionieren könnte. Na ja, das hoffte sie zumindest.

Nun führte sie Jayden durch die Backstube.

»Wow!«, sagte der, als er beobachtete, wie sie Laibe in den riesigen Holzofen schob und nach einer köstlich duftenden Portion Teig sah, der gerade aufging. Dann roch sie prüfend am Sauerteig und fügte bei einer frisch angerührten

Teigmasse noch etwas Milch hinzu. »Hier ist ja wirklich so einiges zu tun.«

Streng sah ihn Polly an. »Was hast du denn gedacht, dass ich mit einer Angel hinter dem Haus verschwinde und mir mein Brot fange?«

Unsicher sah Jayden sie an. »Sollte das ein Witz sein? Wie eine von diesen lustigen Geschichten, die du manchmal erzählst? Dann müsstest du mir das schon sagen, damit ich darüber lachen kann.«

»Du musst darüber gar nicht lachen«, sagte Polly. »Wie geht's deinem Bein denn nun wirklich? Ab wann bist du in der Lage, Sachen zu schleppen?«

»Ich kann jetzt schon Sachen schleppen«, behauptete Jayden. »Den Verband behalte ich vor allem, um damit Frauen zu beeindrucken.«

»Oh, gut«, seufzte Polly. »Also, morgens …« Plötzlich wurde ihr erst klar, wie toll es sein würde, diesen Teil der Arbeit jemand anderem zu überlassen. »Also morgens musst du die neuen Mehlsäcke von draußen reinbringen. Dann fegst du durch und wischst alle Oberflächen ab. Danach müssen die Öfen sauber gemacht werden – aber da geht es nur um die Krümel, die Patina bleibt. Das ist diese etwas fettige Schicht, die ist nämlich gut fürs Brot.«

»Echt?«

»Schmeckt dir mein Brot?«

»Allerdings«, nickte Jayden.

»Und zum Schluss zeig ich dir, wie man Teig knetet … O mein Gott, das heißt ja, dass ich mal Pause machen kann. Und danach dann du! Jayden, das wird einfach super.«

Jayden grinste. »Und ich kann die ganze Zeit drinnen bleiben?«

»Die ganze Zeit«, bestätigte Polly.
»Und ich muss erst um halb sechs anfangen?«
»Ganz genau.«
Jayden strahlte vor Glück.

Am ersten Tag liefen die Dinge nicht so gut, weil sich Jayden nämlich a) nicht mit den ganzen Brotsorten und der Kasse auskannte und auch die Papiertüten nicht fand und b) fast jeder Einwohner von Mount Polbearne reinschaute und sich erst einmal ausgiebig mit dem Exfischer über das Unglück, seinen neuen Job, die Nerven seiner armen Mutter und seine Zukunftspläne unterhielt. Irgendwann setzte Polly Jayden dann in eine Ecke, damit er dort in Ruhe plaudern konnte, und übernahm den Verkauf wieder selbst. Wahrscheinlich konnte sie ihn woanders sinnvoller einsetzen.

Also stellte sie ihn zum Wischen an. Das tat er voller Schwung, als Polly einen unsicher wirkenden Mann bemerkte, der sich in der Nähe der Tür herumdrückte.

»Kann ich Ihnen helfen?«, fragte sie.

Der Typ hatte einen fleckigen Hals und leicht fettiges Haar. Er trug einen Anzug mit Krawatte und hüstelte jetzt höflich.

»Äh«, sagte er. »Ich ... ich bin wegen der Bienen hier.«

Einen Moment wusste Polly nicht, wovon er da redete, und dann fiel es ihr wieder ein.

»Oh, ja«, nickte sie. »Hu-«

Dabei stellte sie wütend fest, dass es ihr schon wehtat, seinen Namen auch nur auszusprechen.

»Ich hab gehört, dass Sie kommen«, korrigierte sie sich daher kurz angebunden. »Wir machen um zwei Uhr zu«, erklärte sie dann dem Mann. »Könnten Sie vielleicht so lange warten?«

Der Fremde schluckte und nickte unbeholfen. Dann ging er zur Hafenmauer, setzte sich darauf und starrte aufs Meer hinaus. Jayden und Polly konnten ihn vom Laden aus sehen und fanden ihn irgendwie merkwürdig.

»Der sieht aber gar nicht aus wie ein Imker«, bemerkte Jayden.

»Wie sieht ein Imker denn aus?«, fragte Polly, die es ärgerte, dass sie genau das Gleiche gedacht hatte.

»Ich weiß auch nicht«, überlegte Jayden. »So aber nicht. Kann ich mir vielleicht was zu essen nehmen?«

»Ja, kannst du«, stimmte Polly zu. »Du darfst dir jeden Tag ein Sandwich oder so nehmen, und ich geb dir auch einen Laib Brot für deine Mutter mit, das ist aber alles, okay? Sonst frisst du mich noch kahl, du bist ja noch im Wachstum.«

Jayden nickte und vergrub die Zähne in einem Käsecroissant.

»Von denen krieg ich einfach nie genug«, sagte er zufrieden.

Polly lächelte. »Wenn du willst, zeig ich dir, wie man die macht.«

Er riss die Augen auf. »Echt?«

»Du solltest aber auch viel Obst und Gemüse essen«, mahnte Polly.

Um Viertel vor zwei hielt Polly es dann nicht länger aus. Sie ließ Jayden allein im Laden; er sollte die restliche Ware verkaufen und danach aufräumen. Dann konnte er die Kasse zu Mrs Manse rüberbringen, die sich um die Abrechnung kümmern würde. Polly traute es Jayden sowieso nicht zu, etwas zu stehlen, aber falls er auch nur im Leisesten daran gedacht hätte, dann schien ihm der Name »Mrs Manse« alle Flausen auf einen Schlag ausgetrieben zu haben.

Nun ging die junge Frau zu dem Mann auf der Hafenmauer hinaus.

»Ich bin Polly Waterford«, stellte sie sich erst mal vor und streckte die Hand aus.

»Äh, Dave«, sagte der Mann. »Dave Marsden.«

Sein Akzent machte überdeutlich, dass er aus der Gegend stammte, und seine Hand war ein wenig verschwitzt. Er wirkte richtig nervös.

»Hallo, Dave Marsden«, sagte Polly. »Okay, bis zu Hu-, bis zum Imkerhäuschen ist es ein ganz schöner Fußmarsch, aber anders kann ich Sie da leider nicht hinbringen, es sei denn, Sie sind mit dem Auto hier.«

»Nee, ich bin mit dem Bus gekommen.« Dave zuckte mit den Achseln.

»In Ordnung, na, dann wollen wir mal.«

Da sie schon vermutet hatte, dass er keine dabeihatte, reichte ihm Polly eine der zwei Wasserflaschen, die sie mitgenommen hatte. Dann gingen sie über den Fahrdamm und marschierten auf dem Weg zu Huckles Abzweigung die Landstraße entlang. In seinem Anzug begann Dave schnell zu schwitzen, es war nämlich ziemlich warm.

»Also«, sagte Polly, nachdem sie etwa eine halbe Stunde schweigend gelaufen waren. »Wie lange arbeiten Sie schon mit Bienen?«

Wieder Stille. Aus dem Augenwinkel sah Polly zu Dave rüber. Er war dunkelrot angelaufen, selbst seine Ohren glühten.

»Äh«, machte er.

»Was denn?«

Sie bogen von der Landstraße ab und liefen im Schatten der Bäume weiter Richtung Häuschen im Wald.

»Äh«, stammelte er, »ehrlich gesagt hab ich gar nicht ...« Er hustete. »Bisher hab ich nicht besonders viel Zeit mit ...«

Polly sah ihn ganz scharf an. »Sie wurden eingestellt, um die Bienen zu versorgen, das wussten Sie doch, oder?«

Plötzlich sah Dave so aus, als würde er gleich in Tränen ausbrechen.

»Ja«, murmelte er und starrte auf seine Schuhe, die mittlerweile voller Matsch waren.

»Ich meine ...« Inzwischen waren sie schon fast am Ziel. »Ich meine, Sie kennen sich doch mit Bienen aus, oder?«

»Ich ... äh, ich hab mich ein bisschen im Internet eingelesen.«

»Sie haben was?«, fragte Polly.

Dave schluckte und schwitzte noch mehr.

»Es tut mir leid«, stammelte er nun wie ein Pennäler. »Es tut mir so leid, aber ich brauche den Job unbedingt. Bei der Zeitarbeitsfirma gab es einfach nichts, und dann haben die gefragt, ob jemand Erfahrung mit Bienen hat, und ... ich weiß auch nicht, was da in mich gefahren ist. Ich hab eben ...«

Er rieb sich die Augen.

»Meine Freundin ist schwanger«, erklärte er mit leiser Stimme. »Und deshalb hab ich einfach ...«

Polly schüttelte den Kopf.

»Du meine Güte«, murmelte sie. »Und wenn die jetzt nach einem Raubtierbändiger gesucht hätten?«

Dave schaute sie an und schien nicht fassen zu können, dass sie nicht auf ihn losging.

»Rufen Sie jetzt die Agentur an?«, fragte er. »Dann schmeißen die mich nämlich aus der Kartei.«

»Wissen Sie denn IRGENDWAS über Bienen?«, erkundigte sich Polly. Sie schob das kleine Tor auf.

»Das hab ich ja schon gesagt ... Ich hab ein bisschen was im Internet gelesen«, sagte Dave. »Aber das hab ich inzwischen alles wieder vergessen.«

»Aha«, seufzte Polly. Und dann dachte sie an das Wochenende zurück, das sie hier mit Huckle verbracht hatte, und wie vertraut sie da miteinander gewesen waren. Und glücklich. Wahrscheinlich hatte er ihr da alles gezeigt, was sie wissen musste.

Der Garten sah ein wenig zugewucherter aus als bei ihrem letzten Besuch. Das lag wohl an dem heftigen Regen an jenem Unglückstag, gefolgt von strahlendem Sonnenschein. All die Mitt-Juli-Üppigkeit war fast ein wenig überwältigend. Große rosafarbene Fuchsien und Rosen wuchsen wild und rankten sich um Baumstämme herum, und jeder Zentimeter Boden war mit Gänseblümchen und Mädesüß bedeckt, sodass der Rasen eher wie eine Wiese wirkte. Es gab sogar Bougainvillea in leuchtendem Pink und Lila, und an den Apfel- und Kirschbäumen hingen üppig die Früchte und lagen zum Teil schon als Fallobst um den Stamm herum. Polly konnte nicht widerstehen und schob sich eine Kirsche in den Mund, sie war jedoch klein und sauer. *Perfekt für Marmelade*, dachte sie. *Sauerkirschmarmelade auf Bauernbrot.*

Unten am Bach summten die Bienen aufgeregt, zogen zu den Blüten aus und kehrten wieder zurück. Ihr Flügelschlag ließ die Luft erzittern.

Dave war nicht länger rot im Gesicht, er war kreidebleich geworden.

»O Mann«, murmelte er. »Das sind aber ganz schön fette Brummer, was?«

Polly wandte sich zu ihm um.

»Machen Sie Witze?«, fragte sie. »Sie haben doch nicht etwa Angst vor Bienen, oder?«

»Sind das überhaupt Bienen?«, stammelte er und wich langsam zurück. »Die sehen ja eher aus wie Hornissen. Und es sind doch auch schon Leute an Bienenstichen gestorben, oder?«

Polly starrte ihn an, bis er den Blick senkte.

»Wir ziehen jetzt erst einmal die Anzüge an«, versetzte sie streng. »Kommen Sie mit, die sind da im Schuppen.«

Wie schon gedacht, war der Holzverschlag nicht abgeschlossen. Nur ein ungewöhnlich engagierter Dieb würde den ganzen Weg hierher auf sich nehmen, um Huckles Häuschen auszurauben.

Als Dave die Anzüge dort hängen sah, rieb er sich wieder den Nacken.

»Was denn?«, knurrte Polly, die nun langsam doch die Geduld verlor.

»Nichts«, stammelte Dave, »ich leide nur an Klaustrophobie. Ich meine, dafür hab ich sogar ein Attest vom Arzt und so. Leider ... glaube ich nicht, dass ich mich in eins von diesen Dingern quetschen kann.«

»Als Sie sich das mit der Bienenhaltung im Internet angeguckt haben«, erwiderte Polly, »haben Sie sich da wirklich über Bienen informiert, oder war das eher *World of Warcraft – Die Bienen-Edition?*«

Jetzt war das Ganze Dave noch peinlicher als vorher.

»Ach, hätte ich doch nie behauptet, dass ich davon Ahnung habe«, erklärte er.

»Und ich erst«, versicherte ihm Polly. Sie sah auf die Uhr. Da, wo Huckle sich jetzt befand, war wohl noch früher Morgen. Und eigentlich hatte sie auch gar keine Lust, mit ihm zu sprechen, nicht nach ... na ja. Er hätte sie ja sicher angerufen, wenn er ihr etwas zu sagen hätte.

Allein der Anblick des Häuschens erfüllte Polly mit einem furchtbaren, unerklärlichen Schmerz. Sie musste sich eingestehen, wie sehr sie sich gewünscht hätte, mal den Verstand auszuschalten, wie gern sie von Reubens Strand aus hierhergekommen wäre, wo einem der Blumenduft zu Kopf stieg und man völlig allein war. Hierhin hätten sie sich zusammen zurückziehen und sich lieben können, bis ...

»Also, äh«, machte nun Dave. Die Flecken in seinem Nacken sahen inzwischen noch schlimmer aus, weil er sich andauernd dort kratzte. »Ich meine, rufen Sie jetzt nicht bei der Zeitarbeitsfirma an?«

Polly seufzte.

»Wann kommt das Baby denn?«, fragte sie.

»Im September.« Jetzt erhellte sich Daves Miene ein wenig. »Es wird ein kleines Mädchen, unser erstes Kind, und wir würden sie gerne *September* nennen. Meine Mutter findet das zwar albern, aber uns gefällt das. Wo sie doch im September Geburtstag haben wird, verstehen Sie?«

Polly rollte mit den Augen. »Ja, ich verstehe.« Wieder seufzte sie. »Okay, also, ich werd die Agentur nicht anrufen. Aber sagen Sie denen, dass die Ihnen nur einen einzigen Tag bezahlen sollen, okay? Und dass wir hier niemanden mehr brauchen. Und dann suchen Sie sich am besten etwas auf dem Bau, in Polbearne werden Leute eingestellt, da wird nämlich viel renoviert.«

Das stimmte. Auf der ganzen Insel stieg die Nachfrage

nach Häusern, und die Gerüste schossen wie Pilze aus dem Boden, weil überall Dächer ausgebaut wurden und die Leute offene Küchen mit Tür zur Terrasse wollten.

»Äh, ja«, murmelte Dave. »Allerdings hab ich ein bisschen —«

»Höhenangst?«, fragte Polly.

Dave nickte, und Polly lächelte.

»Okay, okay. Denken Sie denn, dass Sie den Weg zurück allein finden?«

Zweifelnd sah Dave sie an.

»Folgen Sie erst einfach immer dem Pfad und dann den Schildern«, erklärte Polly geduldig. »Und viel Glück mit dem Baby, okay?«

»Danke«, sagte Dave von ganzem Herzen. »Ehrlich, vielen Dank.«

»So, dann mal los!«, trieb ihn Polly mit dringlicher Stimme an. Sie schaute ihm hinterher, als er sich auf den Weg machte. Er sah sich dabei neugierig um, wischte sich mit dem Ärmel über die Stirn und löste seine Krawatte. Polly schüttelte den Kopf und legte dann den Imkeranzug an, so wie Huckle es ihr gezeigt hatte. Gequält dachte sie an ihr Gelächter zurück, als er versucht hatte, sie durch den Anzug hindurch zu kitzeln. Hatte es nicht schon damals zwischen ihnen geknistert? Oder hatte sie sich das alles nur eingebildet? Offensichtlich ja. Sie seufzte, weil es ihr geradezu körperlich wehtat.

Nun ging sie zu den Bienenstöcken hinunter und war nur froh, dass sie Neil nicht mitgenommen hatte, dem hätte es hier nämlich überhaupt nicht gefallen. Sie versuchte, sich daran zu erinnern, was ihr Huckle damals gezeigt hatte. Zunächst benutzte sie den Smoker, um die Insekten mit Rauch zu beruhigen, dann machte sie die Bienenstöcke sauber, verteilte Zuckersirup, falls die Tierchen Hunger hatten, und zog welche von den wunderbaren dicken Waben heraus. Das Ganze dauerte nicht lange, und es war hier draußen im Garten mit seinem murmelnden Bach und dem gelegentlich vorbeifliegenden Pusteblumenflaum wunderbar ruhig und friedlich. Und obwohl Polly klar war, wie erbärmlich und erniedrigend das war, fühlte sie sich Huckle durch diese Arbeit irgendwie näher. Eigentlich durfte das keine Rolle spielen, er war schließlich weg und würde vielleicht nie wiederkommen. Aber ein kleiner Teil von ihr wollte sich diese Träumerei eben gönnen. Im Prinzip hätte Huck jetzt auch im Haus sein und ein Nickerchen machen können, sein Motorrad stand schließlich noch da ...

Wütend auf sich selbst riss Polly die Augen wieder auf. Das war doch albern und brachte überhaupt nichts. Aber wenigstens erhielt sie so die Bienen am Leben.

Kapitel 26

Die Wochen verstrichen ohne ein Wort von Huckle, Polly machte aber einfach weiter.

Sie war davon beeindruckt, wie gut es mit Jayden lief. Er war viel cleverer, als er wirkte, und so erleichtert und froh über seinen Abschied von der Fischerei, dass er sich begeistert in die Arbeit stürzte. Sein Bein behinderte ihn kaum mehr, er schleppte mühelos schwere Mehlsäcke und übernahm alle Putztätigkeiten. Außerdem war er freundlich zu den Kunden, unterhielt sich ausführlich mit Einheimischen und etwas weniger ausführlich mit Auswärtigen (besonders weit rumgekommen war er bisher nämlich nicht).

Dank seiner Unterstützung konnte Polly jetzt mehr backen, was bedeutete, dass die Ware inzwischen erst um drei oder noch später ausverkauft war. Aber das war auch kein Problem, weil sie nun beide zwischendurch eine Pause machen konnten. Und es tat sich noch mehr – in einem der heruntergekommenen Gebäude am Hafen eröffnete ein neues Lokal, so ein richtiges Restaurant mit weißen Leinenservietten und echten Gläsern, nicht bloß Fanta-Dosen. Dort servierte man frischen Fisch direkt vom Hafen – die Fischer hatten sich mit geliehenem Geld und der Versicherungssumme nämlich neue Kutter angeschafft. Und das Brot kaufte das Restaurant bei Polly!

Es war richtig aufregend gewesen, eines Morgens kam Samantha in die Bäckerei und stellte Polly den Sohn einer Freundin aus London vor. Ihr zufolge handelte es sich bei dem Burschen um einen äußerst talentierten jungen Koch, der Mount Polbearne endlich kulinarisches Prestige verleihen wollte. Polly hatte dazu nichts gesagt, Samantha hatte ihren Bekannten jedoch dazu gedrängt, das Brot zu probieren. Zu Pollys großer Genugtuung hatte er es als vorzüglich bezeichnet und bei ihr eine tägliche Menge bestellt. Samantha war so nett gewesen, dafür eine viel bessere Bezahlung auszuhandeln, als Polly jemals verlangt hätte. Aber als sie dann später die Preise auf der Speisekarte des Lokals sah, hatte sie kein schlechtes Gewissen mehr. Bei ihrem ruhigen Lebensstil hier in Mount Polbearne und der täglichen harten Arbeit sah ihr Kontostand inzwischen gar nicht mehr so schlecht aus. Mrs Manse hatte zugestimmt, sie besser am Gewinn zu beteiligen, und es war beiden Frauen klar, dass das Geschäft weiterwachsen würde. Das Geld aus dem Verkauf an das Restaurant konnte Polly komplett zur Seite legen und sich damit ein kleines Polster ansparen. Viel war es ja nicht, aber ein Anfang.

Irgendwann schaffte sie es, sich endlich zum Mittagessen mit Kerensa zu verabreden, die in letzter Zeit völlig von der Bildfläche verschwunden war und kaum mehr ans Handy ging. Sie schien in einem Sexgefängnis eingesperrt zu sein. Wenn sie miteinander sprachen, klang Kerensa nämlich immer ein wenig außer Atem und halb nackt. Eines Tages betraten die beiden Freundinnen dann aber zusammen das Mount's und sahen sich neugierig um. Früher war hier einer der Läden gewesen, die Eimer und Schäufelchen verkauften. Nachdem das Geschäft pleitegegangen war, hatte sich niemand die Mühe gemacht, ihn auszuräumen oder auch nur die eingehende Post durchzusehen. Jetzt war das Häuschen komplett renoviert, es hatte einen Steinfußboden und kühle helle Wände, weiße Tische mit kleinen Zitronenbäumchen und vorn durch eine Glasfront einen perfekten Blick auf den Hafen. Man konnte auch draußen sitzen, aber Polly und Kerensa blieben lieber drinnen, weil eine Gruppe die Terrasse in Beschlag genommen hatte und sich dort lautstark über Chelsea unterhielt.

Polly musste zugeben, dass Kerensa einfach toll aussah. Sie war braun gebrannt und hatte ein wenig zugenommen, gerade so viel, dass ihr Körper angenehm natürlich wirkte statt so übertrainiert wie vorher. In ihren Augen lag ein verträumter, schläfriger Ausdruck, und ihre Haut war einfach makellos. Und Polly war auch klar, wo diese Wandlung herrührte – Kerensa sah einfach glücklich aus.

»Na, ist es denn zu glauben!«, rief Polly aus. »Du bist ja komplett untergetaucht. Weil du nämlich einen Freund hast! Du bist mit Reuben zusammen!«

»O Gott, nein«, winkte Kerensa ab. »Nein, der ist doch nur mein ... äh, kleines Sexspielzeug?«

»Igitt«, stöhnte Polly, »das ist ja ekelhaft.«

Kerensas Handy piepte, weil gerade eine Nachricht einging. Sie warf einen Blick darauf, setzte ein widerlich selbstzufriedenes Lächeln auf und legte das Telefon dann mit dem Display nach unten wieder auf den Tisch.

Polly rollte mit den Augen. »Eine heiße Liebesnachricht?«

Kerensa nahm einen Schluck Mineralwasser und wechselte das Thema: »Meine Güte, so langsam mausert sich dieser Ort ja wirklich.«

Der Kellner war ein extrem attraktiver Typ Anfang zwanzig, und Polly fragte sich wirklich, wie der hier nur gelandet war. Ergeben nahm er ihre Bestellung auf, und Kerensa bestand darauf, dass ihre Freundin auch ein Glas Sauvignon Blanc trank. Gleich zur Arbeit in die Bäckerei zurückzukehren, konnte Polly wohl vergessen.

»Also«, begann sie dann vorsichtig, »was ist denn mit deinem Job?«

Kerensa starrte auf ihren Teller. »Äh«, machte sie.

»WAS?«

»Na ja, Reuben hat im Büro angerufen und damit gedroht, die Firma zu kaufen und alle rauszuschmeißen, wenn die mich nicht für eine Zeit lang freistellen«, murmelte Kerensa. Wenigstens schien sie sich ein bisschen dafür zu schämen.

»Kerensa! Du lässt dich von einem Mann aushalten? Was ist denn aus ›Das Haus, in dem ich lebe, kaufe ich mir auch selbst‹ geworden?«

»Das hab ich ja auch selbst gekauft!«, protestierte Kerensa. »Aber wenn ich diesem Arrangement nicht zugestimmt hätte, hätte er mich stattdessen als Beraterin engagiert. Außerdem gehe ich ja auch wieder zurück, sobald ich von diesem nervigen Typen die Nase voll hab.«

Nun herrschte langes Schweigen, dann meldete sich das Handy wieder, Kerensa lächelte und schrieb etwas zurück.

»Klar«, sagte Polly, »das ist ja auch offensichtlich eine ganz unverbindliche Sache, die du jederzeit problemlos beenden kannst.«

»Nee, mal im Ernst, irgendwann setz ich da einen Schlusspunkt.«

Polly rollte mit den Augen. »Ich glaub ja eher, dass du ihn liebst.«

»Er ist ein Spinner«, sagte Kerensa, aber es klang zärtlich.

»Weißt du, es ist ziemlich sexy, wenn jemand seine Liebeskünste zwar großspurig anpreist, dann aber auch wirklich liefern kann.«

»Tja«, lächelte Polly zufrieden, »ich mochte ihn ja immer schon.«

»Hast du was von Huckle gehört?«

Polly griff nach dem Glas mit dem köstlichen, eiskalten Wein, das man gerade vor sie hingestellt hatte, und nahm einen tiefen Schluck. Kerensa hatte vorher klargestellt, dass sie das Essen bezahlen würde, und keine Widerrede geduldet, daher hatten sie beide Austern und Sprotten bestellt. Das war weitaus schicker als Pollys übliche Mahlzeiten, aber zu ihrer eigenen Überraschung genoss sie es.

»Ist es nicht komisch, dass der so plötzlich einfach verschwunden ist? Wann kommt er denn wieder?«

Polly hatte keiner Menschenseele von dem Kuss auf der Party erzählt. Diese Geschichte war ihr viel zu peinlich, vor allem nach Tarnie.

»Ich weiß es nicht«, sagte sie deshalb nur.

Alle paar Tage ging sie zu Hucks Häuschen, um auf alles ein Auge zu haben und den Honig zu ernten. Dass die Sache mit dem Typen von der Zeitarbeitsfirma nicht geklappt hatte, hatte sie Huckle nicht geschrieben, weil der Amerikaner dann bestimmt ein schlechtes Gewissen bekommen und jemand anderes eingestellt hätte. Aber sie genoss es, an zauberhaften langen Sommerabenden dort draußen zu sein, inmitten dieser unglaublichen Blüten, der schweren Düfte und des schläfrigen Summens. Und der Honig verkaufte sich blendend in der Bäckerei.

Kerensa stellte ihr Glas ab.

»Ist zwischen euch beiden etwa irgendwas vorgefallen?«

Langsam nickte Polly.

»Super! Cool, ich wusste es! Und der ist doch wirklich irre sexy!«

»Ja, und wieder zurück in den Staaten«, wandte Polly ein und versuchte, tapfer zu sein.

»Na ja, für eine Weile«, meinte Kerensa. »Vermutlich will er dort seine Angelegenheiten regeln, um dann wieder zurückzukommen und dich ranzunehmen, bis du nicht mehr weißt, wo oben oder unten ist.«

Traurig schüttelte Polly den Kopf.

»Nein«, erklärte sie. »Die ganze Sache ist ... nicht so gut gelaufen. Es war einfach ... zu seltsam, dass das alles auf Tarnies Abschiedsfeier passiert ist. Deshalb hab ich plötzlich kalte Füße gekriegt, und da hat er wieder ganz zugemacht. Ich glaube ... ich glaube, ich hab ihn verschreckt. Die Sache ist total schiefgelaufen.«

»Ach, jetzt sei doch nicht albern«, versetzte Kerensa wütend. »Ruf ihn an und sag ihm, dass du einen schlimmen Fehler gemacht hast, er sich nicht so anstellen und jetzt gefälligst zurückkommen soll.«

Polly schüttelte den Kopf. »Er hat sich nicht gemeldet, nicht mal eine Mail geschrieben, nichts. Und er hat das Land verlassen. Das ist doch wohl eine eindeutige Botschaft.«

»Klar, eine Botschaft, die eindeutig besagt, wie bescheuert ihr beide seid«, seufzte Kerensa.

Polly biss sich auf die Lippe.

»Nein«, widersprach sie ihrer Freundin, »er hat mir doch vorher schon gesagt, dass er noch nicht bereit ist. Er hat gerade erst eine lange Beziehung hinter sich. Und außerdem: Wenn dich ein Mann wirklich will, dann kommt er schon aus dem Quark, so wie Reuben bei dir.«

»Wo lebst du denn, in den Fünfzigern?«, schnaubte Kerensa. »Das ist doch Quatsch. Ruf ihn an!«

»Es war ja bloß ein Kuss.«

»Das macht es manchmal noch schlimmer. Bitte, schau mich nicht so traurig an! Ach, Pol! Du hast aber auch wirklich ein Pech.«

Sie schwiegen einen Moment.

»Ich bin ja so blöd«, sagte Polly dann. »Ich dachte tatsächlich, er ...«

»Dass er dich mag, ist ja wohl offensichtlich«, erklärte Kerensa. »Er hat nämlich immer nach dir Ausschau gehalten. Sonst hat er kaum mit jemandem geredet, er saß einfach nur da und hat den Owen Wilson gegeben. Und wenn du aufgetaucht bist, dann kam plötzlich wieder Leben in ihn, mit einem Mal war er wieder da.«

»Echt?«, fragte Polly, fügte aber rasch hinzu: »Ach, ist ja eigentlich auch egal, er kommt sowieso nicht zurück.«

Kerensa zögerte, und Polly fragte sich, ob ihre Freundin sie jetzt wohl mit einer Lüge trösten würde, aber das tat sie nicht.

»Vielleicht nicht«, murmelte sie irgendwann. »Aber du kommst doch klar, oder?«

»Natürlich«, versicherte Polly stoisch und nahm noch einen tiefen Schluck. »Immerhin hab ich doch Neil.«

»Genau!«, sagte Kerensa.

Dann plauderten sie über andere Dinge, beschlossen, eine ganze Flasche des leckeren Weins zu bestellen – wenn schon, denn schon! –, und es wurde doch noch ein wirklich vergnüglicher Nachmittag.

Kapitel 27

Huckle fand es sowohl tröstlich als auch ein bisschen seltsam, dass seine Rückkehr kaum aufzufallen schien. Alle benahmen sich so, als sei er nur verreist gewesen, und so konnte man es ja auch sehen.

Seine Mutter freute sich natürlich, aber sie war an seine ständige Abwesenheit längst gewöhnt. Ob er nun in der »großen Stadt« Dinge tat, von denen sie nichts verstand, oder in einem fremden Land, war für sie eigentlich dasselbe. Seine Freunde fanden es cool, ihn wiederzusehen, und rissen jede Menge Witze über warmes Bier und Kricket und über den merkwürdigen Akzent, den er jetzt angeblich hatte. Huckle sprach mit einem alten Kumpel von einer Consulting-Firma, die ihn sofort einstellte, sodass er bald regelmäßig in den unterschiedlichsten Büros der Stadt arbeitete. Er hatte bis spätabends zu tun, anstrengend war der Job aber nicht – und er fand es auch ganz schön, mal wieder seine kleinen grauen Zellen zu benutzen –, die Bezahlung war außerdem unglaublich. Um auf stille Art und Weise seinem Leben in England den Stinkefinger zu zeigen, nahm er sich eine Wohnung genau wie die, die er früher mal gehabt hatte. Es handelte sich um einen gläsernen Würfel ganz oben in einem neuen Wolkenkratzer, weit weg von den niedlichen Häuschen der Innenstadt, die ihn zu sehr an Cornwall erinnert hätten. Er schaffte sich für das Apartment kaum etwas an, um es ja nicht gemütlich zu machen: alles ganz cool! Bloß keine Teppiche, keine Federbetten oder gar strohgedeckte Dächer.

Aber er wollte Mount Polbearne jetzt einfach verdrängen und sich daran höchstens erinnern wie an einen Traum. Savannah hatte einen Hafen voll wunderschöner großer Schiffe, Luxusjachten und Casinodampfschiffe, die sich immer noch durch die langsame, schlammige Flussmündung des Savannah Rivers und den Sumpf dahinter schoben. Aber es gab dort auch kleinere Boote, und an denen kam Huckle oft abends vorbei, wenn es kühler wurde und man das Haus verlassen konnte, ohne das Gefühl zu haben, in einen Dampfgarer geraten zu sein. Auch der Hafen von Savannah war wirklich hübsch. Es gab dort Läden und Kneipen, es roch nach Churros und Grillfleisch, und es wimmelte nur so von Touristen im Partnerlook. Aber Huckle ging dorthin, um den Masten beim Klimpern zuzuhören. Manchmal machte er dann die Augen zu.

Dabei hatte er immer im Hinterkopf, dass er wohl irgendwann noch mal nach England fahren musste, um beim Auslaufen seines Mietvertrags die Sache mit den Bienen zu klären und seine Sachen zu holen.

Am besten meldete er sich bei niemandem, wenn er da war, überlegte er. Vielleicht kurz bei Reuben, aber der würde sofort zu Polly laufen und petzen. Und das konnte Huckle einfach nicht ertragen … Immer wieder sagte er sich, dass er Polly nichts vormachen durfte. Das zwischen ihnen war nur eine Sommerfreundschaft in einem Moment gewesen, in dem sie beide ein bisschen menschliche Wärme gebraucht hatten. Das war alles.

Aber eigentlich war ihm auch klar, dass sie noch miteinander reden würden, wenn sie wirklich einfach nur Freunde wären. Vermutlich würden sie jeden Tag miteinander skypen. Er hätte ihr gern von Savannah erzählt, davon, wie er jetzt lebte und was er so machte. Er würde ihr die Stadt zeigen!

Aber sie liebte einen Toten. Und ihm hatte man schon einmal wehgetan, das würde er kein zweites Mal zulassen. Außerdem hatte sie alle Hände voll zu tun, die Bäckerei lief schließlich super, da hatte sie an ihm wohl kein Interesse. Er musste über die ganze Sache hinwegkommen und hier bleiben, wo er hingehörte. Außerdem hatte er dort drüben ganz vergessen, wie gut ihm das Leben in seiner Heimat gefiel, dass man hier einfach alles bekommen konnte, die große Auswahl im Supermarkt, sein kühles Apartment, die lauten Kneipen ... Das war doch gar nicht schlecht, sagte er sich selbst.

Und trotzdem ging er abends meistens zum Hafen, um den Masten zuzuhören.

Früher oder später musste das ja passieren, so groß war Savannah nun auch wieder nicht. An einem Sonntagabend, an dem sich der Himmel in hübschem Rosa verfärbt hatte, wollte Huckle eigentlich ins Kino gehen und sich dann in eine Bodega setzen. Zunächst lief er aber Alison über den Weg, Candice' älterer, zu dünner Schwester.

»Huckle!«, rief sie aus und tat einen Moment lang überrascht. »Ich wusste gar nicht, dass du wirklich wieder in der Stadt bist ... Mir war zwar so was zu Ohren gekommen, aber ...«

»Klar«, sagte Huckle. »Hi.«

»Wie war's denn in England? Viel Regen und warmes Bier? Hast du auch Kricket gespielt?«

»Äh, klar«, behauptete Huckle, dem die Begegnung unangenehm war.

»Na, es war jedenfalls schön, dich zu sehen, ich muss weiter.«

»Äh, wie geht's denn Candice?«, fragte Huckle rasch.

»Oh, bei der läuft alles super!«, erklärte Alison. Huckle wartete darauf, dass es ihm das Herz durchbohrte, erstaunlicherweise blieb der Schmerz aber aus. Die Sache hatte an Gewicht verloren, er freute sich sogar für seine Ex.

»Cool«, sagte er deshalb mit breitem Grinsen. »Tja, dann grüß sie doch schön von mir.«

»Mach ich«, sagte Alison und eilte im Abendsonnenschein davon.

So wie er Candice kannte, würde sie sich nicht vor einem Wiedersehen mit ihm drücken, und tatsächlich – er war kaum zurück in seiner Wohnung, da bekam er auch schon eine E-Mail von ihr. Candice schlug vor, sich auf einen Kaffee zu treffen – sie verlor wirklich keine Zeit.

Sie vermieden alle Orte, an denen sie früher oft zusammen gewesen waren, und verabredeten sich für den nächsten Tag vor dem Büro, in dem er arbeitete. Wie immer sah Candice fabelhaft aus, fitnessgestählt und sehr blond. Ihre Absätze klackten auf dem Pflaster. In Gedanken verglich Huckle sie mit Polly – dachte an das rötliche Haar, das ihr um die Schultern tanzte, und die hellen Sommersprossen auf ihrer Nase – und blinzelte ihr Bild dann schnell weg.

»Hey«, sagte er. »Toll siehst du aus.«

»Danke«, sagte Candice, »ich hab gerade meine Ernährung umgestellt. Du siehst aber auch gut aus.«

»Ja, ich achte jetzt auch mehr auf meine Ernährung«, behauptete Huckle. »Inzwischen esse ich weitestgehend Brot.«

Sie zog eine Augenbraue hoch. »Das Zeug ist doch Gift!«

»Soja-Latte für dich?«

»Immer doch«, lächelte Candice, und sie setzten sich ans Fenster. »Also, wie war es in England? Hast du Kricket gespielt? Und regnet es da wirklich ständig?«

»O nein«, sagte Huckle. »Es regnet schon hin und wieder. Aber nicht so wie hier, das ist ja der reinste Monsun. Da drüben spuckt der Himmel eher mal auf dich runter, und es ist ziemlich windig, aber dann ist alles auch schon wieder vorbei. Und im Moment ist das Wetter da einfach super, nicht so heiß und schwül wie hier. Es sind jetzt vielleicht so um die zwanzig Grad.«

Das Thermometer neben dem Wasserturm in Savannah hatte heute Morgen 35° angezeigt.

»Deshalb kann man im T-Shirt rausgehen, aber man muss für abends immer einen Pulli mitnehmen. In Mount Polbearne gibt es lauter winzige Häuschen aus Stein, die aussehen, als würde eins auf dem anderen stehen. Und die Bürgersteige haben zum Teil Stufen, weil sie sonst zu steil wären. Es gibt auch nur ein paar Straßen, und die führen alle in den Hafen. Wenn man morgens früh genug dran ist, kann man sehen, wie die Fischkutter mit dem Fang der Nacht einlaufen, und dann kann man direkt bei ihnen Fisch kaufen. Die nehmen ihn auch für dich aus, frischer geht es gar nicht. Und rechts im Hafen gibt es so einen urigen kleinen Laden ...«

Er verstummte einen Moment, und Candice sah ihn neugierig an.

»Das ist eine Bäckerei, die tollste Bäckerei, die ich kenne. Morgens liegt da der Duft des frisch gebackenen Brotes in der Luft, und wenn der Laden aufmacht, kann man einen noch ofenwarmen Laib kaufen, sich damit auf die Hafenmauer setzen und immer wieder ein Stückchen davon abreißen. Und nach einer halben Stunde kommen dann auch die Nachbarn vorbei, um ein Schwätzchen zu halten und ihr Brot zu kaufen, und so wacht Polbearne jeden Morgen auf.«

Man konnte ihm ansehen, dass er sich völlig in diesen Erinnerungen verlor.

»Und wenn man ganz brav ist, dann kriegt man von der Frau, die die Bäckerei führt, auch eine Tasse ordentlichen Kaffee. Aber drängen darf man sie nicht, weil sie immer so viel zu tun hat.«

Candice zog die Augenbrauen hoch. »Das klingt ja so, als würdest du diese Bäckerin gut kennen.« Sie selbst kochte nie, sie ließ sich lieber ausgewogene Mahlzeiten liefern. »Die ist wohl eine gute Freundin, was?«, fuhr sie fort und sah Huck an. Sie hoffte sehr, dass er jemanden gefunden hatte. Es würde ihr das Leben sehr erleichtern, wenn sie nicht mehr so ein schlechtes Gewissen haben müsste.

Huckle seufzte. »Oh, ich wollte mein Leben nicht noch komplizierter machen«, murmelte er. Und dann erzählte er ihr von dem Unwetter und den Fischern.

»Ach du meine Güte«, sagte Candice. »Das ist ja schrecklich. Aber war das mit diesem Tarnie und ihr denn was Ernstes?«

»Ich weiß es nicht«, musste Huckle zugeben.

»Mir kommt es nämlich so vor, als hättest du sie furchtbar gern.«

Huckle zuckte mit den Achseln.

»Und vielleicht mag sie dich ja auch. Ich finde sogar, dass ihr beide euch ziemlich idiotisch aufführt.«

»Na, vielen Dank«, sagte Huckle und nahm einen tiefen Schluck Kaffee. »Wie läuft es denn mit ...«

Candice errötete sanft und lächelte.

»Also, weißt du ... nachdem ich jetzt alles über die Miss Bäckerei gehört habe, fällt es mir nicht mehr so schwer, es dir zu erzählen: Ron und ich heiraten bald!«

»Na dann, herzlichen Glückwunsch!«, gratulierte Huckle und merkte zu seiner erneuten Verwunderung, dass er es ernst meinte. Ron passte gut zu Candice, er nahm nämlich an drei Triathlons pro Jahr teil.

»Danke«, sagte seine Ex und sah ihn an. »Es war bescheuert von dir, einfach so wegzulaufen. Na ja, zumindest fand ich das damals. Aber jetzt ... frage ich mich, ob das Leben da drüben nicht vielleicht besser zu dir passt. Du siehst nämlich gut aus, Huckle.«

Er lächelte. »Oh, ich passe mich doch überall an.«

Candice zog eine Augenbraue hoch. »Hm«, machte sie, während sie bereits aufstanden. »Meld dich doch bitte gelegentlich. Falls du hierbleibst.« Sie drückte ihm einen raschen Kuss auf die Wange.

»Sicher«, versprach Huckle und sah ihr hinterher, als sie sich mit klappernden Absätzen entfernte.

KAPITEL 28

Sie waren alle von Samantha und Henry in Polbearnes elegantem neuen Restaurant zusammengerufen worden. Die beiden hatten den Handwerkern hier einiges zu tun gegeben, indem sie mehrere heruntergekommene Häuser an ihre schicken Freunde vermittelt hatten. Das war gut angekommen. Obwohl sie doch Zugezogene waren, war es ihnen außerdem gelungen, hier im Ort irgendwie die Führung zu übernehmen. Dieses Treffen hatten sie einberufen, um über die »größte Gefahr unserer Zeit« zu sprechen, wie die Plakate verkündeten, die sie überall aufgehängt hatten. Gehorsam hatten sich alle eingefunden, zum einen, weil sie tatsächlich neugierig waren, zum anderen hatten so einige korrekt vermutet, dass Samantha und Henry vielleicht den Wein spendieren würden.

Tierarzt Patrick war gekommen und Muriel natürlich, genau wie Mrs Manse, die gebieterisch allein dahockte. Von den Fischern waren Archie und Kendall da, und auch Jayden war gekommen. Polly saß mit Neil am Rand und unterdrückte ein Gähnen.

»Worum geht es denn eigentlich?«, fragte jetzt Patrick. Sie wusste, dass das unberührte, unmoderne Ambiente der kleinen Stadt genau das war, was ihm an Polbearne so gut gefiel. Aus seiner Sicht gab es hier eine ungebrochene Verbindung zur Vergangenheit – einige der älteren Bewohner sprachen sogar noch ein wenig Cornisch, das sie von ihren Großeltern aufgeschnappt hatten. Veränderungen machten Patrick Angst.

In diesem Moment stand Samantha auf und klopfte mit dem Löffel an ihr Glas.

»Also, ich bin mir sicher, dass ihr es alle schon gehört habt«, sagte sie. Natürlich nicht, denn sie hatte es selbst gerade erst erfahren. Und zwar von einem Verwaltungsangestellten auf dem Festland, den sie sich warmhielt, damit er ihr eine Dachterrasse genehmigte.

Die Leute schüttelten den Kopf, und Samantha erklärte es ihnen.

Die neue Beliebtheit der Stadt war den ganzen Sommer über nicht abgerissen. Was jetzt zu Veränderungen führen würde, war aber nicht der Besucherboom, sondern das Frachterwrack. Die Polizei hatte den Strand gesperrt, und es waren spezielle Schiffe gekommen, um den restlichen Diesel aus dem Frachter zu pumpen – über achtzehntausend Liter –, aber am Meeresgrund lag noch immer viel von der Ware, und der Frachter würde irgendwann zum Verschrotten abtransportiert werden. Jeden Tag wurden Gummienten angeschwemmt, und die Gezeiten trugen sie so weit fort, dass man sogar welche in Exmouth und Land's End gefunden hatte.

Aber hier vor Ort, in Mount Polbearne, gab es nun ganz andere Probleme. Lkw, Bagger, die Mannschaften der Tauchboote mussten für ihre Arbeit nicht nur in die Stadt, sondern abends auch wieder zurückkommen, unabhängig von den Gezeiten. Außerdem wollten die Neuzugänge ihre Häuser renovieren, was noch mehr Lieferwagen, Laster und

Bagger bedeutete. Natürlich wollten sie auch ihre Autos benutzen. Tagesausflügler riskierten es nur ungern, hier festzusitzen oder ein übertheuertes Boot zurück zum Festland nehmen zu müssen. All das war schon länger im Gespräch, war immer wieder diskutiert worden, vor allem, seit eines Sommers mal ein Auto bei Einbruch der Flut direkt auf dem Fahrdamm liegen geblieben war. Darin hatte eine Familie mit kleinen Kindern gesessen, die rasch die Beine in die Hand genommen hatte, um sich durch das bereits kniehohe Wasser aufs Trockene zu retten. Insgesamt war man der Ansicht, dass etwas geschehen musste. Angesichts des Aufschwungs hier in der Gegend hatten die Behörden daher beim zentralen Entwicklungsfonds einen Antrag gestellt, um die Insel durch eine Brücke mit dem Festland zu verbinden.

Im Raum war es erst mucksmäuschenstill, und dann wurde der Lärm ohrenbetäubend.

Manche hielten das für eine gute Idee. Das würde mehr Leute in die Stadt locken. Es würde heißen, dass man zum Supermarkt fahren konnte, ohne sich Gedanken darüber zu machen, ob man auch wieder zurückkäme. Und im Winter würde man nicht hier festsitzen, wenn Stürme den Damm manchmal tagelang unpassierbar machten. Die Fischer könnten ihre Ware schneller vermarkten, und es wäre möglich, auf Mount Polbearne zu leben und zur Arbeit zu pendeln. Jayden war ganz aufgeregt und erklärte, dass er in seinem neuen Leben als »Drinnen-Arbeiter« schon gern mal nach Plymouth fahren und dort in einen Nachtclub gehen wollte. Die Fischer waren zunächst nicht sehr begeistert, weil das ein Ende ihres Zusatzeinkommens durch die Wassertaxis bedeuten würde. Aber die meisten verstanden durchaus, dass es ja nur eine Frage der Zeit sein und man den Fortschritt nicht aufhalten konnte. Patrick sprach sich natürlich mannhaft dagegen aus.

»Wer so etwas befürwortet, kann meinetwegen ruhig hier verschwinden! Soll er doch in die Stadt ziehen, wo es Pizzataxis gibt! Wir bleiben hier in unserem Städtchen ohne Pizza.«

Polly träumte davon, wieder mal eine Pizza zu essen, erwähnte das aber lieber nicht. Vielleicht sollte sie einfach selbst welche anbieten und die Bäckerei zur örtlichen Pizzeria machen? Den Ofen dafür hatte sie ja schon, sie müsste nur die Öffnungszeiten etwas anpassen. Es wäre nicht so einfach, aber das könnte man schon hinkriegen. Und wenn man bedachte, wie viele hungrige Männer derzeit hier in der Stadt arbeiteten, wäre das bestimmt ein gutes Geschäft.

»Hmm«, machte sie nun zwiegespalten.

»Auf keinen Fall eine Brücke!«, donnerte Henry in seiner pinkfarbenen Cordhose. »Dann könnte ja wer weiß wer hierherziehen.«

Seine Bemerkung ließ die Einwohner von Polbearne die Augen verdrehen, selbst Polly, während sich alle noch ein von Henry bezahltes Glas Wein genehmigten.

Es gab also einiges zu bedenken, und die Brücke war in der nächsten Zeit das Hauptgesprächsthema der Bäckereikunden, mal abgesehen davon, dass ein berühmter Star den Leuchtturm zu kaufen versucht hatte.

»Der steht zum Verkauf?«, fragte Polly fassungslos. Sie wurde nachts immer noch gelegentlich wach und hatte ein Vermögen für lichtundurchlässige Gardinen ausgegeben. Wie sollte denn dort jemand leben?

»Wenn du drinnen bist, ist es doch optimal«, sagte Muriel. »Das ist der einzige Ort in Mount Polbearne, wo man das verdammte Licht nicht sieht.«

»Hmm«, machte Polly. »Und, kauft er ihn jetzt?«

»Nein«, erklärte Muriel. »Er wollte darin nämlich eine Spiralrutsche und eine von diesen Feuerwehrstangen einbauen, und das haben sie ihm nicht genehmigt.«

»Warum darf man denn keine Rutsche bauen, aber so eine bescheuerte Brücke schon?«, wollte Patrick wissen, der gerade Brot kaufte. Er hatte zwei landesweiten Zeitungen Interviews gegeben (die sich ungeachtet der Bedürfnisse von Polbearnes Einwohnern beide für einen Erhalt der Insel in ihrer ursprünglichen Form aussprachen) und war deshalb unglaublich stolz auf sich.

»Eine gute Frage«, musste Polly zugeben.

Als sie mal wieder nicht schlafen konnte, ging sie eines Nachts zum Leuchtturm rüber. Er war genauso heruntergekommen wie der Rest von Mount Polbearne. Oder zumindest wie die Hälfte der Stadt, die noch nicht in den Strudel des neuen Immobilienbooms geraten war. Den hatte Polly ja sozusagen mitausgelöst, wie gelegentlich auch angemerkt wurde. Im Leuchtturm lebte schon lange niemand mehr, nämlich seit das Licht darin ferngesteuert wurde. Die schwarz-weißen Streifen blätterten ab, und das Häuschen aus Granit daneben war klein und funktionell. Auch wenn der Kauf des Turms vielleicht kein sehr realistisches Projekt war, ging Polly die Idee nicht mehr aus dem Kopf.

Weiterhin marschierte sie bei Regen oder Sonnenschein alle zwei Tage hinaus zu Huckles Häuschen und versorgte die Bienen. Das hatte sie zu ihrem Gesundheitsspaziergang erklärt, ihrer eigenen Art von Sport, und irgendwann machte sie es dann einfach aus Gewohnheit. Vielleicht glaubte sie auch, dass es Unglück bringen würde, jetzt damit aufzuhören. Sie reinigte die Bienenstöcke, sammelte die toten Tiere ein und schaute nach der Königin. Dann sterilisierte sie die Honiggläser, füllte sie und nahm sie im Rucksack mit zurück. Neil hockte oben auf einer Zeitung darüber. Der Honig verkaufte sich in der Bäckerei weiterhin gut, und sie legte das Geld sorgfältig zur Seite, um es Huckle bei seiner Rückkehr zu geben. Aber da sie nichts von ihm gehört hatte, würde er wohl auch nicht wiederkommen. Vielleicht hatte ihn ja seine Ex mit offenen Armen auf dem Flughafen empfangen. Vielleicht hatte sie ihn um Verzeihung gebeten, weil sie ihm das Herz gebrochen hatte, und ihn angefleht, wieder zu ihr zurückzukehren.

Als Polly eines Abends von einem ihrer Bienenausflüge zurückkehrte, lief sie im Hafen zu ihrer Überraschung Dave von der Zeitarbeitsfirma über den Weg.

»Hallo!«, sagte sie. Inzwischen war Ende August. Wenn sie morgens mit dem Backen anfing, war es schon nicht mehr richtig hell, aber es war immer noch warm, auch wenn gelegentlich eine frische Brise die warme Sommerluft aufmischte. »Wie geht's denn Ihrer Freundin?«

»Gut!«, antwortete Dave. Er sah heute etwas fröhlicher aus, obwohl er immer noch Flecken im Nacken hatte. »Sie hat das Baby früher bekommen.«

»Ach je!«, rief Polly aus. »Ist denn alles in Ordnung? Und haben Sie sie jetzt *Augusta* genannt?«

»Nein«, entgegnete Dave. »Wir wollten Sie doch *September* nennen, wissen Sie noch?«

»Ja«, nickte Polly, »aber ich dachte, wo sie doch jetzt im

August geboren wurde ...« Sie verstummte, während Dave sie verständnislos ansah. »Na ja«, sagte sie dann. »Herzlichen Glückwunsch.«

Er lächelte wieder. »Sie ist einfach hinreißend!«

»Und, was machen Sie hier?«, fragte Polly. »Sagen Sie jetzt bitte nicht, dass Sie beim Bau der neuen Brücke dabei sein werden. Das schaffen Sie nie mit Ihrer Höhenangst.«

Er schüttelte den Kopf. »Nein, aber ich habe gehört, dass es auf einem der Fischkutter eine freie Stelle gibt.«

Das stimmte. Trotz der hohen Arbeitslosigkeit in der Gegend konnte man kaum jemanden dazu bewegen, Fischer zu werden. Der Beruf war einfach zu gefährlich, unbequem und schlecht bezahlt.

Streng sah Polly ihn an.

»Dave«, versetzte sie, weil sie nun wirklich nicht wollte, dass er Archies Zeit verplemperte. »Sind Sie sicher, dass Sie keine Angst vor Fischen haben?«

Dave zuckte mit den Achseln.

»Keine Ahnung«, musste er zugeben, »ich esse eigentlich immer nur Fischstäbchen. Vor Haien hab ich natürlich schon Angst.«

»Davon gibt es hier nur ganz kleine«, erklärte Polly.

»Die kleinen Haie sind doch am giftigsten«, wandte er ein. »Oder, Moment mal, waren das nicht Spinnen?«

»Keine Ahnung.«

Nun kam Archie zu ihnen rüber und wandte sich an Dave: »Na, dann kommen Sie mal mit.« Dann fragte er Polly: »Kennst du den Typen etwa?«

»Äh, eher flüchtig«, murmelte Polly, die Dave nur ungern reinreiten wollte.

»Meinst du, er hat das Zeug dazu?«, fragte Archie.

»Sei nett zu ihm«, bat Polly statt einer Antwort. »Er ist gerade Vater geworden.«

Ein Lächeln legte sich über Archies Züge. »Oh, na dann herzlichen Glückwunsch!« Polly musste über den alten Softie lächeln.

»Haben Sie auch Kinder?«, fragte Dave.

»Drei. Na ja, und eins ist unterwegs ...«

Polly drehte sich zu ihm um. »Nein!«

»Doch. Und nicht nur bei uns.«

»Wie meinst du das?«, erkundigte sich Polly.

»Na ja, Bob von der Apotheke kriegt auch was Kleines. Und Andy vom Pub. Und Muriel.«

Polly schüttelte den Kopf. »MURIEL? In welchem Monat ist sie denn?«

»Tja, denk mal scharf nach.«

Das machte Polly auch. »Im Ernst? Die Trauerfeier?«

Archie zuckte mit den Achseln. »Das wird in Mount Polbearne wohl der erste Babyboom seit zweihundert Jahren. Vielleicht brauchen wir sogar wieder eine Schule.«

»Ich fass es nicht!«, rief Polly. »Das ist ja toll. Und die Jungen heißen dann wahrscheinlich alle *Tarnie*.«

»Na ja, *Cornelius* wohl eher nicht«, grunzte Archie. Dann wandte er sich wieder Dave zu. »Können Sie ordentlich mit anpacken?«

»Da bin ich mir nicht so sicher«, murmelte Dave.

»Und mit einem Messer umgehen?«

Zweifelnd sah Dave ihn an.

»Ach, was soll's«, sagte Archie. »Dann kann ich ja schon mal fürs Babysitten üben. Los geht's, Weichei.«

Starr vor Angst folgte ihm Dave, und Polly sah lächelnd zu, wie er über die glitschigen Steine balancierte und beinahe ausrutschte. Archie musste ihn praktisch an Bord heben. Polly schüttelte den Kopf. Na ja, man würde sehen.

Es herrschte gerade Ebbe, und Patrick schoss draußen auf dem Fahrdamm Fotos. Polly ging in ihre Wohnung, setzte sich ans Fenster und machte ein Bier auf. Es war schon komisch, überlegte sie, dass sich die Stadt jetzt verändern würde, nachdem das Leben hier jahrhundertelang gleich geblieben war. Und sie war gerade noch rechtzeitig gekommen, um das Ende dieser Ära mitzuerleben. Der Gedanke stimmte sie traurig.

Dann klingelte ihr Telefon.

»Wenn mich da jemand anruft, um mir von einer Schwangerschaft zu berichten, dann herzlichen Glückwunsch!«, sagte Polly. »Ich hab übrigens auch Kuchen zur Taufe im Sortiment.«

»Knapp daneben«, quiekte Kerensa aufgeregt, »gratulieren darfst du mir aber schon!«

Kapitel 29

Die beiden kamen schon am nächsten Tag zu einem Kriegsrat zusammen. Reuben hatte angeboten, Kerensa mit dem Helikopter vorbeizubringen, die hatte aber dankend abgelehnt.

»Du bist wirklich blöd«, sagte Polly, »ich würde unheimlich gerne mal mit so einem Ding fliegen. Eigentlich finde ich, wir sollten uns den Rest unseres Lebens nur noch mit Reubens Hubschrauber durch die Gegend kutschieren lassen.«

Sie umarmten sich im Innenhof des Pubs.

»Wir heiraten!«, kreischte Kerensa. Wenn Polly in letzter Zeit mit ihr gesprochen hatte, hatte sie immer geklungen, als würde sie unter Hochspannung stehen. Wahrscheinlich färbte Reuben auf sie ab. »Wir heiraten! Wahnsinn!«

Polly marschierte zur Theke rüber und bestellte Champagner. Andy sah sie wenig zuversichtlich an, entdeckte dann aber ganz hinten im Kühlschrank etwas halbwegs Annehmbares und wischte erst einmal die Flasche sauber.

»Seit wann bestellt meine bankrotte Freundin denn Champagner?«, fragte Kerensa mit einem Stirnrunzeln.

»Wart's ab!«, rief Polly lächelnd. »Du bist nicht die Einzige, die hier was zu feiern hat.«

Heute Morgen hatte sie Post bekommen – der Briefträger gab die Sachen immer bei ihr in der Bäckerei ab. Jayden bekam nie Post und war immer fasziniert von allem, was reinkam, obwohl es meist nur Mehlrechnungen und Unterlagen von der Bank waren. Aber heute war ein länglicher Pappumschlag mit der Aufschrift »Nicht knicken!« dabei. Er war handschriftlich an Polly adressiert. Sie erkannte die geschwungenen Buchstaben sofort, wusch sich die Hände und machte den Umschlag gespannt auf.

Vorsichtig zog sie den Inhalt heraus und seufzte vor Freude. Es war ein Bild, eine wunderschöne und maßstabsgetreue Zeichnung ihrer Bäckerei am Strandweg. Im Vordergrund waren die Masten und Segel der Schiffe zu sehen, man erkannte Brote im Schaufenster, und auf dem mit Wasserfarben kolorierten Bild konnte man sogar ihren Umriss im Laden erahnen. Es war einfach atemberaubend.

»Von Chris!«, rief Polly begeistert aus.

»Von diesem mürrischen Typen?«, fragte Jayden und kniff zur näheren Betrachtung die Augen zusammen. »Aber das ist echt gut«, fügte er dann hinzu. »Ich wünschte, so was könnte ich auch.«

»Schön, nicht?«, sagte Polly, der beim Anblick des Geschenks das Herz aufging. »So etwas hat er schon lange nicht mehr gemalt. Oh, wie nett von ihm.«

Auf der Rückseite des Bilds klebte ein Zettel. Als Polly die Nachricht darauf las, flog ihre Hand zum Mund.

»O mein Gott!«, quiekte sie. »O mein Gott! Wir sind die Wohnung los! Sie wurde gekauft, und zwar zu einem ganz ordentlichen Preis … und damit sind unsere Schulden gedeckt! O mein Gott, wir sind schuldenfrei! Hurra!«

Dann stellte sie das Radio an und tanzte um den Tresen,

während Jayden sich willig mitziehen ließ. Neil wollte natürlich mitmachen und flatterte auf und ab.

»Ich weiß zwar nicht, worum es hier geht«, sagte Jayden, »aber das hört sich ziemlich gut an.«

»Das ist einfach FANTASTISCH!«, rief Polly. »O mein Gott, ich bin frei, frei! Und ich hab Geld! Ich bin frei! Jetzt kann ich ...«

Ganz plötzlich wurde sie wieder ernst. »Wow, jetzt könnte ich sogar zurückziehen.«

Jayden sah sie an. »Warum solltest du denn zurückziehen?«

»Plötzlich klingst du ja gar nicht mehr so begeistert!«, neckte ihn Polly. »Nein, natürlich geh ich nicht aus Polbearne weg. Aber ich könnte aus dieser Wohnung ausziehen. O mein Gott. Oder ich könnte Mrs Manse ausbezahlen. Oder das Dach neu decken lassen. Oder vielleicht ...«

Sie warf noch einen Blick auf den Zettel. »Okay, so viel kann ich damit jetzt auch nicht anfangen. Aber trotzdem!«

Und das war der Grund, warum sie heute die Kaffeekasse geplündert hatte, um Champagner zu bestellen. Außerdem würde Polly das Bild selbstlos an die netten jungen Herren vom Restaurant weitergeben, die es sofort für ein Vermögen verkaufen und augenblicklich mehr in Auftrag geben würden, welche ebenfalls reißenden Absatz finden würden. Das zehnte Bild würde Polly dann selbst behalten, bevor sie für sie noch unbezahlbar würden.

»So sieht es also aus«, erklärte Polly, während sie sich mit Kerensa am Tisch im Innenhof niederließ, und konnte sich das Grinsen nicht vom Gesicht wischen. Das fand Kerensa ganz wunderbar und nahm sie erst einmal in den Arm. Und sie erklärte, dass man in der Polly von heute kaum noch den Trauerkloß von vor sechs Monaten wiedererkannte. Polly verdrehte daraufhin nur die Augen und meinte, so schlimm sei es ja nun auch nicht gewesen. Kerensa sagte: »Nee, klar, bei dir lief alles super, und du warst damals ja auch so glücklich!« Sie brachen beide in Gelächter aus.

»Also, was ist das jetzt mit diesem Typen, den du so sehr hasst?«

»Das war ja, bevor ich mit ihm Sex hatte«, seufzte Kerensa. »O Mann.«

»Okay, okay, das reicht mir schon«, stöhnte Polly. »Bitte keine weiteren Informationen. Ich werde vermutlich nie wieder Sex haben, und das soll mir recht sein, solange aus mir nur eine erfolgreiche Geschäftsfrau wird. Aber herzlichen Glückwunsch!«

»Ich weiß!«, sagte Kerensa. »Das wird einfach super, die beste Hochzeit aller Zeiten!«

»Pass auf!«, rief Polly, »so langsam klingst du schon wie Reuben.«

»In gewisser Hinsicht sind wir uns sehr ähnlich«, erklärte Kerensa. »Mal abgesehen davon, dass er eine absolute Nervensäge ist und ich nicht.«

Polly lächelte.

»Und du musst unbedingt meine Trauzeugin werden«, sagte Kerensa und leerte ihr Champagnerglas in einem einzigen Zug.

»Brautjungfer, meinst du? Dafür bin ich doch viel zu alt.«

»Quatsch, Trauzeugin! Ich werd außerdem ein ganzes Heer von Brautjungfern haben, wir heiraten nämlich in Amerika.«

»Nein, jetzt hör aber auf!«

»O doch. Reubens Familie hat wohl auf Cape Cod direkt am Meer ein riesiges Anwesen, das muss wirklich nett sein.« Kerensa tat so, als sei das alles gar keine große Sache, irgendwann konnte sie diese Fassade aber nicht länger aufrechterhalten, und die beiden brachen wieder in Gekicher aus.

Als hätte der ploppende Champagnerkorken sie magisch angezogen, steckte nun Samantha den Kopf um die Ecke. Schon aus einiger Entfernung entdeckte sie den absurd riesigen Diamanten an Kerensas Verlobungsring und blieb wie angewurzelt stehen. Das Ding blendete aber auch jeden in Sichtweite.

»Aber hallo!«, rief Samantha. »Es gibt also Neuigkeiten?«

»Allerdings!«, nickte Polly. »Möchtest du vielleicht ein Gläschen, oder bist du auch schwanger?«

Samantha setzte sich zu ihnen und bombardierte Kerensa mit Fragen über die Größe des Anwesens auf Cape Cod, die Anzahl der Gäste und das Catering. Dann wurde sie ganz still und legte ihre perfekten Händen in ihren winzigen Schoß. Ihr eigener Verlobungsring war riesig, aber nichts im Vergleich zu dem von Kerensa, für den man eigentlich einen Waffenschein brauchte. Samantha seufzte. »Also, wisst ihr, ich glaube ja nicht, dass von unseren Freunden schon mal jemand auf so einer Hochzeit war.«

Die beiden Freundinnen tauschten Blicke.

»Du kannst natürlich auch kommen«, sagte Kerensa sanft.

Samantha stieß einen kleinen Freudenschrei aus.

»Allerdings solltest du dabei wissen, dass Reuben auf einer *Star-Wars*-Hochzeit besteht.«

Später verließen die zwei Freundinnen ein wenig beschwipst den Pub und liefen am Kai entlang, wo bei den Fischern ordentlich was los war. Polly sah zu ihnen hinüber. Mit vor Stolz roten Wangen hielt Dave einen riesigen Fisch hoch.

»Haben *Sie* den etwa gefangen?«, fragte Polly. Dave strahlte, der Fisch war fast halb so groß wie er selbst.

»Das ist der erste Dorsch von solchen Ausmaßen, den ich seit Jahren hier in der Gegend gesehen habe«, sagte Archie. »Die Fangquoten bringen wohl doch was.«

»Und den hat wirklich Dave gefangen?«, fragte Polly und versuchte, nicht ganz so ungläubig zu klingen.

»Aber klar doch! Der Typ ist der geborene Fischer, der hat vor nichts Angst.«

Dave strahlte, und jetzt kam sogar Jayden aus der Bäckerei angehumpelt, um ein Foto zu machen.

»Fischen find ich super«, sagte Dave zu ihm. »Ich kann wirklich nicht verstehen, wie Sie das aufgeben konnten.«

Jayden strich mit den Fingern über seine weiße Schürze. Bei ihm zeugte bereits ein kleines Bäuchlein von seinem Berufswechsel, das versprach, mal eine beeindruckende Wampe zu werden. Gutmütig wie er war, gab Jayden auf den Kommentar keine schnippische Antwort, sondern schwärmte nur: »Das ist echt cool. Verkaufen Sie den an die Frittenbude?«

Er dirigierte die Gruppe, damit sie sich fürs Foto aufstellte.

»Das sollte man da ins Fenster hängen«, überlegte er. »Dann denken die Kunden sicher alle, ihr Fisch stammt von diesem Dorsch.«

»Und Andy kann die Preise noch mehr in die Höhe treiben«, murmelte jemand. Der Imbissbesitzer hatte ziemlich flott seinen Nutzen daraus gezogen, wie beliebt der Ort und damit seine Fischbude war, vor allem bei Flut. Aber seine Fish and Chips waren noch genauso heiß, knusprig und salzig wie eh und je, die Portionen reichlich und der Fisch samtig, deshalb störten sich die Leute nicht allzu sehr daran.

Genau dahin machten sich jetzt auch Kerensa und Polly auf den Weg, um sich Fritten und Fanta zu holen, das war ja bereits Tradition. Dann setzten sie sich auf die Hafenmauer und ließen die Beine baumeln.

»Bist du für die Hochzeit nicht auf Diät?«, neckte Polly ihre Freundin.

»Ich pfeif auf Diäten«, sagte Kerensa. »Außerdem will ich gar nicht wissen, in was für ein Kostüm mich Reuben da stecken wird!«

KAPITEL 30

Die Dinge verändern sich eben, dachte Polly, als sie mit der Geldkassette unter dem Arm zu Mrs Manse rüberging. Immer wieder musste sie Fußgängern ausweichen, Autos schoben sich durch für sie viel zu enge Straßen, und die Leute bedachten Neil auf ihrer Schulter mit befremdeten Blicken, was ziemlich nervte. Langsam kam sich Polly schon vor wie eine verrückte Katzenlady. Die Bäckerei lief wegen dieses Ansturms natürlich super, aber Polly war sich noch nicht so ganz sicher, was sie von all den neuen Menschen im Städtchen halten sollte, und die Brücke würde den Effekt noch weiter verstärken. Patricks Kampagne gegen deren Bau wurde zwar mit Nachdruck weiterbetrieben, aber konnte man den Fortschritt wirklich aufhalten?

Polly war schon länger nicht mehr in der alten Bäckerei gewesen, normalerweise ging Jayden mit den Einnahmen rüber. Solange er sich nur von Mrs Manse anschnauzen lassen konnte, schien für ihn die Welt in Ordnung zu sein. Deshalb war Polly auch so schockiert, als sie im Laden einen mit den Armen fuchtelnden Mann entdeckte, während sich Gillian hinter dem Tresen ganz klein machte.

Ohne nachzudenken, marschierte Polly direkt hinein. Der Mann brüllte herum, mit aggressivem Londoner Akzent. Er trug eine rote Hose, sein Gesicht war genauso rot, und aus seinem Mund flog Speichel, während er Mrs Manse anschrie. Weder er noch sie hörten Polly hereinkommen.

»Für diesen Mist können Sie doch kein Geld nehmen!«, geiferte der Kunde. »Das kann man ja nicht essen! Ich werd Ihnen das Gesundheitsamt auf den Hals hetzen! Wenn ein Supermarkt so was anbieten würde, würde man den schließen lassen. Sie können doch nicht anständige Leute mit diesen widerlichen Sandwiches übers Ohr hauen! Das ist ja wohl die Höhe! Diese Mayo ist längst nicht mehr gut!«

Plötzlich fühlte sich Polly hin- und hergerissen zwischen ihrer Liebe zu gutem Essen – das ihr ja wirklich wichtig war – und dem Wunsch, ihr neues Zuhause und dessen Menschen zu verteidigen.

Sie räusperte sich laut, und der Mann fuhr wütend herum. Er war groß.

»Entschuldigen Sie mal«, sagte sie und hatte das Gefühl, dass ihr Akzent dabei plötzlich nicht mehr so generell südenglisch, sondern viel mehr nach Cornwall klang. »Das hier ist unsere Stadt, oder? Und wenn Ihnen unsere Sandwiches nicht schmecken, dann können Sie gerne wieder dahin verschwinden, wo Sie hergekommen sind!«

»Aber die sind doch die reinste Pappe, verdammt noch mal!«

»So mögen wir die hier eben«, behauptete Polly und verschränkte die Arme vor der Brust. »Und jetzt verziehen Sie sich mal schleunigst. Und sagen Sie Ihren Freunden bitte auch, sie können gleich wegbleiben. Fieslinge, die auf alte Damen losgehen, wollen wir hier nämlich nicht haben. Ab mit Ihnen – ich hab nämlich Officer Charlies Nummer im Kurzwahlspeicher!«

Drohend hielt sie ihr Handy hoch.

»Diese Stadt ist echt das Letzte!«, rief der Mann erbost. »Ich hoffe, ihr fahrt hier alle zur Hölle!«

»Ja, das hoffe ich auch«, sagte Polly. »Wenn dafür wenigstens der Abschaum nicht mehr herkommt!«

Der Mann warf die klapprige alte Holztür so heftig hinter sich zu, dass der ganze Laden bebte. Polly sah die leichenblasse Mrs Manse an.

»Na, was ist denn mit Ihnen los?«, fragte Polly, die die Situation mit einem Witz auflockern wollte. »Von solchen Typen jagen Sie doch normalerweise schon vor dem Frühstück eine ganze Fußballmannschaft aus der Stadt!«

Mrs Manse stützte sich auf den Tresen. Der Mann hatte ihr sein Sandwich entgegengeschleudert, und es war alles voller alter Salatcreme. Der alten Bäckerin zitterten die Hände, Polly versuchte jedoch, gute Miene zum bösen Spiel zu machen.

»Und ich werde noch zu einer richtigen Polbearnerin! Finden Sie nicht, dass ich langsam als Einheimische durchgehe?«

Mrs Manse erwiderte nichts und starrte weiter nur auf den Tresen. Polly stellte die Geldkassette ab und ging zu ihr herum.

»Hören Sie«, sagte sie, »setzen Sie sich doch erst mal einen Moment hin. Von so einem Idioten lassen Sie sich doch nicht unterkriegen! Der spinnt doch.«

Mrs Manse schüttelte den Kopf.

»Die sind überall«, murmelte sie und ließ sich schwer auf einen Hocker sinken. »Sie sind hier, so ist es nun mal. Und wenn bald diese Brücke gebaut wird, dann gibt das erst recht eine Katastrophe.«

Polly legte den Kopf schräg.

»Na ja, dann haben wir eben mehr Gäste, und das ist doch

gut, oder etwa nicht? Mehr Geld als derzeit haben wir noch nie eingenommen. Es läuft wirklich super, und so können Sie sich irgendwann beruhigt zur Ruhe setzen.«

»Ich bin fast achtzig«, erwiderte Mrs Manse. »Ich will das alles nicht mehr.«

Polly sah sich in dem staubigen, vernachlässigten Laden um.

»Na ja«, sagte sie. »Viel hab ich ja nicht, aber ... ich hab da ein bisschen was zur Seite gelegt, davon könnte ich vielleicht —«

Mrs Manse schüttelte den Kopf. »Ich will Ihr Geld nicht«, erklärte sie. »Solange Sie mir weiter die Miete zahlen, können Sie den Rest behalten. Ich hab genug gespart. Am besten ziehe ich zu meiner Schwester nach Truro, da kann man Bingo spielen.«

»Also, das klingt ... ja wirklich prima«, sagte Polly so fröhlich wie möglich. »Sind Sie denn sicher, dass Sie Mount Polbearne wirklich verlassen wollen? Sie haben doch immer hier gelebt.«

»Und was hat es mir gebracht?« Die alte Bäckerin verstummte.

Wahrscheinlich hätte sich Mrs Manse schon vor langer Zeit zu ihrer Schwester und dem Bingo zurückziehen sollen, dachte Polly. Aber auf das, was die alte Frau als Nächstes sagte, war sie nicht gefasst gewesen: »Wissen Sie, ich muss Ihnen danken.«

Polly starrte sie an. »Wie bitte?«

Mrs Manse nickte. »Bevor Sie hergekommen sind ... konnte ich wirklich nicht gehen. Wissen Sie, das ging einfach nicht, ohne Bäckerei wäre die Stadt eingegangen. Ja, ich hab die Arbeit gehasst, das mit dem Backen war eigentlich eine Idee meines Mannes gewesen. Aber ich hab es für ihn getan und für den Ort, weil es eben meine Stadt war und weil sich sonst kein Dummer dafür gefunden hat.«

Sie wirkte abwesend. »Dann hab ich Alf und Jimmy verloren, und, na ja, das war ...« Lange schwieg sie.

»Irgendwann sind Sie dann gekommen, mit Ihren ausgefallenen Ideen und Ihren schicken Namen für einen schlichten Laib Brot und den bescheuerten Plänen, alles anders zu machen ... Na ja, das hat dann ja auch funktioniert. Also, manches davon«, fügte sie rasch hinzu. Polly lächelte in sich hinein.

»Und jetzt brauchen mich die Menschen nicht mehr. Immer mehr gehen lieber zu einer gewissen jüngeren Dame, die Seevögel durch ihr Mehl laufen lässt.«

Beim letzten Teil räusperte sich sie ein wenig, und Polly tätschelte ihr die Schulter.

Mrs Manse schaute zu ihr auf.

»Als der Junge, Tarnie, nicht zurückgekommen ist, ist es mir plötzlich klar geworden. Die anderen Fischer haben sie gerettet, aber meinen Sohn nicht.«

»Ich weiß«, nickte Polly respektvoll.

»Da hab ich es verstanden, mir ist klar ...« Sie wirkte verwirrt, und ihre Stimme wurde leiser. »Ich weiß, dass er nicht ... sie werden nie wieder ...«

Plötzlich umklammerte sie mit erstaunlicher Kraft Pollys Hände.

»Ich hoffe wirklich, dass sie jetzt zusammen sind, Jim und Cornelius. Wo auch immer.« Dann brach sie in Tränen aus.

Polly ging schnell zur Ladentür rüber und drehte das Schild um, sodass darauf von außen »Geschlossen« zu lesen war. Dabei war es ja nun wirklich nicht so wie am Strandweg, wo die Leute oft im Hafen Schlange standen, hier kam kaum jemand vorbei. Sie schloss die Tür ab, ging dann nach hinten und stellte den Wasserkocher an.

»Eine Tasse Tee«, murmelte sie. »Eine schöne Tasse Tee.«

»Sie kommen nicht mehr zurück«, sagte Mrs Manse.

Und obwohl Polly natürlich wusste, dass sie dabei von ihrem Mann, ihrem Sohn und Tarnie sprach, musste sie bei diesen Worten doch an jemand anders denken, an jemanden, dessen Haar in der Sonne leuchtete und der so weit weg war ... Während sie auf das heiße Wasser wartete und dabei Mrs Manse im Auge behielt, fragte sie sich, ob sie sich nicht genauso verhielt wie ihre Chefin. Wie Gillian, die den Gedanken nicht ertragen konnte, dass sie bei der Rückkehr ihrer Männer nicht da sein würde, kümmerte auch sie sich für Huckle um alles, nur für alle Fälle ...

Dass Huckle zurückkommen würde, war doch auch so gut wie ausgeschlossen. Fast jedenfalls. Gillian Manse hatte zu lange gebraucht, um sich der Wahrheit zu stellen. Wie lange würde Polly brauchen?

Sie flößte Mrs Manse den Tee ein und begleitete sie dann hoch in ihre Wohnung. Die alte Bäckerin murmelte zwar immer noch vor sich hin, ließ sich aber ohne größeren Widerstand ins Bett bringen. Polly rief Archie an und bat ihn, Mrs Manses Schwester in Truro ausfindig zu machen, dann hockte sie in der bedrückenden Wohnung und wartete auf die Ärztin, die natürlich erst bei Ebbe kommen konnte.

Während sie so dasaß, fiel ihr das Foto auf, das sie beim letzten Mal in der Schublade entdeckt hatte. Inzwischen stand es mit geputztem und poliertem Rahmen auf der Fernsehkommode. Und da wurde Polly klar, dass Gillian die Wahrheit gesagt hatte – sie hatte akzeptiert, was mit ihren Männern geschehen war und dass sie nie wieder zurückkehren würden.

Die Ärztin sah gestresst aus, als sie endlich eintraf.

»Je schneller diese Brücke gebaut wird, desto besser«, erklärte sie. »Das ist doch albern, völlig mittelalterlich. Wie kann man hier nur leben?«

Polly sah sie an.

»Uns gefällt das so«, sagte sie und klang schon wieder so streitlustig wie vorhin.

Die Ärztin untersuchte Mrs Manse und erklärte, dass sie körperlich fit war, wenn auch stark übergewichtig. Sie schniefte laut. »Andererseits ist das heutzutage ja fast schon normal, bei all dem Weißbrot.«

Polly kam zu dem Schluss, dass ihr die junge Ärztin unsympathisch war.

»Sie ist allerdings ein wenig verwirrt. Das ist bestimmt nur ein durch das Alter bedingter Schwindelanfall. Und sie sollte in Zukunft auf keinen Fall lange auf den Beinen bleiben.«

»Ich glaube, sie möchte jetzt einfach nur noch Bingo spielen«, erklärte Polly.

»Perfekt«, sagte die Ärztin. »Arbeitet sie denn noch?«

»Sie führt die Bäckerei ganz alleine.«

Die Ärztin schüttelte den Kopf.

»So geht das aber nicht weiter, auf keinen Fall.«

»Das ist schon in Ordnung«, wandte nun Mrs Manse schläfrig ein. »Das ... das Mädchen übernimmt jetzt für mich. Nicht wahr, Polly?«

Der Angesprochenen wurde klar, dass Mrs Manse sie gerade zum ersten Mal beim Namen genannt hatte. Normalerweise sagte sie einfach nur »Sie«, so wie in »Sie haben diese Stadt ruiniert«.

Nun drückte sie Mrs Manse die faltige Hand.

»Natürlich kümmere ich mich darum«, sagte sie. »Versprochen.«

KAPITEL 31

Herbst und Winter zogen ins Land, und es machten neue Läden in Polbearne auf, ein Edelfischhändler, der die Fischer gut für ihre Ware bezahlte, und direkt daneben ein fantastisches Fischrestaurant. Außerdem gab es einen Geschenkladen, der auch Kinderkleidung verkaufte. Es verblüffte Polly wirklich, dass der sich hier halten konnte.

Mit den beiden Bäckereien lief es super, Polly hatte noch jemanden eingestellt, und Jayden leitete alles mit links. Er beaufsichtigte die Backöfen und übernahm die meisten Routinearbeiten, sodass Polly mit neuen Mehlsorten, Techniken und Geschmacksrichtungen experimentieren konnte, und das genoss sie sehr. Und sie wurde in einer Sonntagszeitung lobend erwähnt, was sie toll fand. Inzwischen hatte sie sich auch zu zwei Verabredungen mit Männern aufgerafft. Beim ersten Mal war sie mit einem Surferfreund von Reuben aus gewesen, der fröhlich vor sich hinplapperte, solange es ums Surfen ging, aber wenig Interesse an irgendwas anderem hatte. Beim zweiten Mal dann mit einem Architekten, der einen der Umbauten im Ort leitete. Aber es hatte einfach nicht gefunkt, auch, wenn sie sich einredete, dass zwischen Huckle und ihr ja doch nicht mehr gewesen war als eine leicht entgleiste Freundschaft. Inzwischen war sie zum Glück viel zu beschäftigt, um sich darüber groß Gedanken zu machen. Dann folgte ein Weihnachten mit ihrer Mutter, ihrem Bruder und dessen Kindern, Reuben, Kerensa und Kerensas Eltern. Das Ganze wurde ein bisschen peinlich, als Reuben und Kerensa bei den *Christmas Crackers* zu knutschen anfingen, aber es war einfach schön. In der alten Kirchenruine wurde trotz der Kälte ein Gottesdienst abgehalten, bei dem alle für ein Jahr dankten, das noch viel schlimmer hätte werden können.

Als nicht nur der Frühling, sondern auch die Hochzeit näher rückte, wurde Polly wieder unruhig. Sie hatte sich einen lässigen »Hey, wie geht's?«-Ansatz vorgenommen, aber sie würde sterben, wenn Huckle dort mit seiner Ex oder irgendeiner anderen Frau auftauchte.

Die meisten Leute wussten das von Huck und ihr gar nicht, deshalb fragte sie auch keiner nach ihm. Kerensa schlug vor, ihn vielleicht wieder auszuladen, aber Polly wies darauf hin, dass er doch Reubens Trauzeuge war. Das war Kerensa allerdings völlig egal, und angeblich machte Reuben auch alles, was sie von ihm verlangte. Polly lächelte: »Jetzt sei doch nicht albern, das war schließlich nur ein kleiner Kuss vor einer Ewigkeit. Nach all der Zeit schert uns das doch gar nicht mehr.«

Zu Beginn des Frühjahrs kamen dann eins nach dem anderen die Babys, plopp, plopp, plopp. Letztlich würde es einen Tarnie geben, einen William (nach Tarnies zweitem Vornamen), zwei Cornelias und eine Marina. (Samantha würde eine der Cornelias zur Welt bringen, sie war nämlich tatsächlich schwanger, auch wenn sie sich das wegen ihres flachen Bauchs zunächst nicht hatte eingestehen wollen.) Immer wieder kam jetzt zur Sprache, dass Polbearne bald vielleicht eine neue Schule brauchte, und dann fügte unvermeidlich jedes Mal jemand »und eine Brücke« hinzu. Der Ort war diesbezüglich immer noch gespalten, die Sache stand bei der Abstimmung anlässlich der vierteljährlichen Gemeindeversammlung auf Messers Schneide.

Reuben und Kerensa hofften, dass ihre Hochzeitsfeier alle »aus den Socken hauen« würde. Trauzeugin Polly würde als Einzige aus Mount Polbearne eingeflogen werden und war deshalb ganz schön aufgeregt. Samantha konnte wegen der Schwangerschaft nicht, und Archie war zwar eingeladen, wollte aber nicht mit, weil das neue Baby sein Ein und Alles war. Und Jayden musste sich ja um die Bäckereien kümmern.

Polly übte pausenlos, ganz ruhig und gefasst zu bleiben, und sagte sich immer wieder, dass sich Huckle wohl kaum noch an sie erinnern würden. Sie war bestimmt nicht mehr als eine junge Frau, die er damals während seiner Auszeit kennengelernt hatte. Aber wie sollte sie in ihrem Prinzessin-Leia-Kostüm mit den blöden Haarkringeln bloß unbemerkt bleiben?

»Warum trägst du das Ding denn nicht?«, fragte sie bei einer Gelegenheit wütend Kerensa. Wegen der Frisurenfrage drohten sie sich ernsthaft zu zerstreiten.

»Weil ich Prinzessin Padmé bin«, erklärte Kerensa. »Reuben findet nämlich, dass die neueren Vorläufer-Filme völlig unterschätzt werden.«

»Aber Reuben hat doch sonst mit allem unrecht«, knurrte Polly und versuchte sich wieder einmal an der Flechtfrisur.

»Trag doch die Perücke«, empfahl ihr Kerensa.

»Auf keinen Fall!«, protestierte Polly. »Damit seh ich ja total verrückt aus.«

»Mit diesen roten Hochsteckkringeln doch auch!«

»Rotblond!«, widersprach Polly. »Gott, da hatte dein Verlobter wirklich eine bescheuerte Idee. Mal im Ernst, verkleiden sich etwa alle, oder werd ich da die Einzige sein?«

»Absolut jeder«, bestätigte Kerensa. »Alle fünfhundert! Reuben nimmt die Sache extrem ernst.«

»Was? Fünfhundert?«

»Keine Sorge«, beschwichtigte sie Kerensa. »Die kennst du ja alle nicht.«

»Na super, sehr hilfreich. Wen spielt Reuben denn? Luke?«

»Nein, Darth Vader. Das wird einfach zum Schreien!«

»Das ist jetzt nicht dein Ernst!«

»O doch, das wird einfach super!«

»Du heiratest bald Darth Vader!«

»Das ist doch sexy!«

»Der hat Asthma. Und verkörpert das Böse.«

»Ich glaube, das wird wirklich was ganz Besonderes.«

In den Hotels in der Nähe des Strandhauses waren fünfhundert Freunde und Verwandte von Reuben untergebracht, aber Polly dachte nur an einen einzigen von ihnen. Auf dem Weg über den großen Teich brachte sie keinen Bissen runter und bekam auch kein Auge zu. Sie kam zu spät für die Generalprobe an, weswegen Kerensa stinksauer war – »Jetzt gehst du bestimmt im ganz falschen Rhythmus!« –, und Polly wünschte sich nichts sehnlicher, als sich in die Hotelküche zurückzuziehen und zur Beruhigung einen Batzen Teig zu kneten. Stattdessen wälzte sie sich im Bett ihrer riesigen Luxussuite hin und her und versuchte, nicht daran zu denken, wie müde sie durch den Jetlag morgen aussehen würde. Um vier Uhr morgens döste sie endlich ein und wachte dann viel zu spät an einem wunderschönen amerikanischen Morgen auf. Die Sonne schien, und von dieser Seite sah der Atlantik viel breiter und blauer aus. Polly bestellte vom Bett aus beim Zimmerservice Frühstück und stöhnte beim Anblick des weißen Kostüms an ihrer Tür laut.

Mehr als eine Tasse Kaffee brachte sie letztlich nicht runter. Sie hatte Riesenschiss vor der Begegnung mit Huckle, erst recht, als Kerensa irgendwann gereizt an ihre Tür bollerte und sie zu einer aufwendigen Haar- und Make-up-Sitzung mitschleifte. Als Pollys Haare zu den lächerlichen Kringeln zusammengerollt wurden, wäre sie am liebsten in Tränen ausgebrochen. Kerensa hingegen sah ziemlich gut aus, sie war bleich geschminkt, und in ihrer Hochsteckfrisur waren nicht nur ihre eigenen Haare, sondern auch die von mindestens vier weiteren Leuten verarbeitet. Sie trug ein kunstvolles Kleid im Kimonostil, das wirklich beeindruckend war.

»Wow«, hauchte Polly.

»Ich weiß«, sagte Kerensa. »Wahnsinn, oder?«

Die Trauung fand draußen auf perfekt gepflegtem Rasen statt, in der Laube unten am Wasser. Überall waren Stühle mit großen schwarzen Schleifen aufgereiht, die ein Bild des Millennium Falcon zierte.

»Wer sind nur all diese Leute?«, fragte Polly verblüfft.

»Oh, Reuben haben doch alle gern«, antwortete Kerensa zufrieden, und Polly schloss sie in die Arme.

»Und ich hab dich lieb«, sagte sie.

»Vorsicht mit dem Kimono«, grinste Kerensa. »Und ich dich. Deshalb hab ich auch all seine sexy reichen Freunde eingeladen. Irgendjemanden muss es auf dieser Hochzeit doch geben, der nach einem Kuss von dir nicht auf einen anderen Kontinent flieht.«

»Nein, die treten die Flucht schon vorher an, wenn sie

diese furchtbaren Kopfhörer-Haare sehen ... Du meine Güte, sind das etwa Ewoks? Die müssen ja umkommen vor Hitze.«

Nun stimmte das Boston Symphony Orchestra die bekannte *Star-Wars*-Melodie an, als sie endlich die Glastür erreichten, durch die sie gleich hinaustreten würden. Der Weg vor ihnen war mit weißen und schwarzen Blütenblättern bestreut. Polly drückte Kerensa die Hand.

»Jiieh!«, quiekte sie.

»Yeah!«, gab Kerensa zurück.

Nun trat Kerensas Vater vor, den Polly schon immer gemocht hatte, und versuchte trotz Obi-Wan-Kenobi-Kostüm so würdevoll wie möglich zu wirken. Vater und Tochter umarmten einander, dann gab die in ihrem sperrigen Kostüm unbeirrt und reglos dastehende Kerensa ihrem Blumenmädchen ein Zeichen. Valence war Reubens Schwester und unglaublich fett, aber wirklich liebenswert. Zu den Hörnern auf dem Kopf trug sie eine Art Dienerinnen-Kostüm in Rot und begann jetzt, blutrote Rosenblätter zu streuen.

Als Polly nun hinaustrat, umklammerte sie ihren Strauß frischer Blumen. Sie war so nervös, dass sie befürchtete, sich gleich übergeben zu müssen. Zunächst starrte sie nur auf ihre Füße, aber als die Leute dann zu klatschen anfingen (wie man das bei amerikanischen Hochzeiten wohl so machte), hob sie den Kopf.

Und da war er.

Reuben stand wohl auf einer Kiste oder trug hohe Absätze, wenn das unter der Darth-Vader-Maske tatsächlich er war, er wirkte nämlich viel größer als sonst. Und neben ihm stand in einer Lederweste, die ihm gar nicht mal schlecht stand, Huckle als Han Solo. Irgendwie gelang es ihm dabei, so ruhig und toll auszusehen wie immer.

Polly biss sich auf die Lippe und ging weiter, während den Gästen hier und da ein Stoßseufzer entfuhr, als sie die Braut sahen. Das war gut, weil Polly dadurch nicht mehr das Gefühl hatte, dass alle Augen auf sie gerichtet waren. Man hatte sie angewiesen, den Pfad entlangzuschreiten und sich dann auf der Seite der Braut links vom Rabbi zu positionieren. Huckle stand natürlich rechts, aber er kam sofort auf sie zu und hielt ihr die Hand hin. Polly schluckte heftig.

»Hallo«, sagte er leise.

»Hallo«, antwortete sie, und als wäre er nie weg gewesen, drückte er ihr einen sanften Kuss auf die Wange. Dann zog er sie auf seine Seite rüber, obwohl sich Reuben wütend räusperte.

»Deine Frisur gefällt mir.«

»Ach, halt doch den Mund«, fauchte sie mit klopfendem Herzen.

»Hey, das stimmt wirklich!«

»Erwarte nicht, dass ich dich in dieser Lederweste ernst nehme.«

Wie eine Königin schritt nun Kerensa herbei und nahm ihren Platz neben Reuben ein, daher setzten sie beide schnell eine angemessen würdevolle Miene auf. Kerensa zischte ihrer Freundin zwar noch zu, sie solle gefälligst auf die andere Seite gehen, aber Polly tat so, als hätte sie es nicht gehört. Nun sah sie auch, dass Reuben tatsächlich Plateaustiefel trug.

Innerlich explodierte in ihr gerade ein ganzes Feuerwerk, sie glühte vor Glück, und jetzt konnte sie sich auch das strahlende Lächeln nicht länger verkneifen, als Huckle sanft nach ihrer Hand griff. All die Schwierigkeiten, ihre Trennung, die langen, kalten Wintermonate, die einsamen Nächte und endlosen Tage, die Tatsache, dass ihnen hier nur ein paar gemeinsame Tage blieben – das alles zerfloss einfach, wie sie so neben ihm stand.

»Wo ist denn Neil?«, flüsterte Huckle.

»Wusstest du, dass man für Seevögel noch nicht einmal einen Pass beantragen kann? Das ist einfach eine Schande.«

»Na ja, wenn du lange genug hierbleibst, findet er uns bestimmt.«

Polly lächelte.

»Wenn dann alle so weit sind«, sagte der Rabbi säuerlich und warf ihnen einen scharfen Blick zu, »dann können wir vielleicht anfangen.«

»Meine Königin«, las Reuben mit monotoner Stimme von einem Kärtchen ab, »möge die Macht mit uns sein, während wir durch die Galaxie des Lebens reisen. Ich gelobe, mich der Dunklen Seite zu widersetzen …«

»Dafür ist es wohl ein bisschen spät«, flüsterte Huckle, und Polly gab ihm einen Klaps.

»… und mich ewig vom Licht unserer Liebe erleuchten zu lassen. Willst du an meiner Seite bleiben, um mit mir die Galaxie zu regieren und gegen das böse Imperium zu kämpfen?«

»Ja«, sagte Kerensa.

Dann nahm sie ihr eigenes Kärtchen, und Polly musste sich immer heftiger auf die Lippe beißen.

»Mein Jedi, meine Liebe – ich nehme deine Hand und akzeptiere deinen Schwur. Möge die Macht mit uns sein. Willst du immer mein Jedi sein, wenn ich bei dir bleibe?«

»Ja«, sagte Reuben, und durch sein rauschendes Mundstück klang es ziemlich rau.

Für Polly wurde es immer schwieriger, das hysterische Kichern zu unterdrücken, das in ihr anschwoll, und dass Reuben nach dem traditionellen Zertreten des Glases den Helm für den Kuss nicht runterbekam, machte es auch nicht besser. Die meisten Leute klatschten und bekamen gar nicht mit, was für ein Gerangel sich da gerade abspielte. Kerensa wollte ihrem frisch Angetrauten helfen, konnte in ihrem Monumentalkleid aber die Arme nicht heben. Deshalb griff nun der Rabbi ein, während Reuben pausenlos vor sich hinfluchte.

Polly spürte, wie jemand sie an der Hand zog.

»Komm mit!«

»Wir können hier doch nicht weg.«

»Wir sind doch wieder zurück, bevor Reuben auch nur dieses Ding endlich runtergekriegt hat.«

Als Huckle Polly nun aus der blumengeschmückten Laube zog, würdigte sie tatsächlich niemand eines Blickes. Sie liefen eine Böschung zum Strand hinunter, an eine Stelle, wo sie niemand sehen konnte.

Und dort unten griff Huckle dann nach ihren Händen.

»Es tut mir so leid, dass dein Freund gestorben ist«, begann er vorsichtig.

Polly sah ihn an. »Ich ... ich hatte Tarnie sehr gern«, erklärte sie. »Aber er war nicht ... es war ganz schrecklich, dass er gestorben ist, aber wir ... weißt du, wir waren nicht zusammen.«

»Aber du hast dich doch so verhalten, als wäre das mit uns falsch.«

»Ach, Huckle!«, sagte Polly. »*In dem Moment* fühlte es sich falsch an. Auf der Trauerfeier! Aber doch sonst nicht, du Spinner!«

Als sie das langsame, träge Grinsen auf seinem Gesicht

sah, konnte sie nicht länger an sich halten, warf sich ihm in die Arme und küsste ihn. Gemeinsam rollten sie die Düne hinunter aufs Meer zu.

»Ich hab ja gedacht, es wäre so das Beste«, sagte Huckle, als sie zwischendurch mal Luft holen mussten. »Aber wenn ich ehrlich bin ... wenn ich mir selbst gegenüber ehrlich bin, hast du mir einfach unglaublich gefehlt. Ich musste ständig an dich denken, jeden Tag, jede Minute, jede Stunde. Ich hab diesen Moment so herbeigesehnt.«

»Ich hingegen hatte Angst vor unserer Begegnung«, murmelte Polly.

»Wieso denn?«, fragte Huck.

»Weil du womöglich wieder mit deiner Ex zusammen sein würdest ... oder mit irgendeiner anderen.«

Huckle schüttelte den Kopf. »Himmel, nein.«

»Aber du bist doch einfach weg und hast dich nie wieder bei mir gemeldet ...«

»Ich dachte, du würdest um Tarnie trauern und dass ich da nur störe.«

Dann küssten sie sich wieder, und plötzlich erschienen oben auf der Düne Braut und Bräutigam mit dem Fotografen und den engeren Familienmitgliedern. C-3PO war darunter, R2-D2, jede Menge Ewoks, ein sehr unglücklicher Jabba the Hutt und Jar Jar Binks, den sie fast nicht reingelassen hätten. Polly bekam sofort ein schlechtes Gewissen, weil sie sich bei der Hochzeit ihrer besten Freundin danebenbenahm, aber dann kam Kerensa aus der Mitte der Gruppe auf sie zu. Wegen ihres königlichen Status und der unbequemen Klamotten schritt sie ganz langsam voran und streckte ihr den Strauß blutroter Rosen entgegen.

»Die kann ich nicht werfen«, erklärte sie. »Dafür krieg ich

die Arme sowieso nicht hoch genug. Und er ist ja ohnehin für dich bestimmt.«

Der Rest der Hochzeit war eine einzige Folge von Exzessen: Es gab Austern und frischen Maine-Hummer, einen extra kreierten Cocktail, Heerscharen von makellosen Kellnern und eine berühmte Band aus den Achtzigern, die in jeder Hinsicht nur furchtbar war, obwohl die Leute in Kostümen ihnen echte Konkurrenz machten. Den einstudierten Tanz, den Braut und Bräutigam aufs Parkett legten, würde so schnell wohl niemand vergessen, während der vier Stunden andauernden Reden schliefen mindestens sechs Leute ein, dann folgten die Vorstellung eines berühmten Stand-up-Comedians und ein tanzender Hund.

Von all dem bekamen Polly und Huckle überhaupt nichts mit, weil sie die Blicke nicht voneinander lösen konnten, während sie am Meer saßen und dort ein, zwei Flaschen Champagner leerten. Irgendwann fiel Huckle ein, dass er ja noch seine Trauzeugenrede halten musste. Als er das große Festzelt betrat, sah er jedoch, wie sich die Leute Luft zufächelten und reihenweise fast in Ohnmacht fielen. Deshalb ging er einfach zu Reuben rüber und umarmte ihn. Dessen Plastikhelm wurde immer klebriger und fühlte sich daher nicht so toll an, er weigerte sich jedoch, ihn abzunehmen.

»Hättest du gern die vollständige oder die kurze Version?«, flüsterte Huckle seinem Freund zu.

»BEREITE DIESER HÖLLE EIN ENDE!«, krächzte Reuben durch sein Mundstück, woraufhin sein Kumpel das Glas erhob und erklärte: »Auf meinen Freund Reuben, den besten, edelsten Blödmann, dem ich je begegnet bin, und auf seine Frau, die natürlich viel zu gut für ihn ist.« Der gesamte Raum brach in Jubel und Applaus aus, wenn auch vor allem aus Erleichterung.

»Nun, Reubens frühe Kindheit war nicht ganz einfach«, begann im Anschluss ein kleiner älterer Mann, der über sein Luke-Skywalker-Kostüm nicht sehr glücklich zu sein schien. Er umklammerte einen telefonbuchdicken Stapel Notizen, und der Saal stöhnte wie aus einer Kehle auf. Huckle war nur froh, dass man Reubens Gesicht nicht sehen konnte, schnappte sich einen Teller mit einem Stück Hochzeitstorte (von denen es neun gab) und eine Flasche Champagner, dann verschwand er wieder nach draußen.

Eine Sekunde stand er einfach nur da. Hinter ihm ging die Sonne unter, der Himmel hatte sich in Gelb- und Rosatönen verfärbt, und das Licht ließ Pollys Haar leuchten, das sich aus den albernen Hochsteckkringeln gelöst hatte und ihr in sanften Wellen wieder auf die Schultern fiel. Sie stand reglos da und schaute mit nachdenklichem, abwesendem Gesichtsausdruck aufs Meer hinaus. Über ihrem weißen Kleid trug sie seine alberne Lederweste. Huckle war nicht an eine tatenlose Polly gewöhnt, irgendwas machte sie doch immer, manchmal sogar fünf Dinge gleichzeitig: lachen, essen, backen, putzen, Geld wechseln ... Normalerweise war sie so ein Energiebündel. Als er sie hier so ruhig und sanft sah ... machte das Herz in seiner Brust einen Satz.

»Hey«, sagte er ganz leise. Sie wandte sich zu ihm um und lächelte, während am Strand riesige Wellen brachen.

Mit seinen hellen Farben, Holzfußböden und vertäfelten Wänden hatte das Hotel, in dem sie beide untergebracht waren, eine ziemlich spärliche Dekoration. Das war wohl modern, dachte Polly. Sie kamen Stunden vor den restlichen

Gästen an, weil in der Villa eine riesige Discoband aufgelaufen war und alle zum Tanzen nötigte.

»Inzwischen sah das Ganze aber nicht mehr amüsant aus, sondern eher wie ein ziemlich anstrengender Marathon«, bemerkte Huckle sanft, als sie Pollys Suite erreichten.

»Ach, du kennst Reuben doch«, erwiderte Polly. »Der muss immer noch einen draufsetzen.«

Huckle lächelte. »Stimmt.«

»Oh, ich hab dir was mitgebracht«, sagte sie nun und gab ihm ein Glas mit seinem Honig.

»Mann!«, rief Huckle aus und starrte das Glas verblüfft an. Diesen Teil seines Lebens hatte er so völlig verdrängt, dass er gar nichts mehr mit ihm zu tun zu haben schien.

Der Amerikaner sah Polly an. »Ich verhungere«, sagte er dann schlicht.

Die lange Wartezeit und der Champagner hatten Polly kühn werden lassen, und nun wollte sie den Moment nutzen und sich endlich nehmen, was sie so sehr begehrte. Deshalb zog sie mit einer einzigen Bewegung das weiße Oberteil ihres Kostüms aus, das sie auf der nackten Haut trug.

»Gott«, hauchte Huckle, »sieh dich nur an.«

Pollys sonst so blasser Teint hatte einen goldenen Ton angenommen, die Sonne hatte Sommersprossen hervorgelockt, und im rotblonden Haar zeigten sich hellere Strähnen.

»Wie schön du bist«, murmelte er, als sich die letzten Sonnenstrahlen in ihrem Haar verfingen. »Einfach wunderschön.«

Polly wusste natürlich, dass das eigentlich nicht stimmte, aber hier, in diesem Zimmer, bei diesem Licht und diesem Mann fühlte sie sich schön. Und das reichte ihr völlig. Sie zog ihn näher an sich heran – *Endlich! Endlich!*, schrie jede Faser ihres Körpers –, aber obgleich sie erbebte, übte sie sich doch in Geduld. Sie wollte sich Zeit nehmen und jede Sekunde genießen. Als Huckle sein Hemd auszog, glänzten goldene Härchen auf seiner braunen Brust. Als wäre sie leicht wie eine Feder, hob er sie nun hoch und setzte sie sich auf den Schoß, und bevor er sie wieder küsste, vergrub er das Gesicht in ihrem Haar.

»O Gott«, stöhnte er. »Ich will dich so sehr.«

Polly sah zu ihm auf und lächelte. »Na«, sagte sie, »wie passend.«

Huckle brach in sein langsames, träges Lachen aus. Dann griff er nach dem Glas, steckte den Finger hinein und rieb ihre kleinen Brüste mit dem goldenen Honig ein. Polly kicherte.

»Das klebt aber ganz schön«, gab sie zu bedenken.

»Ich leck alles wieder ab«, versprach Huckle.

Aber dann war der Moment des Lachens vorbei, und auf einmal wurde alles viel ernster und intensiver, als sie sich mit Körper und Seele völlig ineinander verloren, und irgendwann konnten sie gar nicht mehr so recht sagen, wo der eine anfing und der andere aufhörte.

»War das etwa ... Feuerwerk?«, fragte Huckle schließlich.

»Ja«, hauchte Polly mit Sternen in den Augen. Dann versuchte sie, in die Wirklichkeit zurückzufinden. »O Gott, da draußen ist ja wirklich ein Feuerwerk!«

»Entweder das, oder wir stehen unter Beschuss.«

Vor dem Fenster spielte sich tatsächlich das beeindruckendste Feuerwerksspektakel ab, das Polly je gesehen hatte, mit wütenden Explosionen und ohrenbetäubendem Lärm. Ein riesiges glitzerndes Herz flackerte und verharrte über dem Meer. Polly und Huckle schauten einander an und brachen in Gelächter aus.

»Das ist fast so«, murmelte Huckle, »als wollte uns da jemand etwas sagen.«

Rasch zogen sie sich wieder an und rannten zum Strand zurück. Den anderen Gästen wurden nun Picknickkörbe serviert, Polly und Huckle lagen einander jedoch in einiger Entfernung in den Armen und beobachteten das Feuerwerk, das erschöpft in seine dreißigste Minute ging.

KAPITEL 32

Zur Frühstückszeit war am nächsten Morgen niemand auf, deshalb wurde später ein reichhaltiger Brunch aufgefahren, aber Polly war viel zu aufgekratzt, um etwas zu essen. Sie hatte schon befürchtet, Kerensa vor ihrer Hochzeitsreise rund um die Welt gar nicht mehr zu Gesicht zu bekommen. Aber nun erwischte sie ihre Freundin zwischen Tür und Angel. Eigentlich wollte sie sich bei ihr entschuldigen, aber Kerensa kam ihr zuvor.

»Gott«, beteuerte sie, »es tut mir ja so leid. Meine Freunde hab ich gestern überhaupt nicht mehr zu Gesicht bekommen, weil ich den ganzen Tag lang dicken, alten, weißen Männern die Hand schütteln und für Millionen von Fotos posieren musste. Grins, grins, grins. Au, mir tut richtig das Gesicht weh. So muss das wohl sein, wenn man berühmt ist. Wie nervig!«

»Aber du hast es genossen, oder?«, fragte Polly.

Kerensa nickte heftig. »Jede einzelne Sekunde!«, erklärte sie.

»Wo ist denn Reuben?«

Nun setzte Kerensa eine etwas betretene Miene auf. »Äh, er ist ... Ich meine, unter dem Helm war es ja ziemlich heiß und ... es ist nur eine Vorsichtsmaßnahme.«

»Was denn?«

»Er war ein wenig dehydriert, deshalb haben sie ihn an den Tropf gehängt.«

»Was? Er ist im KRANKENHAUS?«

»Na ja, er gibt eben auch beim Feiern alles«, verteidigte ihn Kerensa.

»Allerdings«, stöhnte Polly. »O Mann. Na ja, ich seh ihn dann ja sicher … bald mal.«

»Und, was hast du jetzt so vor?«, fragte Kerensa. Sie gingen in den Speisesaal hinüber, wo es an Essen alles gab, was man sich nur vorstellen konnte: Bagels, Räucherlachs, Eier, Croissants, jede Menge Obst, aus dem man sich auch selbst Saft pressen konnte, Pfannkuchen und Waffeln, Rösti-Ecken und Würstchen. Und natürlich wurde überall Champagner serviert.

»O je«, murmelte Polly nun. Von einem Tisch in der Ecke aus wurde Kerensa zugejubelt, und Polly erkannte ihre Clique aus Plymouth. Die alten Freunde mussten zweimal hingucken, als sie Polly an der Seite der frisch Vermählten entdeckten.

»Wir dachten, du seist völlig von der Bildfläche verschwunden! Eigentlich haben wir ja geglaubt, dass du gar nicht mehr mit uns redest!«

Polly wurde klar, dass sie die meisten von ihnen zum ersten Mal seit ihrem Umzug nach Polbearne wiedersah. Sie hatte niemanden an sich herangelassen, weil ihr alles so peinlich gewesen war, sie sich so geschämt hatte. Aber nun schaute sie in freundliche, interessierte Gesichter, und die Freunde schienen sich über das Wiedersehen offenbar zu freuen. Jetzt konnte sie kaum glauben, dass sie einst zu stolz gewesen war, um Hilfe anzunehmen, dass sie gedacht hatte, es würde ja doch niemand ihre Misere verstehen. Man rutschte zusammen, um Platz für sie zu machen, und dann wurde sie mit Fragen darüber bombardiert, was sie denn seit ihrem Weggang aus Plymouth so getrieben hatte. Als sie ihren alten Freunden von ihrem neuen Leben erzählte, wirkten alle angenehm beeindruckt, und Kerensa lächelte in sich hinein.

Huckle war lange im Bett geblieben, weil er heute Nacht so gut geschlafen hatte wie schon seit Monaten nicht mehr. Als er nun herunterkam, entdeckte er eine vergnügte Polly im Kreis ihrer Freunde, die schon Pläne schmiedeten, um sie im Sommer in Mount Polbearne zu besuchen. Er lächelte nervös, und sie erwiderte seinen Blick schüchtern, weil ihr die Bilder der letzten Nacht nur zu gegenwärtig waren.

»Hey«, sagte sie und stand auf. Als eine ihrer Freundinnen leise »Wow!« machte, brachte Polly sie schnell zum Schweigen.

»Das ist mein Freund Huckle«, stellte sie den blonden Amerikaner so zurückhaltend wie möglich vor, ihr breites Grinsen sprach jedoch Bände.

Rich, einer ihrer alten Freunde aus dem Marketing, wies mit dem Finger auf sie. Ehrlich gesagt war er von gestern Abend noch ziemlich betrunken, und der Frühstückssekt mit Orangensaft machte es nicht gerade besser. »Du«, sagte er, »du wirst NIEMALS nach Plymouth zurückkommen.«

»Komm doch mit mir«, bat Huckle, als sie dann später zwischen den Laken eine Verschnaufpause einlegten. »Begleite mich und schau dir Savannah an.«

Polly schluckte. Jayden würde sich zwar um den Laden kümmern, so gut wie sie konnte er aber nicht backen. Die Qualität der Ware würde schneller leiden, als man *Milchbröt-*

chen sagen konnte. Huckle ließ jedoch nicht locker, und bevor sie sich versah, hatte er für sie ein Flugticket gekauft, sie hatte in England angerufen, und die Sache war entschieden.

Viel Zeit blieb ihnen trotzdem nicht.

»Mann«, sagte Polly und nahm noch einmal das minimalistische Apartment mit seiner gläsernen Wand in Augenschein. Die Lichter von Savannah lagen weit unter ihnen. »Ich kann nicht fassen, dass du hier wirklich lebst.«

»Und jetzt, wo wir zusammen das Bett eingeweiht haben, will ich hier auch nie wieder weg«, sagte Huckle und lehnte sich mit den Händen hinter dem Kopf glücklich und zufrieden zurück.

Polly betrachtete seinen Körper, von dem sie so oft geträumt hatte. Dass er ihn ihr hier so darbot, war beinahe zu viel des Glücks.

»Hmm«, machte sie, und er erwiderte ihr Lächeln.

»Also«, fragte er nun, »was würdest du denn morgen gern machen? Vielleicht möchtest du ins Einkaufszentrum?«

»Wieso?«, fragte sie überrascht, »was hast du denn vor?«

Huckle biss sich auf die Lippe. »Na, ich muss ja arbeiten. Deshalb dachte ich, du würdest vielleicht gerne, du weißt schon, ein bisschen bummeln.«

»Wieso denn bummeln?«, fragte Polly, die plötzlich hellhörig wurde. »Ich geh doch nie shoppen.«

Huckle zuckte mit den Achseln. Er musste sich eingestehen, dass er insgeheim angenommen hatte, sie würde bleiben, wenn sie erst einmal hier war. Das wäre doch wirklich perfekt! Irgendwie war er davon ausgegangen, dass es ihr reichen würde, einfach bei ihm zu sein.

»Okay«, schwenkte er nun um. »Dann geh eben nicht

shoppen! Und das ist ein Befehl! Mach einen Spaziergang, schau dir Savannah an. Die Stadt ist wirklich wunderschön.«

Er trat hinter Polly und umarmte sie, während sie gemeinsam durchs Fenster hinausschauten.

»Weißt du, wir müssen ja nicht hier wohnen bleiben«, sagte er. »Guck dir mal die Altstadt an, da gibt es einfach wunderschöne Häuser mit Garten. Davon könnten wir uns eins kaufen.«

Gekränkt wandte sich Polly zu ihm um. »Aber ich hab doch schon ein Haus.«

»Du hast eine Wohnung gemietet, in die es reinregnet«, widersprach Huckle.

»Noch«, nickte Polly, »aber ehrlich gesagt überlege ich ...«

Ernsthaft hatte sie zwar nicht darüber nachgedacht, aber jetzt platzte es einfach so aus ihr heraus: »Ehrlich gesagt überlege ich, den Leuchtturm zu kaufen.«

Huckle lachte laut auf. »Das ist jetzt nicht dein Ernst, oder?«

»Vielleicht schon.«

»Das baufällige Ding? Der ist ja noch schlimmer als deine Wohnung.«

»Nicht, wenn man ihn ein bisschen herrichtet.«

»Und dann das ganze Licht!«

»Wenn man IM Leuchtturm wohnt, sieht man das Licht doch nicht«, erklärte Polly. »Das ist der einzige Ort, an dem man davor sicher ist.«

Huckle schüttelte den Kopf. »Ich liebe deine verrückten Ideen.«

»Das ist doch gar keine ...«

Da sie spürten, dass ein Streit drohte, verstummten sie beide.

»Baust du dir da eine Rutschstange ein, wie bei der Feuerwehr?«, fragte er schließlich.

»Vielleicht«, sagte Polly und versuchte, nicht allzu trotzig zu klingen. »Egal.«

»Egal.« Huckle ließ sich aufs Bett sinken, und sie sahen einander an.

»Tut mir leid«, sagte er dann langsam. »Aber ich dachte ... irgendwie hab ich gedacht, dass du jetzt hier bei mir bleiben würdest.«

Polly blinzelte mehrmals. »Aber ich bin doch nur für die Hochzeit hergekommen.«

»Ja, das ist mir schon klar. Aber, du weißt schon, doch auch meinetwegen. Oder?«

»Nein«, murmelte Polly, obwohl das fast gelogen war. »Ich meine, ich wollte dich unbedingt sehen, aber ... erst, als ich dir dann gegenüberstand ...«

Huckle nickte. »Ja. Und hurra!«, rief er aus. »Ich meine, wie cool, wir beide. Findest du nicht, dass wir der helle Wahnsinn sind?«

Polly nickte.

»Und jetzt bist du hier ...« Langsam verstummte er. Natürlich hatte er schon länger darüber nachgedacht. Und sich überlegt, dass es doch schön für Polly wäre, wenn sie nicht jeden Morgen um fünf Uhr aufstehen und dann so hart schuften müsste. Wenn sie nicht voller Mehl vor Mrs Manse katzbuckeln müsste, die sie doch hasste. Wenn sie nicht in dieser Bruchbude leben müsste. Er hatte eigentlich angenommen, dass sie das alles gerne aufgeben würde, es sich insgeheim sogar wünschte ... Er konnte doch alles bezahlen, schließlich hatte er mehr als genug Geld für sie beide ...

Das versuchte er, Polly jetzt zu erklären. Aber was in seinem Kopf so logisch und vernünftig geklungen hatte, hörte sich jetzt überhaupt nicht mehr gut an. Pollys Miene wurde immer besorgter.

»Aber die gehört mir jetzt«, erklärte sie, »also, die Bäckerei. Mrs Manse ist zu ihrer Schwester gezogen und hat alles mir übertragen. Ich habe jetzt die Verantwortung.«

»Aber du kannst doch auch hier backen«, schlug Huckle vor und küsste sie sanft am Hals. »Hm?«

Polly rückte von ihm ab.

»Hattest du das etwa alles so geplant?«, fragte sie, und inzwischen raste das Herz in ihrer Brust.

Huckle zuckte mit den Achseln und schaute an die Decke, dann sah er sie wieder an. »Geplant hab ich überhaupt nichts«, sagte er. »Aber ich brauche dich so sehr.«

Zu ihrem Entsetzen stellte Polly fest, dass sie sich nach genau diesen Worten gesehnt hatte. Sie wollte doch mit Huckle zusammen sein, träumte von ihm, dachte eigentlich ständig an ihn. Sie hatte sich gewünscht, ihre Freude über die Bäckerei mit ihm zu teilen, all die lustigen Geschichten, jeden Tag mit seinen Höhepunkten. Jetzt hier bei ihm zu sein, seinen Duft einzuatmen und sich in seinem Licht zu sonnen … Und ihr wurde klar, dass er ihr gerade die Welt zu Füßen legte.

Sie sah ihn an, und er streichelte ihr mit sanften, weichen Händen die Schultern.

»Ich kann da nicht abhauen«, sagte sie nun. »Polbearne kann ich einfach nicht verlassen. Schließlich hab ich so schwer gearbeitet, um mir da etwas Eigenes aufzubauen.«

»Und genau deshalb hast du dir jetzt mal eine Pause verdient«, fand Huckle. »Bleib doch bitte, nur eine Weile.«

Sie schaute ihm in die leuchtend blauen Augen.

»Könntest du nicht zu mir ziehen?«, fragte sie mit flehender Stimme.

Huckle schluckte. »Aber Polbearne ...«, sagte er. »Das war für mich doch nur eine Auszeit und nicht das richtige Leben. Meine Arbeit, meine Stelle hier ... ich kann doch nicht mein Leben lang Honig in Gläser füllen.«

»Manche Leute machen das«, wandte Polly leise ein.

»Das war super, aber mal im Ernst. Und ich kann auch nicht an einem Ort leben, an dem wir uns nur sehen können, wenn es die Gezeiten erlauben.« Er lachte. »Du musst doch zugeben, dass das schon ein bisschen verrückt ist.«

Polly zuckte zurück, als hätte sie etwas gestochen.

»Aber das ist jetzt mein Zuhause«, erklärte sie. »Und es ist sowieso im Gespräch, eine Brücke zu bauen.«

»Eine Brücke?«, sagte Huckle. »Na, das ist doch mal eine brillante Idee!«

Aber ihr Gesichtsausdruck machte ihm ganz schnell klar, dass Polly diese Meinung nicht teilte.

Pollys Rückflugticket war nur noch einen Tag gültig. Als Huckle sie nun in Savannah herumführte, hoffte er, sie würde sich vielleicht in die Stadt verlieben. Polly zeigte sich durchaus höflich und konnte den hübschen Gebäuden auch wirklich etwas abgewinnen, aber es war immer noch furchtbar heiß, deshalb konnte man nicht lange draußen bleiben. Zu bereden gab es eigentlich nichts mehr, daher gingen sie irgendwann einfach wieder ins Bett, liebten sich, weinten, schliefen ein und weinten nach dem Aufwachen erneut, nur um dann wieder von vorn anzufangen.

»Lass mich doch dein Ticket zerreißen«, bettelte Huckle. »Warum lässt du das alles nicht einfach hinter dir? Das hast du doch schon einmal gemacht, und du kriegst es auch wieder hin.«

»Nein, das kann ich nicht«, entgegnete Polly traurig. »Das bin ich Jayden und Mrs Manse einfach schuldig, außerdem hab ich für die Bäckerei so hart gearbeitet. Damit hab ich zum allerersten Mal etwas nur für mich allein getan. Das musst du doch verstehen!«

Huckle nickte, aber es brach ihm das Herz. »Kannst du das denn nicht ein zweites Mal tun? Bestimmt, oder? Jetzt, wo du es doch schon einmal hingekriegt hast?«

»Das denke ich nicht«, sagte Polly. »Und ich darf in den USA ja nicht einmal arbeiten. So etwas könnte ich hier einfach nicht aufziehen.«

»Na, dann mach's eben nicht«, bat Huckle. »Du brauchst hier auch gar nichts zu tun. Komm bloß her und leb in meinem Bett.«

Darüber musste sie dann doch lachen.

»Ich weiß nicht, wie lange das gut gehen würde. Kannst du wirklich nicht mit zurück nach Cornwall ziehen? Du bist doch gut darin, innerhalb von fünf Minuten alles stehen zu lassen und einfach in ein fremdes Land zu gehen.«

Traurig sah Huckle sie an.

»Aber mein Zuhause ist hier ... meine Familie, meine Arbeit, einfach alles ... Ich weiß nicht, ob ich das noch einmal hinter mir lassen kann. Ich bin doch ein erwachsener Mann, langsam sollte ich mich auch mal wie einer benehmen.«

Polly nickte. Das konnte sie verstehen.

Das zwischen ihnen war nichts als ein Traum gewesen, nur eine schöne Fantasie. Leider waren sie keine Teenager mehr, sondern erwachsene Menschen mit Verpflichtungen.

»Ich kann nicht fassen, dass das nur eine Ferienromanze

war«, stammelte Polly und machte sich nicht einmal die Mühe, sich die Tränen von der Wange zu wischen.

»Das ... das war es doch gar nicht«, sagte Huckle. »Wir finden schon einen Weg. Das müssen wir einfach.«

Als das Taxi vorfuhr, um Polly zum Flughafen zu bringen, klammerten sie sich aneinander.

»Vielleicht sollten Sie ja lieber hierbleiben«, versuchte der Taxifahrer zu helfen.

»Bleib«, bettelte Huckle. »Bitte, das kann es nicht gewesen sein. Das darf es einfach nicht gewesen sein. Nicht schon wieder.«

Sie blickte ihn an.

»Meinst du nicht, dass wir es nur noch schlimmer machen?«, fragte sie. »Wenn wir uns ... da was einreden? Uns was vormachen?«

Heftig schüttelte Huckle den Kopf.

»Nichts kann schlimmer sein als das hier!«, sagte er.

Und dann standen sie einfach nur da, der Taxifahrer sah seufzend auf das Taxameter, und die anderen Autos umrundeten seinen Wagen mit wütendem Hupen.

»Ich will nicht, dass du gehst«, sagte Huckle.

»Und ich will ja auch gar nicht«, antwortete Polly.

»Entweder oder«, drängte der Fahrer. »Aber Sie müssen sich schon entscheiden, die Uhr läuft nämlich.«

Huckle musste sämtliche Willenskraft zusammenkratzen, um dem Taxi nicht hinterherzusprinten und Polly auf der 8th Avenue aus dem Wagen und zurück in seine Arme zu zerren. Er erwartete eigentlich, dass sie jede Sekunde herausspringen und zu ihm zurücklaufen würde. Aber das tat sie nicht.

Völlig taub und wie erstarrt lehnte sich Polly mit dem Rücken gegen den kratzigen alten Ledersitz des grün-weißen Taxis und starrte ins Leere. Inzwischen war sie selbst zum Weinen zu erschöpft.

Kapitel 33

Wenigstens hatte sie die Arbeit, aber Polly hatte auch noch andere Dinge im Kopf. Sie beschloss, etwas von dem Geld aus dem Verkauf der Wohnung in Plymouth in eine Anzahlung zu stecken, für ... na ja, vielleicht war die Idee ja albern, sie würde den Zuschlag niemals kriegen. Freunde von Samantha und Henry hatten bereits erwähnt, wie fantastisch es doch wäre, in so einem extravaganten Gebäude zu leben. Deshalb versetzte es Polly jedes Mal einen kleinen Stich, wenn sie mit Neil am Leuchtturm vorbeikam, zu seinen kleinen Fenstern hinaufschaute und seinen verblichenen Streifen. Bald würde ihn sich jemand als Spielzeug kaufen, um darin die Ferien zu verbringen und damit anzugeben, wo sie doch so gerne das ganze Jahr über darin leben würde. Da war sie sich hundertprozentig sicher.

Sie fragte sich, was Huckle wohl davon hielte, und verdrängte den Gedanken dann mit einem Achselzucken. Er schickte ihr jeden Tag E-Mails und rief auch an. Heute Morgen hatte sie von ihm ein Gedicht bekommen, und sie zog inzwischen ernsthaft in Erwägung, den Kontakt einfach abzubrechen, weil es viel zu wehtat.

Ich ziehe sieben Kreise, du meine Liebe
damit es dir besser geht
Den grauen Kreis des Brots
Und den Kreis aus Bier
Ich stampfe Butter zu einem goldenen Ring
Ich tanze, wenn du die Fiedel spielst
Und ich drehe mein Gesicht mit dem Lauf der Sonne, bis
   deine Füße vom Feld heimkehren
Dann wirft meine Lampe einen Lichtkreis
Und du liegst eine Stunde lang im warmen,
   ungebrochenen Kreis meiner Arme

Sie hatte das Gedicht zwanzig Minuten lang angestarrt und ihren Brotteig dann so heftig geknetet, dass sie sich beinahe die Schultern ausgekugelt hätte.

Jetzt saß sie auf der Hafenmauer, schaute in den goldenen Sonnenuntergang und winkte den Fischern auf ihrem Weg zur Arbeit zu. Dave war inzwischen tief gebräunt und nahm glücklich am Geplänkel seiner Kollegen teil. Jayden machte jeden Tag Sandwiches, brachte sie seinen alten Kollegen zu einem Sonderpreis zum Kutter raus und hielt mit ihnen ein Schwätzchen. Polly fragte sich dann, ob er das Fischen vermisste, aber er hatte allein bei der Vorstellung so herzhaft gelacht, dass sie das Thema nicht mehr ansprach. Ehrlich gesagt stellte sich Jayden als der geborene Bäcker heraus und sah auch jeden Tag mehr wie einer aus.

Irgendwann ging Polly nach Hause und schaute sich auf Facebook Kerensas skurrile Fotos von ihrer Hochzeitsreise an, dann machte sie sich eine Kleinigkeit zu essen und las das Gedicht nur noch etwa acht- oder neunmal. Nach dem Essen schleppte sie sich in den Pub, zu einem der zahllosen Treffen, bei denen über den Widerstand gegen die Brücke diskutiert wurde. Samantha wies darauf hin, dass sie vor allem deshalb immer wieder solche Treffen einberief, weil es bislang eben noch keine Genehmigung für ein Brücke gab, also funktionierte ihr Ansatz wohl. Die Neuzugezogene brachte ihr Baby mit, Muriel auch, und Polly dachte an den anstehenden Sommer und daran, wie viel sich hier im Laufe des vergangenen Jahres verändert hatte.

Daher war sie in Gedanken meilenweit weg und bekam gar nicht mit, was Samantha so sagte.

»Und, was meinst du dazu?«, fragte die Polly nun unvermittelt.

»Äh, ja, gut«, murmelte Polly und versuchte so zu tun, als wüsste sie, worum es gerade gegangen war.

»Das wäre also entschieden!«, rief Samantha aus, worauf allseits gestöhnt wurde. »Pollys Stimme hat den Ausschlag gegeben.«

»Wozu hab ich denn gerade Ja gesagt?«, fragte Polly besorgt Jayden, der auf dem Weg zur Theke wütend zu ihr rübersah.

»Zum Sit-in«, erklärte er. »Wobei es wohl eher ein Stand-in wird. Samantha bringt die Medien her, und wir müssen Hand in Hand auf dem Fahrdamm stehen, um den Bau der Brücke zu stoppen.«

»Aber dabei ertrinken wir doch!«, protestierte Polly. »Diese Idee ist lächerlich und beweist ja gerade das Gegenteil, dass wir eben doch eine Brücke brauchen!«

»Ich weiß«, stimmte Jayden trübselig zu.

»Und jetzt im Frühling ist das Wasser eiskalt!«

»Genau, und ich würde so gerne mal in eine Disko gehen.«

»Und warum machst du das nicht endlich?«, fragte Polly ein wenig entnervt. »Buch einfach ein Bed and Breakfast oder so.«

Jayden runzelte die Stirn. »Mensch!«, rief er dann aus, »das könnte ich ja wirklich. Ich hab ja jetzt all das Geld!«

»Woher das denn?«, fragte Polly und kniff die Augen zusammen. Er bekam von ihr schließlich nur den Mindestlohn.

»Na, von dem, was ich jetzt verdiene!«, erklärte Jayden glücklich.

»Damit willst du mir aber nicht sagen, dass du als Fischer noch weniger bekommen hast, oder?«

»Viel weniger«, sagte Jayden. »Wow, ein Bed and Breakfast. Stell dir mal vor, da kriegt man sogar Frühstück und so.«

»Ja«, seufzte Polly, »ja, das kriegt man da wohl.«

Man hatte sich auf Ostern als Datum für die Menschenkette geeinigt. Das war der erste wichtige Feiertag und der Beginn der Vorsaison. Außerdem würde drei Tage später der Gemeinderat tagen. Die Leute aus dem Ort würden sich auf dem Fahrdamm aufbauen, sobald morgens die Ebbe einsetzte, und dort mit Bannern und Songs bis zur nächsten Flut nachmittags um fünf ausharren. Damit hatten sie dann hoffentlich ihren Standpunkt klargemacht.

Kerensa und Reuben unterbrachen dafür extra ihre Flitterwochen und kamen von ihrem momentanen Aufenthaltsort eingeflogen, Porto Cervo auf Sardinien. Kerensa hatte sich bei Polly darüber beklagt, dass reiche Frauen alle unausstehlich waren und dass Reuben ständig versuchte, ihr überaus scheußliche Handtaschen zu kaufen. Irgendwann hatten sie sich stattdessen auf jede Menge Sex geeinigt. Polly vermutete hinter ihrer Stippvisite nicht nur rein solidarische Gründe, vermutlich freute sich Reuben auch einfach auf die Gelegenheit, ein wenig mit der *Riva* herumzuflitzen.

Inzwischen wurde es morgens wieder früher hell, Polly war zu einem leuchtend rosafarbenen Himmel aufgestanden und backte nun extra viele Brötchen für das Grillfest, das nach der Menschenkette am kleinen Kiesstrand stattfinden sollte.

Im Pub hatte sie zufällig mitbekommen, wie sich Lance von der Immobilienagentur darüber beklagt hatte, dass er den Leuchtturm wohl erst dann loswerden würde, wenn endlich die verdammte Brücke stand, und machte sich deshalb leise Hoffnungen.

Was für ein wunderschöner Morgen, dachte sie und pfiff vor sich hin, als aus den Öfen jener Duft aufstieg, dessen sie nie überdrüssig wurde. Sie freute sich auf ihre Freunde, denn sie hatte eine ganze Truppe aus Plymouth überredet, heute dabei zu sein. Eventuell würde sogar Chris kommen. Er hatte wohl eine neue Freundin, eine radikale Künstlerin mit jeder Menge Nasenpiercings, die Bilder mit Blut malte. Das klang doch irgendwie vielversprechend. Jetzt kam Neil zu ihr herüber, Polly zauste ihm liebevoll das Gefieder und drückte ihm einen raschen Kuss auf den Schnabel.

»Der Tag wird schön, Neil«, sagte sie leise und schaute aus dem Fenster der Bäckerei gen Osten, wo die hellgoldenen Strahlen gerade auf dem Wasser zu tanzen begannen und dann ihren Weg zu den Fischkuttern fortsetzten, die Polly jetzt nahen hörte. So viel hatte sich in Polbearne dann eben doch nicht geändert, und ihretwegen konnte das ruhig so bleiben. Zum hundertsten Mal fragte sie sich, ob sie sich nicht doch allmählich in Mrs Manse verwandelte.

KAPITEL 34

Es musste jetzt sein, das wusste Huckle, ehrlich gesagt hatte er das schon lange gewusst. Noch nicht einmal auf das Gedicht hatte er eine Antwort erhalten, dabei hatte er ganz fest damit gerechnet. Er hatte sich so sehr gewünscht, Polly würde sich daraufhin in den nächsten Flieger setzen, dass er beinahe zum Flughafen gefahren wäre, verdammt noch mal. Aber nein. Jetzt musste er mit diesem Teil seines Lebens abschließen und dann nach vorne sehen.

In Savannah lief für ihn alles wie am Schnürchen, er hatte bei der Arbeit mehr zu tun denn je und hätte jeden Abend ausgehen können, wenn er wollte. Das tat er allerdings selten. Er musste es jetzt einfach hinter sich bringen, er hatte es schon viel zu lange vor sich hergeschoben. Huckle schloss die Bürotür und wählte die Neun für Auslandsgespräche.

Zunächst das Haus. Er meldete sich bei seinem Makler, der begeistert zur Kenntnis nahm, dass ein Mietobjekt in dieser neuerdings so gefragten Gegend frei wurde. Schließlich war Polbearne jetzt absolut angesagt und wurde gerne in Sonntagsbeilagen der Zeitung vorgestellt. Offenbar hatte das Maklerbüro eine ellenlange Liste von Interessenten, die im Leben einen Gang runterschalten wollten und sich in die urige Gegend verliebt hatten. Für die wäre Imkerei wohl der nächste logische Schritt.

Huckle bestellte bei seiner Assistentin einen Kaffee und rief dann die Zeitarbeitsfirma an, um den Vertrag für den Imker zu kündigen. Es würden schon nächste Woche neue Mieter einziehen, daher reichte es wohl, wenn sein Ersatz da ein letztes Mal vorbeischaute.

Die Frau am anderen Ende der Leitung wirkte verwirrt.

»Entschuldigen Sie bitte, Mr Skerry, aber der Auftrag wurde doch zurückgezogen.«

»Äh, nein?«, erwiderte Huckle.

»Doch, der Vermerk ist ganz eindeutig. Mr Marsden ist hergekommen und hat erklärt, dass Sie ihn nicht mehr brauchen. Er arbeitet inzwischen auch nicht mehr für uns, persönlich nach der Sache fragen kann ich ihn also nicht. Aber wir haben ja schon seit Monaten niemanden mehr zu Ihnen rausgeschickt.«

Huckle dankte der Frau und überlegte fieberhaft. Polly hatte ihm doch Honig mitgebracht, als sie zur Hochzeit gekommen war, und der war frisch gewesen. Nicht nur frisch, sondern so köstlich, dass er sich vorgenommen hatte, dem Typen von der Zeitarbeitsfirma dazu zu gratulieren. Aber nach dem ganzen Drama mit Polly hatte er das völlig vergessen.

Wie um alles in der Welt ...

Und dann dämmerte es ihm. Was war er nur für ein Idiot! Plötzlich sah er Polly klar und deutlich vor seinem inneren Auge. Er sah, wie sie den Pfad entlangmarschierte – und jetzt fiel ihm auch wieder ein, wie schön die Bäume dort waren –, und zwar bei Regen oder Sonnenschein. Neben all der Arbeit, die sie sowieso schon hatte, kümmerte sie sich auch noch um seine Bienen. Plötzlich musste Huckle Tränen wegblinzeln. Monatelang hatte er gedacht, dass sie in eine Erinnerung, einen Geist verliebt sei. Und während all dieser Monate war sie durch Nässe und Schlamm gewatet, quer durch die Felder bis zu seinem Häuschen marschiert, nur um sich um seine verdammten Bienen zu kümmern.

Huckle sah sich in seinem Büro um – so langsam verlor die neue Geschäftigkeit auch ihren Reiz. Er dachte an die überfüllten Autobahnen und die klebrig schwülen Abende, daran, wie eng sich die Krawatte um seinen Hals anfühlte. Seine Kumpel schickten ihm Nachrichten, weil sie mit ihm zum Basketball wollten, Akten stapelten sich auf seinem Schreibtisch, er hatte seiner Mutter versprochen, am Sonntag mit ihr in die Kirche zu gehen, und er war zur Hochzeit von Candice und Ron eingeladen, die genauso übertrieben zu werden drohte wie die von Reuben – um ihn herum türmte sich sein Leben auf, umzingelte ihn, und er konnte an nichts anderes mehr denken als an diese blöden Bienen. Na ja, etwas anderes gab es da schon noch.

Ohne zu merken, was er da tat, löste er seine Krawatte.

»O Mann«, sagte er zu sich selbst und fuhr sich mit den Händen durchs Haar. »Mann. Susan!«

Mit hoffnungsvollem Blick brachte ihm seine Assistentin den Kaffee. Sie war bis über beide Ohren in ihn verliebt.

»Äh, ich muss wohl ...«

Er wusste nicht, was er sagen sollte. Auch beim letzten Mal hatte er sich heimlich, still und leise aus dem Staub gemacht, hatte sich selbst eine Auszeit gegönnt. Dieses Mal schien sein Körper ihn da gar nicht mehr zu fragen, seine Beine schienen sich wie aus eigenem Antrieb zu bewegen. Er konnte es nicht fassen, dass er schon wieder einfach abhaute, aber so war es wohl.

»Also, ich hab da noch ... ein paar Dinge zu klären.«

»Irgendwas, womit ich Ihnen behilflich sein könnte?«
Huckle schüttelte den Kopf.
»Äh, nein. Wohl eher nicht ... nein. Oder doch ... könnten Sie mir vielleicht ein Taxi zum Flughafen bestellen?«

Huckle sagte niemandem Bescheid, sprach mit keinem, hielt nicht einmal einen Moment inne, um über die ganze Sache nachzudenken. Im Flieger schlief er fast gar nicht, aber auf der langen Zugfahrt von London nach Looe dafür umso fester. Zum Glück entdeckte der Schaffner sein Fahrziel auf der Sitzplatzreservierung und weckte ihn rechtzeitig durch sanftes Rütteln. Huckle hätte ihn küssen können.

Auf dem Weg zu seinem Häuschen redete der Taxifahrer ununterbrochen davon, wie beliebt Mount Polbearne jetzt wurde und dass es Pläne für eine Brücke gab, die alles verändern würde. Der Frühling war da, und am Rand der sich windenden Straßen blühten überall weiße und rosafarbene Blumen. Zwischen den sanften Hügeln glitzerte das Meer. Huckle seufzte. Er hatte völlig vergessen, wie schön es hier war.

Das Taxi bog auf den Pfad zur Imkerhütte ab, konnte aber irgendwann nicht mehr weiterfahren. Huckle bedankte sich beim Fahrer und stieg dann mit seiner ledernen Reisetasche aus. Nach der endlosen Reise waren seine Glieder bleischwer, über den dicken Blätterteppich humpelte er den vertrauten Weg eher, als dass er gegangen wäre.

Am Tor des kleinen Hauses verharrte er einen Moment und stellte die Tasche ab. Dann zog er Schuhe und Strümpfe aus, um mit den nackten Füßen im kühlen, sanften Gras zu versinken. Endlich vernahm sein Ohr wieder das beruhigende Murmeln des kleinen Baches und das leise, sanfte Summen der Bienen.

»Hey, Leute!«, murmelte er vor sich hin, und nun verspürte er nicht mehr nur Müdigkeit, sondern auch unglaubliche Erleichterung.

Eigentlich überraschte es ihn gar nicht, als er entdeckte, dass jemand die Imkeranzüge säuberlich abgewaschen und dann ordentlich aufgehängt hatte. Die Bienenstöcke waren in perfektem Zustand, jemand hatte das Wachs entfernt und den Honig geerntet. Huckle sah zu den Bäumen mit den Lichterketten hinauf und dachte an den Abend zurück, an dem er hier zusammen mit Polly Met getrunken hatte. Er lächelte. Wollte er wirklich seine Met-Träume für einen gut bezahlten Job in einem Büro mit Klimaanlage aufgeben? Nein! Nein, nein, nein!

Blitzschnell zog Huckle den schicken Anzug aus, mit dem er gereist war, stellte sich kurz unter die Dusche und schlüpfte dann mit plötzlich neuem Schwung in Jeans und ein altes T-Shirt.

Um Zeit zu sparen, drückte er sich einfach ein Stück Zahnpasta in den Mund, rannte dann aus dem Haus und schloss nicht einmal hinter sich ab. Gott sei Dank sprang das Motorrad sofort ohne Probleme an, Huckle war inzwischen nämlich längst nicht mehr in der Lage, einen klaren Gedanken zu fassen. Er dachte nicht nach, er plante nichts, er tat hier überhaupt nichts Logisches.

Und das fühlte sich einfach toll an.

Endlich sauste er die schmalen Straßen entlang, verfehlte nur ganz knapp einen riesigen Lkw mit Schutt und kam dann mit dröhnendem Motor vor dem Fahrdamm zu stehen. Die Flut hatte bereits eingesetzt, und ein Schild warnte davor, dann den Damm noch zu betreten, aber das scherte ihn jetzt nicht. Die vielen Autos und Lieferwagen, die hier geparkt hatten, manche mit dem Logo eines Fernsehsenders, ignorierte er. Es standen merkwürdig viele Leute herum, aber Huckle interessierte nur eins: schnell rüber, bevor der Weg unpassierbar wurde.

Und dann entdeckte der Amerikaner mitten auf dem Damm eine endlose Schlange von Menschen. Ganz Polbearne stand vom Festland bis zum kleinen Ort auf der Insel aufgereiht und hielt sich an der Hand.

»Was ist denn hier los?«, fragte er Muriel, die er mit einem niedlichen Baby in einer Trageschlinge ganz am Anfang der Menschenkette entdeckte.

»Huckle!«, schrie die Verkäuferin. »O mein Gott, du bist wieder da! Polly steht ganz am anderen Ende!«

»Aber was macht ihr denn bloß?«

»Wir demonstrieren, weil wir keine Brücke wollen!«

»Keine Brücke, keine Brücke!«, skandierte nun die Menge, während die Fernsehleute eifrig filmten.

Huckle packte Muriel am Arm, und ein breites Grinsen legte sich über seine Züge.

»Ja, genau!«, nickte er. »KEINE BRÜCKE, KEINE BRÜCKE!«

Aber er konnte sehen, dass das Wasser seitlich schon über den Rand des Fahrwegs schwappte. Besorgt blickte er das Baby an.

»Wie lange wollt ihr hier noch stehen bleiben?«, fragte er.

»Ich weiß, ich weiß, die Aktion ist ja so gut wie vorbei«, erklärte Muriel, und in diesem Moment rief auch schon jemand übers Megafon: »Fahrdamm räumen! Fahrdamm räumen! Mount Polbearne für immer!« Huckle erkannte die Stimme von Samantha.

Auf seiner Seite strömten die Leute nun aufs Festland, und er musste sich durch die Menge kämpfen.

»Hey, nein, jetzt ist Schluss«, verkündete Jayden, der in seiner Leuchtweste ganz diensteifrig wirkte. »Na, hören Sie mal ... Oh, du bist das!«

»Genau«, sagte Huckle.

»Also, wir müssen den Damm alle bis um fünf geräumt haben. Komm schon, so sind die Regeln.«

»Aber ich will doch nur zu Polly.«

»Die ist auf der anderen Seite – du kannst sie morgen früh sehen.«

Inzwischen lief das Wasser schon über die Pflastersteine, und alle beeilten sich, weil sie nasse Füße bekamen.

»Ich will nur noch schnell da rüber.«

»Das schaffst du nicht mehr«, mahnte Jayden. »Und weil ich auf dieser Seite bleibe, kann ich dich auch leider nicht mit dem Boot fahren.«

»Das geht schon.«

»Nein, das geht eben nicht«, knurrte Jayden. »Das Wasser ist eiskalt, jetzt sei doch kein Idiot.«

Huckle grinste. »Die Zeiten sind vorbei, jetzt bin ich eben kein Idiot mehr«, sagte er. »Na ja, mal abgesehen von diesem Augenblick.«

Damit schüttelte er Jayden einfach ab und drängelte sich wieder gegen den Strom durch die Menge. Er rief ihren Namen – »Polly! Polly!« –, aber er konnte sie nicht entdecken.

Polly war eine der Letzten, die auf der Mount-Polbearne-Seite den Fahrdamm verließen. Es hatte ein ziemliches Gedränge gegeben, und sie hatte gewartet, um andere vorzulassen, vor allem Leute mit Kindern. Die Einwohner von Mount Polbearne fürchteten sich davor, nach Einbruch der Flut noch auf dem Damm zu sein, aber sie wusste, dass diese fast abergläubische Angst durchaus berechtigt war.

Allerdings trug sie heute nur Flipflops, wenigstens um ihre Schuhe musste sie also keine Angst haben. Das kalte Wasser leckte an ihren Zehen. Der Sonnenuntergang würde spektakulär werden. Polly schaute zu den Häusern des Städtchens hoch, die aussahen, als würden sie in Flammen stehen, und lauschte dem Lachen und Plappern der Menschen um sie herum, die sich über den Erfolg der Aktion freuten. Die Resonanz war fantastisch gewesen, und auf dem Damm hatten sich die Leute nur so gedrängelt. Patrick hatte der Zeitung noch ein Interview gegeben, es waren also alle zufrieden.

Am Anfang hörte sie ihn nicht, aber irgendwann trug der Wind dann eine Stimme zu ihr herüber. Obwohl das Wasser jetzt ungemütlich hoch stand, blieb Polly stehen, drehte sich um und schaute zum Umriss in der Ferne hinüber. Irgendwer war immer noch da draußen. Dann erkannte sie ihn, und ihr blieb das Herz stehen.

Alle anderen waren verschwunden, der Fahrdamm war jetzt gesperrt, aber Huckle war noch da. Er war hier, das allein zählte, und Polly begann zu rennen.

Und er lief genauso schnell auf sie zu, mit demselben entschlossenen Gesichtsausdruck starrte er zu ihr herüber. Das Wasser spritzte nur so um ihre Knöchel, und die Sonne war ein riesiger glühender Ball am von rosa Streifen durchzogenen Himmel, als sie sich auf der Mitte des Damms trafen. Ohne eine Sekunde zu zögern oder ein Wort zu sagen, hob Huckle sie hoch, als wäre sie leicht wie eine Feder. Er wirbelte sie herum, dann küsste er sie auf den Mund, und sie küsste gierig zurück. Es war, als hätten sie sich niemals getrennt, als wäre das hier noch derselbe Kuss wie damals auf der Trauerfeier. Er hatte dieselbe Macht, die gleiche Wucht.

Huckle fühlte sich wie ein Mann, der in der Wüste zu verdursten gedroht hatte und nun ein Glas Wasser heruntergeschüttete. Und Polly konnte überhaupt keinen klaren Gedanken mehr fassen.

Erst als das Wasser bereits seine Oberschenkel erreichte, löste sich Huckle widerwillig von ihr.

»Ich glaube, wir sollten uns lieber vom Acker machen«, sagte er und setzte sie sanft ab. Polly lachte über die kalten Fluten.

Von beiden Ufern trieb man sie lautstark an, als sie mit verlegenem Lachen Hand in Hand in Richtung Polbearne wateten. Die Flut stieg in unglaublichem Tempo, und als schließlich helfende Hände die beiden an Land zogen, reichte ihnen das Wasser bereits bis zur Brust. Archie hielt ihnen eine Standpauke, aber sie sahen einander nur an und kicherten wieder. Polly konnte einfach nicht fassen, dass Huckle hier war, vor ihr stand und ihr sein Farmersjungengrinsen schenkte. Am liebsten hätte sie die Finger in seinem dichten maisgelben Haar vergraben.

»Darf ich jetzt einen eher mäßigen Spruch über nasse Klamotten bringen, die wir lieber so schnell wie möglich ausziehen sollten?«

»Du«, sagte Polly, »darfst einfach alles.«

Sie nahm ihn mit in ihre Wohnung, die ihr so viel bedeutete und die Huckle mit ihrem Seeblick in seinen Träumen verfolgt hatte. Jetzt wurde das reine, saubere Blau vor den Fenstern langsam dunkler. Die Kutter waren alle ausgelaufen. Gut. Polly schloss Neil im Bad ein und war dann doch wieder ein bisschen nervös, als sie zurückkehrte.

»Hast du Hunger?«, fragte sie.

»Ich weiß nicht so recht«, sagte Huckle. »Ja.«
Sie holte frisches Brot und ein Glas Honig.

Später schmiegte sich Polly unter der Decke glücklich und zufrieden an Huckle und sog seinen wunderbaren Duft ein. Sie streichelte über die goldenen Härchen auf seiner Brust – wie schön er doch war! – und fiel in tiefen Schlaf.

SCHLUSSWORT

»Im Ernst?«

»Im Ernst!«

Erstaunlicherweise hatte schließlich das Foto von ihnen beiden im Wasser den Ausschlag gegeben, von ihrer innigen Umarmung vor dem Sonnenuntergang.

AUS LIEBE FÜR MOUNT POLBEARNE hatte die Schlagzeile gelautet, beim Kommunalrat war mit fünf zu drei Stimmen gegen die Brücke gestimmt worden, und damit war die Sache gegessen. Lance hatte einmal tief geseufzt und den Preis für den Leuchtturm dramatisch gesenkt.

Nun standen sie im Turm ganz oben, in einem Raum, der ringsherum Fenster hatte. Deshalb hatte man hier das schwindelerregende Gefühl, sich draußen auf dem Meer zu befinden oder wie ein Vogel darüber zu schweben. Im Turm gab es denselben unebenen Holzfußboden wie in Pollys Wohnung (die sie vielleicht in ein Café verwandeln wollte), und die Farbe blätterte von den Wänden ab. Neil flatterte fröhlich durchs Zimmer.

»Wo kriegen wir denn nur runde Möbel her?«, fragte Huckle. Polly wusste jedoch, dass er genauso begeistert war wie sie. Der Turm war marode, chaotisch und ein wenig heruntergekommen – aber das hätte man von ihnen ja auch sagen können, wie Polly bemerkt hatte. Und sie kamen doch ganz gut zurecht. Außerdem konnte Huckle ihr sowieso nichts abschlagen.

»Aber ich bestehe auf einer Feuerwehrstange«, sagte er.

»Was auch immer du willst«, nickte Polly. »Daran könnte ich vielleicht sogar für dich tanzen.«

»Das fänd ich echt gut.« Er lächelte. »Wird dir das Licht nicht fehlen?«

Sie schaute ihn an und blickte dann wieder hinaus auf die wunderschöne, golden wogende See.

»Du bist doch mein Licht«, murmelte sie dann leise, und er zog sie zu sich heran, um das Gesicht in ihrer Mähne zu vergraben.

Über seine Schulter hinweg sah Polly durch eins der riesigen bodentiefen Fenster, dass die kleine Fischereiflotte zu ihrer nächtlichen Arbeit hinausfuhr. Wie immer folgte den Kuttern ein Schwarm Möwen, der vor den heute golden leuchtenden Wolken wütend kreischte. Vor dem Bug von The Tarn sprang etwas spritzend im Wasser herum, ein Fisch oder vielleicht eine Robbe. Das taten sie oft, so als wollten sie spielen. Aber heute Abend kam ihr das irgendwie anders vor, als würde jemand über den Kutter wachen, zum Beispiel der Geist von Tarnie. Natürlich war das ein bescheuerter Gedanke, aber sie konnte ihn nicht abschütteln, als sie hier in den Armen ihrer großen Liebe stand.

»Gute Fahrt«, murmelte sie zu den kleinen Schiffen und ihrer Besatzung hinunter und dachte an Tarnies Lied zurück:

Ich wünscht, ich wär ein Fischersmann
Und wogte auf dem Meer,
Weit, so weit vom festen Land
Und seinen Sorgen schwer.

Ich würfe meine Angel aus
Mit Leidenschaft und Glut,
Kein Dach, das mir den Atem raubt,
Oben nur Sternenflut.
Und mit dir im Arm
Wär mir so leicht zumut – –
Juchhe!

SUPEREINFACHES WEISSBROT

Das hier ist eine absolute Basisversion. Leichter geht es kaum, das ist genau das richtige Rezept für einen faulen Sonntag, wenn man einfach nur zu Hause rumhängt. Es erlaubt einem ebendieses Rumhängen, während man gleichzeitig noch das Gefühl bekommt, etwas geschafft zu haben. Wenn du je gedacht hast: »Das mit dem Brotbacken ist einfach nichts für mich«, dann solltest du das einfach trotzdem mal probieren.

Simpler kann ein Rezept wirklich nicht sein. Man kann damit eigentlich nichts falsch machen, und schon beim ersten Bissen begreift man, warum manche Leute so gerne backen.

700 g Mehl
1 Päckchen Trockenhefe
400 ml warmes Wasser
1 gestr. EL Salz
1 gestr. EL Zucker

Das Mehl sieben und dann kurz in der Mikrowelle anwärmen (bei mir eine Minute bei 600 Watt). Hefe,

Salz und Zucker hinzufügen, dann auch das Wasser, und alles vermischen.

Den Teig ein paar Minuten auf einer bemehlten Oberfläche kneten, bis er eine schöne, glatte Kugel geworden ist.

Diese Kugel dann zwei Stunden gehen lassen, während du die Zeitung liest oder einen Spaziergang machst.

Noch einmal ein paar Minuten kneten.

Dann wieder eine Stunde gehen lassen, während du ein Entspannungsbad nimmst.

Den Ofen auf 230 Grad vorheizen und eine Brotform ausfetten.

Den Teig darin eine halbe Stunde backen oder bis das Brot hohl klingt, wenn man gegen die Unterseite klopft.

Abkühlen lassen, wenn du es denn so lange aushältst, und dann verschlingen.

KÄSESTANGEN

Noch ein supereinfaches, köstliches Rezept.

Den Ofen auf 200 Grad vorheizen. Ein Blech einfetten oder mit Backpapier auslegen.

Misch dann 120 g weiche Butter mit 450 g geriebenem Käse. (Ich weiß, das ist ganz schön viel. Aber diese Dinger sind für Partys mit vielen Gästen. Ich nehme dafür gerne reifen Cheddar, aber eigentlich tut es jeder Hartkäse – holländische Sorten sind gut. Kein Frisch- oder Schimmelkäse!)

Hinzufügen:
250 g Mehl
1 TL Salz
nach Geschmack Chiliflocken
jede Menge Pfeffer
1 TL Backpulver

Mischen, kneten und den Teig wie die Knete im Kindergarten zu Schlangen rollen. Die Dimensionen überlasse ich dabei euch, aber wenn die Dinger zu dick sind, schmecken sie ein bisschen lahm.

15 Minuten backen, bis sie knusprig sind.

MAISBRATLINGE

Diese Dinger sind das Lieblingsessen von meinem Mann, deswegen kriegt er sie an seinem Geburtstag zum Frühstück. Wenn ich jetzt so darüber nachdenke, könnte ich sie eigentlich öfter mal machen, die sind nämlich echt lecker.

Ein Ei verquirlen.

Einen Esslöffel Wasser hinzufügen, dann eine Tasse Mehl, eine kleine Dose Mais (oder die Hälfte einer großen Dose, oder du verdoppelst die restlichen Zutaten und nimmst die ganze Dose) und einen TL Backpulver.

Nach Wunsch würzen (wir nehmen ordentlich Salz und Pfeffer).

Teig portionsweise in die Pfanne geben und bei mittlerer Hitze braten. Herausnehmen und auf Küchenpapier legen, um etwas von dem Fett aufzusaugen. Wahnsinn!

ZIMTSCHNECKEN

Diese Dinger sind der Hammer, einfach große Klasse. Neben denen wirken die, die man bei dieser *hüstel* großen Kaffee-Kette kaufen kann, echt wie aus Pappe.

1 Tasse Milch
¼ Tasse Butter
1 Päckchen Hefe
¼ Tasse Zucker
1 verquirltes Ei
3 ½ Tassen Mehl
½ TL Salz

Für die Füllung:
1 Tasse braunen Zucker
1 TL Zimt
½ Tasse weiche Butter

Für die Glasur:
Puderzucker
Wasser

Ein großes Backblech mit Backpapier auslegen.

Milch, Butter und Zucker zusammen in einem Topf vorsichtig erwärmen und etwas abkühlen lassen.

Mit der Hefe, dem Ei, dem Salz und zwei Tassen Mehl mischen. Dann langsam das restliche Mehl unterheben.

Fünf Minuten kneten und eine Stunde gehen lassen.

Alle Zutaten für die Füllung mischen.

Den Teig ausrollen und mit der Mischung für die Füllung bestreichen. Dann kommt der lustige Teil: den Teig wie eine Biskuitrolle aufrollen und in Scheiben schneiden.

Diese Scheiben aufs Blech legen und noch einmal eine Stunde gehen lassen, dann 25 Minuten bei 180 Grad backen. Abkühlen lassen (nur ein bisschen, viel länger musst du jetzt nicht mehr warten), dann die Glasur mischen und die Schnecken damit bestreichen. Essen!

FOCACCIA

Mit einem befreundeten Koch hab ich mal ein Focaccia-Wettbacken veranstaltet. Natürlich hat er mich haushoch geschlagen, aber wir konnten dabei einen Ofen draußen im Freien benutzen, der beiden Fladenbroten einen umwerfenden Geschmack verliehen hat. Na ja, wie auch immer, wirf also deinen Ofen an, 220 Grad sorgen für einen tollen Geschmack. (Aber pass auf, dass nichts anbrennt!)

550 g Mehl
1 ½ TL Salz
325 ml lauwarmes Wasser
1 Päckchen Hefe
2 EL Olivenöl
Käse/Rosmarin/oder Belag nach Wunsch

Mehl und Salz mischen.

Die Hefe mit dem handwarmen Wasser mischen. Diese Masse und das Öl zur Mehl-Salz-Mischung geben.

Zehn Minuten kneten. Dann eine Stunde abgedeckt an einem warmen Ort gehen lassen.

Den Teig in eine längliche Form ziehen, etwa 20 x 30 cm, dann noch mal vierzig Minuten gehen lassen.

Mit den Fingern kleine Vertiefungen in den Teig drücken und ihn zwanzig Minuten bei 220 Grad backen.

Aus dem Ofen nehmen und Käse und Kräuter darauf verteilen, noch einmal etwas Olivenöl darüberträufeln. Zum Schluss noch mal fünf Minuten in den Ofen schieben.

BAGELS

Bagels sind ganz schön knifflig, aber leider kann man die da, wo ich wohne, nicht kaufen, und manchmal will ich eben nicht auf sie verzichten.

4 Tassen Mehl
1 EL Zucker
1 ½ TL Salz
1 EL pflanzliches Öl
1 Päckchen Trockenhefe
1 ¼ Tassen lauwarmes Wasser

Aus den Zutaten einen zähen Teig mischen.

Zehn Minuten kneten.

In acht Stücke teilen und diese etwa zwanzig Minuten gehen lassen.

Den Ofen auf 195 Grad vorwärmen.

Aus den Stücken Ringe formen. (Wenn die Enden nicht zusammenkleben wollen, kann man mit ein bisschen Milch nachhelfen.) Noch einmal zwanzig Minuten gehen lassen.

Wasser in einem großen Topf zum Kochen bringen.

Die Bagels einen nach dem anderen VORSICHTIG etwa eine Minute ins Wasser geben und herausnehmen. Dafür eine Grillgabel oder etwas Ähnliches benutzen.

Den Belag auf den Bagels verteilen, zum Beispiel Rosinen oder Zwiebeln (natürlich nicht beides zusammen).

Je zehn Minuten von beiden Seiten im Ofen backen.

SHORTBREAD

So einfach und doch so lecker. Am besten benutzt man hierfür qualitativ hochwertige Butter, aber diese Plätzchen werden so oder so gut. Man kann auch Schokostückchen dazugeben, aber die Mühe mache ich mir meistens nicht. Dieses Rezept kann man gut mit Kindern ausprobieren, obwohl das Warten während der Kühlzeit für die eine ziemliche Tortur sein kann. Sie ist aber leider notwendig, weil das Gebäck sonst zerkrümelt.

150 g Butter
60 g Zucker
200 g Mehl

Zucker und Butter sorgfältig mischen und dann das Mehl hinzufügen, bis alles zu einem weichen Teig wird. Nicht dicker als 1 cm ausrollen und in Rechtecke schneiden.

Mit etwas Zucker bestreuen und dann mindestens eine halbe Stunde im Kühlschrank kalt stellen. Übrigens, wenn ihr beim Kochen und Backen auch nur annähernd so vorgeht wie ich, habt ihr das Rezept vermutlich vorher nicht komplett durchgelesen. Irgendwann erreiche ich nämlich den Punkt, an dem »jetzt vier Stunden marinieren« steht, dabei muss das Essen in zwanzig Minuten auf dem Tisch stehen. Deshalb für Leute wie mich selbst noch einmal klar und deutlich: EINE HALBE STUNDE KALT STELLEN! :-)

In der Zwischenzeit ein Blech mit Backpapier auslegen und den Ofen auf 180 Grad vorheizen.

Die Plätzchen dann 20 Minuten backen oder bis sie goldbraun sind.

Danksagung

Natürlich gilt mein Dank an erster Stelle Ali Gunn und dem ganzen Team von Little, Brown; ganz besonders meiner wundervollen Verlegerin Rebecca Saunders und Manpreet Grewal, die zwar die wundervolle Verlegerin von anderen ist, die ich aber trotzdem regelmäßig mit Fragen löchern darf. Ich danke auch der außergewöhnlichen Emma Williams und der einfach nur tollen Jo Wickham und ihren Teams, dem umwerfenden Duo David Shelley und Ursula Mackenzie, Charlie King, Camilla Ferrier, Sarah McFadden, der Patisserie Zambetti, Alice, dem Gremium, meiner tollen Familie und meinen Freunden hier und überall.

Spitzfindigen Lesern ist vielleicht die Ähnlichkeit zwischen dem Namen einer knurrigen alten Dame im Text und der Romanautorin Jill Mansell aufgefallen – eine böse Racheaktion? Weit gefehlt! Jill ist in jeder Hinsicht eine großartige Frau und hat letztes Jahr bei einer Wohltätigkeitsveranstaltung das Recht ersteigert, als Figur in einem meiner Romane vorzukommen.

Wo wir gerade von Wohltätigkeit sprechen – im Buch ist das Meer allgegenwärtig, und es gibt in England zwei Organisationen, die unter schwersten Bedingungen Seeleute retten. Die eine, die Royal National Lifeboat Institution (www.rnli.org), ist allgemein bekannt. Die andere ist die Fishermen's Mission (www.fishermensmission.org.uk), und die leisten wirklich Großes, um Menschen in diesem schwierigen Berufsfeld zu unterstützen. Teile des Erlöses der Verkäufe dieses Buchs habe ich an diese beiden Organisationen gespendet.

Tarnies Lied, das im Text immer wieder vorkommt, ist der *Fisherman's Blues* von The Waterboys, und ich liebe diesen Song heiß und innig. Wenn ihr dem mal lauschen wollt, könnt ihr das hier tun: www.tinyurl.com/fishermansblues

Ich empfehle euch aber auch das ganze Repertoire der Gruppe.

Die Rezepte im Buch wurden wie immer von mir getestet – im Falle des einfachen Weißbrotes so ungefähr einmal die Woche.

Und wenn ihr möchtet, meldet euch doch gerne mal bei mir über www.facebook.com/thatwriterjennycolgan oder @jennycolgan bei Twitter.

Beste Wünsche von
Jenny XX

»Wenn Sie nur ein einziges Buch in die Ferien mitnehmen wollen, dann sollten Sie dieses einpacken!«

Brigitte

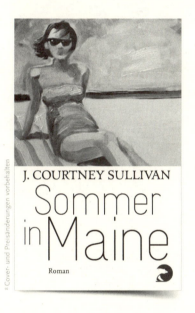

J. Courtney Sullivan
Sommer in Maine
Roman

Aus dem Englischen von
Henriette Heise
Berlin Verlag Taschenbuch,
528 Seiten
€ 9,99 [D], € 10,30 [A]*
ISBN 978-3-8333-0951-9

Ein romantisches Ferienhäuschen an der Küste Neuenglands, vier Frauen, die zusammen den Sommer verbringen: eigentlich paradiesisch, aber zwischen Grandma Alice, Tochter Kathleen, Enkelin Maggie und Schwiegertochter Ann Marie knirscht es gewaltig. Jede bringt die Geister ihrer Vergangenheit mit und keine ist bereit, die lang gehüteten Geheimnisse ans Licht kommen zu lassen. Doch in diesen Wochen werden die Karten auf den Tisch gelegt ... und es wird ein wunderschöner Sommer.

Leseproben, E-Books und mehr unter www.berlinverlag.de